#수능공략
#단기간 학습

수능전략
영어 영역

Chunjae
Makes
Chunjae

▼

[수능전략] 영어 영역 듣기

편집개발   고명희, 권새봄, 최미래, 김미혜, 정혜숙
디자인총괄   김희정
표지디자인   윤순미, 심지영
내지디자인   박희춘, 안정승
제작   황성진, 조규영

발행일   2022년 3월 1일 초판 2022년 3월 1일 1쇄
발행인   (주)천재교육
주소   서울시 금천구 가산로9길 54
신고번호   제2001-000018호
고객센터   1577-0902
교재 내용문의   (02)3282-8837

수능전략

영·어·영·역

듣기

BOOK 1

BOOK 1
1주, 2주

BOOK 2
1주, 2주

BOOK 3
정답과 해설

본 책인 BOOK 1과 BOOK 2의 구성은 아래와 같습니다.

주 도입

본격적인 학습에 앞서, 재미있는 만화를
살펴보며 이번 주에 학습할 내용을 확인해
봅니다.

1일

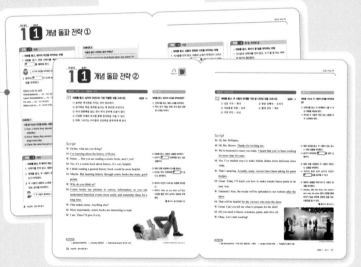

개념 돌파 전략
수능 영어 영역 듣기를 대비하기 위해
꼭 알아야 할 유형 개념을 익힌 뒤,
간단한 문제를 풀며 잘 이해했는지 확인해 봅니다.

2일, 3일

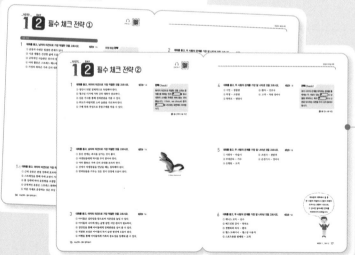

필수 체크 전략
기출 문제에서 선별한 대표 유형 문제와 추가 문제를
풀며 문제에 접근하는 과정과 해결 전략을 체계적으로
익혀 봅니다.

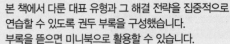

본 책에서 다룬 대표 유형과 그 해결 전략을 집중적으로
연습할 수 있도록 권두 부록을 구성했습니다.
부록을 뜯으면 미니북으로 활용할 수 있습니다.

주 마무리 코너

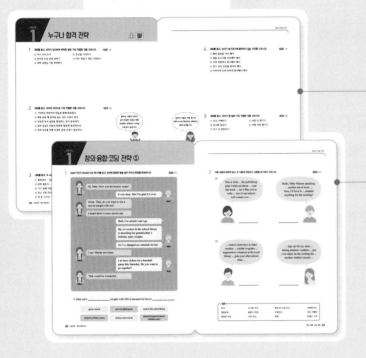

누구나 합격 전략
난이도가 낮은 기출 문제를 풀며
학습 자신감을 높일 수 있습니다.

창의·융합·코딩 전략
수능에서 요구하는 융복합적 사고력과
문제 해결력을 기를 수 있는 재미있는
문제를 풀어 봅니다.

권 마무리 코너

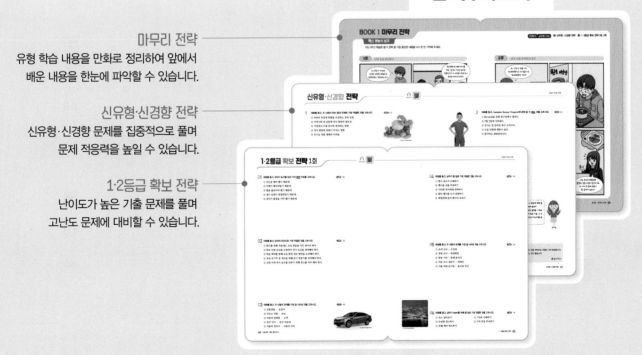

마무리 전략
유형 학습 내용을 만화로 정리하여 앞에서
배운 내용을 한눈에 파악할 수 있습니다.

신유형·신경향 전략
신유형·신경향 문제를 집중적으로 풀며
문제 적응력을 높일 수 있습니다.

1·2등급 확보 전략
난이도가 높은 기출 문제를 풀며
고난도 문제에 대비할 수 있습니다.

이 책의 차례

BOOK 1

파이팅!!

BOOK 2

파이팅!!

Quiz 1 만화 속 두 사람의 관계로 알맞은 것은?
① 엄마와 딸   ② 강사와 제자

답 ②

Quiz 2 여학생이 오늘 운동을 그만하고 싶어 하는 이유는?

① 에너지가 소진되어서   ② 에너지를 공급하기 위해서

답 ①

개념 돌파 전략 ①

유형 01 의견

❖ 대화를 듣고, 화자의 의견을 파악하는 유형

1 대화를 듣기 전에 선택지를 빠르게 읽고, 대화의 ❶[ ]를 예측해 본다.

 누구의 의견을 파악해야 하는지 반드시 확인하세요.

2 화자의 ❷[ ]이 드러나는 표현에 유의하여 정답을 유추한다.

답 ❶ 소재 ❷ 의견

의견이 드러나는 표현
I think(believe) .... 나는 ~라고 생각한다(믿는다).
I don't think(believe) .... 나는 ~라고 생각하지(믿지) 않는다.
I'm sure .... 나는 ~라고 확신한다.
Make sure to .... 꼭 ~하도록 하세요.

CHECK 1

다음 중 자신의 의견을 말하는 사람은?

① Tom: I think they should ban fast food ads on websites.
② Anna: Many dog owners take a walk with their dogs every day.
③ Claire: My sister has got a scar on her arm.

유형 02 주제

❖ 대화를 듣고, 두 화자가 하는 말의 주제를 파악하는 유형

1 선택지를 먼저 읽고, 대화의 소재를 예측한다.

2 대화를 듣고, 두 사람이 무엇에 대해 이야기하고 있는지 파악한다.

3 두 사람이 대화의 소재에 대해 ❶[ ]으로 갖고 있는 생각을 파악한다.

 두 사람이 동의하는 내용을 찾으세요.

답 ❶ 공통

CHECK 2

다음과 같이 시작하는 글의 주제는?

> Make sure to try local food when you travel. It's the best way to get to the heart of the culture.

① 여행할 때 현지 음식을 먹어라.
② 여행할 때 식중독을 조심해라.

유형 03 화자의 관계

❖ 대화를 듣고, 두 화자가 어떤 관계인지 고르는 유형

1 대화를 듣기 전에 선택지를 읽고, 각각의 관계에서 찾을 수 있는 단서들을 예상해 본다.

2 대화 초반에서 두 사람이 있는 장소나 처한 ❶[ ]을 파악한다.

 대화에서 드러나는 단서로 장소를 유추해야 합니다.

3 장소와 상황 정보를 통해 화자들의 ❷[ ]이나 신분을 유추한다.

4 대화의 흐름을 따라가며 유추한 내용을 확인한다. 특히 한 쪽이 상대방에게 어떤 일을 요청할 때 주의 깊게 듣는다.

⑩ • 요리에 대해 설명하는 사람이 상대방에게 좋은 평을 부탁함 → 요리사와 음식 평론가
  • 집 문이 잠긴 사람이 상대방에게 와서 문을 열어줄 것을 부탁함 → 집 주인과 열쇠 수리공

답 ❶ 상황 ❷ 직업

CHECK 3

두 사람의 관계로 적절한 것은?

The sound effects you added made the story feel alive.

Thank you. Your voice acting was also great.

① 성우 – 녹음기사
② 배우 – 팬

유형 04 이유

❖ 대화를 듣고, 상황과 관련된 이유를 파악하는 유형

1 지시문을 먼저 읽고, 대화의 소재가 무엇인지 그리고 어떤 행위에 대한 ❶ [   ]를 찾아야 하는지 대화를 듣기 전에 파악한다.

> 대부분 '~을 하려는 이유' 또는 '~을 할 수 없는 이유'를 찾아야 합니다.

2 대화의 흐름을 따라가며 단서를 찾는다. 지시문에서 파악한 대화의 소재가 직접적으로 언급될 때 특히 유의해야 한다.

3 대화의 후반부에 ❷ [   ]가 설명되는 경우가 많으므로 끝까지 주의 깊게 듣는다.

> 당사자가 아닌 상대방이 제시하는 이유는 매력적인 오답일 가능성이 크므로 주의하세요!

답 ❶ 이유 ❷ 이유

이유를 묻는 표현
Why? 왜?
What's the reason? 이유가 뭐야?
What's the problem? 문제가 뭐야?
Why aren't you ~? 왜 ~하지 않니?
Why can't you ~? 왜 ~할 수 없니?
What happened? 무슨 일이 있었니?

CHECK 4

대화를 읽고, Brian이 영화를 보러 가지 못하는 이유를 고르시오.

> A Brian, will you go to the movies with me tonight? I have free tickets.
> B I'd love to, but I don't think I can. My parents are coming to see me from Canada today.
> A Okay. Maybe next time.

① 용돈을 다 써버려서
② 부모님이 오시기로 해서
③ 부모님 댁에 들러야 해서

유형 05 할 일, 부탁한 일

❖ 대화를 듣고, 화자가 할 일을 파악하는 유형

1 지시문과 선택지를 먼저 읽고, 누가 할 일 또는 부탁한 일인지 확인한다.

2 '누가' 할 일인지에 초점을 맞추어 대화를 듣는다.
예 • 여자가 남자를 위해 할 일 → 남자가 요청하는 일 또는 여자가 남자에게 도움을 제안하는 일에 유의
   • 여자가 남자에게 부탁한 일 → 여자가 요청하는 일 또는 남자가 여자에게 도움을 제안하는 일에 유의

3 결정적 단서가 ❶ [   ]에 나오는 경우가 많으므로 끝까지 주의 깊게 들어야 한다.

답 ❶ 마지막(후반부) ❷ if

부탁하는 표현
Could(Would) you do me a favor?
부탁 좀 들어주겠어요?
Can(Could) I ask you to ~? ~해 주시겠어요?
I wonder ❷ [   ] you can(could) ~.
~해 주실 수 있는지 궁금해요.

도움을 제안하는 표현
What would you like me to do?
제가 무엇을 해 드리면 좋을까요?
Is there anything I can do for you?
제가 도와드릴 일이 있나요?
I'll be / I'm going to ~. 제가 ~을 할게요.

CHECK 5

Sam이 아빠를 위해 할 일은?

> A What would you like me to do, Dad?
> B You could clean the living room or do the dishes.
> A Okay, then I'll do the dishes.
> B Thank you, Sam.

① 거실 청소하기   ② 설거지하기   ③ 동생 돌보기

개념 돌파 전략 ②

전체 듣기

풀이 전략

01 대화를 듣고, 남자의 의견으로 가장 적절한 것을 고르시오. 학평 기출

① 올바른 역사관을 가지는 것이 중요하다.
② 암기력은 학습 효과를 높이는 데 중요한 요인이다.
③ 역사 만화책을 읽는 것이 역사 공부에 도움이 된다.
④ 다양한 주제의 독서를 통해 창의력을 키울 수 있다.
⑤ 만화 그리기는 아이들의 상상력을 풍부하게 해 준다.

대화를 듣고, 화자의 의견을 파악하려면?

① 선택지를 읽고, 대화 소재를 유추한다.
→ 역사, 암기, 학습, 만화, 독서 등과 관련된 소재일 것이다.

Script

W: Dylan, what are you doing?

M: I'm learning about the history of Rome.

W: Hmm .... But you are reading a comic book, aren't you?

M: Yes, it's a comic book about history. It's very helpful.

W: I think reading a general history book would be more helpful.

M: Maybe. But learning history through comic books has many good points.

W: Why do you think so?

M: Comic books use pictures to convey information, so you can understand historical events more easily and remember them for a long time.

W: That makes sense. Anything else?

M: Most importantly, comic books are interesting to read.

W: I see. Then I'll give it a try.

② 대화를 듣고, 대화의 상황을 파악한다.
→ 남자가 ❶[ ] 만화책을 읽고 있는 상황이다.

③ 대화 진행 과정에서 단서를 찾는다.
→ 남자는 역사 만화책에 ❷[ ]이 많다고 생각한다.

④ 화자의 의견이 드러나는 표현에 유의한다.
→ 여자가 "Why do you think so?"라고 의견을 물은 뒤의 남자의 대답에 주목한다.

답 ❶ 역사 ❷ 장점(좋은 점)

© MANDY GODBEHEAR / shutterstock

Words
● general 일반적인 ● convey 전달하다 ● historical event 역사적 사건

유형 03 화자의 관계

02 대화를 듣고, 두 사람의 관계를 가장 잘 나타낸 것을 고르시오. **학평** 기출

① 신문 기자 – 화가
② 방송 진행자 – 요리사
③ 식료품점 직원 – 농부
④ 촬영 감독 – 배우
⑤ 식당 주인 – 손님

Script

W: Hi, Mr. Williams.

M: Hi, Ms. Brown. Thanks for inviting me.

W: We're honored to meet you today. I heard that you've been cooking for more than 30 years.

M: Yes. I've studied ways to make Italian dishes more delicious since 1990.

W: That's amazing. Actually, many viewers have been asking for pasta recipes.

M: Great. Today I'll teach you how to make tomato bacon pasta in an easy way.

W: Fantastic! Also, the recipe will be uploaded to our website after the show.

M: That will be helpful for the viewers who miss the show.

W: Great. Can you tell me what to prepare for the dish?

M: All you need is bacon, tomatoes, pasta, and olive oil.

W: Okay. Let's start cooking!

풀이 전략

대화를 나누는 두 사람의 관계를 파악하려면?

① 선택지를 읽고, 각 관계에서 나올 수 있는 대화를 예상해 본다.
➡ 제시된 두 사람의 직업 또는 신분을 모두 고려해야 한다.

② 대화 초반을 듣고, 두 사람이 있는 장소나 처한 상황을 파악한다.
➡ 남자가 여자에게 ❶ [　　　]를 받은 상황이다.

③ 대화 진행 과정에서 두 사람의 직업이나 신분을 파악한다.
➡ 여자의 말로 보아 남자의 직업이 ❷ [　　　]임을 짐작할 수 있다.

④ 대화의 흐름을 따라가며 두 사람의 관계를 유추한다.
➡ viewers, after the show, the viewers who miss the show 등의 표현을 통해 여자가 방송 제작에 관련된 일을 하는 사람임을 알 수 있다.

답 ❶ 초대 ❷ 요리사

© Sinngern / shutterstock

유형 04 이유

03 대화를 듣고, 여자가 영화를 보고 있는 이유를 고르시오. 수능 기출

① 맡은 배역을 더 잘 이해하고 싶어서
② 훌륭한 영화감독이 되고 싶어서
③ 좋아하는 장르의 작품이어서
④ 주연 배우들을 좋아해서
⑤ 작문 숙제를 해야 해서

Script

M: Ellen, what are you looking at on your smart phone?

W: Hey, John. I'm watching the movie *Romeo and Juliet*.

M: I didn't know you're interested in romantic movies.

W: To be honest, I like action movies.

M: Then, is it for your writing assignment? You said you needed to write a paper on Shakespeare.

W: No, I've already finished it.

M: Well, do you like the actors in the movie?

W: Not really. Actually, I'm going to play Juliet in the school play. And I'm watching this because I want to better understand my role.

M: Oh, that's a good idea. I'm sure it'll help you.

W: I hope so. I really want to do well.

M: Don't worry. You'll do great.

W: Thanks. You should come and watch the play.

Words

● assignment 과제   ● role 배역

풀이 전략

대화를 듣고, 화자가 어떤 일을 하는/하지 않는 이유를 파악하려면?

① 지시문을 읽고, 대화에서 무엇을 중점적으로 들어야 하는지 파악한다.
→ '여자'가 '❶□□□를 보고 있는 이유'를 찾아야 한다.

② 대화를 들으며 여자의 상황을 파악한다.
→ 로맨스 영화를 좋아하지 않지만 보고 있다.

③ 대화 후반부에 이유가 드러나므로 끝까지 주의 깊게 듣는다.
→ 여자는 학교 ❷□□에서 맡을 배역을 잘 이해하기 위해 영화를 보고 있다고 했다. '사실은'이라는 의미의 부사 Actually에 유의한다.

답 ❶ 영화 ❷ 연극

© Getty Images Korea

유형 05 할 일, 부탁한 일

04 대화를 듣고, 남자가 여자를 위해 할 일로 가장 적절한 것을 고르시오. 수능 기출

① 사진 전송하기 ② 그림 그리기
③ 휴대 전화 찾기 ④ 생물 보고서 제출하기
⑤ 야생화 개화 시기 검색하기

풀이 전략

대화를 듣고, 화자가 할 일을 파악하려면?

① 지시문을 읽고, '누가' 할 일인지 파악한다.
→ 남자가 여자를 위해 할 일이다. 따라서 ❶ [   ]가 처한 상황에 주목해야 한다.

Script

M: Hi, Mary. You look worried. What's the matter?

W: Hi, Steve. Remember the report about wildflowers I've been working on?

M: Of course. That's for your biology class, right?

W: Yeah. I was able to get pictures of all the wildflowers in my report except for daisies.

M: I see. Can't you submit your report without pictures of daisies?

W: No. I really need them. I even tried to take pictures of daisies myself, but I found out that they usually bloom from spring to fall.

M: You know what? This spring, I went hiking with my dad and took some pictures of wildflowers.

W: Do you have them on your phone? Can I see them?

M: Sure. Have a look.

W: Oh, the flowers in the pictures are daisies! These will be great for my report.

M: Really? Then I'll send them to you.

W: Thanks. That would be very helpful.

② 여자가 처한 상황에 주목하여 대화를 듣는다.
→ 여자는 보고서에 필요한 ❷ [   ] 사진을 구하지 못한 상황이다.

③ 여자가 요청의 말을 하는지, 또는 남자가 도움을 제안하는 말을 하는지 주의 깊게 듣고 답을 찾는다.
→ 남자는 자신이 찍은 야생화 사진을 여자에게 보내주겠다고 했다.

🔑 ❶ 여자 ❷ 데이지(야생화)

Words

● biology 생물학 ● submit 제출하다 ● take a picture of ~의 사진을 찍다 ● bloom (꽃이) 피다

전체 듣기

대표 유형

1 대화를 듣고, 남자의 의견으로 가장 적절한 것을 고르시오. ＜수능＞ 기출

① 운동과 숙면은 밀접한 관계가 있다.

② 시골 생활은 건강한 삶에 도움이 된다.

③ 규칙적인 식습관은 장수의 필수 조건이다.

④ 야외 활동은 스트레스 해소에 효과적이다.

⑤ 가정의 화목은 가족 간의 대화에서 시작된다.

유형 해결 **전략**

Step 1
선택지를 먼저 읽고, ❶ [　　　]의 소재를 유추한다.

- - - - - - - - - - - - - - -

Step 2
대화를 듣고, 대화가 이루어지는 ❷ [　　]을 파악한다.

- - - - - - - - - - - - - - -

Step 3
의견을 나타내는 표현에 유의하며 대화 과정에서 단서를 찾는다.

🔑 ❶ 대화 ❷ 상황

1-1 대화를 듣고, 여자의 의견으로 가장 적절한 것을 고르시오. ＜학평＞ 기출

① 근력 운동은 관절 강화에 효과적이다.

② 스트레칭을 통해 자세 교정이 가능하다.

③ 몸 상태에 따라 운동량을 조절할 필요가 있다.

④ 규칙적인 운동은 스트레스 완화에 도움이 된다.

⑤ 바른 자세로 운동하는 것은 부상 위험을 줄인다.

2 대화를 듣고, 두 사람의 관계를 가장 잘 나타낸 것을 고르시오. 모평 기출

① 정원사 – 파티 플래너
② 꽃집 점원 – 식당 주인
③ 꽃꽂이 강사 – 수강생
④ 식물학 교수 – 행정실 직원
⑤ 잡지 편집장 – 음식 칼럼니스트

유형 해결 전략

Step 1
선택지를 먼저 읽고, 각 관계에서의 대화를 예상해 본다.

Step 2
대화 초반을 듣고, 대화가 이루어지는 ❶ 을 파악한다.

Step 3
대화 진행 과정에서 단서를 찾아 두 사람의 ❷ 이나 신분을 파악한다.

답 ❶ 상황 ❷ 직업

2-1 대화를 듣고, 두 사람의 관계를 가장 잘 나타낸 것을 고르시오. 수능 기출

① 모델 – 사진작가
② 기증자 – 박물관 직원
③ 영화 관람객 – 티켓 판매원
④ 인테리어 디자이너 – 건축가
⑤ 고객 – 가구점 직원

필수 체크 전략 ②

1 대화를 듣고, 여자의 의견으로 가장 적절한 것을 고르시오. 학평 기출

① 성인이 되면 경제적으로 독립해야 한다.
② 청소년 시기에 가족 간의 대화가 중요하다.
③ 신문 기사를 통해 경제관념을 기를 수 있다.
④ 부모가 바람직한 소비 습관을 가르쳐야 한다.
⑤ 구매 목록 작성으로 충동구매를 막을 수 있다.

전략 Check!

화자의 의견으로 적절한 것을 고르는 문제를 풀 때에는 먼저 ❶⬜⬜⬜를 읽고 대화의 소재를 추측한 뒤에 듣는 것이 좋습니다. I think, we should 등의 ❷⬜⬜을 나타내는 표현에도 유의합니다.

답 ❶ 선택지 ❷ 의견

2 대화를 듣고, 남자의 의견으로 가장 적절한 것을 고르시오. 모평 기출

① 등산 전에는 과식을 삼가는 것이 좋다.
② 야생동물에게 먹이를 주지 말아야 한다.
③ 야외 활동은 가족 간의 유대를 돈독히 한다.
④ 산에서 야생동물을 만났을 때는 침착해야 된다.
⑤ 반려동물을 키우는 것은 정서 안정에 도움이 된다.

© Dimj / shutterstock

3 대화를 듣고, 여자의 의견으로 가장 적절한 것을 고르시오. 모평 기출

① 아이들은 집안일을 함으로써 자존감을 높일 수 있다.
② 아이들의 나이에 맞는 균형 잡힌 식단 관리가 필요하다.
③ 집안일을 통해 아이들에게 경제관념을 심어 줄 수 있다.
④ 적절한 보상은 아이들의 독서 습관 형성에 도움이 된다.
⑤ 여행을 통해 아이들에게 가족의 중요성을 일깨워 줄 수 있다.

4 대화를 듣고, 두 사람의 관계를 가장 잘 나타낸 것을 고르시오. [수능] 기출

① 시민 – 경찰관　　　② 환자 – 간호사

③ 학생 – 소방관　　　④ 고객 – 차량 정비사

⑤ 학부모 – 영양사

5 대화를 듣고, 두 사람의 관계를 가장 잘 나타낸 것을 고르시오. [수능] 기출

① 사회자 – 마술사　　　② 조련사 – 관람객

③ 무대감독 – 가수　　　④ 운전기사 – 정비사

⑤ 은행원 – 고객

> 대부분의 대화에서 둘 중 한 사람의 직업이나 신분이 뚜렷이 드러나는 표현이 나오므로, 그 단서만 알아내면 관계를 파악하기가 쉬워집니다.

6 대화를 듣고, 두 사람의 관계를 가장 잘 나타낸 것을 고르시오. [학평] 기출

① 테니스 코치 – 선수

② 배드민턴 강사 – 학부모

③ 정형외과 의사 – 환자

④ 헬스 트레이너 – 헬스장 이용객

⑤ 스포츠용품 판매원 – 고객

7 대화를 듣고, 남자의 의견으로 가장 적절한 것을 고르시오.   학평 기출

① 사업가도 예술적 감수성을 갖추어야 한다.

② 한 분야에 집중하는 사람이 결국 성공한다.

③ 예술 활동이 스트레스 해소에 도움이 된다.

④ 학교에서 다양한 예술 프로그램을 제공해야 한다.

⑤ 창의성을 키우려면 다양한 분야의 경험이 필요하다.

전략 Check!

선택지가 대화 내용에 대한 ❶☐☐☐ 를 제공할 수 있다는 점을 기억해야 합니다. 화자의 ❷☐☐☐ 을 고르는 문제처럼 대화 전반을 파악해야 하는 문제는 선택지에서 최대한 정보를 얻은 뒤에 대화를 듣는 것이 효율적입니다.

답 ❶ 정보 ❷ 의견

8 대화를 듣고, 여자의 의견으로 가장 적절한 것을 고르시오.   모평 기출

① 산책은 창의적 사고에 도움이 된다.

② 과학 교육은 분석 능력을 증진시킨다.

③ 달리기는 스트레스 해소에 효과적이다.

④ 학력 신장을 위해서는 체력 관리가 중요하다.

⑤ 우선순위를 정하는 것은 일의 효율을 높인다.

9 대화를 듣고, 남자의 의견으로 가장 적절한 것을 고르시오.   모평 기출

① 개별 활동이 조별 활동보다 효율적이다.

② 교과목에 따라 효과적인 학습 방법에 차이가 있다.

③ 조별 과제를 할 때 일을 합리적으로 분담해야 한다.

④ 실수를 막기 위해 발표 자료를 미리 준비해야 한다.

⑤ 다양한 경로를 통한 자료 수집이 과제의 질을 높인다.

© goodluz/shutterstock

10 대화를 듣고, 두 사람의 관계를 가장 잘 나타낸 것을 고르시오. [모평] 기출

① 사진작가 – 여행 가이드
② 반려동물 주인 – 수의사
③ 서커스 관람객 – 동물 조련사
④ 고고학자 – 자연사 박물관 직원
⑤ 신문 기자 – 야생 동물 구조 센터 직원

전략 Check!

관계를 고르는 유형의 문제에서는 화자가 자신의 직업이 무엇인지 직접 말하지 않는 경우가 더 많습니다. 따라서 ❶ ▯ 을 통해 화자의 직업이나 신분을 유추해야 합니다. 한두 개의 단어만 듣고 답을 고르지 않도록 유의합니다.

답 ❶ 상황

11 대화를 듣고, 두 사람의 관계를 가장 잘 나타낸 것을 고르시오. [모평] 기출

① 스타일리스트 – 기상 캐스터　② 연출가 – 극작가
③ 매니저 – 뮤지컬 배우　④ 해군 장교 – 항해사
⑤ 디자이너 – 신문 기자

12 대화를 듣고, 두 사람의 관계를 가장 잘 나타낸 것을 고르시오. [학평] 기출

① 기자 – 농업 연구원　② 콜센터 직원 – 고객
③ 방송 연출가 – 작가　④ 홈쇼핑 쇼 호스트 – 농부
⑤ 식료품 가게 직원 – 조리사

필수 체크 전략 ①

3 대화를 듣고, 남자가 Career Day 행사 장소를 변경하려는 이유를 고르시오.

학평 기출

① 초청 강사의 요청이 있어서
② 다른 행사와 장소가 겹쳐서
③ 신청 학생이 예상보다 많아서
④ 보수 공사 소음이 시끄러워서
⑤ 세미나실 프로젝터가 고장 나서

유형 해결 전략

Step 1
지시문을 읽고, 대화의 **①** 와 어떤 행위에 대한 이유를 찾아야 하는지 파악한다.

Step 2
대화의 흐름을 따라가며 단서를 찾는다.

Step 3
후반부에 **②** 가 제시되는 경우가 많으므로 끝까지 유의하여 듣는다.

답 ❶ 소재 ❷ 이유

3-1 대화를 듣고, 남자가 텐트를 반품하려는 이유를 고르시오.

수능 기출

① 크기가 작아서
② 캠핑이 취소되어서
③ 운반하기 무거워서
④ 설치 방법이 어려워서
⑤ 더 저렴한 제품을 찾아서

ⓒ Beautiful landscape / shutterstock

4 대화를 듣고, 남자가 여자를 위해 할 일로 가장 적절한 것을 고르시오. 학평 기출

① 이미지 검색하기
② 발표 대본 검토하기
③ 면접 예상 질문 만들기
④ 포트폴리오 우편 발송하기
⑤ 발표 연습 영상 촬영하기

유형 해결 전략

Step 1
지시문과 선택지를 먼저 읽고, '누가' 할 일을 찾아야 하는지 확인한다.

Step 2
'누가'에 초점을 맞추어 대화를 듣는다.
⇨ 남자가 여자를 위해 할 일이므로 남자가 ❶□□□에게 도움을 제안하거나, 여자가 ❷□□□에게 도움을 요청할 것이다.

Step 3
대화의 흐름을 따라가며 단서를 찾아 답을 고른다.

답 ❶ 여자 ❷ 남자

4-1 대화를 듣고, 여자가 할 일로 가장 적절한 것을 고르시오. 학평 기출

① 할인쿠폰 다운받기
② 사진 전송하기
③ 놀이공원 예약하기
④ 선물 구입하기
⑤ 가족여행 계획하기

© GLand Studio / shutterstock

필수 체크 전략 ②

전체 듣기

1 대화를 듣고, 여자가 드론 비행 대회에 참가할 수 없는 이유를 고르시오.

수능 기출

① 부모님이 방문하셔서

② 취업 면접에 가야 해서

③ 졸업식에 참석해야 해서

④ 파트너를 구하지 못해서

⑤ 드론을 갖고 있지 않아서

2 대화를 듣고, 남자가 컴퓨터 프로그래밍 강좌를 신청하지 않은 이유를 고르시오.

모평 기출

① 수업이 30분 일찍 시작되어서

② 다른 도시로 이사를 가게 되어서

③ 컴퓨터 프로그래밍에 흥미를 잃어서

④ 퇴근 후에 수업 듣는 것이 너무 피곤해서

⑤ 컴퓨터 프로그래밍이 자신의 경력과 무관해서

3 대화를 듣고, 동아리 봉사 활동이 연기된 이유를 고르시오. 모평 기출

① 기부 받은 옷 정리 시간이 더 필요해서

② 동아리 홍보 동영상을 제작해야 해서

③ 중간고사 기간이 얼마 남지 않아서

④ 동아리 정기 회의를 개최해야 해서

⑤ 기부 행사 참가자가 부족해서

© Wavebreakmedia / shutterstock

4 대화를 듣고, 남자가 할 일로 가장 적절한 것을 고르시오. 모평 기출

① 필터 주문하기　　　　② 어항 물 갈기

③ 체리 주스 만들기　　　④ 세탁물 맡기기

⑤ 히터 온도 조절하기

전략 Check!

할 일이나 부탁한 일을 찾는 유형의 문제를 풀 때에는 ❶　　　을 먼저 읽고, '누가' 할 일인지, 또는 누가 '누구에게' ❷　　　한 일인지 확인한 뒤 대화를 들어야 합니다.

답 ❶ 지시문 ❷ 부탁

5 대화를 듣고, 여자가 남자를 위해 할 일로 가장 적절한 것을 고르시오. 모평 기출

① 경제학 과제 자료 조사하기

② 자원봉사 신청서 제출하기

③ 환경 캠페인 포스터 만들기

④ 학생회관 가는 길 알려 주기

⑤ 마라톤 코스 답사하기

6 대화를 듣고, 여자가 할 일로 가장 적절한 것을 고르시오. 수능 기출

① 간식 가져오기　　　　② 책 기부하기

③ 점심 준비하기　　　　④ 설거지하기

⑤ 세탁실 청소하기

7 대화를 듣고, 여자가 회의 장소를 바꾸려는 이유를 고르시오. 학평 기출

① 난방이 안돼서
② 공간이 좁아서
③ 조명이 어두워서
④ 예약이 중복되어서
⑤ 프로젝터가 고장 나서

전략 Check!

이유를 고르는 유형의 문제는 ❶ 과 선택지에 대화 내용에 대한 정보가 많이 담겨 있으므로 둘 다 읽어 본 뒤 대화를 들어야 합니다. 또한 이유는 대개 대화 후반부에 제시되므로 끝까지 주의 깊게 듣습니다.

답 ❶ 지시문

8 대화를 듣고, 남자가 연구 주제를 변경한 이유를 고르시오. 학평 기출

① 관련 데이터를 찾기 어려워서
② 지도 교수를 구하지 못해서
③ 희망하는 진로가 바뀌어서
④ 연구 지원금을 확보하지 못해서
⑤ 다른 학생과 연구 주제가 겹쳐서

9 대화를 듣고, 남자가 도서관에 갈 수 <u>없는</u> 이유를 고르시오. 학평 기출

① 독서 토론을 위해 책을 읽어야 해서
② 학생회 회의에 참석해야 해서
③ 병원 진료를 받아야 해서
④ 동아리 면접을 준비해야 해서
⑤ 말하기 대회 대본을 작성해야 해서

ⓒ Preto Perola / shutterstock

10 대화를 듣고, 남자가 여자에게 부탁한 일로 가장 적절한 것을 고르시오. 〔학평〕 기출

① 회의 참석하기
② 티켓 출력하기
③ 저녁 준비하기
④ 유니폼 가져오기
⑤ 자동차 수리하기

11 대화를 듣고, 여자가 남자를 위해 할 일로 가장 적절한 것을 고르시오. 〔모평〕 기출

① 저작권 확인하기
② 포스터 인쇄하기
③ 프린터 구매하기
④ 파일 전송하기
⑤ 만화 그리기

12 대화를 듣고, 여자가 할 일로 가장 적절한 것을 고르시오. 〔학평〕 기출

① 침실 창문 닫기
② 식료품 사러 가기
③ 게임기 수리 맡기기
④ 영화 예매권 환불하기
⑤ 아들 친구 데려다주기

ⓒ Tair A/shutterstock

1 대화를 듣고, 여자가 남자에게 부탁한 일로 가장 적절한 것을 고르시오. 학평 기출

① 아기 모자 뜨기   ② 유인물 가져오기

③ 동아리 모임 날짜 정하기   ④ 비누 만들기 재료 구입하기

⑤ 과학 실험실 사용 허락받기

2 대화를 듣고, 여자의 의견으로 가장 적절한 것을 고르시오. 학평 기출

① 기억력은 반복적인 학습을 통해 향상된다.

② 책을 읽을 때 음악을 듣는 것은 도움이 된다.

③ 꾸준한 독서 습관을 형성하는 것이 중요하다.

④ 음악 감상은 아동의 창의력 발달에 효과적이다.

⑤ 청력 보호를 위해 적절한 음량 조절이 필요하다.

말하는 사람의 의견과 같이 중요한 내용은 대화 전체에서 반복되어 나타날 가능성이 높습니다.

3 대화를 듣고, 두 사람의 관계를 가장 잘 나타낸 것을 고르시오. 학평 기출

① 출판업자 – 삽화가

② 문학 평론가 – 소설가

③ 이사 업체 직원 – 고객

④ 중고 서점 주인 – 중고 도서 판매자

⑤ 헌 옷 수거인 – 아파트 관리소 직원

4   대화를 듣고, 남자가 농구경기에 출전하지 <u>않는</u> 이유를 고르시오.   모평 기출

① 해외 출장을 가야 해서

② 매출 보고서를 작성해야 해서

③ 지역 병원에서 봉사해야 해서

④ 정기 건강 검진을 받아야 해서

⑤ 아버지의 은퇴 파티에 참석해야 해서

5   대화를 듣고, 여자가 할 일로 가장 적절한 것을 고르시오.   학평 기출

① 간식 구매하기   ② 여벌 옷 챙기기

③ 등산화 빌리기   ④ 여행 가방 챙기기

⑤ 친구 집 방문하기

엄마가 아들의 여행 준비에 대해 하나씩 확인하는 대화라는 점에 유의합니다.

6   대화를 듣고, 남자의 의견으로 가장 적절한 것을 고르시오.   학평 기출

① 예습과 복습을 꾸준히 해야 한다.

② 지킬 수 있는 학습 계획을 세워야 한다.

③ 남을 가르치면서 더 많은 것을 배울 수 있다.

④ 풀이 과정을 적는 것이 수학 공부에 효율적이다.

⑤ 사실의 단순 암기보다 개념의 이해에 충실해야 한다.

1 Matt가 친구 Olivia와 나눈 메시지를 읽고, 빈칸에 알맞은 말을 넣어 주어진 문장을 완성하시오. 모평 응용

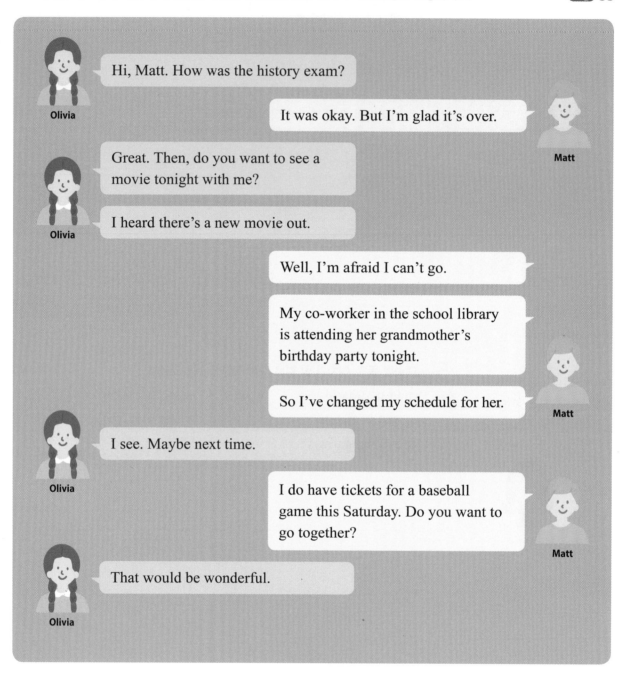

→ Matt can't _____ tonight with Olivia because he has to _____.

| go to a movie | see a baseball game | work in the school library |
| study for a history exam | review a new movie | attend his grandmother's birthday party |

2 대화 내용의 일부만 읽고, 두 사람의 직업이나 신분을 보기에서 고르시오. (모평) 응용

(1)

This is Julia ... the publishing plan I told you about ... your last book ... we'd like you to write ... one of our editors will contact you ...

Hello, Mike Watson speaking. ... another travel book ... Sure, I'd love to ... prepare anything for the meeting?

(2)

... want to learn how to bake cookies ... couldn't register ... supposed to volunteer at the local library ... join your after-school class ...

... sign up for my class ... during summer vacation ... put your name on the waiting list ... another student cancels ...

┤ 보기 ├

작가	도서관 사서	방과 후 수업 교사	사회복지사
영화감독	출판사 직원	수영선수	식당 지배인
제과점 주인	서점 주인	학생	인쇄소 기사

창의·융합·코딩 전략 ②

3 다음 대화를 읽고, 각각의 이유가 무엇인지 알맞은 것을 고르시오. 학평 응용

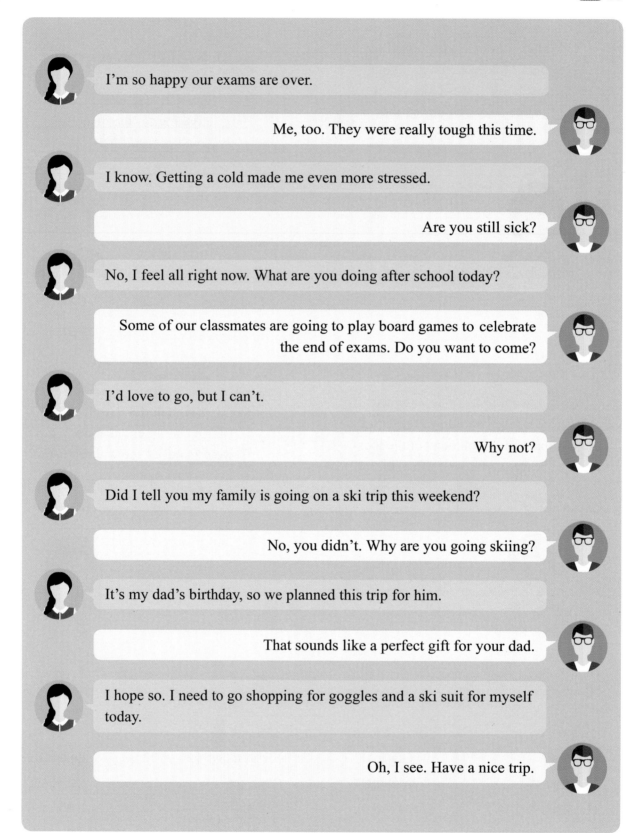

I'm so happy our exams are over.

Me, too. They were really tough this time.

I know. Getting a cold made me even more stressed.

Are you still sick?

No, I feel all right now. What are you doing after school today?

Some of our classmates are going to play board games to celebrate the end of exams. Do you want to come?

I'd love to go, but I can't.

Why not?

Did I tell you my family is going on a ski trip this weekend?

No, you didn't. Why are you going skiing?

It's my dad's birthday, so we planned this trip for him.

That sounds like a perfect gift for your dad.

I hope so. I need to go shopping for goggles and a ski suit for myself today.

Oh, I see. Have a nice trip.

(1)

의 기분이 좋은 이유

☐ 시험이 끝나서

☐ 방학이 시작되어서

(2)

가 이번 시험에서 더 많은 스트레스를 받은 이유

☐ 시험이 어려워서

☐ 감기에 걸려서

(3)

가 오늘 친구들과 보드 게임을 하려는 이유

☐ 시험이 끝난 것을 축하하기 위해서

☐ 수업이 일찍 끝나서

(4)

가 가족과 스키 여행을 가는 이유

☐ 시험이 끝난 것을 축하하기 위해서

☐ 아빠의 생신을 축하하기 위해서

(5)

가 보드 게임을 하러 갈 수 없는 이유

☐ 아빠의 생신 선물을 사러 가야 해서

☐ 여행 준비물을 사러 가야 해서

 **Quiz** 1 여자는 운동하러 가기 전에 무엇을 먹을 예정인가?
2 전단 상품으로 나온 바나나는 2송이에 얼마인가?

답 1 바나나 2 5,000원

Quiz 3 두 사람의 관계로 알맞은 것은?
　　　 4 여자는 유기농 바나나를 몇 송이 살 예정인가?

답 3 아빠와 딸　4 여섯 송이

개념 돌파 전략 ①

유형 01 숫자 정보 파악

❖ 대화를 듣고, 화자가 지불할 금액을 계산하는 유형

1 대화를 들으면서 ❶ ⬚ 정보가 언급될 때마다 빈 공간에 간단히 메모하면서 듣는다.

2 물건 가격이 제시될 때, 이에 대한 구입 ❷ ⬚ 나 물건의 개수 등을 잘 따져 보며 들어야 한다.

3 할인율, 쿠폰 사용 여부, 인원수 같은 혼동을 유발하기 위한 여러 가지 숫자 정보에 유의하면서 최종적으로 계산해야 한다.

> 수량 표현을 정확히 들으면서 필요하지 않은 정보는 바로 지워 나가는 것이 좋아요.

🗒 ❶ 숫자(수치) ❷ 여부

숫자 정보에 자주 등장하는 어휘

• **지불 방식**: cash 현금 / check 수표 / credit card 신용카드 / change 거스름돈
• **구매 방법**: exchange 교환 / receipt 영수증 / on sale 세일 중인, 판매 중인 / discount coupon 할인 쿠폰 / 50% off 50% 할인
• **계산 방식**: add 더하다 / subtract 빼다 / multiply 곱하다 / divide 나누다

CHECK 1

다음 대화 후에 A가 지불할 금액은?

A How much is this product?
B It's ten dollars per bottle. But you can get a ten percent discount if you have a membership.
A Good. Then, I'll buy three. Here's my membership card.
B Okay. Anything else?
A No, that's all.

① $27　　② $30　　③ $37

유형 02 그림 일치·불일치 파악

❖ 대화를 듣고, 그림에서 일치하지 않는 것을 고르는 유형

1 대화를 듣기 전에 제시된 그림을 자세히 살펴보면서 그림의 ❶ ⬚ 을 파악한다.

> 물건의 위치, 방향, 모양, 무늬, 개수나 인물의 머리 모양, 옷차림 등의 외적인 특징에 유의하세요.

2 흔히 그림의 선택지 ❷ ⬚ 대로 대화가 진행되므로 언급될 관련 표현들을 예측해 본다.

3 대화를 들으면서 그림에서 대화의 내용과 일치하는 선택지는 ○표, 그렇지 않은 선택지는 ✕표를 한다. 특히, 사물의 모양, 무늬, 수량 등을 나타내는 표현에 주목한다.

🗒 ❶ 특징 ❷ 순서

모양과 무늬에 관련된 어휘

• **모양**: circular 원형의 / square 정사각형의 / rectangular 직사각형의 / triangular 삼각형의 / star-shaped 별 모양의 / heart-shaped 하트(심장) 모양의
• **무늬**: striped 줄무늬의 / checked(checkered) 체크무늬의 / flowered 꽃무늬의 / dotted 점무늬의

CHECK 2

그림에서 아래 내용과 일치하지 <u>않는</u> 것은?

• There is a rocket next to the flower pot.
• There is a robot in front of the window.
• There is a star-shaped clock on the table.

유형 03 언급되지 않은 정보 파악

❖ 대화를 듣고, 특정 소재에 관해 언급되지 않은 정보를 파악하는 유형

1 대화를 듣기 전에 지시문과 선택지의 내용을 훑어보고 관련된 ❶ [　　] 를 예측해 본다.

2 보통 대화는 선택지의 ❷ [　　] 대로 전개되므로 대화를 들으면서 해당 선택지의 항목이 대화에서 언급되고 있는지를 따져 본다.

> 언급되고 있는 선택지에는 ○표를 해 두고, 대화가 끝나면 어느 선택지가 남는지 살펴보세요.

3 대화를 끝까지 집중해서 꼼꼼하게 듣는다.

답 ❶ 소재 ❷ 순서

자주 출제되는 소재

Festival 축제 / Fair 박람회 / Sale 세일 / Program 과정〔강좌〕 / Competition〔Contest〕 대회〔시합〕 / Camp 캠프 / Tour 여행 / Exhibition 전시회

CHECK 3

다음 중 Pinewood Bake Sale에 관해 언급되지 <u>않은</u> 것은?

A Hi, Ross. What's on the flyer?

B The Pinewood Bake Sale is this Friday. Would you like to go with me?

A A bake sale? What's that?

B In a bake sale, people raise money by selling bakery products. At the Pinewood Bake Sale, people will be selling doughnuts and cupcakes.

A Sounds delicious. I'd like to join you. Where is it going to be held?

B In the Pinewood High School gym.

A Okay. Let's go together.

① 개최 요일　　② 판매 제품　　③ 수익금 기부처

유형 04 도표 이해

❖ 대화를 듣고, 도표의 내용을 통해 정보를 파악하는 유형

1 지시문과 제시된 도표의 제목을 통해 대화의 내용을 예측해 본다.

2 대화의 내용은 대부분 표의 ❶ [　　] 에 있는 항목부터 순서대로 언급되므로 각 항목별로 화자가 선택하지 않은 것을 지워 나간다.

3 모든 항목에 대한 대화가 끝나면, ❷ [　　] 항목이 없는 선택지를 정답으로 고른다.

답 ❶ 왼쪽 ❷ 지워진〔삭제된〕

자주 출제되는 항목

Set 세트 / Model 모델 / Material 재료 / Price 가격 / Battery Run Time 건전지 수명 / Foldable 접을 수 있는 / Monthly Fee 한 달 이용료 / Color 색깔

CHECK 4

다음 표에서 화자가 수강할 수업은?

Summer Program Time Table

	Class	Day	Time	Monthly Fee
①	Cartoon Creating	Wed.	10 a.m.	$60
②	Aquarobics	Thu.	10 a.m.	$75
③	Drawing	Fri.	3 p.m.	$75

> I'm thinking of taking one of the summer programs on this time table. First, I took English Conversation last year. This time I want to take something different. Second, I plan to volunteer on Fridays this summer. Finally, considering my budget, I'll take the cheaper one.

개념 돌파 전략 ②

유형 01 숫자 정보 파악

01 대화를 듣고, 남자가 지불할 금액을 고르시오. _{학평} 기출

① $18   ② $20   ③ $27   ④ $30   ⑤ $36

풀이 전략

대화를 듣고, 화자가 지불할 금액을 계산하려면?

Script

W: How may I help you?

M: I'd like to buy a flower bouquet for my wife.

W: What kinds of flowers do you want?

M: My wife loves roses and tulips. How much are they?

W: Roses are ten dollars per bundle and tulips are five dollars per bundle.

M: How many bundles are needed to make a bouquet?

W: It usually needs two bundles of roses and two bundles of tulips.

M: Good. Make it that way, please. Do you have a message card?

W: Yes. We give it for free.

M: Great. Can I get a discount with this credit card?

W: Yes, you can get a 10% discount with it.

M: Okay. Here's my card.

① 대화의 첫 부분에서 구입하려고 하는 물건의 종류가 나온다.
→ 남자는 [❶____]을 사려고 한다.

② 대화에서 정보가 거론될 때마다 빈 공간에 간단히 메모하면서 듣는다.
→ 여자는 꽃의 가격을 말하고 있다. 즉, 장미는 한 묶음에 10달러이고, 튤립은 5달러라고 말한다.

③ 남자가 사려고 하는 꽃다발의 개수를 잘 파악해야 한다.
→ 남자는 장미와 튤립을 각각 두 묶음씩 사기로 한다.

④ 혼동을 유발하기 위해 나오는 기타 여러 가지 숫자 정보를 잘 반영해서 최종적으로 계산해야 한다.
→ 메시지 카드는 무료이고, 최종 금액에 대한 신용카드 할인은 [❷____]를 해 준다는 여자의 말에 유의한다.

❶ 꽃다발 ❷ 10%

Words
● flower bouquet 꽃다발   ● bundle 묶음, 꾸러미

02 대화를 듣고, 그림에서 대화의 내용과 일치하지 <u>않는</u> 것을 고르시오. 학평 기출

Script

M: Amy, are you buying something from that furniture catalog?

W: I'm planning to. I need to buy some furniture for my study.

M: Hmm .... The bookcase on the wall looks great.

W: I've wanted something like that. This bookcase would look perfect on my wall.

M: How about this notice board under the bookcase? You can put important memos on it.

W: I like it! And the lamp on the desk would be nice for reading books.

M: And the drawers under the desk look useful.

W: Yeah, I think so. I can keep a lot of things in them.

M: I like the chair with four wheels.

W: So do I. It looks comfortable and easy to move around in.

M: You seem to like everything in this page.

W: Actually, I do.

풀이 전략

그림에서 대화의 내용과 일치하지 <u>않는</u> 것을 고르려면?

① 대화를 듣기 전에 제시된 그림을 자세히 살펴보면서 그림의 특징을 파악한다.

→ 공부방의 가구 배치와 관련하여, 번호에 해당되는 가구의 ❶[   ]을 빠르게 훑어본다.

② 대화는 흔히 그림의 선택지 순서대로 진행되므로 언급될 관련 표현들을 예측해 본다.

→ 대화를 들으면서 그림의 선택지에 일치하면 ○표, 일치하지 않으면 ×표를 한다.

③ 각 번호에 해당되는 가구를 말할 때, 특히 모양, 위치, 개수 등에 유의하면서 듣는다.

→ 남자가 의자를 말할 때 with four ❷[   ]라고 표현한 것에 주목한다.

답 ❶ 특징 ❷ wheels

Words
• notice board 게시판, 알림판 • drawer 서랍 • wheel 바퀴

개념 돌파 전략 ②

유형 03 언급되지 않은 정보 파악

03 대화를 듣고, Winter Discovery Camp에 관해 언급되지 **않은** 것을 고르시오.

수능 기출

① 참가 대상　　② 활동 내용　　③ 기간
④ 기념품　　　⑤ 참가비

풀이 전략

대화를 듣고, 특정 소재에 관해 언급되지 **않은** 정보를 파악하려면?

① 대화를 듣기 전에 지시문과 선택지의 내용을 훑어보고, 관련된 소재를 예측해 본다.
→ ❶ 　　에서 '겨울 발견 캠프'라고 언급했으므로, 캠프 실시와 관련된 내용이 나올 것으로 예측된다.

Script

M: Honey, I'm looking at the Natural History Museum's website. The museum's going to hold the Winter Discovery Camp.

W: What's it about?

M: It says here that the theme is dinosaurs.

W: That sounds interesting. You know our son Peter loves dinosaurs.

M: He does. The camp is for elementary school students, so it's perfect for him.

W: What activities will they do?

M: The camp offers fun, hands-on activities. For example, participants will look for dinosaur bones hidden in sand and then put them together.

W: I'm sure Peter will love the camp. When is it?

M: It'll be held from January 11 to 13.

W: That's good. It won't overlap with our family trip. And how much does it cost?

M: The participation fee is $20.

W: That's not bad. I'll ask Peter if he wants to go.

M: Okay.

② 보통 대화는 선택지의 순서대로 전개되므로, 대화를 들으면서 해당 선택지의 항목이 대화에서 언급되고 있는지를 따져 본다.
→ 참가 대상이 초등학생이고, 캠프 활동 내용을 말한 뒤, 캠프 실시 기간을 말한 점에 주목한다. 이때, 대화에서 언급되고 있는 선택지에는 ○표를 해 둔다.

③ 이 유형은 ❷ 　　을 잃지 않고 대화의 끝까지 집중력 있게 들어야 한다.
→ 남자가 캠프 실시 기간을 말한 뒤, 이어서 캠프 참가비를 거론한 것으로 보아, 이 대화에서는 기념품은 언급하고 있지 않음을 알 수 있다.

답 ❶ 지시문 ❷ 세심함(꼼꼼함)

Words
● discovery 발견　● hands-on 직접 해 보는　● overlap 겹치다

04 다음 표를 보면서 대화를 듣고, 여자가 구매할 도마를 고르시오. 수능 기출

Cutting Boards at Camilo's Kitchen

	Model	Material	Price	Handle	Size
①	A	plastic	$25	×	medium
②	B	maple	$35	○	small
③	C	maple	$40	×	large
④	D	walnut	$45	○	medium
⑤	E	walnut	$55	○	large

대화를 듣고, 도표의 내용을 바탕으로 화자가 구입할 모델을 고르려면?

① 지시문과 제시된 도표의 제목을 통해 대화의 내용을 예측해 본다.

→ 지시문을 통해 구입하려는 물품이 도마임을 알 수 있고, 도표의 항목들을 보면, 도마의 재료, 가격, 손잡이 유무, 크기 등이 **❶**☐☐☐대로 언급될 것으로 보인다.

Script

M: Welcome to Camilo's Kitchen.

W: Hello. I'm looking for a cutting board.

M: Let me show you our five top-selling models, all at affordable prices. Do you have a preference for any material? We have plastic, maple, and walnut cutting boards.

W: I don't want the plastic one because I think plastic isn't environmentally friendly.

M: I see. What's your budget range?

W: No more than $50.

M: Okay. Do you prefer one with or without a handle?

W: I think a cutting board with a handle is easier to use. So I'll take one with a handle.

M: Then, which size do you want? You have two models left.

W: Hmm. A small-sized cutting board isn't convenient when I cut vegetables. I'll buy the other model.

M: Great. Then this is the cutting board for you.

② 대화의 내용은 대부분 표의 왼쪽 부분에 있는 항목부터 순서대로 언급된다.

→ 여자는 도마의 재료가 플라스틱으로 된 것은 원하지 않는다고 했으므로 플라스틱 도마(모델 A)는 **❷**☐☐☐한다.

③ 위의 ②와 같은 식으로 항목별로 화자가 선택하지 않는 것을 지워 나간다.

→ 여자는 도마의 재료에 이어, 가격은 50달러 이하(모델 E 제외)로, 손잡이는 있는 것(모델 C 제외)으로, 크기는 작지 않은 것(모델 B 제외)으로 구입하려고 한다.

④ 모든 대화가 끝나면 지워진 항목이 없는 선택지를 정답으로 고른다.

→ 다섯 개의 모델 중에서 지워지지 않은 모델은 D임을 알 수 있다.

답 **❶** 순서 **❷** 제외(삭제)

● cutting board 도마 ● affordable (가격이) 알맞은 ● preference 선호 ● budget 예산

필수 체크 전략 ①

대표 유형

1 대화를 듣고, 여자가 지불할 금액을 고르시오.   수능 기출

① $180　　　② $190　　　③ $200

④ $210　　　⑤ $230

유형 해결 전략

Step 1
대화를 들으면서 **❶**□□□□ 정보가 언급될 때마다 간단히 메모하면서 듣는다.

Step 2
혼동을 유발하기 위한 여러 가지 숫자 정보, 즉, 할인율, 쿠폰 사용 여부, 인원 수 등에 유의하면서 들어야 한다.

Step 3
숫자 정보에 포함될 수량 표현을 정확히 들으면서 필요하지 않은 정보는 **❷**□□□□ 나가도록 한다.

답 ❶ 숫자(수치) ❷ 지워(삭제해)

1-1 대화를 듣고, 남자가 지불할 금액을 고르시오.   학평 기출

① $40　　　② $63　　　③ $66

④ $70　　　⑤ $72

© BOONCHUAY PROMJIAM / shutterstock

2 대화를 듣고, 그림에서 대화의 내용과 일치하지 <u>않는</u> 것을 고르시오. 학평 기출

유형 해결 전략

Step 1
대화를 듣기 전에 제시된 그림을 살펴보면서 그림의 특징을 파악해 둔다.

Step 2
선택지에 해당하는 사물의 위치, 방향, 모양, 무늬, 개수 등을 살펴본다.

Step 3
대화를 들으면서 그림에서 대화의 내용과 ❶▢▢▢하는 내용의 선택지는 지워 나간다.

답 ❶ 일치

2-1 대화를 듣고, 그림에서 대화의 내용과 일치하지 <u>않는</u> 것을 고르시오. 모평 기출

필수 체크 전략 ②

전체 듣기

1 대화를 듣고, 여자가 지불할 금액을 고르시오.   학평 기출

① $63   ② $70   ③ $72

④ $80   ⑤ $81

전략 Check!

화자가 지불할 금액을 계산하는 문제를 풀 때에는 숫자 정보가 언급될 때마다 빈 공간에 ❶ [   ] 해 가면서 듣는 것이 바람직합니다. 특히 영어로 ❷ [   ] 가 제시될 때, -teen, -ty 등의 발음을 혼동하지 않도록 유의합니다.

답 ❶ 메모 ❷ 숫자

2 대화를 듣고, 남자가 지불할 금액을 고르시오.   모평 기출

① $36   ② $40   ③ $45

④ $50   ⑤ $60

3 대화를 듣고, 여자가 지불할 금액을 고르시오.   수능 기출

① $72   ② $74   ③ $76

④ $78   ⑤ $80

4 대화를 듣고, 그림에서 대화의 내용과 일치하지 않는 것을 고르시오. 학평 기출

5 대화를 듣고, 그림에서 대화의 내용과 일치하지 않는 것을 고르시오. 수능 기출

6 대화를 듣고, 그림에서 대화의 내용과 일치하지 않는 것을 고르시오. 학평 기출

7 대화를 듣고, 여자가 지불할 금액을 고르시오.　　　학평 기출

① $20　　　　② $28　　　　③ $30

④ $32　　　　⑤ $54

8 대화를 듣고, 남자가 지불할 금액을 고르시오.　　　수능 기출

① $120　　　　② $140　　　　③ $160

④ $180　　　　⑤ $200

9 대화를 듣고, 남자가 지불할 금액을 고르시오.　　　모평 기출

① $30　　　　② $36　　　　③ $40

④ $45　　　　⑤ $50

© Getty Images Korea

10 대화를 듣고, 그림에서 대화의 내용과 일치하지 <u>않는</u> 것을 고르시오. 모평 기출

11 대화를 듣고, 그림에서 대화의 내용과 일치하지 <u>않는</u> 것을 고르시오. 학평 기출

12 대화를 듣고, 그림에서 대화의 내용과 일치하지 <u>않는</u> 것을 고르시오. 모평 기출

필수 체크 전략 ①

전체 듣기

3 대화를 듣고, 과학 시험에 관해 두 사람이 언급하지 <u>않은</u> 것을 고르시오. 학평 기출

① 실시 날짜   ② 문제 유형   ③ 문항 개수

④ 진행 시간   ⑤ 시험 범위

유형 해결 전략

Step 1
먼저 지시문과 선택지의 내용을 훑어보고 관련된 ❶ [　　　]를 예측해 본다.

Step 2
대화를 들으면서 해당 선택지의 항목이 대화에서 언급되고 있는지를 따져 본다.

Step 3
이 유형은 ❷ [　　　]을 요구하므로 대화를 끝까지 집중해서 듣도록 한다.

답 ❶ 소재 ❷ 세심함(꼼꼼함)

3-1 대화를 듣고, Eugene Kim에 관해 언급되지 <u>않은</u> 것을 고르시오. 모평 기출

① 출생   ② 수상작 제목   ③ 집필한 책의 수

④ 집필 장소   ⑤ 나이

© Getty Images Bank

4 다음 표를 보면서 대화를 듣고, 여자가 구입할 재킷을 고르시오. 수능 기출

Blackhills Hiking Jackets

	Model	Price	Pockets	Waterproof	Color
①	A	$40	3	×	brown
②	B	$55	4	○	blue
③	C	$65	5	○	yellow
④	D	$70	6	×	gray
⑤	E	$85	6	○	black

4-1 다음 표를 보면서 대화를 듣고, 남자가 주문할 찻주전자를 고르시오. 모평 기출

Lily Garden Teapots

	Model	Capacity	Material	Price	Special Offer
①	A	2 cups	glass	$30	mug
②	B	4 cups	ceramic	$35	tray
③	C	4 cups	metal	$38	tray
④	D	6 cups	ceramic	$42	mug
⑤	E	10 cups	glass	$45	tray

© exolpixel / shutterstock

WEEK **2** DAY **3** 필수 체크 전략 ②

🎧 전체 듣기

1 대화를 듣고, Sky Adventure Event에 관해 언급되지 <u>않은</u> 것을 고르시오.

〔학평〕기출

① 기간　　　　　② 장소　　　　　③ 참가 연령
④ 활동 종류　　　⑤ 입장권 가격

전략Check!

'언급되지 않은 정보 파악'의 유형은 보통 선택지의 ❶ 〔　　〕대로 대화가 전개됩니다. 따라서 대화를 들으면서 해당 선택지의 항목이 대화에서 언급되고 있는지를 확인하고 선택지에 표시해 두는 것이 좋습니다.

답 ❶ 순서

2 대화를 듣고, sports climbing course에 관해 언급되지 <u>않은</u> 것을 고르시오.

〔학평〕기출

① 강좌 기간　　　② 수강 인원　　　③ 수업 장소
④ 수강료　　　　　⑤ 수업 준비물

3 대화를 듣고, 학생회장 선거에 관해 언급되지 <u>않은</u> 것을 고르시오.　〔모평〕기출

① 선거 일자　　　② 후보자 공약　　　③ 후보 자격
④ 연설 장소　　　⑤ 투표 방법

4 다음 표를 보면서 대화를 듣고, 남자가 선택한 스노클링 세트를 고르시오. 학평 기출

Snorkeling Sets

	Model	Snorkel Type	Mask Lens	Strap	Price
①	A	Classic	One	○	$25
②	B	Classic	Two	×	$30
③	C	Dry	One	○	$32
④	D	Dry	Two	×	$35
⑤	E	Dry	Two	○	$40

전략 Check!
'도표 내용의 정보를 파악하는 유형'은 대화를 듣기 전에 지시문과 제시된 도표의 ❶ 을 통해 대화의 내용을 우선 예측해 보는 것이 바람직합니다.

답 ❶ 항목

5 다음 표를 보면서 대화를 듣고, 여자가 주문할 식탁을 고르시오. 모평 기출

Big Sale on Dining Tables

	Model	Size (number of people)	Price	Table Material	Color
①	A	2	$300	Wood	Brown
②	B	4	$450	Wood	White
③	C	4	$460	Marble	White
④	D	6	$490	Marble	Brown
⑤	E	8	$520	Marble	White

6 다음 표를 보면서 대화를 듣고, 여자가 구입할 스피커를 고르시오. 모평 기출

Portable Speakers

	Model	Price	Weight	Battery Life	Design
①	A	$30	0.7kg	6 hours	Fabric
②	B	$40	0.5kg	10 hours	Fabric
③	C	$50	0.8kg	9 hours	Aluminum
④	D	$55	1.4kg	10 hours	Fabric
⑤	E	$65	1.2kg	12 hours	Aluminum

전체 듣기

7 대화를 듣고, Rainbow Lunch Box에 관해 언급되지 <u>않은</u> 것을 고르시오.

모평 기출

① 판매 장소　　　　② 종류　　　　③ 크기
④ 가격　　　　⑤ 배달 여부

8 대화를 듣고, 남자의 결혼식에 관해 언급되지 <u>않은</u> 것을 고르시오.　모평 기출

① 날짜　　　　② 장소　　　　③ 식사 메뉴
④ 초대 인원　　　　⑤ 특별 이벤트

9 대화를 듣고, International Fireworks Festival에 관해 언급되지 <u>않은</u> 것을 고르시오.

수능 기출

① 개최 일시　　　　② 개최 장소　　　　③ 참가국
④ 주제　　　　⑤ 교통편

© encikAn / shutterstock

10 다음 표를 보면서 대화를 듣고, 여자가 등록할 강좌를 고르시오. 〔모평〕 기출

Community Center Classes in July

	Class	Fee	Location	Start Time
①	Graphic Design	$50	Greenville	5 p.m.
②	Coding	$70	Greenville	7 p.m.
③	Photography	$80	Westside	7 p.m.
④	Flower Art	$90	Westside	5 p.m.
⑤	Coffee Brewing	$110	Greenville	8 p.m.

전략 Check!

대화의 내용은 표의 ❶□□□ 에 있는 항목부터 순서대로 언급되고 있으므로 각 항목별로 화자가 선택하지 않은 것을 지워 봅니다. 이런 식으로 모든 항목에 대한 대화가 끝나면 ❷□□□ 항목이 없는 선택지가 바로 정답입니다.

답 ❶ 왼쪽 ❷ 지워진(삭제된)

11 다음 표를 보면서 대화를 듣고, 두 사람이 주문할 와플 메이커를 고르시오. 〔학평〕 기출

Waffle Makers

	Model	Price	Plates	Waffle Shape	Audible Alert
①	A	$20	Fixed	Square	×
②	B	$33	Removable	Round	×
③	C	$48	Fixed	Round	×
④	D	$52	Removable	Round	○
⑤	E	$70	Removable	Square	○

© Getty Images Korea

12 다음 표를 보면서 대화를 듣고, 여자가 구매할 램프를 고르시오. 〔수능〕 기출

Floor Lamps for Sale

	Model	Height (cm)	LED Bulbs	Price ($)	Color
①	A	120	×	30	Black
②	B	140	○	40	Black
③	C	150	○	45	White
④	D	160	○	55	Black
⑤	E	170	×	55	White

누구나 합격 전략

전체 듣기

1 대화를 듣고, 남자가 지불할 금액을 고르시오. `학평` 기출

① $15　　② $30　　③ $48　　④ $54　　⑤ $60

© Andrey-Popov / shutterstock

2 대화를 듣고, Dream Bio Research Project에 관해 언급되지 <u>않은</u> 것을 고르시오.

`학평` 기출

① 연구원 수　　② 예산 규모　　③ 연구 목적
④ 연구 장소　　⑤ 연구 기간

3 대화를 듣고, 그림에서 대화의 내용과 일치하지 <u>않는</u> 것을 고르시오. `학평` 기출

4 다음 표를 보면서 대화를 듣고, 여자가 주문할 휴대용 스피커와 마이크 세트를 고르시오. 학평 기출

Portable Speaker & Microphone Sets

	Model	Price	Running Time	Color	Clip Microphone
①	A	$65	8 hours	White	×
②	B	$70	10 hours	Grey	○
③	C	$80	11 hours	White	○
④	D	$85	12 hours	Red	×
⑤	E	$110	15 hours	Grey	○

5 대화를 듣고, 남자가 지불할 금액을 고르시오. 학평 기출

① $60　　② $65　　③ $70　　④ $75　　⑤ $80

© Getty Images Korea

6 대화를 듣고, 〈Romance City〉에 관해 언급되지 <u>않은</u> 것을 고르시오. 학평 기출

① 첫 방영 날짜　　② 주연 배우　　③ 줄거리

④ 감독　　⑤ 원작 소설

창의·융합·코딩 전략 ①

1 다음 그림을 보고, 그림의 내용을 설명한 사람 중 일치하지 <u>않는</u> 사람을 고른 뒤, 바르게 고쳐 다시 쓰시오. (단, 고칠 부분은 한 단어임)

모평 응용

Brian: A girl is wearing a hat. It looks good on her.

Olivia: Two birds are on the tree branch. They seem peaceful.

Kihun: There's a waterfall behind the pond. It looks nice.

Leo: The monkey in the cage has a banana in its hand. It looks happy.

Somi: There's an ice cream stand next to the flower pot. The children will love it.

① Brian   ② Olivia   ③ Kihun   ④ Leo   ⑤ Somi

The right expression ➡ _____

2 다음 대화를 읽고, 아래 도표의 번호 순서별 항목에 따라 남자가 구입할 침낭에 관한 의견에 맞지 <u>않는</u> 부분을 지워 나가고, 최종적으로 선택한 침낭 모델에 ○표 하시오. 　모평 응용

> W Hey, Tom. Here's a flyer for sleeping bags. Don't you need one for your camping trip?
>
> M Oh, cool. That's right.
>
> W Do you have anything specific in mind?
>
> M Not really, but I need something light, lighter than 800g.
>
> W How about these models? They're all under 800g.
>
> M They look good, but I don't want to spend more than $200.
>
> W These models are within your budget.
>
> M Yeah. Those are pretty nice, but not this one. I'd prefer one with a zipper.
>
> W What about this blue one? Blue is a trendy color this year.
>
> M I know. Blue's not really my color, though.
>
> W Then, there's only one model left to choose.
>
> M Yeah. I'll buy that one, then.

Sleeping Bags for Sale

① Weight	② Price	③ Zipper	④ Color	⑤ Model
~~900g~~	~~$100~~	~~×~~	~~Green~~	~~A~~
700g	$120	○	Blue	B
700g	$140	○	Gray	C
600g	$190	×	Gray	D
600g	$230	○	Green	E

창의·융합·코딩 전략 ②

3 다음 대화를 읽고, Royal Botanic Garden에 관한 표를 완성하시오. (대화에 언급되지 <u>않은</u> 항목에는 '알 수 없음'이라고 쓰시오.) 학평 응용

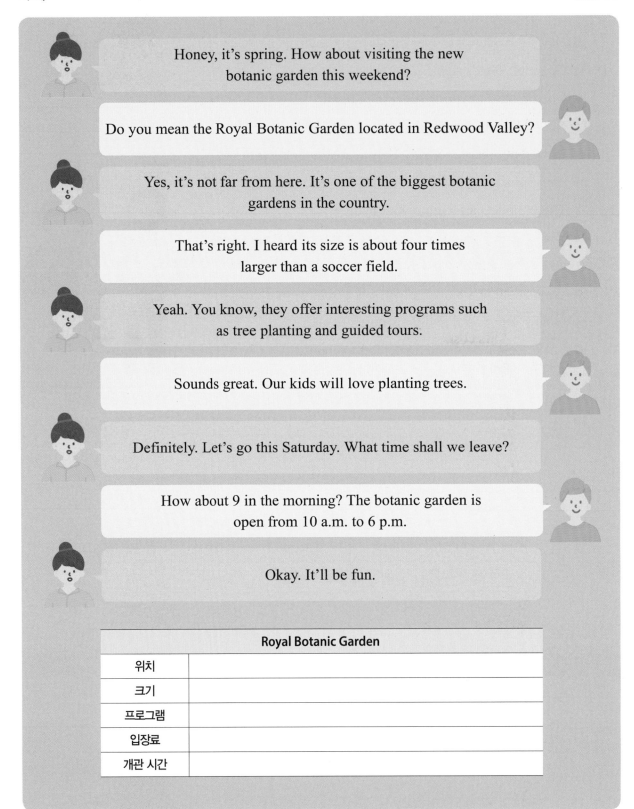

> Honey, it's spring. How about visiting the new botanic garden this weekend?

> Do you mean the Royal Botanic Garden located in Redwood Valley?

> Yes, it's not far from here. It's one of the biggest botanic gardens in the country.

> That's right. I heard its size is about four times larger than a soccer field.

> Yeah. You know, they offer interesting programs such as tree planting and guided tours.

> Sounds great. Our kids will love planting trees.

> Definitely. Let's go this Saturday. What time shall we leave?

> How about 9 in the morning? The botanic garden is open from 10 a.m. to 6 p.m.

> Okay. It'll be fun.

Royal Botanic Garden	
위치	
크기	
프로그램	
입장료	
개관 시간	

4 다음 대화를 읽고, 여자가 지불할 금액을 계산하시오.

> Welcome to Lynn's Garden Center.
> How may I help you?

> Hi, I'm looking for some gardening
> tools. Do you have any shovels?

> Of course.
> We have two types of shovel.

> What's the difference between
> the two types?

> One has a plastic handle, and the other
> has a wooden handle.

> Well, I'll buy a shovel with a
> wooden handle. How much is it?

> Originally they cost $20 each,
> but all shovels are 10% off this week.

> Great! I also need some
> gardening gloves.

> Okay. I recommend these rubber-coated
> gloves. A pair of them cost $8,
> but two pairs cost only $12.

> Oh, I'll buy two pairs.

→ The shovel with a wooden handle costs _____ dollars this week, and two pairs of rubber-coated gloves cost _____ dollars. So she is going to pay _____ dollars.

BOOK 1 마무리 전략

지난 2주간 학습한 듣기 전략 중 가장 중요한 내용을 다시 한 번 기억해 두세요.

1주 대화 흐름 파악하기

2주 세부 사항 파악하며 듣기

신유형·신경향 전략

1 대화를 듣고, 두 사람이 하는 말의 주제로 가장 적절한 것을 고르시오.

학평 응용

© Getty Images Korea

① 아파트 옥상에 텃밭을 조성하는 것의 장점
② 지역사회 내 공동체 의식 함양의 필요성
③ 가정에서 미세 먼지에 대처하는 방법
④ 정서 발달에 정원이 미치는 영향
⑤ 유기농 작물 재배의 어려움

'두 사람이 하는 말의 주제'를 찾아야 하니, 두 사람이 공통적으로 언급하는 소재가 무엇인지 알아야 해. 그리고 두 사람이 그 소재에 대해 어떤 의견을 갖고 있는지를 파악하면 되지. 여자가 장점을 이야기하고, 남자가 그에 대해 That's a great idea!나 How nice!라고 하는 걸로 봐서는 둘 다 긍정적인 태도를 보이고 있는 것 같아.

How to Solve

대화의 주제를 파악하려면 먼저 대화의 소재를 파악해야 합니다. 선택지를 먼저 읽으면 대화의 **❶**를 짐작해 볼 수 있습니다. 또한 대화를 하는 두 사람이 **❷** 적으로 가지고 있는 의견을 파악해야 합니다.

답 ❶ 소재 ❷ 공통

© ITALO/shutterstock

2 대화를 듣고, Hampton Soccer Program에 관해 알 수 <u>없는</u> 것을 고르시오. `학평` 응용

① Riverside 공원 축구장에서 열린다.

② 5월 2일에 시작된다.

③ 강사는 잘 알려진 축구 코치이다.

④ 모집 인원에 제한이 있다.

⑤ 참가비는 400달러이다.

어떤 대상에 대한 설명을 듣고, 그 대상에 대해 알 수 없는 것을 고르려면 어떻게 해야 할까?
맞아. 그 대상에 대해 나오지 않은 설명을 고르는 거지. 이럴 땐 선택지를 먼저 빨리 읽은 다음, 그 선택지에 대한 언급이 대화에 나오는지 아닌지를 잘 확인해야 해.

How to Solve

어떤 대상에 대해 알 수 없는 것을 파악하는 유형은 '언급되지 않은 것'을 파악하는 유형과 거의 동일합니다. 대화를 들으면서 알 수 있는 ❶[　　　]에는 작게 표시하고 넘어가는 것이 좋습니다.

답 ❶ 선택지

3 대화를 듣고, 여자가 지불할 금액을 고르시오.

학평 응용

① $36

② $40

③ $45

④ $50

⑤ $63

이런 문제를 풀 때에는 꼭 메모를 하는 게 좋아. 옆의 예시를 봐.

ch 20 / s 30

coo 4 × 5 = 20

10% ↓

50 - 5 = 45달러

How to Solve

지불할 금액을 계산하는 문제는 숫자 정보를 파악하는 문제로 자주 나오는 유형이며, 단순히 물건 가격 합산에서 그치지 않고 할인율이나 ❶ [   ] 사용 등의 추가 조건을 넣어 계산해야 하는 문제가 출제되는 경향이 많습니다. 따라서 메모하면서 듣고, 마지막까지 ❷ [   ]과 관련된 모든 정보를 놓치지 않는 것이 중요합니다.

답 ❶ 쿠폰 ❷ 가격

4 다음 표를 보면서 대화를 듣고, 두 사람이 구입할 책장의 가격을 고르시오. 학평 응용

© Inga Linder / shutterstock

Bookcases

Model	Material	Number of Shelves	Color	Price
A	plastic	3	White	$40
B	metal	3	White	$50
C	metal	4	Red	$60
D	wood	4	White	$80
E	wood	5	Red	$100

① $40   ② $50   ③ $60   ④ $80   ⑤ $100

이 문제는 도표 문제와 숫자 정보 문제가 결합된 유형이라 언뜻 보기에는 복잡해 보이지만, 대화 내용을 따라가면서 제외되는 조건을 바로 표에서 삭제하면 쉽게 풀 수 있을 거야. 예를 들어, 여자가 플라스틱 소재를 제외하자고 했고 남자가 찬성했으니 표에서 Model A를 지우고 그 다음을 듣는 거지.

How to Solve

도표 문제와 숫자 정보 문제가 결합된 유형은 대화를 들으며 ❶ [   ]에 나타난 정보를 정확하게 파악하면 숫자 정보를 쉽게 찾을 수 있습니다. 대화를 들으며, 제외되는 조건을 포함하는 항목은 ❷ [   ]하고, 필요한 조건을 모두 포함하는 항목이 무엇인지 잘 파악해야 합니다.

답 ❶ 도표 ❷ 제거(삭제)

01 대화를 듣고, 여자가 농구를 보러 가지 <u>못한</u> 이유를 고르시오. 모평 기출

① 야근을 해야 했기 때문에

② 티켓이 매진되었기 때문에

③ 딸을 돌보아야 했기 때문에

④ 경기 일정이 변경되었기 때문에

⑤ 갑자기 출장을 가야 했기 때문에

02 대화를 듣고, 남자의 의견으로 가장 적절한 것을 고르시오. 학평 기출

① 환기를 위해 겨울에도 교실 창문을 자주 열어야 한다.

② 학교 난방 온도를 조절하여 전기 요금을 절약해야 한다.

③ 학급 회의를 통해 교실 환경 개선 방안을 논의해야 한다.

④ 교실 공기의 질 개선을 위해 공기 청정기를 설치해야 한다.

⑤ 실내 미세 먼지 농도를 낮추기 위해 청소를 자주 해야 한다.

03 대화를 듣고, 두 사람의 관계를 가장 잘 나타낸 것을 고르시오. 학평 기출

① 교통경찰 – 운전자

② 주유소 직원 – 손님

③ 자동차 판매원 – 고객

④ 운전 강사 – 운전 연습생

⑤ 자동차 정비사 – 자동차 주인

© Getty Images Bank

04 대화를 듣고, 남자가 할 일로 가장 적절한 것을 고르시오 모평 기출

① 행사 광고지 인쇄하기

② 행사용 선물 주문하기

③ 사인회 작가에게 연락하기

④ 할인 행사용 도서 진열하기

⑤ 회원에게 문자 메시지 보내기

05 대화를 듣고, 두 사람의 관계를 가장 잘 나타낸 것을 고르시오. 학평 기출

① 요리 강사 – 수강생

② 영양 교사 – 학생회장

③ 방송 기자 – 통계 분석가

④ 여론 조사 전문가 – 의뢰인

⑤ 식품 위생 감시원 – 음식점 주인

© Getty Images Bank

06 대화를 듣고, 남자가 Mark를 위해 할 일로 가장 적절한 것을 고르시오. 학평 기출

① 숙소 알아보기 　　　　② 기차표 구매하기

③ 손님방 청소하기 　　　　④ 구직 면접 주선하기

⑤ 호텔 예약 취소하기

전체 듣기

07 대화를 듣고, 두 사람이 하는 말의 주제로 가장 적절한 것을 고르시오. 〔모평〕기출

① 어린이집 추가 설립의 필요성

② 장난감 대여 서비스 이용의 장점

③ 어린이 대상 환경 교육의 중요성

④ 놀이가 아동 발달에 미치는 영향

⑤ 나이에 따른 장난감 선호도의 변화

© Ng Wei Keong / shutterstock

08 대화를 듣고, 여자의 의견으로 가장 적절한 것을 고르시오. 〔모평〕기출

① 불필요한 쓰레기를 줄이기 위해 과도한 포장을 지양해야 한다.

② 환경 보호를 위해 쓰레기 분리배출을 철저히 해야 한다.

③ 선물을 고를 때는 받는 사람의 취향을 고려해야 한다.

④ 사용 빈도가 높지 않은 물건은 상자에 보관해야 한다.

⑤ 선물 종류에 따라 포장 방법을 달리해야 한다.

09 대화를 듣고, 여자가 <u>다른</u> 주문처를 찾고 있는 이유를 고르시오. 〔학평〕기출

① 더 좋은 품질을 원해서

② 더 빠른 배송을 원해서

③ 더 싼 가격을 원해서

④ 무료 배송을 원해서

⑤ 대량 주문을 원해서

10 대화를 듣고, 두 사람의 관계를 가장 잘 나타낸 것을 고르시오. 학평 기출

① 꽃꽂이 강사 – 수강생
② 택배 기사 – 수령인
③ 웨딩 플래너 – 예비 신부
④ 꽃 판매상인 – 사진작가
⑤ 인테리어 디자이너 – 건축가

11 대화를 듣고 남자가 화상 회의에 참석하지 <u>못한</u> 이유를 고르시오. 학평 기출

① 회의 시간을 착각해서
② 휴대 전화가 고장 나서
③ 접속 비밀번호를 잊어서
④ 인터넷 접속이 불안정해서
⑤ 다른 회의에 참석해야 해서

12 대화를 듣고, 여자가 할 일로 가장 적절한 것을 고르시오. 모평 기출

① 소품 구매하기
② 포스터 붙이기
③ 배우들 분장하기
④ 가을 축제 기획하기
⑤ 무대 배경 제작하기

전체 듣기

01 대화를 듣고, 여자가 지불할 금액을 고르시오.

모평 기출

① $50   ② $60   ③ $65

④ $75   ⑤ $85

02 대화를 듣고, Digital Publishing Workshop에 관해 언급되지 <u>않은</u> 것을 고르시오.

모평 기출

① 목적   ② 대상   ③ 날짜

④ 등록 방법   ⑤ 준비물

© Getty Images Bank

03 다음 표를 보면서 대화를 듣고, 남자가 주문할 자전거를 고르시오.

모평 기출

Bicycles for Commuters

	Model	Color	Price	Frame Size	Foldable
①	A	Black	$190	Small	×
②	B	Yellow	$210	Medium	×
③	C	Silver	$270	Large	×
④	D	White	$290	Large	○
⑤	E	Blue	$320	Medium	○

04 대화를 듣고, 그림에서 대화의 내용과 일치하지 <u>않는</u> 것을 고르시오. 모평 기출

05 대화를 듣고, 남자가 지불할 금액을 고르시오. 모평 기출

① $126　　　　② $130　　　　③ $140

④ $144　　　　⑤ $150

06 대화를 듣고, Bradford Museum of Failure에 관해 언급되지 <u>않은</u> 것을 고르시오. 수능 기출

① 전시품　　　　② 설립 목적　　　　③ 개관 연도

④ 입장료　　　　⑤ 위치

07 대화를 듣고, 그림에서 대화의 내용과 일치하지 <u>않는</u> 것을 고르시오.　　　수능 기출

08 다음 표를 보면서 대화를 듣고, 여자가 구매할 블루투스 이어폰을 고르시오.　　　모평 기출

Bluetooth Earphones

	Model	Battery Life	Wireless Charging	Price	Case Cover Material
①	A	2 hours	×	$49.99	Silicone
②	B	3 hours	○	$69.99	Silicone
③	C	3 hours	×	$79.99	Leather
④	D	4 hours	○	$89.99	Leather
⑤	E	5 hours	○	$109.99	Leather

09 대화를 듣고, 남자가 지불할 금액을 고르시오.　　　모평 기출

① $54　　　　② $55　　　　③ $60

④ $63　　　　⑤ $70

10 대화를 듣고, Ten Year Class Reunion Party에 관해 언급되지 <u>않은</u> 것을 고르시오. **수능** 기출

① 장소   ② 날짜   ③ 회비

④ 음식   ⑤ 기념품

11 다음 표를 보면서 대화를 듣고, 여자가 주문할 재사용 빨대 세트를 고르시오. **수능** 기출

Reusable Straw Sets (3 pieces)

	Set	Material	Price	Length (inches)	Carrying Case
①	A	Bamboo	$5.99	7	×
②	B	Glass	$6.99	7	○
③	C	Glass	$7.99	8	×
④	D	Silicone	$8.99	8	○
⑤	E	Stainless Steel	$11.99	9	○

12 대화를 듣고, 그림에서 대화의 내용과 일치하지 <u>않는</u> 것을 고르시오. **수능** 기출

memo

핵심 개념부터 실전까지, 고품격 수능 대비서

고등 수능전략

전과목 시리즈

체계적인 수능 대비	신유형 문제까지 정복	실전 감각 익히기
하루 6쪽, 주 3일 학습으로 핵심 개념과 유형, 실전까지 빠르고 확실하게 준비 완료!	수능에 자주 나오는 유형부터 신유형·신경향 문제까지 다양한 유형의 문제를 마스터!	수능과 모의평가 유형의 구성으로 단기간에 실전 감각을 익혀 실제 수능에 완벽하게 대비!

개념과 유형, 실전을 한 번에!

국어: 고2~3(문학/독서/언어와 매체/화법과 작문)
수학: 고2~3(수학 I / 수학 II / 확률과 통계/미적분)
영어: 고2~3(어법/독해 150/독해 300/어휘/듣기)

사회: 고2~3(한국사/사회·문화/생활과 윤리/한국지리)
과학: 고2~3(물리학 I / 화학 I / 생명과학 I / 지구과학 I)

book.chunjae.co.kr

교재 내용 문의 ·························· 교재 홈페이지 ▶ 고등 ▶ 교재상담

교재 내용 외 문의 ····················· 교재 홈페이지 ▶ 고객센터 ▶ 1:1문의

발간 후 발견되는 오류 ··············· 교재 홈페이지 ▶ 고등 ▶ 학습지원 ▶ 학습자료실

수능공략 필승학습!
단기간에 끝장내자!

BOOK 2

실전에 강한
수능전략

영어
영역 듣기

천재교육

실전에 강한
수능전략

영어영역 듣기

수능전략
영·어·영·역
듣기

BOOK 2

본 책인 BOOK 1과 BOOK 2의 구성은 아래와 같습니다.

BOOK 1	BOOK 2	BOOK 3
1주, 2주	1주, 2주	정답과 해설

주 도입

본격적인 학습에 앞서, 재미있는 만화를
살펴보며 이번 주에 학습할 내용을 확인해
봅니다.

1일

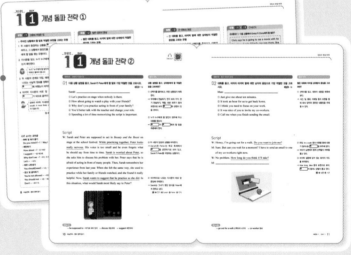

개념 돌파 전략
수능 영어 영역 듣기를 대비하기 위해
꼭 알아야 할 유형 개념을 익힌 뒤,
간단한 문제를 풀며 잘 이해했는지 확인해 봅니다.

2일, 3일

필수 체크 전략
기출 문제에서 선별한 대표 유형 문제와 추가 문제를
풀며 문제에 접근하는 과정과 해결 전략을 체계적으로
익혀 봅니다.

부록 수능에 꼭 나오는 필수 유형 ZIP

본 책에서 다룬 대표 유형과 그 해결 전략을 집중적으로
연습할 수 있도록 권두 부록을 구성했습니다.
부록을 뜯으면 미니북으로 활용할 수 있습니다.

주 마무리 코너

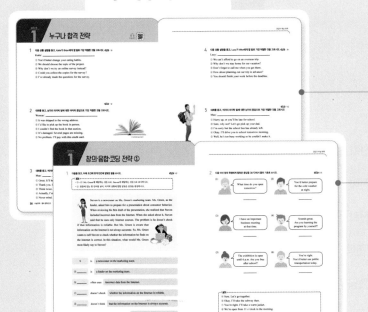

누구나 합격 전략
난이도가 낮은 기출 문제를 풀며
학습 자신감을 높일 수 있습니다.

창의·융합·코딩 전략
수능에서 요구하는 융복합적 사고력과
문제 해결력을 기를 수 있는 재미있는
문제를 풀어 봅니다.

권 마무리 코너

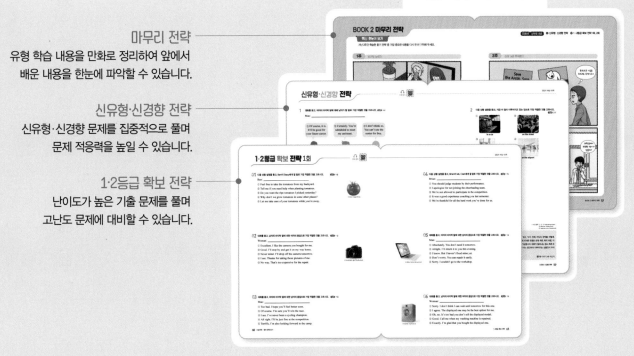

마무리 전략
유형 학습 내용을 만화로 정리하여 앞에서
배운 내용을 한눈에 파악할 수 있습니다.

신유형·신경향 전략
신유형·신경향 문제를 집중적으로 풀며
문제 적응력을 높일 수 있습니다.

1·2등급 확보 전략
난이도가 높은 기출 문제를 풀며
고난도 문제에 대비할 수 있습니다.

이 책의 차례

BOOK 2

파이팅!!

파이팅!!

Quiz   **2** 빈칸에 들어갈 말로 알맞은 것은?   ① 제 거예요!   ② 얼마예요?   답 ①

          3 밑줄 친 여학생의 말에 대한 남학생의 응답으로 알맞은 것은?   ① 축하해.   ② 고마워.   답 ②

개념 돌파 전략 ①

유형 **01** 상황에 적절한 말

❖ **주어진 상황에서 할 말로 적절한 표현을 고르는 유형**

1 두 사람이 등장하는 상황을 **❶** 형식으로 들려주고, 그 상황에서 등장인물 중 한 명이 다른 한 명에게 할 말을 찾는 유형이다.

2 지시문을 읽고, 누가 누구에게 하는 말을 골라야 하는지 확인한다.

 '누가' '누구'에게 할 말인지를 지시문에서 정확히 파악하고 들어야 합니다.

3 두 사람의 관계와 직업, 때와 장소 등 담화 초반에 나오는 사실적 정보를 정확히 듣고, 두 사람이 어떤 **❷** 에 처했는지 파악한다.

4 마지막 지시문의 바로 앞 문장이 정답의 결정적 **❸** 가 되므로 끝까지 주의 깊게 듣도록 한다.

 담화의 마지막 지시문은 In this situation, what would *A* most likely say to *B*?로 거의 고정되어 있습니다.

답 ❶ 이야기 ❷ 상황 ❸ 근거(단서)

자주 쓰이는 표현들

- **허락 및 허가 묻기**
  Do you mind if ~? / May I ~? ~해도 될까요?
- **제안하기**
  How about ~? ~은 어때?
  I suggest ~. ~을 제안해.
  Why don't we ~? ~하는 게 어때?
  Let's ~. ~하자.
- **의무 나타내기**
  You should(need) ~. 너는 ~해야 해.
- **경고 및 금지하기**
  You're not allowed ~. ~하는 것이 허락되지 않아.
  You should not ~. 너는 ~해서는 안 돼.
  Don't ~. ~하지 마.

유형 **02** 짧은 대화의 응답

❖ **짧은 대화를 듣고, 마지막 말에 대한 상대방의 적절한 응답을 고르는 유형**

1 대화를 듣기 전에 선택지를 먼저 읽고 대화의 내용을 예측해 본다.

2 대화를 들으면서 대화가 일어나고 있는 **❶** 또는 상황을 파악하도록 한다.

 장소나 시간을 나타내는 부사구, 특정 상황에 자주 나오는 어휘 등을 활용하여 대화의 상황을 유추해 볼 수 있습니다.

3 마지막 질문이나 발언에 담겨 있는 화자의 의도 및 **❷** 을 파악한다.

4 실생활에서 많이 쓰이는 격려, 제안, 충고, 반대, 축하 등의 표현을 많이 익혀 두면 도움이 된다.

답 ❶ 장소 ❷ 목적

자주 쓰이는 표현들

- **격려하기**
  I'm sure you will do better next time.
  너는 다음번에 분명히 더 잘 할 거야.
- **제안하기**
  Then why don't you go out for a walk?
  그러면 산책하러 나가는 게 어때?
- **충고하기**
  You'd better go home and get some rest.
  너는 집에 가서 쉬는 게 좋겠어.
- **반대하기**
  I'm afraid I can't accept your proposal.
  네 제안을 받아들이기 힘들겠어.
- **축하하기**
  Congratulations on winning the speech contest.
  말하기 대회에서 우승한 걸 축하해.
- **의도 표현하기**
  I'm thinking of inviting Anna to the ceremony.
  행사에 Anna를 초대하려고 생각 중이야.

유형 03 긴 대화의 응답

❖ **긴 대화를 듣고, 마지막 말에 대한 상대방의 적절한 응답을 고르는 유형**

1 대화를 듣기 전에 먼저 선택지를 훑어보고, 대화의 **❶**⬚가 무엇일지 예측해 본다.

2 지시문을 잘 읽고, 남자와 여자 중 누구의 응답을 골라야 하는지 파악한다.

3 대화자들의 **❷**⬚ 차이를 파악하고, 특히 응답할 사람이 어떤 상황에 처한 것인지 확인한다.

4 마지막 말에 잘 어울리는 선택지를 고른다. 마지막 말이 **❸**⬚일 경우에는 묻는 내용에 알맞은 응답을 고르고, 평서문일 경우에는 중심 화제와 마지막 말을 종합하여 적절한 응답을 추론한다.

 특히 마지막 말이 의문문일 때에는 의문사가 있는 의문문과 의문사가 없는 의문문의 차이에 유의하여 답을 골라야 합니다.

답 ❶ 소재 **❷** 입장 **❸** 의문문

의문사가 있는 의문문과 응답의 예

· A **Which type of seat** do you prefer?
  어떤 종류의 좌석을 선호하세요?

  B I prefer a window seat.
  저는 창가 좌석을 선호해요.

· A **How** do you feel about this film?
  이 영화에 대해 어떻게 생각해?

  B It doesn't seem real. And it's a little boring.
  진짜 같지 않아. 그리고 조금 지루해.

의문사가 없는 의문문과 응답의 예

· A **Have** you heard of fire safety rules?
  화재 안전 규칙에 대해 들은 적 있어?

  B Yes. But I don't know much about them.
  응. 하지만 그것들에 대해서 잘 몰라.

· A **Can** you make it at 6 p.m.?
  오후 6시까지 올 수 있어?

  B Sure. Let's meet in front of the theater.
  물론. 극장 앞에서 만나자.

유형 01 ~ 03 CHECK

CHECK 1 다음 상황에서 Emily가 Chris에게 할 말은?

> Chris says he is going to see a movie with his friends and asks if Emily can join them. She would love to, but she can't go because her parents aren't home and she has to watch her younger brother.

① 미안해. 나는 동생을 돌봐야 해.

② 미안하지만, 영화를 볼 동안 내 동생 좀 봐 줄래?

③ 유감스럽게도 난 그 영화를 내 동생과 이미 봤어.

CHECK 2 빈칸에 들어갈 B의 응답으로 가장 적절한 것은?

> A This restaurant looks great. Have you been here before?
> B Yeah, it's one of my favorite restaurants. Let's see the menu.
> A Everything looks good. Can you recommend anything?
> B _____

① No thanks. I'm already full.

② Sure. The onion soup is great here.

③ Yes. I recommend you be there on time.

CHECK 3 빈칸에 들어갈 A의 응답으로 가장 적절한 것은?

> A I'm working on a team project.
> B What's it about?
> A It's about 'Climate Change.'
> B Sounds interesting. Who's on your team?
> A You know Jack? He's the leader. Jenny is doing the research and Alex is making the slides.
> B What a nice team! Then what's your role?
> A _____

① I'm in charge of giving the presentation.

② I think you're the right person for that role.

③ It's important to choose your team carefully.

개념 돌파 전략 ②

전체 듣기

유형 01 상황에 적절한 말

풀이 전략

01 다음 상황 설명을 듣고, Sarah가 Peter에게 할 말로 가장 적절한 것을 고르시오.

학평 기출

Sarah: _____

① Let's practice on stage when nobody is there.

② How about going to watch a play with your friends?

③ Why don't you practice acting in front of your family?

④ You'd better talk with the teacher and change your role.

⑤ Spending a lot of time memorizing the script is important.

Script

W: Sarah and Peter are supposed to act in *Beauty and the Beast* on stage at the school festival. While practicing together, Peter looks really nervous. His voice is too small and he even forgets what he should say from time to time. Sarah is worried about Peter, so she asks him to discuss his problem with her. Peter says that he is afraid of acting in front of many people. Then, Sarah remembers her experience from last year. When she felt the same way, she used to practice while her family or friends watched, and she found it really helpful. Now, Sarah wants to suggest that he practice as she did. In this situation, what would Sarah most likely say to Peter?

상황 설명을 듣고, 상대방에게 할 적절한 말을 고르려면?

① 선택지를 훑어보고, 어떤 상황일지 예측한다.

→ 무대에서 연습하기, 연극 보러 가기, 연기 연습하기, 역할, 대본 외우기 등의 표현으로 보아 **❶**　　　와 관련이 있을 것이다.

② 누가 누구에게 할 말인지 염두에 두고 대화를 듣는다.

→ **❷**　　　가 **❸**　　　에게 할 말을 추론해야 한다.

③ 두 사람의 입장과 상황을 파악한다.

→ Sarah와 Peter는 학교 축제에서 **❹**　　　을 공연하기로 되어 있고, Sarah가 Peter를 걱정하는 상황이다.

④ 마지막으로 나오는 지시문의 바로 앞 문장에 주목한다.

→ Sarah는 그녀가 했던 방식을 Peter에게 권하고 싶다.

답 ❶ 연기 ❷ Sarah ❸ Peter ❹ 연극

Words

● **be supposed to** ~하기로 되어 있다 ● **discuss** 의논하다 ● **suggest** 제안하다

02 대화를 듣고, 여자의 마지막 말에 대한 남자의 응답으로 가장 적절한 것을 고르시오. 수능 기출

Man: _____

① Just give me about ten minutes.

② It took an hour for us to get back home.

③ I think you need to focus on your work.

④ It was nice of you to invite my co-workers.

⑤ Call me when you finish sending the email.

풀이 전략

짧은 대화에 이어질 상대방의 응답을 고르려면?

① 선택지를 읽고, 대화의 내용을 예측해 본다.
→ 시간, 일, 동료, 이메일 등의 표현을 통해 회사 업무와 관련된 내용임을 추측할 수 있다.

Script

W: Honey, I'm going out for a walk. Do you want to join me?

M: Sure. But can you wait for a moment? I have to send an email to one of my co-workers right now.

W: No problem. How long do you think it'll take?

M: _____

② 호칭, for a walk 등의 어휘를 통해 대화가 일어나는 ❶ [   ]을 유추해 본다.
→ 여자가 남편에게 함께 산책할지 여부를 묻고 있다.

③ 마지막 질문에 담겨 있는 화자의 의도를 파악한다.
→ How long, take 등의 표현으로 보아, ❷ [   ]이 얼마나 걸릴지 묻고 있다.

답 ❶ 상황 ❷ 시간

Words
● go out for a walk 산책하러 나가다 ● co-worker 동료

유형 03 긴 대화의 응답

03 대화를 듣고, 남자의 마지막 말에 대한 여자의 응답으로 가장 적절한 것을 고르시오. 학평 기출

Woman: _____

① I'm sorry. The party has been delayed.

② Thanks. I'll buy a nice souvenir for you.

③ Not yet. We haven't decided where to stay.

④ It's okay. Family always comes first for me.

⑤ Right. It's too late for you to join the field trip.

풀이 전략

대화를 듣고, 마지막 말에 이어질 적절한 응답을 고르려면?

① 대화를 듣기 전에 선택지를 읽고, 대화의 소재가 무엇일지 예측해 본다.
→ 파티, 기념품, 현장 학습 등의 어휘로 보아 행사와 관련된 대화일 것이다.

② ❶ 가 ❷ 에게 응답할 말을 찾아야 한다.

Script

W: Brian, are you ready for the field trip tomorrow? I'm really excited.

M: Didn't you hear the news? We're not going on the field trip tomorrow.

W: Really? What's the problem?

M: Because of the flood warning. Some roads are already closed.

W: I can't believe it. Then is the trip canceled?

M: No. I read on the school website that it's just postponed until next weekend.

W: Oh, no. I can't go next weekend.

M: Why can't you make it?

W: Next Saturday is my grandfather's 80th birthday. All my family will get together and have a party.

M: You've been looking forward to the field trip since the beginning of this semester. You may be disappointed if you don't go.

W: _____

③ 대화를 들으며 여자의 상황을 파악한다.
→ 현장 학습이 홍수 경보 때문에 다음 주말로 연기되었으나, 같은 때에 있을 ❸ 생신 모임 때문에 참석할 수 없다.

④ 상황을 종합하여 적절한 응답을 고른다.
→ 남자는 여자가 실망할 것 같다고 위로하고 있다. 이것에 대한 여자의 응답을 추론한다.

🔑 ❶ 여자 ❷ 남자 ❸ 할아버지

Words
● delay 연기하다 ● souvenir 기념품 ● flood warning 홍수 경보 ● postpone 연기하다 ● semester 학기

03-1 대화를 듣고, 여자의 마지막 말에 대한 남자의 응답으로 가장 적절한 것을 고르시오. (학평) 기출

Man: _____

① Certainly. Just pick them up and enjoy the freshness.
② No. An additional fee is charged for a quick delivery.
③ We are sorry. We'll take the eggs back immediately.
④ Don't worry. We have the best refrigeration system.
⑤ Okay. Eggs will be delivered to your new address.

Script

[Telephone rings.]

M: Hello. This is Jonas Egg Delivery.

W: Hi, I'd like to make a complaint about your egg delivery service.

M: Okay. What seems to be the problem?

W: The eggs are sometimes delivered at nighttime the day before the delivery date.

M: That can happen. The delivery rounds start at nighttime and continue until early in the morning.

W: I'm worried that the eggs will go bad if they stay out all night.

M: You don't need to worry. Since our eggs have never been refrigerated, they remain fresh for days without refrigeration.

W: You mean your eggs are not refrigerated?

M: Exactly. They're fresh from the farm.

W: So are you saying that the eggs are okay left outside for the whole night?

M: _____

대화를 듣고, 마지막 말에 이어질 적절한 응답을 고르려면?

① 선택지를 읽고, 대화 소재를 유추해 본다.
→ 배송, 회수, 냉장 시스템 등의 어휘를 통해 상품 배송과 관련된 상황이 예측된다.

② ❶ [   ]가 ❷ [   ]에게 답할 말을 찾아야 한다.

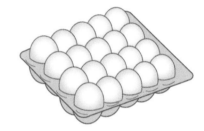

③ 여자가 처한 상황에 주목하여 대화를 듣는다.
→ 여자는 ❸ [   ] 배송 문제에 대해 남자에게 항의하고, 남자는 문제가 없다고 답변하고 있다.

④ 여자의 마지막 말이 의문문이므로, 이에 어울리는 선택지를 고른다.
→ 여자는 '달걀을 밤새 밖에 두어도 괜찮은지' 묻고 있으며, 어울리는 응답은 '괜찮다' 또는 '괜찮지 않다'의 의미를 담은 말일 것이다.

답 ❶ 남자 ❷ 여자 ❸ 달걀(계란)

Words
● additional fee 추가 요금   ● refrigerate 냉장하다(냉장고에 보관하다)   ● refrigeration 냉장 보관   ● charge (요금을) 청구하다

전체 듣기

대표 유형

1 다음 상황 설명을 듣고, Jason이 Sarah에게 할 말로 가장 적절한 것을 고르시오. 수능 기출

Jason: _____

① Good luck. I hope you finish your work in time.

② Okay. Let's meet to discuss the changes to the sculpture.

③ That's terrible. I'm sorry that the reopening was postponed.

④ Hurry up. You have to send the final design immediately.

⑤ Don't worry. I can get the job done before the deadline.

유형 해결 전략

Step 1
지시문을 읽고, 누가 누구에게 할 말을 찾아야 하는지 확인한다.

Step 2
이야기에 나오는 두 사람의 ❶ 나 각자의 직업, 처한 ❷ 을 파악하며 듣는다.

Step 3
마지막 질문 직전에 나오는 문장이 답과 직접적인 관련이 있으므로 끝까지 주의 깊게 듣는다.

답 ❶ 관계 ❷ 상황

1-1 다음 상황 설명을 듣고, Megan이 Philip에게 할 말로 가장 적절한 것을 고르시오. 모평 기출

Megan: _____

① You can sign up for our membership and get a discount.

② I regret to say that I can't find your membership number.

③ Unfortunately, the poster you're looking for is not for sale.

④ Congratulations on the successful release of your new book.

⑤ I'm afraid the members' discount doesn't apply to this book.

© Getty Images Korea

2 대화를 듣고, 남자의 마지막 말에 대한 여자의 응답으로 가장 적절한 것을 고르시오. [학평] 기출

Woman: _____

① Good. Let's meet around six.

② That's okay. I don't like donuts.

③ I want to open my own donut shop.

④ Don't worry. I can do that by myself.

⑤ Thanks for sharing your donut recipe.

유형 해결 전략

Step 1
선택지를 먼저 읽고, 대화 소재를 추측해 본다.

Step 2
대화가 일어나는 ❶ [　　] 나 상황을 파악하며 듣는다.

Step 3
마지막 질문이나 발언에 담긴 화자의 의도 및 ❷ [　　] 에 집중해서 답을 추론한다.

답 ❶ 장소 ❷ 목적

2-1 대화를 듣고, 남자의 마지막 말에 대한 여자의 응답으로 가장 적절한 것을 고르시오. [학평] 기출

Woman: _____

① Too bad. When did you break your watch?

② Sorry. I couldn't join the meeting yesterday.

③ Exactly. Should we go back to work right now?

④ Thanks. It was a good opportunity to learn more.

⑤ Sure. Why don't we go out to get some fresh air?

필수 체크 전략 ②

전체 듣기

1 다음 상황 설명을 듣고, Rachel이 Kevin에게 할 말로 가장 적절한 것을 고르시오.
[모평] 기출

Rachel: _____

① Is it necessary to exercise every day?

② Why don't you work out at the closer one?

③ I recommend the one with good facilities.

④ You should choose the one within your budget.

⑤ What about looking for a better place to work at?

전략 Check!

상황에 적절한 말을 고르는 유형은 하나의 **❶** 형식으로 구성됩니다. 지시문을 정확히 파악하여 누가 누구에게 할 말을 찾아야 하는지 혼동하지 않도록 유의합니다.

답 ❶ 이야기

2 다음 상황 설명을 듣고, Jane이 Andrew에게 할 말로 가장 적절한 것을 고르시오.
[모평] 기출

Jane: _____

① Make sure everybody is prepared for next week.

② I think you should wear this jacket for the festival.

③ Thank you for keeping all your things in perfect shape.

④ How about choosing just the items that are in a good state?

⑤ Why don't you buy secondhand items instead of new ones?

3 다음 상황 설명을 듣고, Josh가 Lily에게 할 말로 가장 적절한 것을 고르시오.
[학평] 기출

Josh: _____

① It's too bad that your phone is not working.

② Just turn off your phone when you go to bed.

③ Did you check out the latest model at the shop?

④ You're not allowed to use your phone during class.

⑤ Why don't you switch your phone to one like mine?

4 대화를 듣고, 여자의 마지막 말에 대한 남자의 응답으로 가장 적절한 것을 고르시오. 한평 기출

Man: _____

① We don't always need a car to travel.

② That's why I practiced a lot this time.

③ I'm glad you didn't get stuck in traffic.

④ Make sure to arrive on time for your test.

⑤ I forgot my identification card for the test.

전략 Check!

짧은 대화를 듣고 응답을 찾아야 하기 때문에 답의 ❶ 가 대화에 뚜렷하게 드러나는 편입니다. 단, 대화가 짧으므로 주의 깊게 듣지 않으면 단서도 놓치기 쉽다는 점에 유의해야 합니다.

답 ❶ 단서

5 대화를 듣고, 남자의 마지막 말에 대한 여자의 응답으로 가장 적절한 것을 고르시오. 모평 기출

Woman: _____

① Fine. I'll look for another band.

② Great! You can be our drummer.

③ Sorry. I can't offer you the position.

④ Really? It'll be great to play in your band.

⑤ What a surprise! I didn't know you play drums.

6 대화를 듣고, 여자의 마지막 말에 대한 남자의 응답으로 가장 적절한 것을 고르시오. 모평 기출

Man: _____

① I remember where I left my uniform.

② We can't participate in P.E. class now.

③ You should hurry before the cafeteria closes.

④ You can leave it with me and I'll find the owner.

⑤ I hope someone will bring it with your belongings.

7 다음 상황 설명을 듣고, Peter가 Peter의 할머니에게 할 말로 가장 적절한 것을 고르시오. 〔모평〕 기출

Peter: _____

① I'm worried that you use your smartphone too much.

② Let me explain how to download apps on your phone.

③ Why don't you share your photos with your classmates?

④ How about taking a smartphone class at the senior center?

⑤ I'd better buy you a new smartphone with a larger screen.

전략Check!

지시문을 읽고, 누가 누구에게 할 말인지 파악한 후 대화를 들어야 합니다. 특히 마지막 질문 ❶ 에 나오는 문장이 답의 근거가 되므로 끝까지 주의 깊게 듣습니다.

📖 ❶ 직전[바로 앞]

8 다음 상황 설명을 듣고, Mary가 Steve에게 할 말로 가장 적절한 것을 고르시오. 〔모평〕 기출

Mary: _____

① Why don't you take leave today and look after yourself?

② Your interests should be the priority in your job search.

③ You'd better actively support your teammates' ideas.

④ Let's find a way to increase sales of health products.

⑤ How about changing the details of the contract?

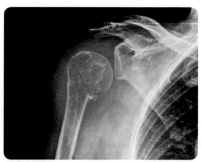

© Thomas Hecker / shutterstock

9 다음 상황 설명을 듣고, Brian의 어머니가 Brian에게 할 말로 가장 적절한 것을 고르시오. 〔수능〕 기출

Brian's mother: _____

① Make sure to call me whenever you go somewhere new.

② School trips are good opportunities to make friends.

③ I believe traveling broadens your perspective.

④ How about carrying the luggage on your own?

⑤ Why don't you pack your bag by yourself for the trip?

10 대화를 듣고, 남자의 마지막 말에 대한 여자의 응답으로 가장 적절한 것을 고르시오. 〔모평〕 기출

Woman: _____

① They'll let me know in a week.

② I'm excited to watch the musical.

③ I posted the results on the website.

④ I finally got the main role I wanted.

⑤ They'll start the audition in 10 minutes.

11 대화를 듣고, 여자의 마지막 말에 대한 남자의 응답으로 가장 적절한 것을 고르시오. 〔모평〕 기출

Man: _____

① All right. I'll take the bus then.

② No. My bicycle is broken again.

③ No problem. I'll give you a ride.

④ Don't worry. I'm already at school.

⑤ Indeed. I'm glad it's getting warmer.

ⓒ Vladyslav Starozhylov / shutterstock

12 대화를 듣고, 남자의 마지막 말에 대한 여자의 응답으로 가장 적절한 것을 고르시오. 〔수능〕 기출

Woman: _____

① Okay. I'll send the address to your phone.

② Yes. I'll have your dress cleaned by noon.

③ Of course. I'll open the shop tomorrow.

④ No. I'm not moving to a new place.

⑤ Too late. I'm already back at home.

3 대화를 듣고, 여자의 마지막 말에 대한 남자의 응답으로 가장 적절한 것을 고르시오. 수능 기출

Man: _____

① No worries. Stress is not always as bad as you think.

② Don't forget to bring a charger whenever you go out.

③ Great. That'll be a good way to take time for yourself.

④ I think working out too much will burn all your energy.

⑤ Fantastic. Let's enjoy ourselves at the exhibition with the kids.

유형 해결 전략

Step 1
선택지를 읽고, 대화의 ❶☐☐☐를 추측해 본다.

Step 2
남자와 여자 중 누구의 응답을 골라야 하는지를 명확히 하고, 두 사람의 ❷☐☐☐ 차이를 파악하며 듣는다.

Step 3
대부분 후반부에 단서가 제시되므로 끝까지 주의 깊게 듣는다.

답 ❶ 소재 ❷ 입장

3-1 대화를 듣고, 남자의 마지막 말에 대한 여자의 응답으로 가장 적절한 것을 고르시오. 모평 기출

Woman: _____

① Absolutely. I was impressed after reading this script.

② No doubt. I think I acted well in the last comedy.

③ Great. I'll write the script for your new drama.

④ I'm sorry. I'm not able to direct the movie.

⑤ Okay. I'll let you know my decision soon.

ⓒ Getty Images Bank

3-2 대화를 듣고, 여자의 마지막 말에 대한 남자의 응답으로 가장 적절한 것을 고르시오. 모평 기출

Man: _____

① No problem. You'll get your refund.

② Of course. That's why I canceled my order.

③ Excellent. I'll exchange it with a bigger size.

④ Good. I'm glad to hear you received the package.

⑤ Okay. We'll send the gray skirt to you right away.

3-3 대화를 듣고, 남자의 마지막 말에 대한 여자의 응답으로 가장 적절한 것을 고르시오. 모평 기출

Woman: _____

① Don't worry. I know that you're very busy.

② That makes sense. I'll focus on practicing the flute.

③ Definitely. I can help you become a great journalist.

④ That's too bad. I'm sure you'll get elected next time.

⑤ You're right. I think I should leave the school orchestra.

1 대화를 듣고, 남자의 마지막 말에 대한 여자의 응답으로 가장 적절한 것을 고르시오. 수능 기출

Woman: _____

① Please check it again. The hotel can't be fully booked.

② Too bad. I should've checked out as early as possible.

③ Sure. I'm very satisfied with your cleaning service.

④ I'm sorry. You can't switch your room with mine.

⑤ Perfect. That's high enough to avoid the smell.

2 대화를 듣고, 여자의 마지막 말에 대한 남자의 응답으로 가장 적절한 것을 고르시오. 모평 기출

Man: _____

① That's okay. You can reserve another place.

② I see. I should hurry to join your company event.

③ Why not? My company has its own sports facilities.

④ I agree. We should wait until the remodeling is done.

⑤ Thanks. I'll call now to see if they're available that day.

© alexandre zveiger / shutterstock

3 대화를 듣고, 남자의 마지막 말에 대한 여자의 응답으로 가장 적절한 것을 고르시오. 〔모평〕 기출

Woman: _____

① All right. I'll check if it's in the jacket and call you back.

② Don't worry. I'll visit the lost and found for you.

③ Too bad. Let me have my credit card replaced.

④ I see. I'll buy a new jacket if you can't find it.

⑤ Thank you. Pick me up at the grocery store.

전략 Check!

지시문을 잘 읽고, 남자와 여자 중 누구의 ❶[   ]을 골라야 하는지 정확히 알고 대화를 듣습니다. 또한 두 사람의 ❷[   ] 차이를 정확히 파악해야 합니다.

답 ❶ 응답 ❷ 입장

4 대화를 듣고, 여자의 마지막 말에 대한 남자의 응답으로 가장 적절한 것을 고르시오. 〔모평〕 기출

Man: _____

① No problem. I'll inform my students about the quiz.

② Yes. I can't wait to go to Thailand for my vacation.

③ Sure. I'll try to find my pictures of Thai holidays.

④ Of course. I'm sure you're a very good cook.

⑤ Yeah. I bought an airline ticket for you.

5 대화를 듣고, 남자의 마지막 말에 대한 여자의 응답으로 가장 적절한 것을 고르시오. 〔모평〕 기출

Woman: _____

① Okay. I'll ask her to buy some shrimp on her way home.

② Great idea. Turkey sandwiches are always my favorite.

③ Yes. I'll take the shrimp pasta to her workplace now.

④ Good. Let me recommend several good restaurants.

⑤ No wonder. She took the day off from work today.

6 대화를 듣고, 여자의 마지막 말에 대한 남자의 응답으로 가장 적절한 것을 고르시오. 모평 기출

Man: _____

① Not now. It'll be easier to park there late at night.

② Sounds good. I'm glad to hear that you'll arrive soon.

③ Sure. I'll check the app for a spot and make a reservation.

④ One moment. The kids should be back from the museum.

⑤ No problem. I'll remove the app for the children's safety.

전략 Check!

마지막 말이 ❶[　　　]일 경우에는 묻는 내용에 알맞은 응답을 찾습니다. 마지막 말이 ❷[　　　]이면 중심 화제와 마지막 말을 종합하여 적절한 응답을 추론하도록 합니다.

답 ❶ 의문문 ❷ 평서문

7 대화를 듣고, 남자의 마지막 말에 대한 여자의 응답으로 가장 적절한 것을 고르시오. 모평 기출

Woman: _____

① No problem. I can email you the details of our program.

② No worries. I'll let you know what day is available.

③ That's right. I need to get more students.

④ That's true. It's difficult to explain scientific principles.

⑤ Brilliant. I can recommend a good science fiction movie.

© Ljupco Smokovski / shutterstock

8 대화를 듣고, 여자의 마지막 말에 대한 남자의 응답으로 가장 적절한 것을 고르시오. 수능 기출

Man: _____

① Don't worry. I already found his briefcase.

② Of course. You deserve to receive the award.

③ Don't mention it. I just did my duty as a citizen.

④ Definitely. I want to go to congratulate him myself.

⑤ Wonderful. It was the best ceremony I've ever been to.

9 대화를 듣고, 남자의 마지막 말에 대한 여자의 응답으로 가장 적절한 것을 고르시오. 모평 기출

Woman: _____

① That sounds good. I'm glad you've overcome the disaster.

② Get over it. Don't let the past keep you from moving forward.

③ Maybe you're right. I should spend more time singing.

④ Don't worry. Check why your audition was canceled.

⑤ Calm down. You're too proud of yourself now.

10 대화를 듣고, 여자의 마지막 말에 대한 남자의 응답으로 가장 적절한 것을 고르시오 수능 기출

Man: _____

① It's worthwhile to spend money on my suit.

② It would be awesome to borrow your brother's.

③ Your brother will have a fun time at the festival.

④ I'm looking forward to seeing you in a new suit.

⑤ You're going to build a great reputation as an MC.

1 다음 상황 설명을 듣고, Katie가 Brian에게 할 말로 가장 적절한 것을 고르시오. 학평 기출

Katie: _____

① You'd better change your eating habits.

② We should choose the topic of the project.

③ Why don't we try an online survey instead?

④ Could you collect the copies for the survey?

⑤ I've already made the questions for the survey.

2 대화를 듣고, 남자의 마지막 말에 대한 여자의 응답으로 가장 적절한 것을 고르시오.

학평 기출

Woman: _____

① It was shipped to the wrong address.

② I'd like to pick up the book in person.

③ I couldn't find the book in that section.

④ It's damaged. Several pages are missing.

⑤ No problem. I'll pay with this credit card.

© Getty Images Bank

3 대화를 듣고, 여자의 마지막 말에 대한 남자의 응답으로 가장 적절한 것을 고르시오.

학평 기출

Man: _____

① Great. It'll be really nice if we sing together.

② Thank you. I had a great time in your choir.

③ Think twice. It's not easy to sing in a choir.

④ Actually, I'm not a big fan of classical music.

⑤ Never mind. The choir practice has been canceled.

4 다음 상황 설명을 듣고, Lucy가 Mike에게 할 말로 가장 적절한 것을 고르시오. 학평 기출

Lucy: _____

① We can't afford to go on an overseas trip.

② Why don't we stay home for our vacation?

③ Don't forget to call me when you get there.

④ How about planning out our trip in advance?

⑤ You should finish your work before the deadline.

5 대화를 듣고, 여자의 마지막 말에 대한 남자의 응답으로 가장 적절한 것을 고르시오.

학평 기출

Man: _____

① Hurry up, or you'll be late for school.

② Sure, why not? Let's go pick up your dad.

③ I'm sorry but the school bus has already left.

④ Okay. I'll drive you to school tomorrow morning.

⑤ Well, he's too busy working so he couldn't make it.

6 대화를 듣고, 남자의 마지막 말에 대한 여자의 응답으로 가장 적절한 것을 고르시오.

학평 기출

Woman: _____

① No thanks. I can make my own infographics.

② Of course. I'll send it to you right away.

③ Sorry. I forgot to download it yesterday.

④ I see. You mean the shorter, the better.

⑤ Okay. I'll put the graph onto this page.

창의·융합·코딩 전략 ①

1 다음을 읽고, 아래 조건에 맞게 빈칸에 알맞은 말을 쓰시오.

┤ 조건 ├
- ⓐ~ⓔ: Ms. Green에 해당하는 것은 G로, Steven에 해당하는 것은 S로 표시하시오.
- ⓕ: 본문에 있는 한 단어를 넣어, 마지막 상황에 말할 알맞은 문장을 완성하시오.

Steven is a newcomer on Ms. Green's marketing team. Ms. Green, as the leader, asked him to prepare for a presentation about consumer behavior. When reviewing his first draft of the presentation, she realized that Steven included incorrect data from the Internet. When she asked about it, Steven said that he uses only Internet sources. The problem is he doesn't check if that information is reliable. But Ms. Green is aware that information on the Internet is not always accurate. So, Ms. Green wants to tell Steven to check whether the information he finds on the Internet is correct. In this situation, what would Ms. Green most likely say to Steven?

| S | is | a newcomer on the marketing team. |

| ⓐ _____ | is | a leader on the marketing team. |

| ⓑ _____ | often uses | incorrect data from the Internet. |

| ⓒ _____ | doesn't check | whether the information on the Internet is reliable. |

| ⓓ _____ | doesn't think | that the information on the Internet is always accurate. |

| ⓔ _____ | would like to say to the newcomer | "You should make sure the information you find online is ⓕ _____." |

2 다음 여섯 명의 학생에게 알맞은 응답을 〈보기〉에서 골라 기호로 쓰시오. 모평 응용

(1)
What time do you open tomorrow?

_____

(2)
You'd better prepare for the cold weather at night.

_____

(3)
I have an important business meeting at that time.

_____

(4)
Sounds great. Are you learning the program by yourself?

_____

(5)
The exhibition is open until 6 p.m. Are you free after school?

_____

(6)
You're right. You'd better use public transportation today.

_____

┤ 보기 ├

ⓐ Sure. Let's go together.

ⓑ Okay. I'll take the subway then.

ⓒ You're right. I'll take a warm jacket.

ⓓ We're open from 11 o'clock in the morning.

ⓔ No, I'm taking a class in the community center.

ⓕ Sorry to hear that. I'll cancel the reservation now.

창의·융합·코딩 전략 ②

3 다음 전화 대화를 읽고, 물음에 답하시오.

학평 응용

Dad! It's me, Sarah. I just arrived for the computer programming certification test.

Good! You got there early. Are you ready for the test?

No. I've got a big problem. I didn't bring my identification.

Oh, do you want me to bring your student ID now?

That's not possible. I lost my student ID last month at school.

Oh, no. Did you ask the test administration about what to do?

They said I can take the test with my passport instead. It must be somewhere in my room.

Really? Do you remember where you put it?

Hmm ... oh, I remember! I put it in my desk drawer.

(1) 대화 내용에 맞게 다음 표를 완성하시오.

두 사람의 관계	
여자가 있는 곳	
여자의 문제 상황	_____을 가져오지 않음

(2) 빈 말풍선에 들어갈 말로 가장 적절한 것은?

① Alright. I'll get it and bring it to you right away.

② Certainly. It'll take 30 minutes to finish my test.

③ Exactly. I should have brought the documents.

(3) 대화의 내용과 일치하면 T에, 일치하지 않으면 F에 ○표 하시오.

• 여자는 학생증을 학교에 두고 왔다.   (T / F)

• 여자는 남자에게 여권을 가져다 달라고 부탁하고 있다.   (T / F)

• 여자는 여권을 책상 위에 두었다.   (T / F)

담화 이해하기

Quiz 1 두 사람이 처음 들은 안내 방송의 목적은?

① 관람 시 주의 사항을 안내하려고   ② 새로운 메뉴를 홍보하려고

정답 ①

Quiz 2 입장 안내 방송에서 언급되지 **않은** 상영관은?

① 1관   ② 3관   ③ 5관

답 ③

유형 01 담화의 목적 추론

❖ 담화를 듣고, 화자가 말하고자 하는 내용과 의도를 파악하는 유형

1 담화를 듣기 전에 ❶ [   ]부터 빠르게 읽고 담화의 소재와 내용을 추측해 본다.

> 담화의 목적을 추론하는 유형에는 주로 안내 방송, 연설, 광고 등이 나옵니다.

2 담화 첫 부분에 화자가 누구인지 먼저 밝히는 경우가 많다. 화자가 소속되어 있는 기관이나 직업, 신분 등을 통해 담화의 ❷ [   ]을 추론해 볼 수 있다.

3 주로 담화의 중후반부에 화자의 ❸ [   ]나 듣는 이에게 무엇을 요구하는지 드러나므로 끝까지 주의 깊게 듣는다.

답 ❶ 선택지 ❷ 배경 ❸ 의도

담화의 목적 추론에 자주 등장하는 어휘

- **방송 관련**: host 사회자 / guest 손님 / anchor 앵커 / reporter 기자 / broadcast 방송하다

- **면접 관련**: interview 인터뷰; 면접을 보다 / interviewee 면접 대상자 / interviewer 면접관 / hobby 취미 / background 배경 / graduate from ~를 졸업하다 / club activity 동호회 활동

- **자선 관련**: bazaar 바자회 / charity 자선 단체 / donation 기부 / flea market 벼룩시장 / garage sale 중고 물품 세일 / donate(endow) 기부하다

- **행사 관련**: fair 전시회 / festival 축제 / admission fee 입장료 / exhibition 전시회 / be held 개최되다 / participate in ~에 참가하다 / register(sign up) 등록하다 / apply for ~에 지원하다

유형 01 CHECK

CHECK 1 다음 글의 일부를 읽고, 글의 핵심 내용으로 적절한 것을 고르시오. 학평 응용

> Last night ... a heavy rainstorm. The pouring rain ... the school's hallways wet and slippery. ... are especially dangerous to walk on. Please be extra careful when .... You could ... hurt if you slip on .... We're ... to take care of the situation.

① 학교 시설 공사 지연 사과 　② 복도 도보 시 주의 당부

CHECK 2 다음 글을 쓴 목적으로 가장 적절한 것은? 학평 응용

> As the student lockers are getting old, we've been receiving complaints from many of you. So we've decided to replace the lockers over the weekend. We ask that you empty your lockers and leave them open by this Friday, March 22. Make sure to take all the items from your lockers and leave nothing behind. Any items that are not removed will be thrown away.

① 파손된 사물함의 신고 절차를 안내하려고
② 사물함 교체를 위해 사물함을 비울 것을 당부하려고
③ 사물함 사용에 대한 학생 설문 조사 참여를 독려하려고

CHECK 3 다음 글을 읽고, 주어진 문장을 완성하시오. (두 단어로 쓸 것) 학평 응용

> The student union is holding a charity event from next Monday until Wednesday. Thank you to those who have already donated a variety of useful items. We're selling all of those items for five dollars or less, and all of the money will be donated to a local charity. The event will be held in the school gym from 3 p.m. to 5 p.m. I hope many students will participate in this event for charity.

→ The purpose of the above paragraph is to announce the hosting of a(n) _____.

유형 02 담화의 주제와 세부 내용 파악

❖ 담화를 두 번 듣고, 담화의 주제와 세부 내용을 파악하는 유형

1 담화를 듣기 전에 지시문과 ❶ ⬚ 의 내용을 미리 훑어보면서 각 지시문이 요구하는 바를 정확히 이해한다.

> 선택지를 먼저 훑어보면, 담화의 주제와 글의 전개 내용을 예측할 수 있어 듣기 내용을 좀 더 쉽게 이해할 수 있습니다.

2 담화 길이가 긴 편이므로, 흐름을 놓치면 주요 정보를 놓치기 쉽다. 필요한 내용은 간단히 메모하며 끝까지 주의 깊게 들어야 한다.

3 주제 파악 유형

담화의 시작과 끝에 주목한다.

4 세부 내용 파악 유형

지문에 제시된 선택지의 ❷ ⬚ 에 따라 내용을 듣도록 한다.

> 듣기 내용이 선택지 순서와 동일하게 나오기 때문에, 첫 번째 듣기에서 정보를 놓쳤다면 메모해 두었다가 두 번째 듣기에서 꼭 확인해야 합니다.

> 답 ❶ 선택지 ❷ 순서

유용한 연결사

• **결론·요약할 때:** therefore 그러므로 / thus 따라서 / as a result 결과적으로 / in short 요컨대 / in conclusion 마지막으로; 결론적으로

• **내용의 흐름을 바꿀 때:** however 하지만 / while ~인 데 반하여 / in contrast 그에 반해서 / on the other hand 다른 한편으로는

• **예를 들 때:** like (예를 들어) ~같은 / such as (예를 들어) ~와 같은 / for example(instance) 예를 들어

• **반복·강조할 때:** namely 즉, 다시 말해 / that is (to say) 다시 말해서, 즉 / in other words 다시 말해서

유형 02 CHECK

[4 - 6] 다음 글을 읽고, 물음에 답하시오.

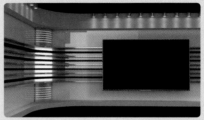
ⓒ Vachagan Malkhasyan / shutterstock

> Good afternoon, everybody. Today, we'll talk about what our animal companions love: Toys. How do toys help our pets? First, toys play a very important role in keeping your pet happy. A toy like a scratcher helps to reduce your cat's stress. Second, toys are a great tool for a pet to get exercise. For example, a hamster loves to run on a wheel toy. Lastly, toys build a bond between you and your pet. Playing with a ball will give you and your dog a joyful experience. Now let's watch a video of pets playing with their toys.

CHECK 4 윗글은 '반려동물'의 무엇에 관한 글인가?

① 특이한 행동 유형

② 행복감을 위한 장난감의 역할

③ 본능을 자극하는 위험한 인간의 행동

CHECK 5 윗글에 언급된 동물이 <u>아닌</u> 것은?

① ② ③

ⓒ Utekhina Anna / shutterstock   ⓒ Getty Images Bank   ⓒ Getty Images Bank

CHECK 6 윗글 다음에 이어질 영상의 내용으로 가장 적절한 것은?

① 인명 구조견의 훈련 과정

② 반려동물을 위한 장난감 제작 과정

③ 장난감을 가지고 노는 반려동물의 일상

개념 돌파 전략 ②

전체 듣기

---

01 다음을 듣고, 남자가 하는 말의 목적으로 가장 적절한 것을 고르시오. `학평` 기출

① 오디션 개최를 공지하려고
② 뮤지컬 공연을 홍보하려고
③ 과제 제출 방법을 설명하려고
④ 재능 기부 방법을 안내하려고
⑤ 연극 수업 참여를 독려하려고

풀이 전략

담화를 듣고, 화자가 하는 말의 목적을 추론하려면?

① 담화를 듣기 전에, 선택지부터 빠르게 읽어 담화의 소재와 내용을 예측해 본다.
→ 오디션 개최, 뮤지컬, 과제 제출, 재능 기부, 연극 수업 등의 어구로 보아, ❶ 과 관련된 소재임을 예측할 수 있다.

Script

M: Hello, everyone. This is Ted Williams, the drama teacher. As you know, there's a musical in the school festival every year. And the auditions for actors are going to be held soon. Even if you don't think you're talented, that's okay. Most importantly, I'm looking for students with passion. All interested students should submit an application to me no later than June 23rd. The auditions are going to be held on June 24th from three to five p.m. in the school auditorium. If you need more information, please check the poster on the bulletin board. I'm looking forward to seeing you at the auditions. Thank you.

② 담화의 첫 부분에서 화자가 누구인지 파악해야 한다.
→ 남자가 본인을 ❷ 담당 교사라고 소개하고 있다.

③ 담화에 등장하는 핵심 어구를 잘 들어야 한다.
→ the auditions for actors, students with passion, submit an application 등으로 보아, 배우 선발 오디션에 관한 담화일 것으로 추론된다.

④ 주로 담화의 중후반부에 화자의 ❸ 가 나오므로 집중력 있게 듣도록 한다.
→ I'm looking forward to seeing you at the auditions.가 핵심 문장이다. 즉, 남자는 오디션에 많은 학생이 지원하기를 바라고 있다.

답 ❶ 예능 ❷ 연극 ❸ 의도

ⓒ Fer Gregory / shutterstock

Words
• audition 오디션   • look for 찾다, 구하다   • passion 열정   • submit 제출하다   • application 지원(신청)(서)   • auditorium 강당
• bulletin board (전자) 게시판   • look forward to -ing ~을 고대하다

02 다음을 듣고, 물음에 답하시오. [학평] 기출

Q1 여자가 하는 말의 주제로 가장 적절한 것은?

① colors to help animals protect themselves

② English animal expressions and their meanings

③ animal sounds expressed in different languages

④ classroom animal games and activities for children

⑤ animals that appear frequently in children's stories

Q2 언급된 동물이 <u>아닌</u> 것은?

① snail　② horse　③ hawk　④ monkey　⑤ snake

Script

W: Okay, students. We just talked about idiomatic expressions related to color. As you know, idioms are creative descriptions. We use them to share an idea or feeling. Now, let's learn some animal idioms in English. The first idiom is "at a snail's pace," which means moving very slowly. This idiom is easy to understand because we all know how slowly snails move. The next one, "hold your horses," is a common way of telling someone to wait or slow down. If someone says "hold your horses," they're telling you to "wait a minute." And children often hear from their parents, "I'm watching you like a hawk." This expression is often used to make sure that someone doesn't misbehave or make a mistake. The last idiom is "I'll be a monkey's uncle." People use this expression when something unexpected or unlikely happens. It's used in a comical way. These idioms may be confusing at first, but once you learn them, you'll have a fun new way of talking.

풀이 전략

담화의 주제와 세부 내용을 파악하려면?

① 담화를 듣기 전에 지시문과 선택지의 내용을 미리 훑어보면서 각 지시문이 요구하는 바를 이해하도록 한다.

→ Q1의 선택지에서 반복되는 어휘가 animal, expression임에 주목하고, Q2의 선택지에는 언급된 동물이 배열되어 있는 것으로 보아, 소재가 ❶☐☐☐☐ 관련 표현임을 추측을 해 볼 수 있다.

② 긴 담화의 지문은 두 번 들려준다. 따라서 주요 정보를 자칫 놓쳤다면, 당황하지 말고 두 번째 듣기를 통해 확인하도록 한다.

→ 지문에 나오는 ❷☐☐☐☐ 정보를 중심으로 주요 내용은 메모해 가면서 듣도록 한다.

③ 담화의 앞부분은 주로 해당 지문의 내용과 관련 없는 지난 소재의 소개가 나오므로, 첫 부분의 내용에 혼동되지 않도록 한다.

→ 색깔과 관련된 관용 표현은 이미 이야기를 마친 내용이므로 혼동하지 않도록 한다.

④ 세부 내용 파악을 위해서는 지문에 제시된 선택지의 ❸☐☐☐☐에 따라 확인하며 내용을 듣도록 한다.

→ Q2의 선택지 별로 설명되는 내용을 표시해 가다 보면, ⑤의 snake(뱀)는 언급되지 않았음을 알 수 있다.

답 ❶ 동물 ❷ 사실적 ❸ 순서

필수 체크 전략 ①

전체 듣기

대표 유형

1 다음을 듣고, 남자가 하는 말의 목적으로 가장 적절한 것을 고르시오. (모평) 기출

① 댄스 동아리 가입 조건을 안내하려고

② 동아리 개설 신청 기간을 홍보하려고

③ 동아리 만족도 설문 조사 참여를 당부하려고

④ 댄스 동아리 활동 장소 폐쇄 이유를 설명하려고

⑤ 댄스 동아리 회원 모집 인원 증원을 공지하려고

유형 해결 전략

Step 1

담화를 듣기 전에 ❶ ▢▢▢ 부터 빠르게 읽어내려 가면서 담화의 소재와 내용을 예측해 본다.

Step 2

주로 담화의 첫 부분에 화자가 누구인지 먼저 밝히고 있다. 이를 통해 화자의 신분, 직업 등을 추론하여 담화의 ❷ ▢▢▢ 을 예측해 본다.

답 ❶ 선택지 ❷ 배경

1-1 다음을 듣고, 여자가 하는 말의 목적으로 가장 적절한 것을 고르시오. (모평) 기출

① 등교 시간 변경을 알리려고

② 학교 매점의 영업 재개를 안내하려고

③ 체육관 신축 공사 일정을 예고하려고

④ 교실 의자와 책상 교체 계획을 공지하려고

⑤ 학교 급식 만족도 조사 참여를 독려하려고

© Cynthia Farmer / shutterstock

1-2 다음을 듣고, 남자가 하는 말의 목적으로 가장 적절한 것을 고르시오. 모평 기출

① 학생회장 선거 투표 결과를 공지하려고

② 음악 경연 대회 참가 신청을 권장하려고

③ 홈쇼핑 가전제품 구매 방법을 설명하려고

④ 새로운 음악 프로그램 방송 일정을 안내하려고

⑤ 노래 경연 우승자 선정을 위한 투표를 독려하려고

1-3 다음을 듣고, 여자가 하는 말의 목적으로 가장 적절한 것을 고르시오. 모평 기출

① 졸업식 식순을 알려주려고

② 졸업 작품 전시회를 홍보하려고

③ 사진 강좌 수강생을 모집하려고

④ 학교 도서관 이용 방법을 안내하려고

⑤ 졸업 사진 촬영 장소 변경을 공지하려고

© Tom Wang / shutterstock

필수 체크 전략 ②

전체 듣기

1 다음을 듣고, 여자가 하는 말의 목적으로 가장 적절한 것을 고르시오. (수능) 기출

① 조련사 자격증 취득 방법을 설명하려고
② 동물 병원 확장 이전을 공지하려고
③ 새로 출시된 개 사료를 소개하려고
④ 반려동물 입양 절차를 안내하려고
⑤ 개 훈련 센터를 홍보하려고

전략 Check!

담화의 목적 추론 유형의 **①** 로는 주로 안내 방송, 연설, 광고, 공지 사항 등이 많이 활용됩니다. 따라서 평소에 잡지나 광고 등에 나오는 글을 자주 눈여겨보는 습관을 들이는 것이 바람직합니다.

답 **①** 소재

2 다음을 듣고, 남자가 하는 말의 목적으로 가장 적절한 것을 고르시오. (모평) 기출

① 발명 대회 참가 신청 마감일 변경을 안내하려고
② 수업 과제의 온라인 제출 방법을 설명하려고
③ 학교 홈페이지 운영 도우미를 모집하려고
④ 발명 아이디어 우수 사례를 소개하려고
⑤ 발명가 초청 특별 강연을 홍보하려고

© Getty Images Bank

3 다음을 듣고, 여자가 하는 말의 목적으로 가장 적절한 것을 고르시오. 수능 기출

① 스마트폰 사용 자제를 당부하려고
② 청취자의 문자 참여를 권유하려고
③ 프로그램 방송 시간 변경을 공지하려고
④ 라디오 앱의 새로운 기능을 소개하려고
⑤ 음원 불법 다운로드의 유해성을 경고하려고

전략 Check!

담화의 목적 추론 유형은 주로 담화의 첫 부분에 화자가 누구인지 먼저 밝히는 경우가 많습니다. 이를 단서로 화자가 소속되어 있는 기관이나 직업, 신분 등을 통해 담화의 **❶** 을 추론해 보도록 합니다.

🔲 ❶ 배경

4 다음을 듣고, 남자가 하는 말의 목적으로 가장 적절한 것을 고르시오. 수능 기출

① 경기 취소를 공지하려고
② 팬클럽 가입을 권유하려고
③ 경기장 개장을 홍보하려고
④ 웹사이트 점검을 안내하려고
⑤ 시상식 일정 변경을 사과하려고

ⓒ Steve Broer / shutterstock

5 다음을 듣고, 여자가 하는 말의 목적으로 가장 적절한 것을 고르시오. 모평 기출

① 글쓰기 특강 참석을 독려하려고

② 효과적인 학습 전략을 소개하려고

③ 교내 수학 동아리 회원을 모집하려고

④ 온라인 설문 조사 일정을 공지하려고

⑤ 장학금 신청 방법 변경 사항을 안내하려고

전략 Check!

담화의 처음에 등장하는 인사말이나 수식어구 등의 **❶** 에 주의를 분산시키지 않도록 주의해야 합니다. 또한 담화의 목적 추론에는 방송, 면접, 자선 단체, 행사 및 축제 관련 어휘가 자주 등장하므로 평소에 이와 관련된 어휘들을 눈여겨보는 자세가 필요합니다.

답 **❶** 표현

6 다음을 듣고, 남자가 하는 말의 목적으로 가장 적절한 것을 고르시오. 모평 기출

① 회사 발전 계획을 발표하려고

② 직원 연수 일정을 안내하려고

③ 우수 직원상 신청을 권장하려고

④ 신입 사원 세미나를 공지하려고

⑤ 직장 근무 환경 개선을 촉구하려고

© Monkey Business Images / shutterstock

7 다음을 듣고, 여자가 하는 말의 목적으로 가장 적절한 것을 고르시오. 모평 기출

① 차량 관리 방법을 설명하려고
② 이사 지침 준수를 요청하려고
③ 전기 절약 방법을 알려주려고
④ 건물 실내 소독 일정을 공지하려고
⑤ 관리 사무소 위치 이전을 안내하려고

전략 Check!

주로 담화의 중후반부에 화자의 ❶ 가 집중되어 나옵니다. 따라서 담화의 흐름을 끝까지 놓치지 않게 긴장감을 갖고 듣도록 해야 합니다.

답 ❶ 의도

8 다음을 듣고, 남자가 하는 말의 목적으로 가장 적절한 것을 고르시오. 모평 기출

① 학교 오케스트라 연주회를 알리려고
② 공연 연습 일정 변경을 공지하려고
③ 고전 음악 감상법을 소개하려고
④ 음악실 사용 규칙을 안내하려고
⑤ 교내 방송부 부원을 모집하려고

© Monkey Business Images / shutterstock

대표 유형

2 다음을 듣고, 물음에 답하시오. 〔모평〕 기출

Q1 여자가 하는 말의 주제로 가장 적절한 것은?

① reasons why chemicals are harmful to plants

② ways that plants protect themselves from danger

③ difficulties in preventing plants from overgrowing

④ tips for keeping dangerous insects away from plants

⑤ importance of recognizing poisonous plants in the wild

Q2 언급된 식물이 <u>아닌</u> 것은?

① roses   ② tomato plants   ③ clovers

④ cherry trees   ⑤ walnut trees

유형 해결 전략

Step 1

담화를 듣기 전에 지시문과 ❶ ☐ 의 내용을 미리 훑어보면서 각 지시문이 요구하는 바를 정확히 이해하도록 한다.

Step 2

이 유형은 담화의 내용이 긴 편이어서 흐름을 놓치면 주요 정보를 놓칠 수도 있다. 또한 담화의 소재는 전문적인 내용을 다루는 경향이 많으므로 집중력과 ❷ ☐ 사고가 필요하다.

❶ 선택지 ❷ 종합적

2-1 다음을 듣고, 물음에 답하시오. 〔모평〕 기출

Q1 남자가 하는 말의 주제로 가장 적절한 것은?

① positive effects of plants on insects

② benefits of insects to human beings

③ various methods of insect reproduction

④ relationship between diseases and insects

⑤ ways to prevent insects from damaging crops

Q2 언급된 곤충이 <u>아닌</u> 것은?

① honeybees　　② grasshoppers　　③ silkworms

④ fruit flies　　⑤ ladybugs

2-2 다음을 듣고, 물음에 답하시오.　　모평 기출

Q1 여자가 하는 말의 주제로 가장 적절한 것은?

① what issues arise from abandoned pets

② how city growth affected wildlife diversity

③ why wild animals came to flourish in cities

④ ways to make cities environmentally friendly

⑤ problems between humans and animals in cities

Q2 언급된 도시가 <u>아닌</u> 것은?

① Paris　　② London　　③ Delhi

④ Bangkok　　⑤ New York City

[1~2] 다음을 듣고, 물음에 답하시오.　　　　　　　수능 기출

1　남자가 하는 말의 주제로 가장 적절한 것은?

① effects of incorporating painting into math education

② mathematical analysis of the art industry's growth

③ application of mathematics in different types of art

④ historical review of important concepts in the arts

⑤ challenges of harmonizing mathematics and art

전략 Check!

'담화의 주제와 세부 내용 파악'의 유형은 담화를 듣기 전에 지시문과 ❶ [　　　]의 내용을 미리 훑어보면서 각 지시문이 요구하는 바를 정확히 이해하도록 해야 합니다. 담화를 듣기 전에 ❶ [　　　]의 내용을 미리 훑어보면, 담화의 주제와 글의 전개 내용이 예측되기도 합니다.

답 ❶ 선택지

2　언급된 예술 분야가 아닌 것은?

① music　　　② painting　　　③ photography

④ dance　　　⑤ cinema

[3~4] 다음을 듣고, 물음에 답하시오.　　　　　　　모평 기출

3　여자가 하는 말의 주제로 가장 적절한 것은?

① decline in employment opportunities due to drones

② regulations for using drones in various fields

③ job skills necessary for drone development

④ workplace accidents caused by drone use

⑤ various uses of drones in different jobs

© Getty Images Bank

4 언급된 직업이 <u>아닌</u> 것은?

① farmers　　② photographers　　③ soldiers

④ police officers　　⑤ firefighters

전략Check!

'담화의 주제와 세부 내용 파악'의 유형은 담화의 내용이 긴 편이어서 자칫 흐름을 놓치면 주요 정보를 놓칠 수도 있습니다. 또한 담화의 소재는 전문적인 내용을 다루는 경향이 많으므로 집중력과 사고가 필요합니다.

답 ❶ 종합적

[5~6] 다음을 듣고, 물음에 답하시오.　수능 기출

5 남자가 하는 말의 주제로 가장 적절한 것은?

① animals used in delivering mail in history

② difficulty of training animals from the wild

③ animals' adaptation to environmental changes

④ endangered animals in different countries

⑤ ways animals sent each other messages

ⓒ Svetlana Foote / shutterstock

6 언급된 동물이 <u>아닌</u> 것은?

① horses　　② pigeons　　③ eagles

④ dogs　　⑤ camels

[7~8] 다음을 듣고, 물음에 답하시오.   학평 기출

7 여자가 하는 말의 주제로 가장 적절한 것은?

① chemical compositions of fatty acids

② benefits of various vegetable cooking oils

③ tips for choosing fresh vegetable cooking oils

④ roles of fatty acids in delaying the aging process

⑤ advantages of vegetable oils as a flavor enhancer

전략 Check!

담화에 반복적으로 등장하는 **❶**
와 표현에 주의하면서 듣도록 합니다.
이를 위해 평상시에 영자 신문을 읽거나
영어로 방송하는 간단한 라디오 방송 등
을 청취하면서 **❷** 내용을 파악
하는 훈련이 필요합니다.

❶ 핵심 어구 ❷ 전체

8 언급된 기름이 아닌 것은?

① coconut oil   ② olive oil   ③ avocado oil

④ grapeseed oil   ⑤ walnut oil

[9~10] 다음을 듣고, 물음에 답하시오.   모평 기출

9 남자가 하는 말의 주제로 가장 적절한 것은?

① reasons why creativity is essential to artists

② habits of famous artists to get creative ideas

③ jobs that are likely to disappear in the future

④ necessity of teaching how to appreciate artwork

⑤ relationship between job satisfaction and creativity

ⒸGolubovy / shutterstock

10 언급된 직업이 <u>아닌</u> 것은?

① filmmaker   ② composer   ③ writer

④ painter   ⑤ photographer

전략 Check!

담화의 주제를 파악하기 위해서는 담화의 시작과 끝에 주목하도록 하고, 세부 사항 파악을 위해서는 지문에 제시된 선택지의 에 따라 내용을 듣는 자세가 필요합니다. 혹, 첫 번째 듣기에서 정보를 놓쳤다면 당황하지 말고 두 번째 듣기를 통해 확인하도록 합니다.

답 ❶ 순서

[11~12] 다음을 듣고, 물음에 답하시오.   모평 기출

11 여자가 하는 말의 주제로 가장 적절한 것은?

① effects of food on sleep

② causes of eating disorders

③ ways to improve digestion

④ what not to eat to lose weight

⑤ importance of a balanced diet for health

© monticello / shutterstock

12 언급된 음식이 <u>아닌</u> 것은?

① bananas   ② milk   ③ cereal

④ French fries   ⑤ candies

누구나 합격 전략

전체 듣기

1 다음을 듣고, 여자가 하는 말의 목적으로 가장 적절한 것을 고르시오. `학평` 기출

① 학부모 간담회 일정 변경을 공지하려고
② 현장 학습에 동행해 줄 것을 부탁하려고
③ 학부모 동의서 온라인 제출 방법을 안내하려고
④ 현장 학습 장소에 관한 학부모의 의견을 구하려고
⑤ 현장 학습 학부모 동의서 확인 및 제출을 요청하려고

[2~3] 다음을 듣고, 물음에 답하시오. `학평` 기출

2 남자가 하는 말의 주제로 가장 적절한 것은?

① various aerobic workouts for losing weight
② effective exercises for reducing back pain
③ activities to make your body flexible
④ importance of having correct posture
⑤ common symptoms of muscle pain

3 언급된 운동이 <u>아닌</u> 것은?

① biking　　　② swimming　　　③ yoga
④ climbing　　　⑤ walking

4 다음을 듣고, 남자가 하는 말의 목적으로 가장 적절한 것을 고르시오. 학평 기출

① 병실 사용 시 유의 사항을 설명하려고
② 병문안 시 면회 시간 준수를 당부하려고
③ 병원 내 새로운 편의 시설을 소개하려고
④ 병원 주변 도로 통제 구역을 공지하려고
⑤ 병원 일부 출입구의 사용 제한을 안내하려고

[5~6] 다음을 듣고, 물음에 답하시오. 학평 기출

5 여자가 하는 말의 주제로 가장 적절한 것은?

① lucky numbers in ancient times
② numbers that bring wealth to people
③ relationship between numbers and religion
④ symbolic meanings of numbers across cultures
⑤ danger of using favorite numbers in passwords

6 언급된 숫자가 <u>아닌</u> 것은?

① four   ② seven   ③ nine
④ ten   ⑤ thirteen

창의·융합·코딩 전략 ①

1 다음을 읽고, 아래 조건에 맞게 빈칸에 알맞은 말을 쓰시오. 수능 응용

┤ 조건 ├
- ⓐ~ⓓ: 아래 글의 내용과 일치하면 T, 일치하지 <u>않으면</u> F로 표시하시오.
- ⓔ: o로 시작하는 알맞은 한 단어를 넣어 주어진 문장을 완성하시오. (단, 복수형으로 쓸 것)

Hello, students. Today, I'll talk about surprising birthplaces of everyday foods. First, people believe the Caesar salad is named after a Roman emperor. But a well-known story is that the name came from a chef in Mexico. He created it by putting together some basic ingredients when running out of food. Second, bagels are a famous New York food. But they're likely from central Europe. A widely repeated story says that they were first made in Vienna to celebrate the defeat of an invading army. Third, many people think kiwis are from New Zealand. It's probably because a small flightless bird from New Zealand has the same name. In fact, the food is from China. Last, if there's any country known for potatoes, it's Ireland. That's because crop failures of this food caused extreme hunger in Ireland in the 19th century. However, the food is believed to come from South America.

© Getty Images Korea

© nathanipha99 / shutterstock

ⓐ The Caesar salad came from a chef in Mexico according to a well-known story.

→ _____

ⓑ Kiwis are small flightless birds from China.

→ _____

ⓒ Crop failures of potatoes caused extreme hunger in South America.

→ _____

ⓓ Buffalo wings are not mentioned in the paragraph.

→ _____

→ The subject of the paragraph is "unexpected ⓔ o_____ of common foods."

창의·융합·코딩 전략 ②

2 대화를 읽고, 물음에 답하시오.

Cindy: Hello.

Danny: Hi, Cindy. It's Danny.

Cindy: Hey, Danny. How are you?

Danny: I'm fine, but a little confused. I'm in the library, but none of our group members are here.

Cindy: What? You're at the library now? We're not meeting until Thursday.

Danny: Really? I think there was some kind of misunderstanding. I thought we were supposed to meet here at 12:30 this afternoon.

Cindy: We were going to, but we changed the date because we needed more time for individual work.

Danny: Huh? No one told me about it.

Cindy: Don't you remember? We decided that in class last Friday.

Danny: I wasn't there, Cindy. I stayed home sick.

Cindy: Oh, no! That's right. You were absent last Friday when we changed the date! I was going to call you after school, but I forgot.

Danny: Oh, that explains it. Well, it's not a big deal.

(1) 대화를 바탕으로 지난 금요일과 오늘 일어난 일을 정리해 보시오.

> **Last Friday**
> ▶ The group members decided to change the date of the meeting to next _____.
> ▶ Danny was _____ that day.
> ▶ Cindy was going to let Danny _____ the change of date.

⬇

> **Today**
> ▶ Danny is in the _____, but none of his group members are there.
> ▶ Danny is a little _____.
> ▶ Cindy realizes that she didn't _____ Danny of the change of date.

(2) In this situation, what would Cindy most likely say to Danny? Put appropriate words in the blanks. (Start with the given spellings.)

Cindy

> I'm sorry. It's my f_____. I should have told you e_____.

© Syda Productions / shutterstock

BOOK 2 마무리 전략

지난 2주간 학습한 듣기 전략 중 가장 중요한 내용을 다시 한 번 기억해 두세요.

1주 듣기와 말하기

2주 전체 내용 파악하기

1 대화를 듣고, 여자의 마지막 말에 대해 남자가 할 말로 가장 적절한 것을 고르시오. 모평 응용

Man: _____

① Of course, it is. It'll be good for your future career.

② Certainly. You're scheduled to meet my assistant.

③ I don't think so. You can't use the center for free.

④ No way. You don't want to work with children.

⑤ Yes. It's necessary to quit my part-time job.

How to Solve

긴 대화의 응답을 고르는 유형은 대화를 듣기 전에 선택지를 통해 다루어질 ❶ [　　　]가 무엇일지 먼저 추론해 보는 것이 바람직합니다. 특히 마지막 말이 의문문이 아닌 ❷ [　　　]이면 중심 화제와 마지막 말을 종합하여 적절한 응답을 추론해야 합니다.

답 ❶ 소재 ❷ 평서문

2 다음 상황 설명을 듣고, 지금 이 일이 이루어지고 있는 장소로 가장 적절한 것을 고르시오.

모평 응용

①
in a car

②
on the street

③
in the house

④
at the airport

⑤
in an airplane

How to Solve

상황으로 이루어진 유형은 하나의 [❶   ] 형식으로 구성되어 있고, '누가, 언제, 어디서, 무엇을, 어떻게, 왜' 했는지에 관한 [❷   ] 정보를 담고 있습니다. 그렇기 때문에 이러한 유형은 관계 추론, 목적 추론, 이유 추론, 장소 추론, 일치 여부 파악 등 여러 가지 유형으로 변형이 가능합니다. 대화가 일어나는 장소 추론 유형은 거론되는 단어에 현혹되지 말고 전체 흐름과 맥락에 주의하여 어느 공간에서 이루어지는 상황인지 주의해서 들어야 합니다.

🔲 ❶ 이야기 ❷ 사실적

[3~4] 다음을 듣고, 물음에 답하시오.　　　　　　　모평 응용

3 여자가 하는 말의 제목으로 가장 적절한 것은?

① Effects and Uses of Colors

② Functions and Uses of Shapes

③ Ways of Constructing Buildings

④ Types and Purposes of Buildings

⑤ Color Preferences and Personalities

4 언급된 색깔과 해당 색깔이 주로 사용되는 장소의 쌍으로 일치하지 <u>않는</u> 것은?

① 청색 — 은행　　　　　　② 흰색 — 보험 회사

③ 녹색 — 호텔　　　　　　④ 분홍색 — 병원 대기실

⑤ 회색 — 사무실

ⓒ Jag_cz / shutterstock

How to Solve

최근 몇 년 간의 수능 출제 경향을 보면, 긴 담화를 듣고 푸는 유형은 주제를 추론하는 유형과 세부 내용을 파악하는 유형의 두 유형으로 고정되어 있습니다. 하지만 이 두 유형도 조금씩 다른 유형으로 언제든 변화할 수 있으므로 대비를 하는 것이 좋습니다. 이를 위해 담화의 내용을 ❶▢▢▢▢하게 이해하고, 담화 전체에 골고루 언급되어 있는 ❷▢▢▢ 내용들을 선택지와 대조해 가면서 꼼꼼히 듣는 자세가 필요합니다.

답 ❶ 정확 ❷ 세부

5 다음을 듣고, 남자가 사과의 말을 하는 이유로 가장 적절한 것을 고르시오. 학평 응용

© Ferenc Szelepcsenyi / shutterstock

① 도서관 홈페이지 개설이 늦어져서
② 도서관 운영 시간을 축소하게 되어서
③ 도서관 재개관 날짜를 연기하게 되어서
④ 도서관 내부 청소가 제대로 이루어지지 않아서
⑤ 도서관 벽 공사로 인한 소음이 발생해서

How to Solve

어떤 말을 하는 이유는, 곧 그 말을 하는 목적과 관련이 있습니다. 특히 사과를 한다면 어떤 일이 발생해서 어떤 ❶ 가 이 말을 듣는 사람들에게 발생했는지 파악해야 합니다. 대개 마지막 부분에 어떤 점에 대해 ❷ 하는지 다시 한 번 반복하여 말할 것이므로, 끝까지 주의 깊게 들으면 어렵지 않게 답을 찾을 수 있습니다.

답 ❶ 피해 ❷ 사과

01 다음 상황 설명을 듣고, Ben이 Stacy에게 할 말로 가장 적절한 것을 고르시오. 수능 기출

Ben: _____

① Feel free to take the tomatoes from my backyard.

② Tell me if you need help when planting tomatoes.

③ Do you want the ripe tomatoes I picked yesterday?

④ Why don't we grow tomatoes in some other places?

⑤ Let me take care of your tomatoes while you're away.

ⓒ Getty Images Korea

02 대화를 듣고, 남자의 마지막 말에 대한 여자의 응답으로 가장 적절한 것을 고르시오. 수능 기출

Woman: _____

① Excellent. I like the camera you bought for me.

② Good. I'll stop by and get it on my way home.

③ Never mind. I'll drop off the camera tomorrow.

④ I see. Thanks for taking those pictures of me.

⑤ No way. That's too expensive for the repair.

ⓒ stockphoto-graf / shutterstock

03 대화를 듣고, 여자의 마지막 말에 대한 남자의 응답으로 가장 적절한 것을 고르시오. 모평 기출

Man: _____

① Too bad. I hope you'll feel better soon.

② Of course. I'm sure you'll win the race.

③ I see. I've never been a cycling champion.

④ All right. I'll be just fine at the competition.

⑤ Terrific. I'm also looking forward to the camp.

04 다음 상황 설명을 듣고, Brian이 Ms. Clark에게 할 말로 가장 적절한 것을 고르시오. **모평** 기출

Brian: _____

① You should judge students by their performance.

② I apologize for not joining the cheerleading team.

③ We're not allowed to participate in the competition.

④ It was a good experience coaching you last semester.

⑤ We're thankful for all the hard work you've done for us.

05 대화를 듣고, 여자의 마지막 말에 대한 남자의 응답으로 가장 적절한 것을 고르시오. **모평** 기출

© Africa Studio / shutterstock

Man: _____

① Absolutely. You don't need it tomorrow.

② Alright. I'll return it to you this evening.

③ I know. But I haven't fixed mine yet.

④ Don't worry. You can repair it easily.

⑤ Sorry. I couldn't go to the workshop.

06 대화를 듣고, 남자의 마지막 말에 대한 여자의 응답으로 가장 적절한 것을 고르시오. **수능** 기출

© Sashkin / shutterstock

Woman: _____

① Sorry. I don't think I can wait until tomorrow for this one.

② I agree. The displayed one may be the best option for me.

③ Oh, no. It's too bad you don't sell the displayed model.

④ Good. Call me when my washing machine is repaired.

⑤ Exactly. I'm glad that you bought the displayed one.

07 다음 상황 설명을 듣고, Steve가 Cathy에게 할 말로 가장 적절한 것을 고르시오. 수능 기출

Steve: _____

① You should highlight your volunteer experience as a translator.

② How about volunteering together for the translation club?

③ Why don't you help me write a self-introduction letter?

④ You need to spend more time practicing translation.

⑤ You'd better become more qualified as a volunteer.

08 대화를 듣고, 남자의 마지막 말에 대한 여자의 응답으로 가장 적절한 것을 고르시오. 모평 기출

Woman: _____

① I'll be back tomorrow.

② You liked the food there.

③ I go to the gym every day.

④ You should be here by six.

⑤ We finished dinner already.

09 대화를 듣고, 여자의 마지막 말에 대한 남자의 응답으로 가장 적절한 것을 고르시오. 모평 기출

Man: _____

① Thanks a lot. I hope he can help me out.

② No thanks. He's the last man I want to see.

③ Trust me. I'll keep the sound system updated.

④ That's fine. You'll learn from your experience.

⑤ Cheer up! You'll get another chance next time.

© Getty Images Korea

10 다음 상황 설명을 듣고, Marcus가 Judy에게 할 말로 가장 적절한 것을 고르시오. 모평 기출

© Africa Studio/shutterstock

Marcus: _____

① Can you share your recipe if you don't mind?

② We'll be able to win since we've practiced a lot.

③ We'd better figure out who our competitors will be.

④ We need to practice harder to speed up our cooking.

⑤ How about signing up for the cooking competition with me?

11 대화를 듣고, 여자의 마지막 말에 대한 남자의 응답으로 가장 적절한 것을 고르시오. 수능 기출

© Getty Images Bank

Man: _____

① I see. Then I'll park somewhere else.

② It's all right. I'll bring your car over here.

③ No thanks. I don't want my car to be painted.

④ Never mind. I'll pay the parking fee later.

⑤ Okay. I'll choose another car instead.

12 대화를 듣고, 남자의 마지막 말에 대한 여자의 응답으로 가장 적절한 것을 고르시오. 수능 기출

Woman: _____

① Definitely! This book isn't as interesting as yours.

② Terrific! I'll check right away if there are any nearby.

③ Never mind. I won't take that course next semester.

④ Really? I didn't know you have a degree in philosophy.

⑤ Why not? You can join my philosophy discussion group.

01 다음을 듣고, 남자가 하는 말의 목적으로 가장 적절한 것을 고르시오. 수능 기출

① 헬스클럽 할인 행사를 안내하려고

② 동영상 업로드 방법을 설명하려고

③ 스포츠 중계방송 중단을 예고하려고

④ 체육관 보수 공사 일정 변경을 공지하려고

⑤ 운동 방법에 관한 동영상 채널을 홍보하려고

© Catalin Petolea / shutterstock

[02~03] 다음을 듣고, 물음에 답하시오. 모평 응용

02 여자가 하는 말의 주제로 가장 적절한 것은?

① unique museums around the world

② the history of world-class museums

③ cultural festivals in different countries

④ worldwide efforts to preserve heritage

⑤ international etiquette of museum visitors

03 언급된 나라가 <u>아닌</u> 것은? 모평 기출

① USA   ② Egypt   ③ India

④ Japan   ⑤ Mexico

04 다음을 듣고, 여자가 하는 말의 목적으로 가장 적절한 것을 고르시오. 수능 기출

① 농장 체험 프로그램을 홍보하려고
② 유산소 운동의 장점을 소개하려고
③ 가족 여행 준비물을 안내하려고
④ 유제품 보관 방법을 설명하려고
⑤ 저지방 식단의 중요성을 강조하려고

[05~06] 다음을 듣고, 물음에 답하시오. 수능 기출

05 남자가 하는 말의 주제로 가장 적절한 것은?

① color change in nature throughout seasons
② various colors used in traditional English customs
③ differences in color perceptions according to culture
④ why expressions related to colors are common in English
⑤ how color-related English expressions gained their meanings

06 언급된 색깔이 <u>아닌</u> 것은?

① blue   ② white   ③ green
④ red   ⑤ yellow

07 다음을 듣고, 남자가 하는 말의 목적으로 가장 적절한 것을 고르시오. 학평 기출

① 사진 동아리 부원을 모집하려고
② 동물원 견학 프로그램을 홍보하려고
③ 동물 사진을 찍는 요령을 알려 주려고
④ 동물원 관람 시 유의 사항을 안내하려고
⑤ 새로 출시된 카메라의 사용법을 설명하려고

[08~09] 다음을 듣고, 물음에 답하시오. 모평 기출

08 여자가 하는 말의 주제로 가장 적절한 것은?

① foods that fight against colds
② preparing delicious cold foods
③ effective foods for losing weight
④ growing organic vegetables at home
⑤ bacteria that help the immune system

ⓒ Getty Images Korea

09 언급된 음식이 <u>아닌</u> 것은?

① ginger   ② mushrooms   ③ spinach
④ yogurt   ⑤ garlic

10 다음을 듣고, 여자가 하는 말의 목적으로 가장 적절한 것을 고르시오. 학평 기출

① 졸음운전 예방법을 소개하려고

② 자동차 안전기준 강화를 촉구하려고

③ 올바른 의약품 보관법을 설명하려고

④ 장시간 운전 시 휴식의 필요성을 강조하려고

⑤ 약 복용 후의 운전에 대해 주의를 당부하려고

© michaeljung / shutterstock

[11~12] 다음을 듣고, 물음에 답하시오. 수능 기출

11 남자가 하는 말의 주제로 가장 적절한 것은?

① several ways flowers attract animals

② popular professions related to animals

③ various animals that feed from flowers

④ major factors that pose a threat to animals

⑤ endangered animals living on tropical islands

© Ondrej Prosicky / shutterstock

12 언급된 동물이 <u>아닌</u> 것은?

① hummingbirds ② bats ③ lizards

④ parrots ⑤ squirrels

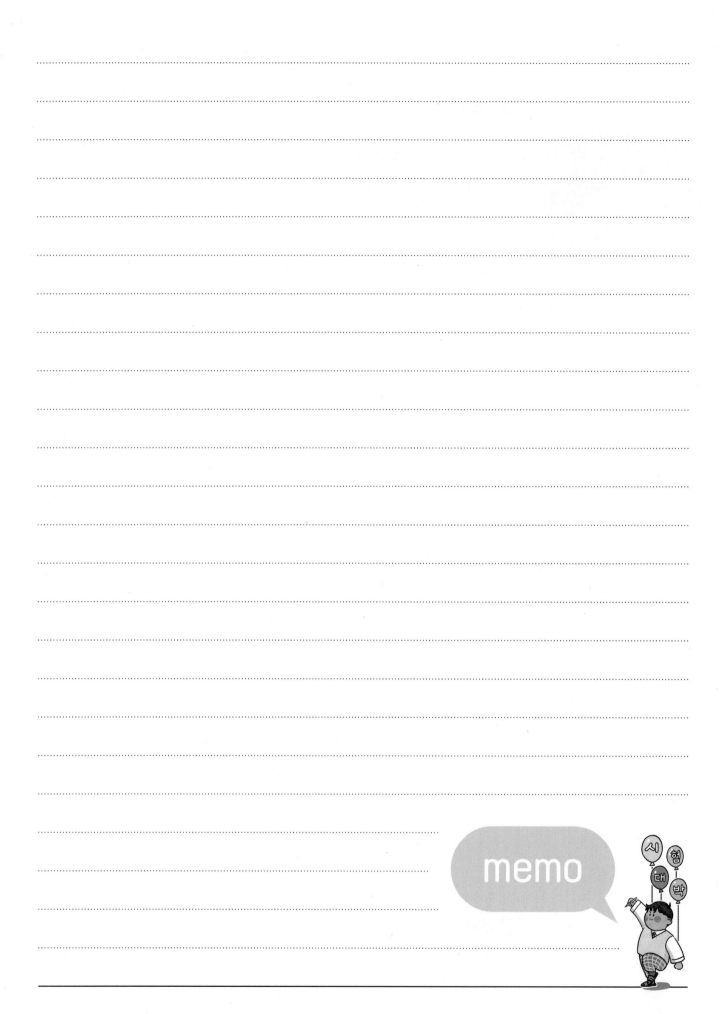

memo

memo

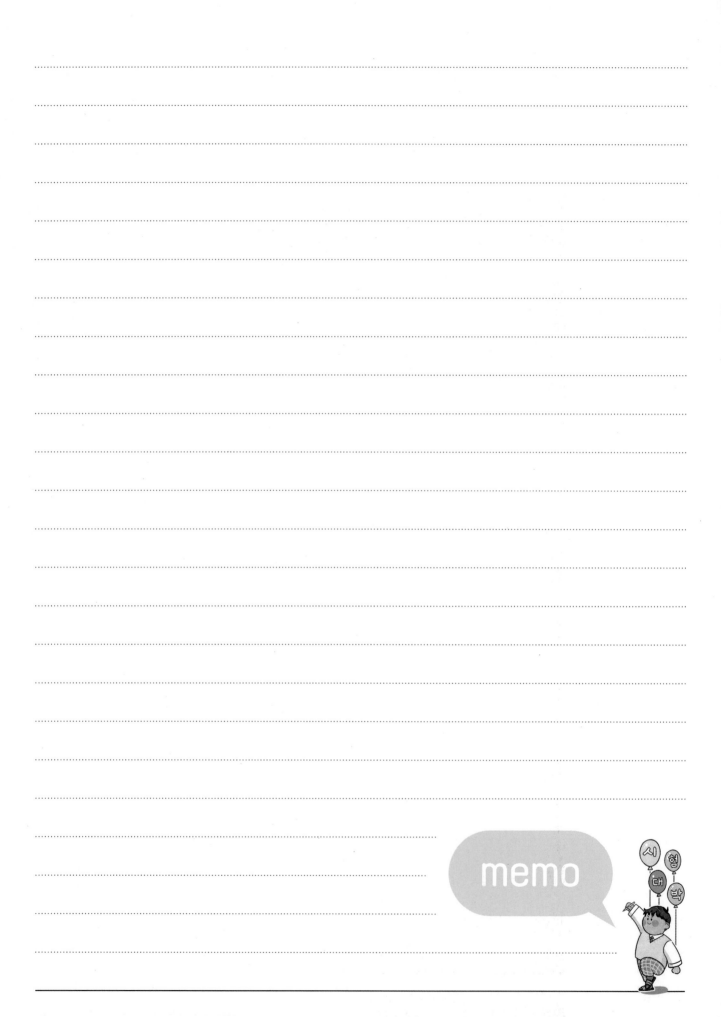

memo

수능전략

영·어·영·역

듣기

BOOK 3

정답과 해설

DAY 1 개념 돌파 전략 ① CHECK | 8~9쪽

| 1 ① | 2 ① | 3 ① | 4 ② | 5 ② |

해석 **1** ① Tom: 나는 그들이 웹사이트의 패스트푸드 광고를 금지시켜야 한다고 생각해. ② Anna: 많은 개 주인들이 매일 자신의 개와 산책을 한다. ③ Claire: 내 여동생은 팔에 흉터가 있다. **2** 여행을 할 때에는 반드시 현지 음식을 먹어 보세요. 그것이 문화의 심장부에 다다를 수 있는 가장 좋은 방법입니다. **3** W: 당신이 추가한 효과음이 이야기를 살아 있는 것처럼 만들었어요. M: 고마워요. 당신의 목소리 연기도 뛰어났어요. **4** A: Brian, 오늘 밤 나랑 영화 보러 갈래? 공짜표가 있어. B: 그러고 싶지만 안 될 것 같아. 부모님이 오늘 캐나다에서 나를 만나러 오셔. A: 알겠어. 다음에 가자. **5** A: 아빠, 제가 무엇을 해 드리면 좋을까요? B: 거실을 청소하거나 설거지를 할 수 있겠지. A: 알겠어요, 그럼 제가 설거지를 할게요. B: 고맙다, Sam.

DAY 1 개념 돌파 전략 ② | 10~13쪽

| 1 ③ | 2 ② | 3 ① | 4 ① |

1 대화를 듣고, 남자의 의견으로 가장 적절한 것을 고르시오. 답 ❸ 역사 만화책을 읽는 것이 역사 공부에 도움이 된다.

W: Dylan, what are you doing?

M: I'm learning about the history of Rome.
남자는 로마의 역사에 대해 공부 중이다.

W: Hmm .... But you are reading a comic book, aren't you?

M: Yes, it's a comic book about history. It's very helpful.

W: I think reading a general history book would be more helpful.

M: Maybe. But learning history through comic books has many good
┌ 주어가 동명사구이므로 동사는 3인칭 단수형이 왔다.
만화책을 통해 역사를 배우는 것에 장점이 많다.
  points.

W: Why do you think so?
여자가 남자의 의견을 물었으므로, 남자가 자신의 의견을 말할 것이다.

M: Comic books use pictures to convey information, so you can understand
남자의 의견: 만화책이 역사적 사건을 더 쉽게 이해하고 오래 기억하게 한다.
  historical events more easily and remember them for a long time.

W: That makes sense. Anything else?
make sense: 말이 되다, 이치에 맞다

M: Most importantly, comic books are interesting to read.
┌ give it a try: 시도하다, 한번 해보다
W: I see. Then I'll give it a try.

정답 전략 역사에 관해 공부할 때 만화책이 도움이 된다는 남자의 말에 여자가 의아해 하자, 남자는 만화책으로 역사를 공부하는 것의 장점에 대해 설명하고 있다.

2 대화를 듣고, 두 사람의 관계를 가장 잘 나타낸 것을 고르시오. 답 ❷ 방송 진행자 – 요리사

W: Hi, Mr. Williams.

W: Dylan, 뭐하고 있어?

M: 로마의 역사에 대해 공부하는 중이야.

W: 음… 하지만 너는 만화책을 읽고 있잖아, 그렇지 않니?

M: 응, 역사에 대한 만화책이야. 정말 도움이 돼.

W: 나는 일반적인 역사책을 읽는 것이 더 도움이 될 거라고 생각해.

M: 그럴지도 모르지. 하지만 만화책을 통해 역사를 배우는 것에는 많은 장점이 있어.

W: 왜 그렇게 생각하는데?

M: 만화책은 정보를 전달하기 위해 그림을 사용하니까, 역사적인 사건들을 더 쉽게 이해하고 오랫동안 기억할 수 있어.

W: 일리가 있네. 다른 건?

M: 가장 중요하게는, 만화책은 읽기에 재미있다는 거야.

W: 알겠어. 그럼 나도 시도해 볼게.

W: 안녕하세요, Williams 씨.

M: Hi, Ms. Brown. Thanks for inviting me.
<u>남자는 초대받은 상황이다.</u>

W: We're honored to meet you today. I heard that you've been cooking for
<u>남자가 오랫동안 요리를 해 왔음을 알려준다.</u>
more than 30 years.

M: Yes. I've studied ways to make Italian dishes more delicious since 1990.

W: That's amazing. Actually, many viewers have been asking for pasta
<u>'시청자(viewers)'라는 표현으로 보아 방송과 관련된 상황임을 알 수 있다.</u>
recipes.

M: Great. Today I'll teach you how to make tomato bacon pasta in an easy
<u>how+to부정사: ~하는 방법</u>
way.

W: Fantastic! Also, the recipe will be uploaded to our website after the
<u>여자가 방송과 관련된 일을 하고 있음을 알 수 있다.</u>
show.
┌ 이 문장에서 동사로 '(못 보고) 놓치다'의
의미로 쓰인 다의어이다.

M: That will be helpful for the viewers who miss the show.
<u>방송과 관련된 상황임을 알 수 있다.</u>

W: Great. Can you tell me what to prepare for the dish?
<u>what+to부정사: 무엇을 ~할지, 무엇을 ~해야 할지</u>

M: All you need is bacon, tomatoes, pasta, and olive oil.
┌ start의 목적어는 동명사나 to부정사 모두 올 수 있다.

W: Okay. Let's start cooking!

정답 전략 여자가 남자를 인터뷰하고 있고, viewers, the show 등의 표현으로 보아 방송 진행자임을 알 수 있다. 남자는 두 번째 여자의 말(I heard ~ 30 years.)을 통해 요리를 오랫동안 해 온 요리사임을 알 수 있다.

M: 안녕하세요, Brown 씨. 초대해 주셔서 고맙습니다.

W: 오늘 당신을 뵙게 돼서 저희가 영광입니다. 30년 넘게 요리를 해 오셨다고 들었어요.

M: 네. 저는 1990년부터 이탈리아 요리를 더 맛있게 하기 위해 공부해 왔어요.

W: 놀랍군요. 사실, 많은 시청자들이 파스타 요리법을 요청하고 계세요.

M: 잘됐네요. 오늘 제가 쉬운 방법으로 토마토 베이컨 파스타 만드는 법을 가르쳐 드릴게요.

W: 멋지네요! 또한, 요리법은 방송 후에 저희 웹사이트에 올라갈 거예요.

M: 그렇게 하면 방송을 놓친 시청자들께 도움이 되겠어요.

W: 좋습니다. 요리를 위해 무엇을 준비해야 할지 말씀해 주시겠어요?

M: 베이컨, 토마토, 파스타, 그리고 올리브유만 있으면 됩니다.

W: 알겠습니다. 요리를 시작해 보죠!

---

3 대화를 듣고, 여자가 영화를 보고 있는 이유를 고르시오. **답 ①** 맡은 배역을 더 잘 이해하고 싶어서

M: Ellen, what are you looking at on your smart phone?

W: Hey, John. I'm watching the movie *Romeo and Juliet*.
<u>여자는 지금 영화를 보고 있다고 했다.</u>

M: I didn't know you're interested in romantic movies.
<u>오답 ③을 유도하는 표현이다.</u>

W: To be honest, I like action movies.
<u>to be honest (with you): 솔직히 말하면 → 독립부정사로 위치 이동이 가능하다.</u>

M: Then, is it for your writing assignment? You said you needed to write a
<u>오답 ⑤를 유도하는 표현이다.</u>
paper on Shakespeare.
┌ have+과거분사: 현재완료의 완료 용법으로 쓰였다.

W: No, I've already finished it.
<u>작문 과제는 이미 끝냈다고 했다.</u>

M: Well, do you like the actors in the movie?
<u>오답 ④를 유도하는 표현이다.</u>

W: Not really. Actually, I'm going to play Juliet in the school play. And I'm
<u>여자는 학교 연극에서 Juliet 역할을 맡아서, 역할 이해를 위해 관련 영화를 보고 있는 중이라고 했다.</u>
watching this because I want to better understand my role.

M: Oh, that's a good idea. I'm sure it'll help you.

W: I hope so. I really want to do well.

M: Don't worry. You'll do great.

W: Thanks. You should come and watch the play.

정답 전략 여자는 학교 연극에서 Juliet 역할을 맡았고, 그 역할을 더 잘 이해하기 위하여 〈Romeo and Juliet〉 영화를 보고 있다고 했다.

M: Ellen, 스마트폰에서 뭘 보고 있어?

W: 안녕, John. 나는 영화 〈Romeo and Juliet〉을 보고 있어.

M: 네가 로맨스 영화에 관심이 있는 줄은 몰랐는데.

W: 솔직히 말하면, 나는 액션 영화를 좋아해.

M: 그럼, 작문 과제 때문이니? Shakespeare에 대한 보고서를 써야 한다고 그랬지.

W: 아니, 그건 이미 끝냈어.

M: 음, 그 영화에 나오는 배우들을 좋아해?

W: 아니야. 사실, 내가 학교 연극에서 Juliet 역할을 할 거야. 그리고 내 역할을 더 잘 이해하고 싶어서 이걸 보는 거야.

M: 오, 그거 좋은 생각이다. 그게 도움이 될 거라고 확신해.

W: 그러길 바라. 정말 잘하고 싶어.

M: 걱정하지 마. 넌 잘 할 거야.

W: 고마워. 꼭 와서 연극 봐야 해.

---

4 대화를 듣고, 남자가 여자를 위해 할 일로 가장 적절한 것을 고르시오. **답 ①** 사진 전송하기

M: Hi, Mary. You look worried. What's the matter?
<u>look+형용사: ~해 보이다</u>

M: 안녕, Mary. 너 걱정스러워 보여. 무슨 일이야?

W: Hi, Steve. Remember the report about wildflowers I've been working on?

<small>여자의 상황: 야생화 관련 보고서에 어떤 문제가 있음을 짐작할 수 있다.</small>
<small>have been -ing: 현재완료 진행시제로 과거에 시작된 동작이 현재까지 계속될 때 쓴다.</small>

M: Of course. That's for your biology class, right?

W: Yeah. I was able to get pictures of all the wildflowers in my report except for daisies.

<small>여자의 문제: 데이지 사진을 구할 수가 없다.</small>

M: I see. Can't you submit your report without pictures of daisies?

W: No. I really need them. I even tried to take pictures of daisies myself, but I found out that they usually bloom from spring to fall.

<small>find out: ~임을 알아내다</small>

M: You know what? This spring, I went hiking with my dad and took some pictures of wildflowers.

<small>남자의 제안: 자신이 예전에 야생화 사진을 찍었다고 말하고 있다.</small>

W: Do you have them on your phone? Can I see them?

M: Sure. Have a look.

W: Oh, the flowers in the pictures are daisies! These will be great for my report.

<small>여자는 남자가 찍은 사진들 속에서 데이지 사진을 발견했다.</small>

M: Really? Then I'll send them to you.

<small>남자가 할 일: 여자에게 데이지 사진을 보내주겠다고 했다.</small>

W: Thanks. That would be very helpful.

<small>**정답 전략** 여자가 보고서에 필요한 야생화 사진 중 데이지 사진만 구하지 못한 상황에서 남자가 찍은 사진 중 데이지 사진을 발견했고, 남자는 사진을 여자에게 보내겠다고 했다.</small>

W: 안녕, Steve. 내가 쓰고 있는 야생화 관련 보고서 기억해?

M: 물론이지. 생물 수업 보고서잖아, 맞지?

W: 응. 보고서에 데이지만 빼고 모든 야생화 사진을 구할 수 있었어.

M: 그렇구나. 데이지 사진 없이 보고서를 제출하면 안 돼?

W: 안 돼. 그게 꼭 필요해. 데이지 사진을 직접 찍으려고도 해 봤는데, 데이지는 보통 봄부터 가을까지 핀다는 걸 알았어.

M: 그거 알아? 올 봄에 내가 우리 아빠랑 하이킹을 갔다가 야생화 사진을 좀 찍었어.

W: 전화기에 그 사진들 갖고 있어? 나 좀 볼 수 있어?

M: 물론이지. 봐.

W: 오, 사진 속 꽃이 데이지야! 내 보고서에 넣으면 좋을 거야.

M: 정말? 그러면 너에게 그것들을 보내줄게.

W: 고마워. 정말 도움이 될 거야.

DAY 2 필수 체크 전략 ①

[대표 유형] **1** ② **1-1** ⑤ **2** ② **2-1** ②

1 대화를 듣고, 남자의 의견으로 가장 적절한 것을 고르시오. **답** ❷ 시골 생활은 건강한 삶에 도움이 된다.

M: Honey, I heard the Smith family moved out to the countryside. I really envy them.

<small>heard와 the 사이에 명사절 접속사 that이 생략되었다.</small>

W: Really? Why is that?

M: I think we can stay healthy if we live in the country.

<small>남자의 의견: 시골에서 살 때의 장점</small>

W: Hmm, can you be more specific?

M: Here in the city the air is polluted, but it's cleaner in the country.

<small>남자의 의견: 시골에서 살 때의 장점 ①</small>

W: That makes sense because there're fewer cars.

M: Right. And it's less noisy in the country, too. We'll be less stressed.

<small>남자의 의견: 시골에서 살 때의 장점 ②</small>

W: I guess we could also sleep better since there isn't constant noise at night.

<small>'~ 때문에'라는 뜻으로 쓰인 접속사이다.</small>

M: Plus, we can even grow our own fruits and vegetables.

<small>남자의 의견: 시골에서 살 때의 장점 ③</small>

W: That'd be nice. We can have a healthier diet.

M: Definitely. I'm sure country living will help us enjoy a healthy life.

<small>help 동사는 5형식 문장에서 목적격 보어로 동사원형(enjoy)과 to부정사(to enjoy) 모두를 쓸 수 있다.</small>

W: I agree.

M: 여보, Smith 가족이 시골로 이사를 갔다고 들었어요. 그들이 정말 부러워요.

W: 정말요? 왜요?

M: 난 우리가 시골에서 살면 건강을 유지할 수 있을 거라고 생각하거든요.

W: 음, 더 구체적으로 말할 수 있어요?

M: 여기 도시에서는 공기가 오염되어 있지만, 시골에서는 더 깨끗하잖아요.

W: 거기에는 차가 더 적으니까 맞는 말이에요.

M: 맞아요. 그리고 시골은 또한 덜 시끄럽고요. 스트레스가 더 적을 거예요.

W: 또한 밤에 지속적인 소음이 나지 않으니 잠도 더 잘 잘 수 있을 것 같아요.

M: 게다가 심지어 우리들만의 과일과 채소를 재배할 수도 있어요.

W: 그렇게 하면 좋을 것 같아요. 우린 더 건강한 식단을 가질 수 있을 거예요.

M: 물론이죠. 시골 생활이 우리가 건강한 삶을 누리는 데 도움을 줄 거라고 확신해요.

W: 나도 동의해요.

1-1 대화를 듣고, 여자의 의견으로 가장 적절한 것을 고르시오. 답 ❺ 바른 자세로 운동하는 것은 부상 위험을 줄인다.

W: Hello, Daniel. Did you finish the warm-up exercise?

M: Hi, Kelly. I did. I'm ready for today's workout.

W: Great. Let's start with squats.

M: Okay. I'll try.

W: Hmm, you're doing good, but your knees still extend over your toes.

M: Oh, I should be more careful.

W: Yes. Working out with the correct posture is important because it can
여자의 의견: 올바른 자세로 운동해야 부상을 예방한다.
prevent you from getting injured.
prevent A from -ing: A가 ~하는 것을 막다

M: I'm aware of that, but it's hard.
be aware of: ~을 알다
be likely +to부정사: ~할 것 같다

W: But if you continue to exercise in the wrong position, you're more likely
여자의 의견: 잘못된 자세로 운동하면 다칠 가능성이 크다.
to get hurt by placing too much stress on your joints and muscles.

M: Oh, that might cause an injury.

W: That's right. That's why I always emphasize working out in the right way.
여자의 의견: 올바른 방법으로 운동할 것을 강조한다.

M: Okay. I'll pay more attention to my workout posture.

W: Good. Let's try it again.

2 대화를 듣고, 두 사람의 관계를 가장 잘 나타낸 것을 고르시오. 답 ❷ 꽃집 점원 – 식당 주인

W: Hello, Mr. Miller. It's been a while. How's your business?

M: The restaurant is doing pretty good. Jessica, I'd like to buy some purple
남자는 식당과 관련된 곳에서 일하고 있을 것 같다.　남자가 꽃을 사려고 하는 것으로 보아, 대화가 일어나는 곳은 꽃집이고, 여자는 꽃집과 관련된 사람이다.
flowers.

W: I'm sorry. We don't have any purple flowers right now. Why are you looking for that specific color?

M: I need that color to decorate my restaurant. My customer is having a
my restaurant이라고 지칭한 것으로 보아, 남자는 식당 주인이다.
company anniversary party, and its logo is purple.
고객의 회사 기념일 파티를 식당에서 여는 것으로 보아, 남자는 식당 주인이 맞다.

W: I see. When do you need the flowers?

M: This Friday.

W: Okay. Shall I ask my boss to order purple lilies?
여자가 my boss라고 한 것으로 보아, 여자는 꽃집에서 일하는 점원이다.

M: That'd be perfect. I didn't know there were purple lilies.
동사 뒤에 복수명사(lilies)가 나왔으므로 동사도 수를 일치시켜 were로 쓴다.

W: They're rare and stand for pride and success. They'd be a great fit for
stand for: ~을 나타내다
this event in your restaurant.

M: Great to know. And I could put notes about the flower's meaning on the tables.

W: Good idea. My boss will call you with the details.

M: Thanks for all your help.

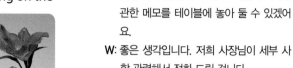

정답 전략 여자는 남자의 식당에서 열릴 행사에 자주색 백합을 추천하며 주문을 도와주겠다고 했고, 남자는 자신의 식당에서 열릴 행사를 위해 장식용 꽃을 사러 왔으므로 두 사람은 꽃집 점원과 식당 주인의 관계이다.

Words specific 특정한 anniversary party 기념일 파티 lily 백합 rare 희귀한

2-1 대화를 듣고, 두 사람의 관계를 가장 잘 나타낸 것을 고르시오. 답 ② 기증자 – 박물관 직원

[Cell phone rings.]

W: Hello.

M: Hello, Ms. Monroe. This is John Brown. I'm calling to invite you to a special event.

W: Oh, thank you for calling. What's the event?

M: Our museum will hold an exhibition of antique items, including the old
Our museum이라고 한 것으로 보아, 남자는 박물관과 관련된 사람이다.
pictures and tools you donated, under the theme *Life in the 1800s*.
you donated라고 표현한 것으로 보아, 여자는 기증자이다.

W: That's wonderful. When is it?

M: It'll be from December 3rd to 7th. And it's all thanks to generous people
thanks to: ~ 덕분에, ~ 때문에
like you.

W: It's my pleasure. I want my donation to help people learn about the past.

items와 you 사이에는 목적격 관계대명사
that 혹은 which가 생략되었다.
M: Thank you. The antique items you donated have really improved our
you donated라고 계속 표현하는 것으로 보아,
collection. 여자는 기증자가 맞다.

W: I'm glad to hear that. I'm looking forward to visiting the exhibition.
look forward to+명사(구): ~을 고대하다

M: I'll send you the invitation letter soon.

W: Great. I'll be waiting for it.

on behalf of: ~을 대표하여
M: Again, on behalf of our museum, we appreciate your donation.
박물관을 대표한다는 말로 보아 남자는 박물관 직원이 맞다.

정답 전략 남자가 한 말 중 the old pictures and tools you donated와 The antique items you donated 등으로 보아, 여자는 골동품을 기증한 기증자이다. 남자는 기증자에게 전화를 걸어 골동품 전시회에 초청하겠다고 알리고 있으므로 박물관 직원이다.

Words antique item 골동품 including ~을 포함하여 donate 기증하다, 기부하다

DAY 2 필수 체크 전략 ② | 16~19쪽

| 1 ④ | 2 ② | 3 ① | 4 ③ | 5 ① | 6 ② | 7 ⑤ | 8 ① | 9 ③ | 10 ⑤ | 11 ① | 12 ④ |

1 대화를 듣고, 여자의 의견으로 가장 적절한 것을 고르시오. 답 ④ 부모가 바람직한 소비 습관을 가르쳐야 한다.

W: Honey, you're home early.

우측 번역

M: 알게 되니 좋네요. 그리고 그 꽃의 의미에 관한 메모를 테이블에 놓아 둘 수 있겠어요.

W: 좋은 생각입니다. 저희 사장님이 세부 사항 관련해서 전화 드릴 겁니다.

M: 모든 도움에 대해 감사드립니다.

[핸드폰이 울린다.]

W: 여보세요.

M: 안녕하세요, Monroe 선생님. 저는 John Brown입니다. 특별한 행사에 초대하려고 전화를 드렸습니다.

W: 오, 전화해 주셔서 고맙습니다. 무슨 행사인가요?

M: 저희 박물관에서 선생님께서 기증해 주신 오래된 그림과 도구 등을 포함하여 '1800년대의 생활'이라는 주제로 골동품 전시회를 열 예정입니다.

W: 멋지군요. 언제인가요?

M: 12월 3일부터 7일까지입니다. 그리고 그 모든 것이 선생님같이 관대한 분들 덕택입니다.

W: 오히려 제가 기쁩니다. 제 기증품이 사람들에게 과거에 대하여 알도록 도움을 주었으면 합니다.

M: 감사합니다. 선생님께서 기증해 주신 골동품 덕분에 저희 소장품이 정말로 훌륭해졌습니다.

W: 그 말씀을 들으니 기쁘군요. 그 전시회에 가는 것을 고대하겠습니다.

M: 곧 초대장을 보내 드리겠습니다.

W: 좋습니다. 기다리고 있겠습니다.

M: 다시 한 번 저희 박물관을 대표하여 선생님의 기증에 대하여 감사드립니다.

W: 여보, 집에 일찍 왔네요.

M: Hi, sweetie. Where is Cathy?

W: She went shopping with her friends.

M: Hmm .... She's been going shopping a lot lately. She must have spent all
of her allowance.

<small>must have +과거분사: ~했음이 틀림없다(강한 추측)</small>

W: I think so. She asked me for more money yesterday. I'm worried that she
doesn't think about how she spends her money.

<small>여자는 용돈을 절제 없이 쓰는 자녀를 걱정하고 있다.　┌ how +to부정사: 어떻게 ~할지</small>

M: I'm worried, too. She'll have to learn how to manage her money on her
own.

<small>남자도 자녀가 스스로 돈을 관리하는 법을 배워야 한다고 생각한다.</small>

<small>on one's own: 혼자 힘으로</small>

W: Yeah. I think it's the role of the parents to teach their child how to do
that.

<small>여자는 자녀의 소비 습관에 대해 부모가 담당해야 할 역할을 말하고 있다.</small>

M: You're right. We should help Cathy to be financially smart.

<small>┌ 준사역동사 help의 목적격 보어로 to부정사나 동사원형이 올 수 있다.</small>

W: Of course. Home should be the place to gain proper spending habits.

<small>┌ 앞의 the place를 꾸며 주는 to부정사의 형용사적 용법</small>

<small>여자는 가정에서 자녀가 바람직한 소비 습관을 들여야 한다고 말한다.</small>

M: I agree. Let's talk to her when she comes back home.

<small>**정답 전략**</small> 두 사람은 딸이 생각 없이 돈을 쓰는 것 같다고 걱정하고 있고, 여자는 자녀에게 돈을 관리하는 법을 가르치는 것도 부모의 역할이라고 말하면서 집은 적절한 소비 습관을 들일 수 있는 곳이 되어야 한다고 했다.

<small>**Words**　allowance 용돈　manage (돈을 합리적으로) 처리(이용)하다　financially 재정적으로</small>

M: 안녕, 자기. Cathy는 어디에 있어요?

W: 친구들과 쇼핑하러 갔어요.

M: 음 …. 그녀는 요즘 쇼핑을 많이 하네요. 그녀는 용돈을 다 썼음이 틀림없어요.

W: 저도 그렇게 생각해요. 그녀가 어제 제게 돈을 더 달라고 하더라고요. 저는 그녀가 돈을 어떻게 쓰는지에 대해 생각하지 않는 것이 걱정돼요.

M: 나도 걱정돼요. 그녀는 스스로 돈을 관리하는 법을 배워야 할 텐데요.

W: 네. 저는 자녀에게 그런 것을 어떻게 하는지 가르치는 것이 부모의 역할이라고 생각해요.

M: 당신 말이 맞아요. 우리는 Cathy가 재정적으로 똑똑해지도록 도와야 해요.

W: 물론이죠. 집은 적절한 소비 습관을 들일 수 있는 장소가 되어야 해요.

M: 동의해요. 그녀가 집에 돌아오면 이야기해 봅시다.

---

2 대화를 듣고, 남자의 의견으로 가장 적절한 것을 고르시오.　**답 ❷** 야생동물에게 먹이를 주지 말아야 한다.

M: Cathy, it feels so great to be out in the mountains, doesn't it?

W: Yes, Dad. Look at that tree. There's a squirrel.

M: Oh, there's also a bird on the branch.

W: I want to feed them. Is it okay if I share my sandwich with them?

M: Hmm .... I don't think feeding wildlife is a good idea.

<small>┌ 주어로 쓰인 동명사(구)는 단수 취급하므로 동사도 단수로 쓴다.</small>

<small>I don't think ~로 시작되는 문장에 주로 의견이 잘 드러나 있다.</small>

W: Why do you think so, Dad? Isn't giving food to them helpful?

M: No. If people feed wild animals, they'll stop looking for wild food and

<small>┌ stop은 목적어로 동명사만 올 수 있다.</small>
they could lose their survival abilities in nature.

<small>야생동물에게 먹이를 주지 말아야 하는 이유 1</small>

W: I didn't know that.

M: Also, certain nutrients in human foods are harmful to some animals.

<small>야생동물에게 먹이를 주지 말아야 하는 이유 2</small>
This is another reason why we shouldn't feed wild animals.

<small>관계부사 why가 이끄는 절이 선행사 reason을 수식하는데, why를 생략할 수도 있다.</small>

W: I guess giving food to wildlife is not as helpful as I thought.

M: That's right.

<small>┌ keep ~ in mind: ~을 명심하다</small>

W: I'll keep that in mind.

<small>**정답 전략**</small> 아빠는 야생동물에게 먹이를 주는 것이 좋은 생각이라고 여기지 않으며, 그 이유(동물이 자연에서의 생존 능력을 잃을 수 있고, 사람의 음식은 동물에게 해로울 수도 있다)를 딸에게 설명하고 있다.

<small>**Words**　squirrel 다람쥐　survival 생존　nutrient 영양소</small>

<small>© Dimj / shutterstock</small>

M: Cathy, 산에 나와 있으니 기분이 정말 좋네, 그렇지 않니?

W: 네, 아빠. 저 나무를 보세요. 다람쥐가 있어요.

M: 오, 나뭇가지에 새도 있구나.

W: 전 그들에게 먹이를 주고 싶어요. 제가 샌드위치를 그들과 나눠 먹어도 될까요?

M: 음 …. 나는 야생동물에게 먹이를 주는 것이 좋은 생각이라고 생각하지 않아.

W: 왜 그렇게 생각하세요, 아빠? 그들에게 먹이를 주는 것이 도움이 되지 않나요?

M: 아니. 사람들이 야생동물에게 먹이를 주면 그들은 야생 먹이를 찾는 것을 멈출 것이고, 자연에서의 생존 능력을 잃을 수도 있어.

W: 그건 몰랐어요.

M: 게다가 사람 음식에 들어 있는 어떤 영양소는 일부 동물들에게는 해로워. 이것이 우리가 야생동물에게 먹이를 주면 안 되는 또 다른 이유지.

W: 야생동물에게 먹이를 주는 것이 제가 생각했던 것만큼 도움이 되지 않는 것 같아요.

M: 맞아.

W: 그 점을 명심할게요.

3 대화를 듣고, 여자의 의견으로 가장 적절한 것을 고르시오. 답 **❶** 아이들은 집안일을 함으로써 자존감을 높일 수 있다.

M: Honey, I just saw Amy folding laundry in the living room. Did you ask
동작이 진행 중임을 강조할 때 지각동사 see의
her to do it? 목적격 보어로 동사원형 대신 -ing형이 올 수 있다.

W: Well, she said she wanted to help with the housework.

M: That's fine. But don't you think she's too young to do housework? She's
too+형용사+to부정사: 너무 ~해서 …할 수 없다
just six years old.

W: Maybe. But I think doing housework helps children improve their
I think ~.로 시작하는 문장에 주로 의견이 잘 드러나 있다.
self-esteem.

M: Why do you think so?

feel like: ~한 느낌이 있다
W: I read in a book that when kids participate in housework, they feel like
여자의 의견 1: 집안일의 참여로 아이들은 스스로 가족에게 중요하다는 느낌을 갖게 된다.
they're more important to the family.

M: Hmm, that makes sense.
make sense: 이치에 맞다
W: Besides, children often gain a sense of achievement from completing
여자의 의견 2: 집안일 과제의 완수가 아이들에게 성취감을 갖게 해 준다.
household tasks.

M: Oh, and maybe it could help Amy to feel proud of herself, too.
일반적인 명사 the reason이 선행사이므로 관계부사 why 앞에서 생략되었다.
W: Exactly. That's why children who do housework often have higher
여자의 의견 3: 집안일을 하는 아이가 더 높은 자존감을 갖는다.
self-esteem.

M: You're right. Then let's think about other kinds of housework Amy
housework와 Amy 사이에 목적격 관계대명사
would enjoy. that(which)가 생략되어 있다.

W: Sounds good.

정답 전략 여자는 집안일을 하는 것이 아이의 자존감을 높이는 데 도움이 되고, 성취감을 얻게 한다고
했다.

Words fold 개다, 접다 self-esteem 자존감 achievement 성취

4 대화를 듣고, 두 사람의 관계를 가장 잘 나타낸 것을 고르시오. 답 **❸** 학생 – 소방관

W: Mr. Thomson. Thank you for your demonstration. I learned a lot today.
'많이, 다량'의 의미를 지닌 부사로 동사를 수식한다.
M: Glad to hear that. Everyone should know what to do in emergencies.
의문사+to부정사: 무엇을 ~할지
W: Right. Can I ask you some questions? I'm thinking of getting a job in
여자의 신분이 학생임을 알 수 있다.
your field after graduation.

M: Sure. Go ahead.
주어로 쓰인 동명사(구)는 단수 취급한다.
W: Fighting fires is your main duty. But what other things do you do?
남자가 불을 끄는 일을 한다는 것을 알 수 있다.
M: One thing we do is search for and rescue people during natural
남자는 자연재해 때 사람들을 구조하는 일도 하고 있다.
disasters like floods.
전치사로 '~처럼, 같은'의 의미이다.
W: Wonderful. I'd love to learn more.

M: Well, we provide a job experience program for high schoolers on

weekday afternoons at our fire station.
남자의 직업을 확실히 알 수 있다.
W: Really? I think I have time after school. What would I do there?

M: 여보, 방금 거실에서 Amy가 빨래를 개고
있는 것을 봤어요. 당신이 걔한테 그 일을
하라고 시켰어요?

W: 음, 걔가 집안일을 돕고 싶다고 말했어요.

M: 잘 됐네요. 그런데 집안일을 하기에 걔는
너무 어리다고 생각하지 않아요? 걔는 고
작 여섯 살이잖아요.

W: 그럴지도 모르죠. 그런데 집안일을 하는
것이 아이가 자신의 자존감을 높이는 데
도움이 된다고 생각해요.

M: 왜 그렇게 생각해요?

W: 아이들이 집안일에 참여할 때 아이들은
자기가 가족에게 더 중요한 것처럼 느낀
다고 책에서 읽었어요.

M: 음, 일리가 있네요.

W: 게다가, 아이는 흔히 집안일 과제를 완수
하는 데서 성취감을 얻어요.

M: 아, 그리고 어쩌면 그게 Amy가 자신을
자랑스럽게 여기는 데에도 도움이 될 수
있겠군요.

W: 맞아요. 그게 집안일을 하는 아이가 흔히
더 높은 자존감을 갖는 이유예요.

M: 맞는 말이에요. 그럼 Amy가 즐길 다른
종류의 집안일에 관해 생각해 봅시다.

W: 좋은 생각이에요.

W: Thomson 씨. 시범을 보여주셔서 감사합
니다. 오늘 많이 배웠어요.

M: 그 말을 들으니 기쁘군요. 누구나 비상시
에 무엇을 해야 하는지 알아야 해요.

W: 맞아요. 몇 가지 질문을 할 수 있을까요?
졸업 후 선생님께서 종사하시는 분야에서
일자리를 얻을까 생각중이에요.

M: 그러시죠. 말씀해 보세요.

W: 불을 끄는 게 선생님의 가장 주된 임무지
요. 하지만 다른 어떤 일을 하시나요?

M: 홍수와 같은 자연재해가 있을 때 사람들
을 찾아 구조하는 것이 저희가 하는 한 가
지 일이에요.

W: 놀랍군요. 더 알고 싶어요.

M: 음. 저희 소방서에서 평일 오후에 고등학
생을 위해 직업 체험 프로그램을 제공하
고 있어요.

M: You'll practice how to use various equipment for extinguishing fires. You can also check out the fire trucks.

W: Sounds great. How do I sign up?

여자의 직업을 알 수 있다.

M: Your teacher has some pamphlets, so you can ask her.

정답 전략 불을 끄는 것이 남자의 임무라고 했고, 남자는 소방서에 학생들을 위한 직업 체험 프로그램이 있다고 여자에게 소개하고 있다. 따라서 남자는 학교에 시범을 보이러 온 소방관이고 여자는 학생이다.

Words demonstration 시범, 실연 emergency 비상사태 equipment 장비 extinguish 불을 끄다

W: 정말요? 방과 후에 시간이 있을 것 같아요. 거기서 제가 무엇을 하게 될까요?

M: 화재를 진화하기 위해 다양한 장비 사용법을 실습할 거예요. 소방차도 확인해 볼 수 있고요.

W: 아주 좋네요. 어떻게 신청하나요?

M: 학생의 선생님께서 팸플릿을 몇 장 가지고 계시니 선생님께 요청할 수 있어요.

---

5 대화를 듣고, 두 사람의 관계를 가장 잘 나타낸 것을 고르시오. 답 ① 사회자 – 마술사

W: Welcome back! Next, we're very excited to have today's special guest.
남자는 초대 손님임을 알 수 있다.
Will you please welcome Jack Wilson?

M: Hi, Laura. Thanks for having me. I watch your TV show every morning.
여자의 직업이 TV쇼 진행자임을 알 수 있다.

W: I'm flattered, Jack. So, I saw your magic performance at the theater a
I'm flattered.: 과찬의 말씀입니다.   남자의 직업이 마술사임을 알 수 있다.
few days ago. It was amazing!

M: Yeah. More than 500 people came to see it. I had a wonderful time.

W: Now, we all know making things disappear is your specialty.
주어로 쓰인 동명사(구)는 단수 취급하므로 동사도 단수동사를 쓴다.

M: That's right.

W: Can you tell us how you make huge things like cars disappear?
5형식 문장에서 사역동사 make는 목적격 보어로 동사원형(disappear)을 쓴다.

M: Well, I can't reveal my secrets, but it's not as easy as pulling a rabbit out
not as(so)+원급+as: ~만큼 …하지 않은
of a hat.

W: Come on! Can't you share just one little trick with us?

M: Alright, then. Just one. I'll show you a magic trick with coins.

W: Great! When we come back from the break, we'll learn a coin trick from
stay tuned: 채널을 고정하다
Jack Wilson. Stay tuned!

정답 전략 남자가 여자의 TV 프로그램을 매일 아침 본다고 말했고, 여자가 남자의 마술 공연에 대해 언급하며 소개하고 마술 비결에 대해 묻고 있으므로 두 사람은 사회자와 마술사의 관계임을 알 수 있다.

Words specialty 특기, 장기 reveal 알리다, 드러내다 trick 마술

W: 다시 오신 것을 환영합니다! 다음으로, 우리는 오늘의 특별 손님을 맞이하게 되어 매우 기쁘네요. Jack Wilson 씨를 환영해 주시겠습니까?

M: 안녕하세요, Laura. 저를 불러주셔서 감사합니다. 저는 매일 아침 당신의 TV 프로그램을 시청하고 있어요.

W: 과찬의 말씀입니다, Jack. 자, 저는 며칠 전에 극장에서 당신의 마술 공연을 봤어요. 놀랍던데요!

M: 네. 500명도 넘는 분들이 그것을 보러 오셨어요. 저는 멋진 시간을 보냈죠.

W: 자, 우리 모두 물건을 사라지게 하는 것이 당신의 특기라는 것을 알고 있어요.

M: 맞습니다.

W: 자동차처럼 거대한 것을 어떻게 사라지게 하는지 말씀해 주시겠어요?

M: 음, 제 비결을 알려 드릴 수는 없지만, 그것은 모자에서 토끼를 꺼내는 것만큼 쉽지는 않습니다.

W: 자! 저희에게 그저 한 가지 작은 마술을 공유해 주실 수 없을까요?

M: 그럼, 좋아요. 딱 한 가지만요. 제가 동전 마술을 보여 드리죠.

W: 좋아요! 잠시 쉬고 돌아와서, Jack Wilson 씨로부터 동전 마술을 배우도록 하죠. 채널 고정해 주세요!

---

6 대화를 듣고, 두 사람의 관계를 가장 잘 나타낸 것을 고르시오. 답 ② 배드민턴 강사 – 학부모

M: Hello, Mrs. Wilson. I'm Marcus Cooper. I was hoping to see you.

W: Pleasure to meet you, Mr. Cooper. Peter's mom recommended you.
다른 학부모가 Wilson 부인에게 남자를 추천해 주었다.

M: Thank you for visiting. Peter is one of the best players in the class.
one of the+최상급+복수명사: 가장 ~한 것 중의 하나

W: Wonderful! My daughter also wants to learn to play badminton.
여자의 딸이 배드민턴을 배우고 싶어 하는 것으로 보아, 여자는 학부모이고, 추천받은 남자는

M: Has she ever played before? 배드민턴 강사이다.
「have+과거분사」가 ever와 함께 현재완료 경험 용법으로 쓰였다.

W: No, she hasn't. But she likes sports very much.

M: Great! There's a beginner class every Tuesday and Thursday at 5 p.m.
남자는 배드민턴 수업 시간을 알려 주고 있다.

M: 안녕하세요, Wilson 씨. 저는 Marcus Cooper입니다. 만나 뵙고 싶었습니다.

W: 만나서 반가워요, Cooper 씨. Peter의 엄마가 당신을 추천해 주었어요.

M: 와주셔서 감사합니다. Peter는 반에서 가장 뛰어난 선수 중 한 명이지요.

W: 멋져요! 제 딸도 배드민턴을 배우고 싶어해요.

M: 그녀는 전에 경기한 적이 있나요?

W: 아니요. 하지만 그녀는 운동을 매우 좋아해요.

W: I think the schedule is fine for her. Is there anything she has to prepare for the class?
  have +to부정사: ~해야 한다(의무)

M: She needs a pair of indoor sport shoes, training clothes, and a lightweight racket. A heavy racket might cause a shoulder injury.
  남자는 배드민턴 수업 시 준비물에 대해 설명하고 있다.

W: Alright. How can I register my daughter in the class?

M: Just fill out this membership form, please.
  fill out: 작성하다, 기입하다

W: Okay, I will. Thanks.

정답 전략 여자는 딸이 배드민턴을 배우고 싶어 한다고 말하며 남자에게 상의를 하고 수업 등록 방법을 묻고 있다. 따라서 두 사람의 관계는 학부모와 배드민턴 강사 사이이다.

Words beginner 초보자   cause ~을 야기하다   injury 부상   form 양식

M: 좋아요! 매주 화요일과 목요일 오후 5시에 초급자 수업이 있어요.

W: 일정이 딸에게 괜찮은 것 같은요. 그 애가 수업을 위해 준비해야 할 것이 있나요?

M: 실내 운동화, 트레이닝복, 가벼운 라켓이 필요해요. 무거운 라켓은 어깨를 다치게 할 수 있어요.

W: 알겠습니다. 제 딸을 수업에 등록하려면 어떻게 해야 하나요?

M: 이 회원 양식을 작성해 주세요.

W: 네, 그럴게요. 고맙습니다.

---

7 대화를 듣고, 남자의 의견으로 가장 적절한 것을 고르시오. 답 ❺ 창의성을 키우려면 다양한 분야의 경험이 필요하다.

W: Honey, Kate says that she'd like to go to the business startup camp during her vacation.
  딸이 창업 캠프에 가고 싶다고 한다.

M: I know. I want her to go to the camp.

W: Why? She's going to major in Art.
  major in: ~을 전공하다
  여자는 남자의 생각이 이해되지 않는다.

M: I believe it'll help her to become an artist.

W: What does business startup have to do with art?
  have to do with: ~와 관련이 있다

M: She can meet people from different fields and get inspiration.
  남자의 의견: 창업 캠프 참여시의 이점에 대해 말한다.

W: I think at this time she should focus on her art lessons.
  여자의 의견: 전공 공부에 방해될까봐 걱정하고 있다.

M: That can be true, but she needs to have diverse experiences to be more creative.
  to부정사의 부사적 용법(목적)
  남자의 의견: 더 창의적이기 위해 다양한 경험이 필요하다.

W: Well, I'm just worried that it'll take up too much of her time.
  take up time: 시간이 들다

M: It'll be worth the time. If Kate stays only in one field, her ideas may be limited. She needs experiences in diverse areas.

W: Okay, if you say so. I trust your judgment.

정답 전략 남자는 자녀가 좀 더 창의적이기 위해서는 한 분야에만 머무르기보다는 다양한 경험을 쌓는 것이 도움이 된다고 하면서 찬성하고 있다.

Words business startup 창업   inspiration 영감   diverse 다양한   worth ~할 가치가 있는

W: 여보, Kate가 방학 동안 창업 캠프에 가고 싶다고 하네요.

M: 알아요. 나는 그녀가 캠프에 가기를 원해요.

W: 왜요? 그녀는 미술을 전공할 건데요.

M: 나는 그것이 그녀가 예술가가 되는 데 도움이 될 거라고 믿어요.

W: 창업이 예술과 무슨 상관이 있죠?

M: 그녀는 다른 분야의 사람들을 만나 영감을 얻을 수 있어요.

W: 나는 이때에는 그녀가 미술 수업에 집중해야 할 것 같아요.

M: 그럴 수도 있지만, 그녀는 더 창의적이기 위해서 다양한 경험을 할 필요가 있어요.

W: 글쎄요, 난 그게 그녀의 시간을 너무 많이 차지할까 봐 걱정돼요.

M: 시간을 들일 가치가 있을 거예요. 만약 Kate가 한 분야에만 머무른다면, 그녀의 생각은 제한적일지도 몰라요. 그녀는 다양한 분야의 경험이 필요해요.

W: 알았어요, 당신이 그렇게 말한다면요. 당신의 판단을 신뢰해요.

---

8 대화를 듣고, 여자의 의견으로 가장 적절한 것을 고르시오. 답 ❶ 산책은 창의적 사고에 도움이 된다.

W: Hi, Brian. What's wrong?

M: Oh, hi, Clare. I'm trying to come up with a creative idea for the science project. But nothing's coming to me.
  come up with: ~을 떠올리다
  남자의 고민: 아이디어가 떠오르지 않는다.

W: Hmm. Why don't you go out for a short walk and then return to thinking about the project?
  return to -ing: ~을 다시 시작하다
  여자의 제안: 잠깐 산책한 후에 프로젝트에 대해 다시 생각해 보라고 제안한다.

M: Actually, I just want to finish this first.

W: But taking a walk will refresh you, and you may get some new ideas.
  여자의 의견이 잘 나타나 있는 문장이다.

W: 안녕, Brian. 무슨 일이야?

M: 오, 안녕, Clare. 나는 과학 프로젝트를 위하여 창의적인 아이디어를 생각해 내려고 노력 중이야. 그렇지만 아무것도 나에게 떠오르지 않아.

W: 음. 밖에 나가서 잠깐 산책을 하고 나서, 그 프로젝트에 대하여 다시 생각하는 게 어때?

M: 실은 나는 그냥 이것을 먼저 끝내고 싶어.

W: 하지만 산책을 하면 상쾌해지고, 몇 가지 새로운 아이디어를 얻을지도 몰라.

M: I don't know what you mean.

W: Well, creativity requires a new perspective. While taking a walk in the fresh air, you'll be able to think outside the box.
분사구문의 형태로, 부사절로 풀어쓰면 While you are taking a walk가 된다.
think outside the box: 새로운 사고를 하다

M: So, you're saying taking a walk will help me get new ideas?
남자는 여자의 의견을 정리해서 확인한다.

W: Definitely. It'll help you become more creative.

M: All right. I'll go out for a walk now.

정답 전략 남자가 과학 프로젝트에 관한 아이디어가 생각나지 않아 힘들어하자, 여자는 신선한 공기를 마시며 산책을 하면 새로운 생각을 할 수 있을 것이라고 조언하고 있다.

Words refresh 상쾌하게 하다 creativity 창의력 perspective 시각

M: 네가 무슨 말을 하는지 모르겠어.

W: 음, 창의력은 새로운 시각을 요구하거든. 신선한 공기 속에서 산책을 하는 동안 새로운 사고를 할 수 있을 거야.

M: 그래서, 산책을 하면 새로운 아이디어를 얻는 데 도움이 될 거라는 말이야?

W: 그렇고말고. 그렇게 하면 네가 더 창의적이 되는 데 도움이 될 거야.

M: 좋아. 지금 산책을 나갈게.

---

9 대화를 듣고, 남자의 의견으로 가장 적절한 것을 고르시오. 답 ❸ 조별 과제를 할 때 일을 합리적으로 분담해야 한다.

M: Vanessa, why haven't you gone to bed? It's late.

W: Dad, I wish I could, but I'm so busy preparing for my science presentation.
be busy -ing: ~하느라 바쁘다
I wish+주어+동사의 과거형: '~라면 좋을 텐데'라는 뜻으로 이룰 수 없는 일을 소망할 때 쓴다.

M: Oh, that's the group project you mentioned. What's your role?

W: I'm the leader.

M: What work are you doing?

W: I'm collecting data, creating slides, and giving the presentation.

M: You're doing everything! In a group project, reasonable job distribution is important. What are the others doing?
남자의 의견이 잘 나타나 있는 문장이다.

W: They'll give me their opinions.

M: Vanessa, I think you need to share the work reasonably with the other members.
need+to부정사: ~할 필요가 있다
I think ~.로 시작하는 문장에 대부분 화자의 의견이 잘 드러나 있다.

W: I agree. I didn't realize how hard it would be to do all these jobs alone.
it은 how절의 가주어, to부정사구가 진주어이다.

M: Why don't you divide the work among the group members? That'll make your presentation a real group project.
남자의 제안: 조원들 간에 일을 분담하라.
5형식 문장에서 목적격 보어로 명사가 올 경우, 목적어(your presentation) = 목적격 보어(a real group project)의 관계가 성립한다.

W: You're right. I'll do that.

정답 전략 남자는 조별 과제를 할 때 합리적인 업무 분담이 중요하다고 말하며, 여자에게 조원들 간에 일을 나누라고 조언하고 있다.

Words reasonable 합리적인 distribution 분담, 분배

M: Vanessa, 왜 잠자리에 들지 않았니? 늦었어.

W: 아빠, 그러고 싶지만 과학 발표 준비하느라 너무 바빠요.

M: 아, 그게 네가 말한 조별 과제구나. 네 역할은 뭐니?

W: 저는 조장이에요.

M: 넌 무슨 일을 하고 있니?

W: 저는 자료를 수집하고, 슬라이드를 만들고, 발표를 해요.

M: 네가 모든 것을 하고 있네! 조별 과제에서는 합리적인 업무 분담이 중요해. 다른 사람들은 무엇을 하고 있니?

W: 그들은 저에게 의견을 줄 거예요.

M: Vanessa, 나는 네가 다른 조원들과 그 일을 합리적으로 나누어야 할 필요가 있다고 생각해.

W: 동감이에요. 저는 이 모든 일을 혼자 하는 것이 얼마나 힘든지 몰랐어요.

M: 조원들 간에 일을 나누는 게 어때? 그렇게 하면 너희들의 발표가 진정한 조별 과제가 될 거야.

W: 맞아요. 그렇게 할게요.

---

10 대화를 듣고, 두 사람의 관계를 가장 잘 나타낸 것을 고르시오. 답 ❺ 신문 기자 - 야생 동물 구조 센터 직원

W: Hi, Mr. Conner. Thanks for accepting my interview request.
여자의 직업을 추측해 볼 수 있는 어휘이다.

M: My pleasure, Ms. Leyden.

W: Can you briefly introduce your center for our readers?
여자의 직업을 추측해 볼 수 있는 어휘이다.

M: Sure. We rescue and treat wild animals that are seriously sick or injured.
남자는 본인이 속해 있는 센터가 하고 있는 일을 소개하고 있다.

W: How do you treat them?

M: We provide food and medical care until they get healthy enough to return to the wild.
형용사+enough +to부정사: ~할 정도로 충분히 …한

W: 안녕하세요, Conner 씨. 제 인터뷰 요청을 수락해 주셔서 감사합니다.

M: 제가 더 기쁩니다, Leyden 씨.

W: 저희 독자들에게 귀하의 센터를 짧게 소개해 주시겠습니까?

M: 그러죠. 저희는 심하게 아프거나 다친 야생 동물을 구조하고 치료합니다.

W: 어떻게 치료하십니까?

M: 그 동물들이 야생으로 돌아갈 수 있을 정도로 충분히 건강해질 때까지 먹이와 의

W: You're making a real difference in the lives of these wild animals. How many animals are you taking care of now?
　　take care of: ~을 돌보다

M: We have about seventy.

W: That must be a lot of work.
　　must be: ~임이 틀림없다(강한 추측)

M: It is. That's why we need support from your readers.

Your newspaper article will raise public awareness.
여자의 직업이 확실히 드러나는 어휘이다.
Donations to our rescue center will also help.
남자의 직업을 알 수 있는 문장이다.

© Cbenjasuwan / shutterstock

W: I see. May I take a few pictures for my article?

M: Sure. Come this way.

정답 전략 남자가 자신이 근무하는 곳이 아픈 야생 동물을 돌보는 곳이라고 소개하며, 여자가 쓴 신문 기사가 독자들의 인식을 제고할 것이라고 말하고 있으므로, 두 사람의 관계로 적절한 것은 ⑤이다.

Words　treat 치료하다　medical care 의료, 치료　public awareness 대중의 인식　donation 기부(금)

11 대화를 듣고, 두 사람의 관계를 가장 잘 나타낸 것을 고르시오. 답 ❶ 스타일리스트 – 기상 캐스터
　　　　　　　　　　　　　　　　　　　　　　　　　┌ go on air: 방송하다
W: Jack, I've been waiting with these clothes for you. You're going on air in
여자는 남자의 의상을 담당하는 사람이라는 추측이 가능하다.　남자는 방송계에 있는 사람일 거라는 추측이 가능하다.
30 minutes.

M: Sorry, Amy. It took longer than usual to organize the weather data and

write my script for the weather broadcast.

W: I was worried you might be late for the live weather report.
　　　　　　　　　　　　　　남자는 기상 캐스터임에 분명하다.

M: I'm ready. What am I wearing today?
　　　남자는 오늘 입을 옷을 여자에게 묻고 있다.

W: I suggest this gray suit with a navy tie.

M: Okay. I'll go get dressed.
　　　get + 과거분사: ~(하게 변화)되다

W: Wait. Put on these glasses, too. They'll give you a more professional

look.
┌ 복합관계대명사로 '~하는 것은 무엇이든지'의 의미이다. ┌ count on: ~을 믿다 ┌ when it comes to: ~에 관한 한
M: Whatever you say. I can always count on you when it comes to clothing
　　　　　　　　　　　　여자의 직업이 기상 캐스터의 의상과 스타일을 담당하고 있는 사람임을 알 수 있다.
and style.

W: That's what I'm here for. By the way, thanks to your weather forecast
　　　　　　　　　　　　　　　　　　남자의 직업이 기상 캐스터임을 알 수 있는 문장이다.
yesterday, I was prepared for the sudden showers this morning.
　　┌ 동사를 강조하기 위해 do가 쓰였는데, 과거형이라 did가 왔다.
M: I did say there was an 80% chance of rain in the morning.
　　　　　　　　　　　┌ get + 과거분사: ~(하게 변화)되다
W: Yes, you did. Now, go get changed.

정답 전략 생방송 일기 예보를 준비하고 있는 남자와 그 남자의 의상을 챙겨주고 있는 여자 사이의 대화이므로, 두 사람의 관계를 가장 잘 나타낸 것은 ①이다.

Words　organize 정리하다　broadcast 방송　shower 소나기

12 대화를 듣고, 두 사람의 관계를 가장 잘 나타낸 것을 고르시오. 답 ❹ 홈쇼핑 쇼 호스트 – 농부

W: Michael, look! They're almost sold out! Everybody who ordered, thank
무언가가 다 팔린 것에 대해 감사의 말인 것으로 보아, 판매와 관련된 일을 할 것으로 추측해 볼 수 있다.
you so much!

M: Wow! Thank you Lisa, for the great explanations and comments on my

potatoes!

료를 제공합니다.

W: 이러한 야생 동물들의 삶을 정말로 바꾸어 놓고 계시는군요. 지금은 동물을 몇 마리나 돌보고 계십니까?

M: 약 70마리 정도 있습니다.

W: 일이 많으시겠군요.

M: 그렇습니다. 그것이 귀사 독자들의 후원이 필요한 이유입니다. 귀사의 신문 기사는 대중의 인식을 제고할 것입니다. 저희 구조 센터에 대한 기부도 또한 도움이 될 것입니다.

W: 알겠습니다. 제 기사를 위해서 사진을 몇 장 찍어도 되겠습니까?

M: 물론입니다. 이리 오시죠.

W: Jack. 당신을 위해 이 의상을 가지고 기다리고 있었어요. 30분 후에 방송에 출연할 거예요.

M: 미안해요, Amy. 기상 자료를 정리하고 기상 방송을 위해 대본을 쓰느라 평소보다 시간이 더 걸렸어요.

W: 전 당신이 생방송 일기 예보에 늦을까 봐 걱정했어요.

M: 준비됐어요. 제가 오늘은 뭘 입지요?

W: 이 회색 정장에 남색 넥타이를 권해요.

M: 알았어요. 옷을 입으러 갈게요.

W: 잠깐만요. 이 안경도 쓰세요. 그게 당신에게 보다 전문적인 인상을 줄 거예요.

M: 당신이 하라는 대로 할게요. 옷과 스타일에 관한 한 전 항상 당신을 믿을 수 있어요.

W: 그게 제가 여기 있는 이유죠. 그나저나, 어제 당신의 일기 예보 덕분에 저는 오늘 아침에 갑작스런 소나기에 대비했어요.

M: 아침에 비가 올 확률이 80%라고 제가 정말 말했지요.

W: 네, 그랬어요. 이제 옷을 갈아입으러 가세요.

W: Michael, 봐요! 거의 다 팔렸어요! 주문하신 모든 분들, 정말 감사합니다!

M: 와! Lisa, 제 감자에 대한 훌륭한 설명과 논평에 고마워요!

W: The calls for orders flooded in when we showed how to cook them.
의문사+to부정사: 어떻게 ~할지, ~하는 법

M: Right, I wanted to show the viewers all the delicious ways to enjoy my
남자가 방송에 출연해 감자 요리를 선보였다.
potatoes.

W: Also, our viewers loved hearing from you since you actually grew the
동사 love는 목적어로 동명사와 to부정사 모두를 쓸 수 있고, 의미 차이도 없다.
남자가 감자 제품을 직접 생산한 사람임을 알 수 있다.
product.

M: I'm just happy to appear on your homeshopping channel. I put so much
여자가 홈쇼핑 채널에 종사하는 사람이라는 단서이다.
devotion into this harvest. I'm so proud of these premium organic
남자의 직업이 농업과 관련 있는 사람이라는 단서이다.
potatoes.

W: You should be! Everyone at home, you don't want to miss this. Great
potatoes at a great price.

M: I guarantee these are the best potatoes you'll ever eat.

W: There aren't many left in stock! So order right now, and get a free recipe
in stock: 재고로
여자가 감자 상품 구입을 독려하고 있다.
book.

M: I know you'll enjoy the potatoes. Please leave a lot of good reviews!

정답 전략 남자는 홈쇼핑 채널에서 본인이 직접 키운 감자를 가지고 다양한 요리를 보여 주고 있고, 여자는 감자에 대해 적절한 설명과 논평을 하면서 구매를 독려하고 있다. 따라서 두 사람은 '홈쇼핑 쇼 호스트 – 농부'의 관계이다.

Words flood 쇄도(폭주)하다 appear 출연하다 devotion 헌신 guarantee 보장하다

W: 감자를 요리하는 법을 보여드리자 주문이 쇄도했어요.

M: 맞아요, 시청자들께 감자를 즐길 수 있는 모든 맛있는 방법을 보여드리고 싶었어요.

W: 또한, 시청자들은 당신이 실제로 제품을 키웠기 때문에 당신의 이야기를 듣는 것을 좋아했어요.

M: 당신의 홈쇼핑 채널에 출연하게 되어 기쁘네요. 저는 이번 수확에 많은 정성을 쏟았어요. 이 고급 유기농 감자가 정말 자랑스러워요.

W: 그럴 만해요! 집에 계신 여러분, 이걸 놓치고 싶지 않으실 겁니다. 좋은 가격에 좋은 감자랍니다.

M: 이 감자들은 여러분이 드실 수 있는 최고의 감자라고 장담합니다.

W: 재고가 별로 없어요! 그러니 지금 바로 주문하고, 무료 요리책을 얻으세요.

M: 감자를 맛있게 드실 겁니다. 좋은 리뷰 많이 남겨주세요!

DAY 3 필수 체크 전략 ①

20~21쪽

[대표 유형] 3 ③   3-1 ③   4 ④   4-1 ①

3 대화를 듣고, 남자가 Career Day 행사 장소를 변경하려는 이유를 고르시오. **답 ③** 신청 학생이 예상보다 많아서

W: Mr. Bresnan, how's the preparation for this month's Career Day going?

M: Pretty well, Ms. Potter. This time, a local baker is visiting our school to speak with our students.

W: It'll be good for our students to learn about what bakers do. The event will be held in the seminar room tomorrow, right?

M: Well, I think I have to change the place of the event.
남자가 행사 장소를 바꾸려고 한다.

W: Why? Is there another event scheduled in that room?
오답 ②를 유도하는 표현이다.

M: No, I already checked.

W: Then is it because of the repair work going on next door?
because of+명사(구): ~ 때문에 go on: (일이) 일어나다, 계속되다
오답 ④를 유도하는 표현이다.

M: That's not an issue. It starts after school.

W: So, why do you want to change the place?

M: Actually, more students signed up than I expected.
sign up: 신청하다, 등록하다
남자가 장소를 바꾸려는 이유를 말하고 있다.

W: Bresnan 선생님, 이번 달 '직업의 날' 준비는 어떻게 되어 가고 있나요?

M: 잘되고 있어요, Potter 선생님. 이번에는 동네 제빵사가 학생들과 이야기하기 위해 우리 학교를 방문해요.

W: 학생들이 제빵사가 하는 일에 대해 배운다면 좋을 것 같네요. 행사는 내일 세미나실에서 열리죠, 그렇죠?

M: 음, 제 생각에 행사 장소를 바꿔야 할 것 같아요.

W: 왜요? 그 방에서 다른 행사가 예정되어 있나요?

M: 아니요, 이미 확인했어요.

W: 그럼 옆방에서 진행 중인 보수 작업 때문인가요?

M: 그건 문제가 아닙니다. 방과 후에 시작하니까요.

W: 그럼 왜 장소를 바꾸려고 하죠?

M: 사실, 예상보다 많은 학생이 신청했어요.

W: Oh, I see. How about using the conference room, then? It has more space.

<small>여자가 행사 장소로 회의실을 제안한다.</small>

M: Great idea. I'll go check if it's available and let the students know.

<small>if가 명사절 접속사로 '~인지 아닌지'의 뜻으로 쓰였다.</small> <small>5형식 문장에서 사역동사(let)는 목적격 보어로 동사원형을 쓴다.</small>

정답 전략 남자의 예상보다 많은 학생이 행사에 참가 신청을 하여 행사 장소를 변경해야 할 것 같다고 했다.

Words preparation 준비 scheduled 예정된 issue 문제, 쟁점 conference room 회의실

W: 아, 그렇군요. 그럼 회의실을 이용하는 건 어때요? 공간이 더 넓잖아요.

M: 좋은 생각입니다. 제가 가서 가능한지 알아보고 학생들에게 알릴게요.

3-1 대화를 듣고, 남자가 텐트를 반품하려는 이유를 고르시오. **답 ❸** 운반하기 무거워서

W: Honey, I'm home.

M: How was your day?

W: Alright. Hey, did you order something? There's a large box outside the door.

M: It's the tent we bought online for our camping trip. I'm returning it.

W: Is it because of the size? I remember you said it might be a little small to fit all of us.

<small>오답 ①을 유도하는 표현이다.</small>
<small>to부정사 부사적 용법(형용사 수식)</small>

M: Actually, when I set up the tent, it seemed big enough to hold us all.

<small>set up: ~을 설치하다</small> <small>형용사+enough+to부정사: ~하기에 충분히 …한</small>

W: Then, did you find a cheaper one on another website?

<small>오답 ⑤를 유도하는 표현이다.</small>

M: No, price is not the issue.

W: Then, why are you returning the tent?

<small>too+형용사/부사+to부정사: ~하기엔 너무 …한</small>

M: It's too heavy to carry around. We usually have to walk a bit to get to the campsite.

<small>남자가 텐트를 반품하려는 진짜 이유이다. 이유는 대부분 후반부에 나타난다.</small>

W: I see. Is someone coming to pick up the box?

<small>pick up: ~을 찾다, 찾아오다</small>

M: Yes. I already scheduled a pickup.

정답 전략 마지막에서 두 번째 남자의 말(It's too heavy ~ to the campsite.)로 보아, 남자는 야영지까지 들고 가기에는 텐트가 너무 무겁다고 생각하여 그것을 반품하려고 한다.

Words return 반품하다 fit (들어가기에) 맞다 pickup (물건을) 찾으러 감

W: 여보, 집에 왔어요.

M: 하루가 어땠어요?

W: 괜찮았어요. 그런데, 뭔가를 주문했어요? 문 밖에 큰 상자가 있네요.

M: 우리의 캠핑 여행을 위해 우리가 온라인에서 산 텐트예요. 그것을 반품하려고요.

W: 크기 때문인가요? 당신이 우리가 모두 들어가기에는 다소 작을 수도 있다고 말했던 것이 기억나요.

M: 사실, 그 텐트를 설치했을 때, 그것은 우리 모두를 수용하기에 충분히 큰 것처럼 보였어요.

W: 그러면, 다른 웹사이트에서 더 싼 것을 찾았나요?

M: 아니요, 가격은 문제가 아니에요.

W: 그러면, 왜 텐트를 반품하려고 하죠?

M: 들고 다니기에 너무 무거워요. 우리는 보통 야영지에 가려면 약간 걸어야 하잖아요.

W: 알겠어요. 상자를 가지러 누군가 오겠죠?

M: 네. 이미 회수 일정을 잡았어요.

---

4 대화를 듣고, 남자가 여자를 위해 할 일로 가장 적절한 것을 고르시오. **답 ❹** 포트폴리오 우편 발송하기

W: Bob, I got a call from the company I applied to last week. I'm one of the final candidates for the assistant manager position.

<small>one of the+복수명사: ~한 것 중 하나(한 명)</small>

M: Great! What do you have to do next?

W: I have to do a presentation based on a set of questions.

<small>오답 ③을 유도하는 표현이다.</small> <small>based on: ~에 근거하여</small>

M: It'd be helpful to record a video of yourself to practice.

<small>오답 ⑤를 유도하는 표현이다.</small>

W: Okay, I'll try it. I'm going to write a script first, and then make the presentation slides.

<small>오답 ②를 유도하는 표현이다.</small>

M: You should add appropriate images to the slides to show your message clearly.

W: Yes. But it takes quite long to search for such images.

<small>오답 ①을 유도하는 표현이다.</small>

W: Bob, 지난주에 지원한 회사에서 전화를 받았어요. 제가 부지배인 자리의 최종 후보자 중 한 명이래요.

M: 잘됐네요! 다음엔 무엇을 해야 해요?

W: 몇 가지 질문을 바탕으로 발표를 해야 해요.

M: 자신이 연습하는 동영상을 녹화하는 것이 도움이 될 거예요.

W: 네, 한 번 해 볼게요. 먼저 대본을 쓰고 나서 발표 슬라이드를 만들어야겠어요.

M: 메시지를 명확하게 보여주기 위해 슬라이드에 적절한 이미지를 추가해야 해요.

W: 네, 하지만 그런 이미지를 찾는 데는 시간이 꽤 걸리네요.

M: Definitely. You must be very busy.
must be: ~임이 틀림없다(강한 추측)

W: Yeah. Actually, I still need to mail in one more portfolio for another
여자의 문제: 포트폴리오를 보내러 우체국에 갈 시간이 없다.
company, but I don't have time to go to the post office.

M: Oh, let me do it for you.
5형식 문장에서 사역동사(let)는 목적격 보어로 동사원형을 쓴다.
남자가 여자를 위해 우체국에 가 주겠다고 한다.

W: Really? Then I'll bring it to you. Thank you so much.

M: It's my pleasure.

정답 전략 여자가 우체국에 갈 시간도 없다고 남자에게 얘기하자, 남자가 대신 가 주겠다고 했다.

Words apply 지원하다   candidate 후보자   assistant manager 부지배인

M: 물론이죠. 많이 바쁘겠어요.

W: 네. 사실, 다른 회사에 포트폴리오를 하나 더 발송해야 하는데, 우체국에 갈 시간이 없어요.

M: 아, 제가 해 드릴게요.

W: 정말요? 그럼 그것을 갖다 드릴게요. 정말 감사합니다.

M: 천만에요.

4-1 대화를 듣고, 여자가 할 일로 가장 적절한 것을 고르시오. 답 ❶ 할인쿠폰 다운받기

M: Katie, what are you doing for Children's Day?

W: I'm going to an amusement park with my family.
오답 ③과 ⑤를 유도하는 표현이다.

M: That's great. Your son must be excited.
must be: ~임이 틀림없다(강한 추측)

W: He really is. My son loves riding roller coasters.
동사 love는 목적어로 동명사와 to부정사 모두를 쓸 수 있다.

M: It'll be a perfect gift for him! So, which amusement park are you going
오답 ④를 유도하는 표현이다.
to?

W: We're planning to go to Dream World. He has always wanted to go there.

M: Dream World? Good! There are many great spots to take pictures.

W: Exactly! That's what I like most about that park.
what은 선행사를 포함하는 관계대명사이다. the thing that(which)로 바꾸어 쓸 수 있다.

M: Wait, I heard Dream World is offering a special discount until the end of
남자가 드림월드의 특별 할인 행사에 대한 정보를 주고 있다.
this month.

W: Really? How can I get the discount?

M: You need to download the discount coupon from their smartphone
남자가 드림월드의 할인 쿠폰을 받는 방법을 일러주고 있다.
app.

W: I'll do that right away. Thanks a lot.
have fun -ing: ~하느라 즐거운 시간을 보내다

M: Have fun celebrating with your son.

정답 전략 남자는 여자가 가려고 하는 놀이공원의 할인 쿠폰 받는 방법을 알려 주었고, 여자가 지금 바로 하겠다고 답했다.

Words spot (특정한) 곳(장소)   offer 제공하다   celebrate 축하하다

M: Katie, 어린이날에 뭐 할 거예요?

W: 가족과 함께 놀이공원에 갈 거예요.

M: 좋네요. 아들이 신나 하겠어요.

W: 정말 그래요. 제 아들은 롤러코스터 타는 것을 무척 좋아해요.

M: 그에게 완벽한 선물이 될 거예요! 그러면, 어느 놀이공원에 갈 거예요?

W: 우리는 드림월드에 갈 계획이에요. 그는 항상 그곳에 가기를 원했거든요.

M: 드림월드요? 좋네요! 거기에는 사진 찍기에 좋은 장소들이 많이 있죠.

W: 바로 그거예요! 그것이 제가 그 공원에서 가장 좋아하는 점이에요.

M: 잠깐, 드림월드가 이번 달 말까지 특별 할인을 해 준다고 들었어요.

W: 정말요? 어떻게 하면 할인을 받을 수 있나요?

M: 스마트폰 앱에서 할인 쿠폰을 다운받아야 해요.

W: 지금 바로 할게요. 고마워요.

M: 아들과 즐겁게 축하하세요.

© Macrovector / shutterstock

| 1 ② | 2 ② | 3 ① | 4 ① | 5 ② | 6 ④ | 7 ① | 8 ① | 9 ⑤ | 10 ④ | 11 ② | 12 ② |

1 대화를 듣고, 여자가 드론 비행 대회에 참가할 수 없는 이유를 고르시오. 답 ❷ 취업 면접에 가야 해서

[Cell phone rings.]

M: Hey, Rebecca. I have good news.

[휴대 전화가 울린다.]

M: 안녕, Rebecca. 좋은 소식이 있어.

W: Hi, Michael. What is it?

M: I saw an advertisement about a drone flying competition. Why don't we enter the competition as a team?

W: Great! I recently got a new drone as a graduation present. Is there anything we need to enter the competition?

M: No, all we need is our own drones.

W: Good. My new drone flies much faster and longer than the old one. When is the competition?
　　　　　　　　　　　　　　　　much는 비교급을 강조한다.　　　　= drone

M: It's next Friday afternoon.

W: Friday? I can't make it that day.
　　　　　　　make it: 시간 맞춰 가다
M: Oh! I forgot. You said that your parents are visiting.
　　　　　　　　　　오답 ①을 유도하는 표현이다.
W: Actually, they came yesterday.

M: Then, why can't you go?

W: I have to go to a job interview.
　　보통 대화의 후반부에 이유가 설명되는 경우가 많다.　　try+to부정사: ~하려고 노력하다
M: I see. Good luck on the interview. I'll try to find another partner.

[정답 전략] 남자가 여자에게 드론 날리기 대회에 함께 참가하자고 제의하자, 처음에는 여자가 승낙했지만 대회 날짜를 확인한 뒤에 취업 면접일과 겹쳐서 갈 수 없다고 말했다.

Words　advertisement 광고　competition 대회　enter 출전하다

W: 안녕, Michael. 그게 뭔데?

M: 드론 날리기 대회에 관한 광고를 봤어. 우리가 팀으로 그 대회에 참가하면 어떨까?

W: 좋아! 난 최근에 졸업 선물로 새 드론을 받았어. 그 대회에 참가하기 위해서 우리에게 필요한 게 있어?

M: 아니, 필요한 건 우리 소유의 드론뿐이야.

W: 좋아. 내 새 드론은 예전 것보다 훨씬 더 빠르고 오래 날아. 대회가 언제야?

M: 다음 주 금요일 오후야.

W: 금요일? 난 그날 갈 수 없어.

M: 아! 내가 깜빡했다. 부모님께서 오실 거라고 했지.

W: 실은 어제 오셨어.

M: 그러면 왜 못 가?

W: 취업 면접에 가야 해.

M: 알겠어. 면접에 행운을 빌게. 다른 파트너를 찾아봐야겠다.

---

2 대화를 듣고, 남자가 컴퓨터 프로그래밍 강좌를 신청하지 않은 이유를 고르시오. [답] ❷ 다른 도시로 이사를 가게 되어서

W: Hey, Blake. It's the last day of the class. Did you sign up for the next
　　　　　　　　　　　　　　　　　　　　　　　　　　sign up for: ~에 등록하다
　computer programming class?

M: No, Angela. I cannot take the class anymore.

W: Oh, I thought you enjoyed the programming class.
　　　　　　　　find+목적어+목적격 보어」는 '~가 …인 것을 알게 되다'는 뜻으로 목적격 보어로 형용사가 왔다.
M: Yeah. I found it really helpful for my career, too.
　　　　　　　　　　　　　　　　　　too+형용사/부사+to부정사: ~하기엔 너무 …한
W: Then, what's the reason? Are you too tired to attend the class after
　　　　　　　　　　　　　　　　　　　오답 ④를 유도하는 표현이다.
　work?

M: Not at all. The class is quite exciting.

W: Is it because the new class starts 30 minutes earlier?
　　오답 ①을 유도하는 표현이다.
M: No. That's actually better for my schedule. The problem is that I have to
　　　　　　　　　　　　　　　　　　　남자가 강좌를 신청하지 않은 이유를 말하고 있다.
　move to another city.

W: Oh, you're moving?

M: Yes. So, I don't think I can make it.
　　　　　　　　　　　　make it: (수업 등에) 참석하다
W: I'm sorry to hear that. It was nice taking the class with you.
　　　　　　　　　　　　keep in touch: 연락하고 지내다
M: Same here. Let's keep in touch.

[정답 전략] 마지막에서 세 번째 남자의 말(The problem ~ another city.)에서 남자가 다른 도시로 이사를 해야 해서 다음 컴퓨터 프로그래밍 수업에 등록하지 못한다고 했다.

W: 안녕, Blake. 오늘이 수업 마지막 날이네요. 다음 컴퓨터 프로그래밍 수업에 등록했어요?

M: 아니요, Angela. 저는 더 이상 그 수업을 들을 수 없어요.

W: 아, 프로그래밍 수업을 즐거워한다고 생각했는데요.

M: 네. 수업이 제 경력에도 정말 도움이 된다는 것을 알았어요.

W: 그럼, 이유가 뭔가요? 퇴근 후에 수업에 참석하기가 너무 피곤한가요?

M: 전혀 그렇지 않아요. 수업이 꽤 재미있어요.

W: 새 수업이 30분 일찍 시작하기 때문인가요?

M: 아니요. 사실 그게 제 일정에는 더 좋아요. 문제는 제가 다른 도시로 이사를 해야 한다는 겁니다.

W: 아, 이사 하세요?

M: 네. 그래서 수업에 참석을 못할 것 같아요.

W: 그 말을 들으니 유감이네요. 수업을 함께 들을 수 있어서 좋았는데요.

M: 저도 그랬어요. 우리 연락하고 지내요.

Words career 직업, 경력 attend 참석하다

3 대화를 듣고, 동아리 봉사 활동이 연기된 이유를 고르시오. **답 ❶** 기부 받은 옷 정리 시간이 더 필요해서

W: Hi, John. We just finished the volunteer club meeting.

M: Hi, Alice. Sorry, I'm late. Did I miss anything important?
　　　　　　　　　　　　　　　　　　　　　　-thing으로 끝나는 대명사는 형용사나 꾸며 주는 말이 뒤에서 수식한다.

W: Well, we postponed our volunteer work at the homeless shelter until

　next week.
　　　　　　　　　　　　　　　┌ come up: (행사나 때가) 다가오다

M: Why? Is it because midterm exams are coming up?
　　　　오답 ③을 유도하는 표현이다.

W: No. That's not a problem. All of our members still want to participate.

M: Then, why did we postpone?

W: You know we posted a video online about our club last week, right?
　　　　　　　　오답 ②를 유도하는 표현이다.

M: Sure. I helped make the video. It was a big hit.

W: Well, since then, we've received more clothes donations than ever.

M: Oh, that's great news. But it sounds like a lot of work.

W: Yes. We need more time to organize the clothes by size and season.
　　봉사 활동이 연기된 진짜 이유이다. 보통 대화의 후반부에 이유가 설명되는 경우가 많다.
　That's why we postponed.

M: I get it. When will we start?
　　get it: 알겠다

W: We're going to start organizing them tomorrow morning.
　　　　　　　　　동사 start는 목적어로 동명사와 to부정사 모두를 쓸 수 있다.

M: Okay. I'll see you then.

정답 전략 동아리 동영상 업로드 후에 의류 기부가 늘어나, 그 의류를 분류하고 정리할 시간이 필요하
게 되었다고 했다.

Words postpone 연기하다 homeless shelter 노숙자 보호소(쉼터) organize 정리하다

4 대화를 듣고, 남자가 할 일로 가장 적절한 것을 고르시오. **답 ❶** 필터 주문하기

W: Hi, honey. How was school today?

M: Fine, Mom. But I spilled some cherry juice on my shirt.
　　　　　　　오답 ③을 유도하는 표현이다.

W: Don't worry. I'll take it to the dry cleaner's later.
　　　　　　　오답 ④를 유도하는 표현이다.

M: Thanks. By the way, what are you doing?
　　┌ be about+to부정사: 막 ~하려고 하다

W: I was just about to change the water in the fish tank.
　　오답 ②를 유도하는 표현이다.

M: Do you need some help?

W: No, it's okay. But thanks for asking.

M: Okay. Be careful with the water heater. You almost broke it last time.
　　　　　　　오답 ⑤를 유도하는 표현이다.

W: I'm not going to make the same mistake twice. Oh, we need to replace

　the filter in the tank with a new one.
　　　　　　　　　　　　　　여자는 어항의 필터를 교체해야
　　┌ be out of: ~이 다 떨어지다　　한다는 사실을 떠올렸다.

M: Really? But we're out of filters. Should I order some online right now?
　　　남자는 필터가 다 떨어졌는데 온라인으로 주문해야 하냐고 여자에게 의향을 묻는다.

W: Great.
　　┌ 여자의 답을 들었으니, 남자는 바로 필터를 주문할 것이다.

M: Okay, I'll do it. I think they'll arrive in about two days.

정답 전략 여자가 어항의 물을 갈려는 상황으로, 남자는 어항에 쓰는 필터가 다 떨어졌다고 하며 자신

W: 안녕, John. 우리는 방금 자원봉사 동아
　리 모임을 끝냈어.

M: 안녕, Alice. 미안해, 늦었어. 내가 중요한
　걸 놓쳤니?

W: 음, 우리는 노숙자 보호소에서의 자원봉
　사 활동을 다음 주로 연기했어.

M: 왜? 중간고사가 다가와서 그런 거야?

W: 아니야. 그건 문제가 아니야. 우리 회원들
　은 그래도 모두 참여하기를 원해.

M: 그렇다면, 우리가 왜 미뤘어?

W: 너 우리가 지난주에 우리 동아리에 관한
　동영상을 인터넷에 올린 거 알지?

M: 물론이지. 내가 그 동영상 제작을 도왔잖
　아. 그것은 큰 성공이지.

W: 음, 그때 이후로, 우리는 그 어느 때보다
　도 더 많은 의류 기부를 받았어.

M: 오, 그거 좋은 소식이구나. 하지만 그것은
　많은 일거리처럼 들리네.

W: 맞아. 옷을 크기와 계절별로 정리하려면
　우리는 시간이 더 필요해. 그래서 연기한
　거야.

M: 알겠어. 우리 언제 시작할 거야?

W: 우리는 내일 아침에 그것들을 정리하기
　시작할 거야.

M: 알았어. 그때 보자.

W: 안녕, 얘야. 오늘 학교는 어땠니?

M: 괜찮았어요, 엄마. 하지만 체리 주스를 셔
　츠에 쏟았어요.

W: 걱정하지 마. 나중에 내가 그것을 세탁소
　에 가지고 갈게.

M: 고맙습니다. 그런데, 무엇을 하고 계세요?

W: 어항의 물을 막 갈아주려던 참이었어.

M: 도움이 좀 필요하세요?

W: 아니, 괜찮아. 하지만 물어봐 줘서 고맙구
　나.

M: 네. 온수기 조심하세요. 저번에 하마터면
　부술 뻔 하셨잖아요.

W: 같은 실수를 두 번 반복하진 않을 거란다.
　아, 어항 안에 있는 필터를 새것으로 교체
　해야 하는데.

M: 정말요? 그런데 필터가 다 떨어졌어요.
　지금 온라인으로 조금 주문할까요?

W: 좋아.

M: 네, 제가 할게요. 제 생각엔 그것이 이틀
　정도 후에는 도착할 것 같아요.

이 온라인으로 주문하겠다고 말했다.

Words   spill 쏟다, 엎지르다   dry cleaner's 세탁소   fish tank 어항

5 대화를 듣고, 여자가 남자를 위해 할 일로 가장 적절한 것을 고르시오. 답 ❷ 자원봉사 신청서 제출하기

W: Hey, Brandon. Have you seen this poster?
　　　　　　　　　　　'경험'을 나타내는 표현이다.
M: What's this? Oh, it's the Earth Hour Marathon.
　　　　　　　　　　　오답 ⑤를 유도하는 표현이다.
W: Yeah, it's to raise students' awareness about protecting the
　　　　　　　오답 ③을 유도하는 표현이다.
   environment.

M: That sounds like a great campaign. Are you participating in it?

W: Actually, I'm a staff member of the event and I'm looking for volunteers.

M: Oh, is that so? Then, what's the role of a volunteer?

W: A volunteer hands out water to the runners during the race.
　　　　　　　hand out: 나누어 주다, 배포하다
M: That sounds good. When does it take place?
　　　　　　　　　　　　　　take place: 열리다
W: It's next Saturday at City Hall. Are you interested?

M: Sure. How do I apply to be a volunteer?

W: Here. You must submit this application form to the student center by 5
　　　　　　　　　　　　　　　　　　　　　　오답 ④를 유도하는 표현이다.
   o'clock today.

M: Oh! I have economics class in 10 minutes, and it finishes at 6 o'clock.
　　　오답 ①을 유도하는 표현이다.
W: Just write your name and phone number. I'll submit your application
　　　　　　　　　　　　　　　　　　대화의 후반부에 할 일이 나오는 경우가 많다.
   form for you.

M: Thanks. [Writing sound] Here you go.

정답 전략 남자가 수업 때문에 5시까지 자원봉사 신청서를 제출할 수 없다고 말하자, 여자가 대신 제출해 주겠다고 제안했고 남자가 제안을 받아들였다.

Words   awareness 인식, 의식   submit 제출하다   application form 신청서   economics 경제학

W: 안녕, Brandon. 이 포스터 본 적 있어?
M: 이게 뭐야? 아, Earth Hour 마라톤이네.
W: 응, 그건 환경 보호에 관한 학생들의 인식을 높이기 위해서 하는 거야.
M: 멋진 캠페인처럼 들리네. 넌 거기에 참여할 거야?
W: 사실, 난 행사 요원인데 자원봉사자를 찾고 있어.
M: 아, 그래? 그러면 자원봉사자의 역할은 뭐야?
W: 자원봉사자는 경기 중에 선수들에게 물을 나눠 줘.
M: 멋지게 들리네. 언제 열려?
W: 다음 주 토요일에 시청에서. 관심 있니?
M: 물론이지. 자원봉사자가 되려면 어떻게 신청해?
W: 여기 있어. 이 신청서를 오늘 5시까지 학생회관에 제출해야 해.
M: 아! 난 10분 후에 경제학 수업이 있는데, 그게 6시에 끝나.
W: 네 이름과 전화번호만 적어. 내가 널 위해 신청서를 제출할게.
M: 고마워. [적는 소리] 여기 있어.

6 대화를 듣고, 여자가 할 일로 가장 적절한 것을 고르시오. 답 ❹ 설거지하기

M: Good morning, Jane.

W: Good morning, Mr. Smith.

M: Thanks for volunteering to work at our senior citizen's center again.

W: I'm happy to help. And I brought some snacks for the elderly.
　　　　　　　　　　　　　　　　　　　the+형용사: ~한 사람들
　　　　　　　　　　　　오답 ①을 유도하는 표현이다.
M: How considerate of you! Last time you donated some books. Everyone
　　　　성격 형용사+of+사람(목적격)　　　오답 ②를 유도하는 표현이다.
   really enjoyed reading them.

W: It was my pleasure. So, what am I supposed to do today? Should I
　　　　　　　　　　　　　　　be supposed +to부정사: ~하기로 되어 있다
   prepare lunch like I did before?
　　오답 ③을 유도하는 표현이다.
M: There are some other volunteers today, and they'll do that work.

W: Good. Then what would you like me to do?

M: Well, you could do the dishes or clean the laundry room.
　　　　　　　　　　　여자의 할 일이 ④와 ⑤, 두 가지로 범위가 좁혀졌음에 주목한다.

M: 좋은 아침이에요, Jane.
W: 좋은 아침이에요, Smith 씨.
M: 우리 노인 센터에서 일하는 것을 다시 자원해 주셔서 감사합니다.
W: 도움을 드려서 기뻐요. 그리고 저는 어르신들을 위해 간식을 조금 가져왔어요.
M: 정말 사려 깊으시군요! 지난번에는 책을 기부하셨죠. 모든 이가 그것들을 정말 즐겁게 읽었어요.
W: 저 역시 기뻤어요. 그래서 오늘은 제가 어떤 일을 해야 하는지요? 전에 했던 것처럼 점심을 준비해야 할까요?
M: 오늘은 다른 봉사자들이 계셔서 그분들이 그 일을 할 거예요.
W: 좋아요. 그럼 제가 어떤 일을 했으면 하시나요?

W: I'm good at washing dishes. So I'll do that.
┌ be good at: ~에 능숙하다
여자는 설거지하기를 희망함을 알 수 있다.

M: Great. We'll have someone else clean the laundry room.
┌ 5형식 문장에서 사역동사(have)는 목적격 보어로 동사원형(clean)을 쓴다.
오답 ⑤를 유도하는 표현으로, '누가' 할 일인지에 유의해서 듣도록 한다.

정답 전략 노인 센터에 봉사활동을 하러 온 여자에게, 남자가 설거지나 세탁실 청소를 하면 좋겠다고 했다. 이에 여자가 자신은 설거지를 잘 하니 그것을 하겠다고 말했다.

Words elderly 나이가 지긋한 considerate 사려 깊은 laundry room 세탁실

7 대화를 듣고, 여자가 회의 장소를 바꾸려는 이유를 고르시오. 답 ❶ 난방이 안돼서

M: Ms. Park, are we having a meeting in Room 707?

W: No, I'm going to change the room.

M: Why? Isn't the room available? I like the new projector in that room.

W: I know. That's why I reserved that room a week ago. But we have an issue.

M: I've heard recently there were some complaints about the lighting in the room. Is that the problem?
오답 ③을 유도하는 표현이다.

W: No. When I checked the room this morning, the lights were working fine.

M: Can't we just use the room then? It would be a lot of trouble to change the room.

W: The thing is the heating system is broken. I got a message from the
┌ the thing is: 실은(중요한 사실, 이유를 언급할 때)
회의 장소를 바꾸려는 이유이다. 이유는 대화의 후반부에서 설명되는 경우가 많다.
management office just an hour ago.

M: The weather is very cold today. It seems you have no choice but to change the room.
have no choice but +to부정사: ~할 수 밖에 없다

W: I'll let you know as soon as I find another room for our meeting.
┌ as soon as: ~하자마자

정답 전략 남자는 회의 장소를 바꾸고 싶어 하지 않았으나, 난방 시스템이 고장 났다는 말을 듣고 여자의 말에 수긍한다. 따라서 정답은 ①이다.

Words available 이용 가능한 complaint 불평 management office 관리사무소

8 대화를 듣고, 남자가 연구 주제를 변경한 이유를 고르시오. 답 ❶ 관련 데이터를 찾기 어려워서

W: Hey, how's the science research going? I like your idea about dream recording technology.

M: Well, I changed my topic, so I'm pretty busy preparing new research.
be busy -ing: ~하느라 바쁘다

W: Really? Aren't you interested in that field anymore?
오답 ③을 유도하는 표현이다.

M: I am. I still want to become a neuroscientist.

W: Then why did you change it? Did your professor ask you to?
오답 ②를 유도하는 어휘이다.

M: No. Actually, she said it could be an interesting topic because many people are curious about this new technology.

W: It is very new, so I was wondering how you would find related data.

M: That's the problem. The topic was so new that it was hard to find relevant
┌ so+형용사(부사)+that+주어+동사: 너무 ~해서 …하다
남자가 연구 주제를 변경한 진짜 이유이다.
data. So, I decided to do research on brain scanning technology instead.
동사 decide는 to부정사를 목적어로 취하는 동사이다.

M: 음, 설거지를 하시거나 세탁실 청소를 하셨으면 합니다.

W: 제가 설거지를 잘해요. 그러니 그것을 할게요.

M: 좋습니다. 다른 사람에게 세탁실 청소를 하게 할게요.

M: 박 선생님, 우리 707호에서 회의하나요?

W: 아니요, 방을 바꿀 거예요.

M: 왜요? 방을 이용할 수 없나요? 저는 그 방의 새 프로젝터가 마음에 드는데.

W: 알죠. 그게 일주일 전에 그 방을 예약한 이유예요. 그런데 문제가 있어요.

M: 최근에 방의 조명에 대한 불만이 있다고 들었어요. 그게 문제인가요?

W: 아니요. 오늘 아침 방을 확인해 보니 조명은 잘 작동했어요.

M: 그럼 그냥 그 방을 쓰면 안 될까요? 방을 바꾸는 것은 문제가 많을 거예요.

W: 문제는 난방 시스템이 고장 났다는 거예요. 한 시간 전에 관리사무소에서 메시지를 받았어요.

M: 오늘 날씨가 매우 춥네요. 방을 바꿀 수밖에 없는 것 같군요.

W: 회의를 위한 다른 방을 찾는 대로 알려 드리죠.

© Getty Images Korea

W: 이봐요, 과학 연구는 어떻게 되어 가요? 나는 꿈 기록 기술에 대한 당신의 아이디어가 마음에 들어요.

M: 음, 주제를 바꿔서 새로운 연구를 준비하느라 바빠요.

W: 정말요? 당신은 더 이상 그 분야에 관심이 없어요?

M: 관심이 있죠. 저는 여전히 신경과학자가 되고 싶어요.

W: 그럼 왜 바꿨어요? 교수님이 부탁하셨어요?

M: 아니요. 사실, 그녀는 많은 사람들이 이 새로운 기술에 대해 궁금해 하기 때문에 흥미로운 주제가 될 수 있다고 했어요.

W: 그것은 매우 새로워서 저는 당신이 관련 자료를 어떻게 찾을 수 있을지 궁금했어요.

W: Oh, I see. What are you going to do for that?

M: I'm thinking of applying for research funding.
_{오답 ④를 유도하는 어휘이다.}

W: I hope you'll get it. Good luck.

[정답 전략] 마지막에서 두 번째 남자의 말(The topic ~ relevant data.)에서 해당 분야가 너무 새로워서 관련 자료를 찾기가 어렵다고 했다.

Words   neuroscientist 신경 과학자   relevant 관련 있는   funding 자금 제공

M: 그게 문제예요. 주제가 너무 새로워서 관련 자료를 찾기가 힘들었어요. 그래서 저는 대신에 뇌 스캔 기술에 대해 연구하기로 결심했어요.

W: 아, 그렇군요. 그걸 위해 뭘 하실 건가요?

M: 연구비 지원을 신청할 생각이에요.

W: 그걸 받으시길 바랄게요. 행운을 빌어요.

---

9 대화를 듣고, 남자가 도서관에 갈 수 없는 이유를 고르시오. [답]❺ 말하기 대회 대본을 작성해야 해서

W: Hi, Joshua. Why didn't you come to the book club meeting yesterday?

M: I didn't feel well, so I went to the doctor.

W: Oh, I see. Are you feeling better?

M: Yeah, I'm much better now. But I'm sad I missed the meeting. Did you
_{비교급을 강조하는 부사로, 비교급 앞에 쓰여 '훨씬'이라는 의미를 나타낸다.}
choose the book for the next meeting?

W: We didn't. How about going to the library to choose the book for the
_{┌ to부정사 부사적 용법(목적)}
_{여자의 제안: 독서 모임에 필요한 책을 고르러 도서관에 같이 가자.}
next meeting?

M: That sounds great, but I don't think I can today.

W: Why not? Did the doctor tell you to get more rest?
_{┌ tell은 목적격 보어로 to부정사가 온다.}
_{오답 ③을 유도하는 표현이다.}

M: No, it's not that. I need to write my script for the speech contest.
_{남자가 도서관에 갈 수 없는 이유이다.}

W: I thought the script is due next week. You have enough time. There's no need to hurry.

M: It is due next week, but the topic is difficult. So, I should write the script
_{남자가 대본을 오늘 써야 하는 이유를 다시 한 번 강조하고 있다.}
today.

W: Okay. Be sure to take breaks so you don't get sick again.
_{be sure+to부정사: (명령문으로 쓰여) 반드시 ~을 하라}

M: I will. Thank you for your concern.

[정답 전략] 남자는 오늘 말하기 대회 대본을 작성해야 한다고 했다.

Words   due ~하기로 되어 있는(예정된)   concern 염려, 걱정

W: 안녕하세요, Joshua. 어제 독서 클럽 모임에 왜 안 왔어요?

M: 몸이 안 좋아서 병원에 갔어요.

W: 아, 그렇군요. 나아졌어요?

M: 네, 이제 훨씬 나아요. 하지만 모임에 참석하지 못해서 속상해요. 다음 모임을 위한 책을 골랐나요?

W: 고르지 못했어요. 다음 모임을 위한 책을 고르러 도서관에 가보는 게 어때요?

M: 좋은 생각인 것 같은데요, 오늘은 안 될 것 같아요.

W: 왜 안돼요? 의사가 좀 더 쉬라고 했어요?

M: 아니, 그게 아니고요. 말하기 대회 대본을 써야 해서요.

W: 대본이 다음 주까지인 줄 알았는데. 시간은 충분해요. 서두를 필요 없어요.

M: 다음 주까지이긴 한데, 주제가 어려워요. 그래서 오늘은 대본을 써야겠어요.

W: 알았어요. 다시 아프지 않도록 반드시 휴식을 취하세요.

M: 그럴게요. 염려해 주어서 감사해요.

---

10 대화를 듣고, 남자가 여자에게 부탁한 일로 가장 적절한 것을 고르시오. [답]❹ 유니폼 가져오기

[Cell phone rings.]

W: Hello, honey. What's up?
_{What's up?: 무슨 일이야? / 잘 지냈어?}

M: I'm sorry, honey. I think I'll be late for today's soccer match. The meeting
_{오답 ①을 유도하는 어휘이다.}
just ended.

W: Really? Hmm, I also heard there was a car accident near the stadium.
_{오답 ⑤를 유도하는 어휘이다.}

M: Oh, I'll take the subway, then. By the way, did you download our mobile
_{By the way:}   _{오답 ②를 유도하는 표현이다.}
tickets?
_{(대화에서 화제를 바꿀 때) 그런데}

W: Yeah. I did it this morning. What should we do about dinner?
_{오답 ③을 유도하는 표현이다.}

[휴대 전화가 울린다.]

W: 여보세요, 여보. 무슨 일이에요?

M: 미안해요, 여보. 오늘 축구 경기에 늦을 것 같아요. 회의가 막 끝났어요.

W: 정말요? 음, 그리고 경기장 근처에서 교통사고가 났다고도 들었어요.

M: 아, 그럼 지하철을 타야겠어요. 그건 그렇고, 우리 모바일 티켓을 다운로드 했어요?

W: 네, 오늘 아침에 했어요. 우리 저녁 식사는 어떻게 해야 할까요?

M: Hmm, let's buy some food at the snack bar in the stadium.

W: Okay. Oh, the ticket says people who wear uniforms will get a free drink
<u>who는 people을 선행사로 하는 주격 관계대명사이다.</u>
at the snack bar.
정보: 유니폼을 입고 오는 사람에게 무료 음료를 제공한다.

M: Then, can you bring my uniform? I think it's in the bedroom closet.
남자의 부탁: 경기장에 올 때, 유니폼을 가져와 달라.

W: Sure. I'll do that.

M: Thanks. See you soon.

정답 전략 유니폼을 입은 사람들에게 축구 경기장 스낵바에서 무료 음료를 제공한다는 정보를 여자가 남자에게 주자, 남자는 자기 유니폼을 가져와 달라고 여자에게 부탁했다.

Words match 경기(시합) stadium 경기장 closet 벽장

M: 음, 경기장에 있는 스낵바에서 음식을 삽시다.

W: 알았어요. 아, 티켓에는 유니폼을 입은 사람들은 스낵바에서 무료 음료를 얻을 수 있다고 나와 있네요.

M: 그럼 내 유니폼을 가져올 수 있어요? 내 생각엔 침실 벽장에 있는 것 같아요.

W: 물론이죠. 그렇게 할게요.

M: 고마워요. 곧 봐요.

---

11 대화를 듣고, 여자가 남자를 위해 할 일로 가장 적절한 것을 고르시오. 답 ❷ 포스터 인쇄하기

W: Hi, Ted. How are you doing with the poster for the Student Dance Festival?

M: Hello, Ms. Wood. Here, take a look at my monitor. It's the final draft of
<u>take a look at: ~을 (한 번) 보다</u>
the poster.

W: Let's see. Wow, you did a great job. It looks like you're all done.
<u>look like: ~인 것처럼 보이다</u>

M: Thank you, Ms. Wood.

W: Oh, I like the cartoon at the bottom. Did you draw it yourself?
오답 ⑤를 유도하는 표현이다.

M: No, I downloaded the image. I checked the copyright and it's free to
오답 ①을 유도하는 표현이다.   free는 이 문장에서 '무료의'라는 의미로 쓰였다.
use.

W: That's great. Are you ready to print the poster, then?

M: Yes, but our printer isn't working, so I can't print it now.
오답 ③을 유도하는 표현이다.

W: Don't worry. I can do it for you in the teachers' lounge.
여자의 제안: 교사 휴게실에서 인쇄해 주겠다.

M: That'd be great.

W: How many copies of the poster do you need?

M: Ten copies will be enough.

W: No problem. Just send me the file.
오답 ④를 유도하는 표현이다.

M: Thank you so much.

정답 전략 남자가 프린터가 고장이 나서 포스터를 인쇄할 수 없다고 하자 여자는 교사 휴게실에서 대신 인쇄해 줄 테니 파일을 보내 달라고 했다.

Words final draft 최종안 copyright 저작권 work 작동하다 lounge 휴게실, 라운지

W: 안녕, Ted. 학생 댄스 페스티벌 포스터는 어떻게 되어 가고 있니?

M: 안녕하세요, Wood 선생님. 여기, 제 모니터를 보세요. 이것이 포스터의 최종안입니다.

W: 어디 보자. 와, 너 정말 잘했다. 다 끝난 것 같구나.

M: 감사합니다, Wood 선생님.

W: 오, 나는 아래쪽에 있는 만화가 마음에 드는구나. 네가 그것을 직접 그렸니?

M: 아니요, 이미지를 내려 받았어요. 저작권을 확인했는데 무료로 사용할 수 있어요.

W: 그거 잘 됐구나. 그러면 포스터를 인쇄할 준비가 되었니?

M: 네, 하지만 저희 프린터가 작동하지 않아서 그것을 지금 인쇄할 수가 없어요.

W: 걱정하지 마라. 내가 교사 휴게실에서 너를 위해 그것을 해 줄 수 있어.

M: 그렇게 해 주시면 아주 좋겠어요.

W: 포스터는 몇 장 필요하니?

M: 열 장이면 충분할 거예요.

W: 문제없어. 파일만 내게 보내 줘.

M: 대단히 감사합니다.

---

12 대화를 듣고, 여자가 할 일로 가장 적절한 것을 고르시오. 답 ❷ 식료품 사러 가기

W: Sean, did you close your bedroom windows? The rain will start any
오답 ①을 유도하는 표현이다.
minute.
<u>any minute: 지금 당장에라도, 금방이라도</u>

M: Yes, Mom. I've already closed all the windows.
현재완료 표현에 already를 같이 쓰면 '완료'의 의미가 된다.

W: Good. A storm is coming. So, let's keep them closed. Are you going out
<u>go out: 외출하다</u>
tonight?

W: Sean, 침실 창문 닫았니? 금방이라도 비가 올 거야.

M: 네, 엄마. 저는 이미 모든 창문을 닫았어요.

W: 잘했다. 폭풍이 오고 있어. 그러니, 창문을 닫아 두도록 하자. 오늘 밤에 외출할 거니?

M: No. I was planning to go to the movies, but I'm staying home.

plan의 목적어로는 to부정사만 올 수 있다.
오답 ④를 유도하는 표현이다.

W: Good idea. What will you do?

M: Can I invite Eric to our house? I want to play video games with him.

오답 ③을 유도하는 어휘이다.

W: Okay. Do you want me to cook for you two boys?

M: That'd be great. Eric loves your chicken stew.

W: All right. I'm going grocery shopping before it rains hard.

여자의 할 일이다. 할 일은 주로 대화의 후반부에 나오므로 특히 후반부에 주의를 기울인다.

M: Do you want me to come with you?

W: No, that's okay. I'll grab a few things and be right back.

정답 전략 날씨가 안 좋아지자 남자는 계획을 바꿔 집에서 친구와 비디오 게임을 하려고 하고, 여자는 남자와 친구를 위해 요리를 해 주려고 식료품을 사러 나갈 준비를 한다.

Words grocery 식료품 grab 잡다

M: 아뇨. 영화를 보러 가려고 했는데, 집에 있을 거예요.

W: 좋은 생각이야. 무엇을 할 거니?

M: Eric을 우리 집에 초대해도 될까요? 그와 비디오 게임을 하고 싶어요.

W: 알았다. 내가 너희 둘을 위해 요리를 해 줄까?

M: 그러면 좋겠어요. Eric은 엄마의 닭고기 스튜를 아주 좋아해요.

W: 좋아. 비가 많이 내리기 전에 식료품을 사러 가야겠네.

M: 제가 같이 가 드릴까요?

W: 아니, 괜찮아. 몇 가지만 사고 금방 올게.

누구나 합격 / 전략

26~27쪽

1 ⑤ **2** ② **3** ④ **4** ⑤ **5** ① **6** ③

1 대화를 듣고, 여자가 남자에게 부탁한 일로 가장 적절한 것을 고르시오. 답 ⑤ 과학 실험실 사용 허락받기

M: Ellie, do you have any idea about our volunteer club's next project?

W: Hmm, last time we knitted hats for babies and sent them to Africa.

오답 ①을 유도하는 표현이다.

M: Yes, we did.

W: How about making eco-friendly soap this time? It helps the environment and we can give it out to people in need.

give out: ~을 나눠주다   in need: 어려움에 처한, 궁핍한

M: Good idea. Luckily we learned how to make soap in science class.

W: Right. I still have the handout about it.

M: Great. You can bring it to our club meeting. It's next Friday, right?

it은 the handout을 가리키고, 오답 ②를 유도하는 표현이다.   오답 ③을 유도하는 표현이다.

W: Yeah. We can try making soap then. Shall we do it in our club room?

try -ing: (시험 삼아) ~해 보다

M: I think it'll be better to use the science lab.

명사절을 이끄는 if는 '~인지 (아닌지)'라는 의미로, whether로 바꿔 쓸 수 있다.

W: You're right. Can you go ask Mr. White if we can use it?

여자가 남자에게 부탁한 일이다. 할 일은 주로 후반부에 나오는 경우가 많으므로 끝까지 유의한다.

M: Sure. I'll do that right away.

오답 ④를 유도하는 표현으로, 이는 여자가 할 일이다.

W: Thanks. Then, I'll find out where we can get the ingredients.

정답 전략 여자는 과학 실험실을 이용할 수 있는지 선생님께 여쭤봐 달라고 남자에게 부탁했다.

Words eco-friendly 환경 친화적인 handout 유인물 ingredient 재료, 성분

M: Ellie, 우리 자원봉사 동아리의 다음 프로젝트에 대해 뭐 생각나는 거라도 있니?

W: 음, 지난번에는 아기들을 위해 모자를 짜서 아프리카로 보냈지.

M: 응, 그랬지.

W: 이번에는 친환경 비누를 만드는 게 어떨까? 환경을 돕고, 그것을 어려움에 처한 사람들에게 나눠줄 수 있어.

M: 좋은 생각이야. 다행히도 우리는 과학 시간에 비누 만드는 법을 배웠고.

W: 맞아. 나는 아직 그것에 대한 유인물을 가지고 있어.

M: 좋아. 그것을 동아리 모임에 가져와 줘. 다음 주 금요일이지, 맞지?

W: 응. 우리는 그때 비누를 만들어 볼 수 있겠어. 우리 동아리 방에서 할까?

M: 과학 실험실을 이용하는 게 나을 것 같아.

W: 네 말이 맞아. White 선생님께 가서 우리가 사용할 수 있는지 여쭤봐 줄래?

M: 물론이지. 바로 그렇게 할게.

W: 고마워. 그럼, 나는 재료를 어디서 구할 수 있는지 알아볼게.

2 대화를 듣고, 여자의 의견으로 가장 적절한 것을 고르시오. 답 ② 책을 읽을 때 음악을 듣는 것은 도움이 된다.

M: Hello, Irene. What are you doing?

W: Hi. I'm reading a book for a book review assignment.

M: Irene, 안녕. 무엇을 하고 있니?

W: 안녕. 독후감 과제 때문에 책을 읽고 있어.

M: Then, why are you wearing earphones?

W: I'm listening to music. I find it helpful when reading a book.
　　I find ~로 시작하는 문장이므로 여자의 의견이 드러나는 부분이다.

M: Doesn't listening to music hurt your concentration?
　　　　　　　　　　　　　　　　　　　　　concentrate on: ~에 집중하다

W: Actually, no. I can concentrate on my reading better while listening to
　　여자가 본인의 의견을 좀 더 자세히 이야기하고 있다.　　　시간을 나타내는 분사구문
　　music.

M: Really? I didn't know that was possible.
　　　　　　　　5형식 문장에서 사역동사(make)는 목적격 보어로 동사원형(feel)을 쓴다.

W: Also, it makes me feel good, and that surely keeps me awake.
　　여자가 음악을 들으면서 책을 읽을 때의 감정과 상태를 구체적으로 말하고 있다.

M: You mean that you can keep reading when you feel bored with a book?
　　　　　　　　　　　　　　　　　　　　　　　　feel +(특정한 감정, 기분의) 형용사: ~하다고 느끼다

W: Right. That's why I listen to music while reading.
　　　　　　　　　give it a try: 시도하다, 한번 해 보다

M: I see. I'll give it a try the next time I read a book.
　　　　　work는 이 문장에서 동사로 '효과가 있다'의 의미로 쓰였다.

W: It'll work for you, too.

정답 전략 여자는 음악을 듣는 동안 독서에 더 잘 집중할 수 있다고 했다.

Words assignment 과제　concentration 집중(력)　awake 깨어 있는　bored 지루해하는

M: 그러면, 왜 이어폰을 끼고 있어?

W: 음악을 듣고 있어. 나는 그것이 책을 읽을 때 도움이 된다는 것을 알았어.

M: 음악을 듣는 것이 집중력을 해치지 않니?

W: 사실은, 아니야. 나는 음악을 듣는 동안에 독서에 더 잘 집중할 수 있어.

M: 정말? 그게 가능한지 몰랐네.

W: 또한, 그것은 나를 기분 좋게 하고, 확실히 나를 깨어 있게 해.

M: 네 말은 네가 책이 지루하다고 느낄 때 계속 읽을 수 있다는 거야?

W: 맞아. 그것이 책을 읽으면서 음악을 듣는 이유야.

M: 그렇구나. 다음에 책을 읽을 때 한번 해 봐야지.

W: 너한테도 효과가 있을 거야.

---

3 대화를 듣고, 두 사람의 관계를 가장 잘 나타낸 것을 고르시오. 답 ❹ 중고 서점 주인 – 중고 도서 판매자

W: Hi, Kevin. You came again. It seems you brought more books today.
　　　　　　　　　　　　　　　　it seems (that)+주어+동사: ~처럼 보이다

M: That's right. I'm moving out next month, so I'm clearing out my stuff.
　　　　　　　　남자의 상황: 이사 갈 예정이라 짐을 정리하려고 한다.

W: I see. Can you put the books on the counter, please?

M: Sure. I hope you don't reject too many books like the last time.
　　　　　　　　　　　　　　　　　　　　　like는 '~처럼'이라는 의미의 전치사로 쓰였다.

W: I'm sorry about that but I don't accept books with stains. It's been my
　　　　　　since: ~ 이래로, ~ 이후로
　　policy since I opened this bookstore.
　　　　　　대화가 일어나고 있는 장소가 서점이라는 단서이다.

M: I understand. I wouldn't buy secondhand books with stains myself.
　　　　　　　　　　　　중고책을 다루는 서점이라는 단서이다.

W: I appreciate your understanding. Well, these books seem to be in better
　　　thank for와 달리 appreciate 바로 뒤에 명사(구)가 오는 것에 유의한다.
　　condition than the last time.

M: Then, are you taking them all?

W: Yes. I think I can give you $30. Is that okay?
　　　　　중고책값을 30달러 쳐 준 것으로 보아, 여자의 직업을 알 수 있다.

M: Sure.

정답 전략 대화가 일어나고 있는 장소가 서점이며, 남자는 중고책을 들고 왔고 여자가 책값으로 30달러를 쳐 주었다. 따라서 두 사람은 '중고 서점 주인 – 중고 도서 판매자' 관계이다.

Words stain 얼룩　reject 거부하다, 거절하다　policy 방침　secondhand 중고의, 고물의

W: 안녕하세요, Kevin. 또 오셨네요. 오늘은 책을 더 많이 가져오신 것 같아요.

M: 맞아요. 다음 달에 이사를 해서 짐을 좀 치우려고요.

W: 그렇군요. 책을 카운터 위에 올려 주시겠어요?

M: 그래요. 지난번처럼 너무 많은 책을 거절하지 않았으면 좋겠어요.

W: 그건 죄송하지만 전 얼룩이 있는 책은 받지 않아요. 이 서점을 연 이후로 줄곧 제 방침이었습니다.

M: 이해합니다. 저 스스로도 얼룩이 묻은 중고책은 사지 않을 거예요.

W: 이해해 주셔서 감사합니다. 저, 이 책들은 지난번보다 상태가 더 좋은 것 같은데요.

M: 그럼 다 받으시는 건가요?

W: 네. 30달러 드릴 수 있을 것 같아요. 괜찮겠어요?

M: 물론이죠.

---

4 대화를 듣고, 남자가 농구경기에 출전하지 않는 이유를 고르시오. 답 ❺ 아버지의 은퇴 파티에 참석해야 해서

W: Jason, I heard you play on a local amateur basketball team.

M: Yes. In fact, we're playing against Logan City this Saturday.
　　　　　　　　이미 계획하고 있는 미래에 관해 말할 때 현재진행시제를 쓸 수 있다.

W: How exciting! Can I come and watch the game?
　　　　　　　　　　　and를 사이에 두고 come과 watch가 병렬 관계를 이루고 있다.

M: You could, but I'm not playing this time.

W: Why? Are you sick? I heard you took the day off yesterday to go to the
　　　　　　　　　　　　　　take a day off: 하루 휴가를 얻다
　　hospital.

W: Jason, 난 당신이 지역 아마추어 농구 팀에서 뛰고 있다는 얘기를 들었어요.

M: 맞아요. 사실 우리는 이번 토요일에 Logan City를 상대로 경기를 할 거예요.

W: 재미있겠다! 가서 경기를 봐도 돼요?

M: 가능하지만, 전 이번에는 경기를 하지 않아요.

W: 왜요? 아파요? 당신이 어제 병원에 가느라 하루 쉬었다는 이야기를 들었어요.

M: No, I'm fine. I had a regular medical check-up.

┌ 오답 ④를 유도하는 표현이다.

W: I see. Then, is it **because of** the sales report you were assigned last week?

┌ because of+명사(구): ~때문에
오답 ②를 유도하는 표현이다.

M: I already finished it. Actually, I'm flying to Los Angeles tonight.

W: Los Angeles? Do you have a business trip?

오답 ①을 유도하는 표현이다.

M: No. I'm attending my father's retirement party. All my family will be there.

남자가 농구경기에 출전하지 않는 이유이다. 이유는 보통 대화의 후반부에서 설명되는 경우가 많음에 주목한다.

W: Okay. Then, I'll see you play some other time.

정답 전략 남자는 아버지의 은퇴 파티에 참석하기 위해 Los Angeles로 가야 한다고 했다.

Words medical check-up 건강 검진 assign 배당하다, 할당하다 retirement 은퇴

M: 아니요, 저는 괜찮아요. 정기 건강 검진을 받은 거예요.

W: 그랬군요. 그러면 지난주에 당신에게 배당된 매출 보고서 때문이에요?

M: 그건 이미 끝냈어요. 사실 전 오늘 밤에 비행기로 Los Angeles로 가요.

W: Los Angeles요? 출장 가는 거예요?

M: 아니요. 아버지의 은퇴 파티에 참석할 거예요. 가족들 모두가 거기로 올 거예요.

W: 그렇군요. 그럼, 당신이 경기하는 것은 다른 때 봐야겠네요.

---

5 대화를 듣고, 여자가 할 일로 가장 적절한 것을 고르시오. 답 ❶ 간식 구매하기

W: Tom, did you pack everything for tomorrow's backpacking trip?

M: I'm almost done, Mom. I just need a few more things.

┌ forget+to부정사: ~할 것을 잊다(미래의 일)

W: Good! Don't **forget to pack** some extra clothes!

오답 ②를 유도하는 표현이다.

M: Sure, I did. **Just in case!**

just in case: 만약을 위해서

W: Well done! What about hiking boots? Didn't you say you were going to borrow Jake's?

오답 ③을 유도하는 표현이다.

M: Yes, he told me to **pick them up** in the afternoon.

「타동사+부사」의 목적어가 대명사일 경우, 반드시 「동사+대명사+부사」 순으로 써야 한다.

W: That's so sweet of him. Anything else?

┌ 과거분사 left가 앞의 things를 꾸민다.

M: There is just one more important thing **left**. I have to go to the grocery store to buy some snacks!

남자에게 남아 있는 한 가지 일: 간식 사러 가기

W: Snacks are important. I'm going to the grocery store right now. I could buy them for you if you want.

여자가 간식을 사다 줄 수 있다고 제안했다.

M: Could you? That would be great!

W: Sure, sweetie. No problem.

┌ to부정사의 to가 생략된 형태이다.

M: Then all I have to do is **get** the boots from Jake!

정답 전략 엄마는 아들이 여행 가기 전에 짐을 다 챙겼는지 점검하고 있고, 아들은 간식을 사는 일만 남았다고 말한다. 이에 엄마가 식료품점에 가는 길에 간식을 사다 주겠다고 말했다.

Words pack 짐을 싸다 extra 여분의 grocery store 식료품점

W: Tom, 내일 배낭여행을 위해 모든 것을 다 꾸렸니?

M: 거의 다 했어요, 엄마. 그냥 몇 가지만 더 하면 돼요.

W: 좋아! 여벌 옷을 챙기는 것을 잊지 마!

M: 물론이죠, 했어요. 혹시 모르니까!

W: 잘했어! 등산화는 어때? Jake 것을 빌릴 거라고 하지 않았니?

M: 네, 그가 오후에 가지러 오라고 했어요.

W: 정말 친절하구나. 또 다른 건 없니?

M: 중요한 것이 하나 더 남아 있어요. 간식을 사러 식료품점에 가야 해요!

W: 간식은 중요해. 내가 지금 식료품점에 갈 건데, 네가 원하면 내가 사다 줄 수 있단다.

M: 정말요? 그거 참 잘됐네요!

W: 물론이지, 아가야. 문제없단다.

M: 그럼 Jake한테 등산화만 받으면 돼요!

© turkkub / shutterstock

---

6 대화를 듣고, 남자의 의견으로 가장 적절한 것을 고르시오. 답 ❸ 남을 가르치면서 더 많은 것을 배울 수 있다.

M: Stella, I'm going to sign up for the Study Buddy Program. Will you join me?

W: I've never heard about that program. What is it about?

┌ subject와 you're 사이에 목적격 관계대명사 which(that)이 생략되었다.

M: It's about **teaching** the **subject you're** good at **to** your friend.

4형식 문장을 3형식 문장으로 전환할 때, 동사 teach는 전치사로 to를 취한다.

W: Wouldn't it take too much time? I don't have enough time for my own study.

M: Stella, 나는 스터디 버디 프로그램에 등록하려고 해. 같이 할래?

W: 난 그 프로그램에 대해 들어본 적이 없는데. 무엇에 관한 건데?

M: 네가 잘하는 과목을 친구에게 가르치는 거야.

W: 시간이 너무 많이 걸리지 않을까? 나는 내 공부를 할 시간도 충분하지 않아.

M: I know what you're worried about, but actually teaching others can help you with your study.
_{남자의 의견에 해당한다.}

W: Hmm .... What makes you think so?
_{사역동사 make의 목적격 보어로는 동사원형이 온다.}

M: It's based on my experience. Last winter, I taught my cousin, Paul, math.
_{be based on: ~에 기초하다   자신의 경험담을 말하고 있다.}
At first I thought I was teaching him, but I was learning, too.

W: That's interesting. Can you be more specific?

M: When I tried to explain to Paul how to solve math problems, I realized
_{경험을 좀 더 구체적으로 소개하고 있다.}
I didn't fully understand some basic concepts. I had to study more to teach him.

W: So, you have learned more by teaching others.
_{여자가 남자의 의견을 정리해서 말하고 있는 문장이다.}

M: That's right. I'm sure if you participate in this program, you can learn
_{대부분 I'm sure ~로 시작하는 문장에 의견이 드러나 있음에 유의한다.}
_{조건을 나타내는 if로 '만약 ~한다면'의 뜻으로 쓰였다.}
even more.

정답 전략 남자는 여자에게 본인이 등록하려고 하는 스터디 버디 프로그램에 함께 하자고 권유하며 '다른 사람을 가르칠 때 스스로 더 많은 것을 배울 수 있다'고 주장한다.

Words buddy 친구, 단짝   specific 구체적인   concept 개념   participate 참여하다

M: 네가 뭘 걱정하는지 알지만, 사실 다른 사람들을 가르치는 것은 너의 공부에 도움이 될 수 있어.

W: 음 …, 네가 그렇게 생각하는 이유는 뭐야?

M: 그건 내 경험에 근거한 거야. 지난겨울에, 나는 사촌인 Paul에게 수학을 가르쳤어. 처음에 나는 내가 그를 가르치고 있다고 생각했지만, 나도 배우고 있었어.

W: 흥미롭네. 더 구체적으로 얘기해 볼래?

M: Paul에게 수학 문제를 푸는 방법을 설명하려고 했을 때, 나는 내가 몇 가지 기본적인 개념들을 완전히 이해하지 못했다는 것을 깨달았어. 나는 그를 가르치기 위해 공부를 더 해야 했어.

W: 그래서 너는 다른 사람들을 가르치면서 더 많은 것을 배웠구나.

M: 맞아. 네가 이 프로그램에 참여한다면, 너는 훨씬 더 많은 것을 배울 수 있을 거라고 나는 확신해.

창의·융합·코딩   전략 ①, ②
| 28~31쪽

1 go to a movie, work in the school library   **2** (1) 출판사 직원 – 작가   (2) 학생 – 방과 후 수업 교사
3 (1) 시험이 끝나서 (2) 감기에 걸려서 (3) 시험이 끝난 것을 축하하기 위해서 (4) 아빠의 생신을 축하하기 위해서
   (5) 여행 준비물을 사러 가야 해서

1 **해석** Olivia: 안녕, Matt. 역사 시험은 어땠어? Matt: 괜찮았어. 그래도 끝나서 기뻐. Olivia: 좋아. 그럼, 오늘 밤 나랑 영화 보러 가지 않을래? 새 영화가 나온다고 들었어. Matt: 글쎄, 나는 못 갈 것 같아. 학교 도서관의 동료가 오늘 밤 그녀의 할머니 생신 파티에 참석할 거야. 그래서 그녀를 위해서 내 일정을 바꿨거든. Olivia: 알겠어. 다음에 가자. Matt: 이번 토요일에 야구 경기 입장권이 있는데, 같이 갈래? Olivia: 그거 좋겠다.
→ Matt는 학교 도서관에서 일해야 하기 때문에 오늘 밤 Olivia와 함께 영화를 보러 갈 수 없다.

2 **해석** (1) 출판사 직원: 저는 Julia입니다 …… 제가 말씀드린 출판 계획서 …… 당신의 마지막 책 …… 저희는 당신이 쓰기를 바랍니다 …… 저희 편집자 중 한 명이 연락을 드릴 겁니다 ……
작가: 여보세요, Mike Watson입니다. …… 또 다른 여행서 …… 물론, 좋지요 …… 회의를 위해 준비할 것이 있는지요?
(2) 학생: …… 쿠키 굽는 법을 배우고 싶습니다 …… 등록할 수 없습니다 …… 지역 도서관에서 자원봉사를 하기로 되어 …… 방과 후 수업에 참여하고 ……
방과 후 수업 교사: …… 제 수업에 등록 …… 여름 방학 동안 …… 대기자 명단에 이름을 올려 …… 다른 학생이 취소 ……

3 **해석** W: 시험이 끝나서 정말 기뻐. M: 나도, 이번엔 정말 어려웠어. W: 알아. 감기에 걸려서 난 훨씬 더 스트레스를 받았어. M: 아직도 아프니? W: 아니, 이제 괜찮아. 오늘 학교 끝나고 뭐 할 거니? M: 우리 반 친구들 중에 몇몇이 시험이 끝난 것을 축하하려고 보드 게임을 하러 할 거야. 너도 올래? W: 가고 싶지만, 안 돼. M: 왜? W: 이번 주말에 우리 가족이 스키 여행 간다고 말했나? M: 아니, 안 했어. 왜 스키 타러 가는데? W: 우리 아빠 생신이거든, 그래서 아빠를 위해 이 여행을 계획했어. M: 너희 아빠를 위한 완벽한 선물 같아. W: 그러길 바라. 오늘은 내가 쓸 고글과 스키복을 사러 가야 해. M: 오, 알겠어. 여행 잘 다녀 와.

정답과 해설 **25**

DAY 1 개념 돌파 전략 ① CHECK

| 34~35쪽

1 ①　2 ③　3 ③　4 ①

해석 1 A: 이 제품은 얼마인가요? B: 한 병당 10달러입니다. 하지만 회원권이 있으면 10% 할인을 받을 수 있습니다. A: 좋아요. 그럼, 세 개 살게요. 여기 제 회원 카드입니다. B: 네. 또 다른 건 없으세요? A: 네, 그게 다예요. 2 ① 화분 옆에 로켓이 있다. ② 창문 앞에 로봇이 있다. ③ 별 모양의 시계가 탁자 위에 있다. 3 A: 안녕, Ross. 전단에 뭐라고 쓰여 있어요? B: Pinewood Bake Sale이 이번 주 금요일이네요. 저와 같이 가시겠어요? A: 베이크 세일? 그게 뭐죠? B: 베이크 세일에서 사람들은 제빵 제품들을 팔아서 돈을 모아요. Pinewood Bake Sale에서, 사람들은 도넛과 컵케이크를 팔 거예요. A: 맛있겠어요. 저도 당신과 같이 가고 싶어요. 어디서 열리나요? B: Pinewood 고등학교 체육관에서요. A: 알았어요. 같이 가요. 4 저는 이 시간표에 있는 여름 프로그램 중 하나를 수강할까 생각 중입니다. 첫째, 저는 작년에 영어 회화를 수강했습니다. 이번에는 뭔가 다른 걸 선택하고 싶어요. 두 번째로, 저는 이번 여름에는 금요일마다 봉사 활동을 할 계획입니다. 마지막으로, 제 예산을 고려해서, 더 싼 것으로 수강할 것입니다.

 ## DAY 1 개념 돌파 전략 ②

| 36~39쪽

1 ③　2 ⑤　3 ④　4 ④

1 대화를 듣고, 남자가 지불할 금액을 고르시오. 답 ③ $27

W: How may I help you?

M: I'd like to buy a flower bouquet for my wife.
　　남자는 꽃다발을 사려고 한다.

W: What kinds of flowers do you want?

M: My wife loves roses and tulips. How much are they?

W: Roses are ten dollars per bundle and tulips are five dollars per bundle.
　　묶음별로 꽃의 가격이 다른 상황이므로 종류별로 가격을 잘 메모해 둔다.

M: How many bundles are needed to make a bouquet?
　　　　　　　　　　　　　　to부정사의 부사적 용법(목적)

W: It usually needs two bundles of roses and two bundles of tulips.
　　　　장미: 10달러짜리 두 묶음이면 20달러, 튤립: 5달러짜리 두 묶음이면 10달러

M: Good. Make it that way, please. Do you have a message card?

　　for free: 무료로

W: Yes. We give it for free.
　　　　　혼동을 유발하는 정보이므로 잘 판단한다.

M: Great. Can I get a discount with this credit card?

W: Yes, you can get a 10% discount with it.
　　신용카드로 구매하면 10% 할인을 받으므로, 총 30달러에서 10%인 3달러를 제한다.

M: Okay. Here's my card.

정답 전략 한 묶음에 10달러인 장미와 5달러인 튤립을 각각 두 묶음씩 주문하므로 30달러이고, 10% 할인이 되는 신용카드를 사용하므로 27달러를 내야 한다. 메시지 카드는 무료라고 했다.

W: 무엇을 도와드릴까요?

M: 아내에게 줄 꽃다발을 사고 싶어요.

W: 어떤 종류의 꽃을 원하세요?

M: 제 아내는 장미와 튤립을 좋아해요. 그것들은 얼마입니까?

W: 장미는 한 묶음에 10달러이고 튤립은 한 묶음에 5달러입니다.

M: 꽃다발을 만들려면 몇 묶음이 필요한가요?

W: 보통 장미 두 묶음과 튤립 두 묶음이 필요합니다.

M: 좋아요. 그렇게 해주세요. 메시지 카드 있나요?

W: 네. 그것은 무료로 드립니다.

M: 좋아요. 이 신용카드로 할인을 받을 수 있나요?

W: 네, 10% 할인받을 수 있습니다.

M: 좋아요. 여기 제 카드입니다.

2 대화를 듣고, 그림에서 대화의 내용과 일치하지 <u>않는</u> 것을 고르시오. 답 ⑤

M: Amy, are you buying something from that furniture catalog?

W: I'm planning to. I need to buy some furniture for my study.

M: Hmm .... The bookcase on the wall looks great.
　　①번 그림과의 일치 여부에 필요한 부분　　look+형용사: ~해 보이다

W: I've wanted something like that. This bookcase would look perfect on my wall.

M: How about this notice board under the bookcase? You can put important memos on it.
　　②번 그림과의 일치 여부에 필요한 부분

W: I like it! And the lamp on the desk would be nice for reading books.
　　③번 그림과의 일치 여부에 필요한 부분

M: And the drawers under the desk look useful.
　　④번 그림과의 일치 여부에 필요한 부분

W: Yeah, I think so. I can keep a lot of things in them.
　　　　　　수량형용사로 '많은'의 뜻이다.

M: I like the chair with four wheels.
　　⑤번 그림과의 일치 여부에 필요한 부분 → 의자에는 바퀴가 없다.

W: So do I. It looks comfortable and easy to move around in.
　　도치 문장으로 '~도 역시 그렇다'의 의미이다.

M: You seem to like everything in this page.

W: Actually, I do.

정답 전략 남자는 바퀴가 네 개 달린 의자가 좋다고 했는데, 그림의 ⑤번 의자는 바퀴 없이 다리가 달린 의자이므로 일치하지 않는다.

M: Amy, 가구 카탈로그에서 뭐 좀 살 거예요?

W: 그럴 계획이에요. 학습용 가구를 좀 사야 해요.

M: 흠… 벽에 있는 책장이 멋져 보여요.

W: 저는 그런 것을 원해 왔어요. 이 책장은 제 벽에 딱 어울릴 거예요.

M: 책장 아래에 있는 이 게시판은 어때요? 당신은 그 위에 중요한 메모를 할 수 있겠어요.

W: 마음에 들어요! 그리고 책상 위에 있는 전기스탠드는 책을 읽기에 좋을 것 같아요.

M: 그리고 책상 밑에 있는 서랍도 유용해 보여요.

W: 네, 저도 그렇게 생각해요. 그 속에 많은 것을 담을 수 있겠어요.

M: 바퀴가 네 개 달린 의자가 좋은데요.

W: 저도요. 그것은 편안하고 이동하기 쉬워 보여요.

M: 당신은 이 페이지의 모든 것을 좋아하는 것 같아요.

W: 사실, 그래요.

3 대화를 듣고, Winter Discovery Camp에 관해 언급되지 <u>않은</u> 것을 고르시오. 답 ④ 기념품

M: Honey, I'm looking at the Natural History Museum's website. The museum's going to hold the Winter Discovery Camp.
　　'겨울 발견 캠프'와 관련된 여러 사항이 나올 것으로 예측된다.

W: What's it about?

M: It says here that the theme is dinosaurs.

W: That sounds interesting. You know our son Peter loves dinosaurs.

M: He does. The camp is for elementary school students, so it's perfect for him.
　　선택지 ①의 근거

W: What activities will they do?

M: The camp offers fun, hands-on activities. For example, participants will
　　　　　　선택지 ②의 근거
look for dinosaur bones hidden in sand and then put them together.
look for: 찾다　　　　hidden 앞에 which(that) are가 생략되어 있다.　　put together: 조립하다

W: I'm sure Peter will love the camp. When is it?

M: It'll be held from January 11 to 13.
　　　　　　　　　선택지 ③의 근거

W: That's good. It won't overlap with our family trip. And how much does it cost?

M: The participation fee is $20.
　　선택지 ⑤의 근거

W: That's not bad. I'll ask Peter if he wants to go.
　　　　　　　　　목적어로 쓰이는 명사절에서는 if를 whether로 바꾸어 쓸 수 있다.

M: Okay.

정답 전략 참가 대상, 활동 내용, 기간, 참가비는 언급되었으나, 기념품은 언급되지 않았다.

M: 여보, 자연사 박물관 웹사이트를 보고 있는 중이에요. 박물관에서 '겨울 발견 캠프'를 개최할 예정이네요.

W: 캠프가 무엇에 관한 건가요?

M: 여기 주제가 공룡이라고 되어 있어요.

W: 흥미로운데요. 우리 아들 Peter가 공룡을 아주 좋아하는 거 알잖아요.

M: 그렇죠. 캠프가 초등학생들을 위한 것이니, 그에게 딱 맞네요.

W: 어떤 활동을 하게 되나요?

M: 이 캠프는 재미있고 직접 해 보는 활동을 제공해요. 예를 들면 참가자가 모래에 묻힌 공룡 뼈를 찾아서 그것들을 조립하는 거예요.

W: Peter가 그 캠프를 아주 좋아할 거라고 확신해요. 그게 언젠가요?

M: 1월 11일부터 13일까지 개최될 거예요.

W: 잘됐네요. 우리 가족 여행과 겹치지 않을 거예요. 그리고 비용은 얼마인가요?

M: 참가비는 20달러예요.

W: 나쁘지 않네요. Peter에게 가기를 원하는지 내가 물어볼게요.

M: 알겠어요.

4 다음 표를 보면서 대화를 듣고, 여자가 구매할 도마를 고르시오. 탭 **❹** Model D

M: Welcome to Camilo's Kitchen.

W: Hello. I'm looking for a cutting board.

M: Let me show you our five top-selling models, all at affordable prices. Do you have a preference for any material? We have plastic, maple, and walnut cutting boards.

W: I don't want the plastic one because I think plastic isn't environmentally
<u>플라스틱 재료에 해당하는 ①은 제외된다.</u>
friendly.

M: I see. What's your budget range?

W: No more than $50.
<u>가격이 50달러가 넘는 ⑤는 제외된다.</u>

M: Okay. Do you prefer one <u>with or without a handle?</u>
반복을 피하기 위해 with 뒤에 반복 어휘(a handle)가 생략되었다.

© Getty Images Korea

W: I think a cutting board with a handle is easier <u>to use.</u> So I'll take one with
to부정사의 부사적 용법(형용사 수식) · 남아 있는 세 개 중, 손잡이가 없는
a handle.　　　　　　　　　　　　　　　　　　　③은 제외된다.

M: Then, which size do you want? You have two models left.

W: Hmm. A small-sized cutting board isn't convenient when I cut
남아 있는 두 개 중, 작은 사이즈의 ②는 제외된다.
vegetables. I'll buy the other model.

M: Great. Then this is the cutting board for you.

정답 전략 여자는 재질이 플라스틱이 아니고, 가격이 50달러를 넘지 않으며, 손잡이가 있고, 작지 않은 사이즈의 도마를 사겠다고 했으므로 D가 가장 적합하다.

M: Camilo's Kitchen에 오신 걸 환영합니다.

W: 안녕하세요. 저는 도마를 찾고 있습니다.

M: 저희 가게에서 가장 잘 팔리고, 모두 가격이 알맞은 다섯 개의 모델들을 보여 드리겠습니다. 어떤 선호하는 재질이 있나요? 플라스틱, 단풍나무, 호두나무 도마가 있습니다.

W: 플라스틱은 환경 친화적이 아니라고 생각하기에 플라스틱 도마는 원치 않습니다.

M: 알겠습니다. 예상 가격 범위는 어떻게 되시나요?

W: 50달러를 넘지 않았으면 해요.

M: 좋습니다. 손잡이가 있는 것 또는 없는 것 중 어떤 것을 선호하시나요?

W: 손잡이가 있는 도마가 사용하기가 더 쉬울 것 같아요. 그래서 손잡이가 있는 것을 사겠어요.

M: 그러면 어떤 크기를 원하시나요? 두 가지 모델이 남았습니다.

W: 음. 작은 크기의 도마는 채소를 자를 때 편하지 않아요. 다른 모델을 사겠어요.

M: 좋습니다. 그렇다면 이것이 손님을 위한 도마네요.

---

2 DAY 필수 체크 전략 ①

40~41쪽

[대표 유형] **1** ②　　**1-1** ②　　**2** ④　　**2-1** ③

1 대화를 듣고, 여자가 지불할 금액을 고르시오. 탭 **❷** $190

M: Welcome to the Chestfield Hotel. How may I help you?

W: Hi, I'm Alice Milford. I <u>made a reservation</u> for me and my husband.
make a reservation: 예약하다

M: [Typing sound] Here it is. You reserved <u>one room for one night at the</u>
<u>regular rate of $100.</u>　　　숫자 정보가 언급될 때는 빈 공간에 간단히 메모해 두어야
나중에 계산에 용이하다.

W: Can I use <u>this 10% discount coupon?</u>

M: <u>Sure, you can.</u>
10% 할인 쿠폰을 사용할 수 있으므로 1박에 90달러임을 알 수 있다.

W: Fantastic. And is it possible to stay one more night?

M: Let me check. [Mouse clicking sound] Yes, the same room is available for tomorrow.

W: Good. Do I get a discount for the second night, too?

M: Sorry. The coupon doesn't <u>apply to</u> the second night. It'll be $100. Do
⌐apply to: ~에 적용되다⌐
둘째 날 밤은 쿠폰이 적용되지 않아 100달러이다.
you still want to stay an extra night?

M: Chestfield 호텔에 오신 것을 환영합니다. 어떻게 도와 드릴까요?

W: 안녕하세요, 저는 Alice Milford입니다. 저와 제 남편을 위해 예약을 했습니다.

M: [타이핑하는 소리] 여기 있네요. 100달러의 일반 요금으로 방 한 개를 1박 예약하셨네요.

W: 제가 이 10% 할인 쿠폰을 사용할 수 있나요?

M: 물론이죠, 사용하실 수 있습니다.

W: 잘됐네요. 그리고 하루 더 머무르는 것이 가능한가요?

M: 확인해 보죠. [마우스 클릭하는 소리] 네, 내일도 같은 방을 이용하실 수 있습니다.

W: 좋네요. 둘째 날 밤에도 할인이 되나요?

M: 죄송합니다. 그 쿠폰은 둘째 날 밤에는 적용되지 않습니다. 100달러입니다. 그래도 추가로 하룻밤 더 머무르시겠습니까?

W: Yes, I do.
_{둘째 날 밤의 경우는 할인을 받을 수 없어도, 추가로 진행하겠다는 의미이다.}
M: Great. Will you and your husband have breakfast? It's $10 per person for
_{혼동을 유발하는 표현이다.}
each day.
W: No thanks. We'll be going out early to go shopping. Here's my credit
_{조식은 신청하지 않겠다는 의미이다.}
card.

정답 전략 숙박비가 1박에 100달러인 방에 이틀을 머무르는데, 첫째 날만 10% 할인을 받았고 조식은 신청하지 않았으므로, 총 190달러를 지불해야 한다.

Words reservation 예약 regular rate 일반 요금

1-1 대화를 듣고, 남자가 지불할 금액을 고르시오. 답 ② $63

W: Welcome to Westlake Bird Museum. How may I help you?

M: Hello, I'd like to buy admission tickets. My twin daughters are very interested in birds.

W: Okay. Admission tickets are $20 for an adult and $10 for a child.
_{입장권은 어른 20달러, 어린이 10달러임을 메모해 둔다.}
M: I'll take one adult ticket and two child tickets. What's this? A guided
_{총 필요한 입장권의 수가 얼마인지 파악해야 한다.}
museum tour?

W: It's a tour where the guide gives excellent explanations about the
_{관계부사 where 이하가 a tour를 수식한다.}
exhibits of various birds and their habitats.

M: Nice. How much is it?
_{it은 a guided museum tour를 가리킨다.}
W: It's $10 per person. The tour starts soon. You can book it now.
_{가이드 투어는 인당 10달러이다.}　　　　　　　　　　_{book은 이 문장에서 동사로}
M: Okay. I'll do that for the three of us.　　　　　　　　_{'예약하다'의 의미로 쓰인 다의어이다.}
_{A guided museum tour를 세 명이 모두 선택하겠다는 의미이다.}
W: So, one adult and two child admission tickets and three guided tours.
_{대화를 중간에 놓치더라도 대화의 후반부에서 다시 한번 정리해 주는 경우가 많다.}
M: Yes. Can I use this coupon?

W: Sure. You can get 10% off the total price with the coupon.
_{추가로 적용되는 할인 쿠폰의 적용 여부를 정확히 파악해야 계산이 가능하다.}
M: That's great. I'll pay by credit card.

정답 전략 입장권 가격이 어른은 20달러, 어린이는 10달러이고, 1인당 10달러인 가이드 투어권 3장을 샀으므로, 총 70달러(20달러×1+10달러×2+10달러×3)를 내야 하는데 쿠폰으로 총 금액의 10%를 할인받으므로 최종 지불 금액은 63달러이다.

Words admission ticket 입장권 exhibit 전시품, 전시 habitat 서식지

2 대화를 듣고, 그림에서 대화의 내용과 일치하지 <u>않는</u> 것을 고르시오. 답 ④

M: This is our new waiting room. How do you like it?

W: Wow, it's beautifully done!

_{to부정사의 부정형은 앞에 not을 붙여 「not+to부정사」로 쓴다.}
M: We designed it for our little patients not to be afraid of coming to the
_{be afraid of : ~을 두려워하다}
hospital.

W: It looks good. The kids in the room would feel as if they were in the
_{as if+주어+동사의 과거형: 마치 ~인 것처럼}
jungle.

M: Look at the elephant-shaped slide on the side. Children will have fun
_{①번 그림과의 일치 여부에 필요한 부분}　　　　　　　　　　_{have fun -ing}
sliding down from it.
_{~하느라 즐거운 시간을 보내다}

W: 네, 그렇게 하겠습니다.

M: 좋습니다. 고객님과 고객님의 남편은 아침식사를 하실 건가요? 하루에 인당 10달러입니다.

W: 아니요, 괜찮습니다. 저희는 쇼핑하러 일찍 나갈 겁니다. 여기 제 신용카드입니다.

W: Westlake 조류 박물관에 오신 것을 환영합니다. 무엇을 도와드릴까요?

M: 안녕하세요, 입장권을 사고 싶은데요. 제 쌍둥이 딸들은 새에 관심이 아주 많아요.

W: 네. 입장권은 어른은 20달러이고, 어린이는 10달러입니다.

M: 어른 한 장과 어린이 두 장 살게요. 이게 뭐죠? 가이드를 동반한 박물관 투어?

W: 가이드가 다양한 조류 전시품과 서식지에 대해 훌륭한 설명을 해주는 투어입니다.

M: 좋네요. 그건 얼마예요?

W: 1인당 10달러입니다. 투어가 곧 시작됩니다. 지금 예약하실 수 있습니다.

M: 좋습니다. 우리 셋을 위해서 그렇게 할게요.

W: 그럼, 어른 입장권 1장, 어린이 입장권 2장, 가이드 투어 3장입니다.

M: 네. 이 쿠폰을 사용할 수 있나요?

W: 물론이죠. 쿠폰으로 총 금액의 10%를 할인받을 수 있습니다.

M: 잘됐네요. 신용카드로 계산할게요.

M: 여기가 우리 새 대기실이에요. 어때요?

W: 와, 멋지게 완성되었네요!

M: 우리는 우리의 어린 환자들이 병원에 오는 것을 두려워하지 않도록 하려고 디자인했어요.

W: 좋아 보여요. 그 방에 있는 아이들은 마치 정글에 있는 것처럼 느낄 거예요.

M: 옆의 코끼리 모양의 미끄럼틀을 보세요. 아이들은 거기서 미끄러져 내려오는 것을 즐길 겁니다.

W: 그들은 또한 미끄럼틀 옆에 있는 저 나무에 올라갈 수 있어요.

W: They can also climb up on that tree next to the slide.
②번 그림과의 일치 여부에 필요한 부분

M: Right. And kids who want to be alone might use the tent by the
③번 그림과의 일치 여부에 필요한 부분
window.

W: Good idea. Children like to hide.

M: Kids also can sit on the round carpet in front of the tree.
④번 그림과의 일치 여부에 필요한 부분 → 카펫의 모양은 사각형이므로 일치하지 않음을 알 수 있다.

W: The stuffed tiger on the carpet looks cute. I'm sure kids will like it.
⑤번 그림과의 일치 여부에 필요한 부분 ┌ who ~ hospital은 kids를 꾸며 주는 관계대명사절이다.

M: I'm sure it can help kids who come to our hospital have a fun
help는 목적격 보어로 동사원형 또는 to부정사를 모두 쓸 수 있다.
experience!

정답 전략 아이들이 둥근 카펫에 앉을 수도 있다고 했는데, 그림 속 카펫은 사각형이다.

Words   slide 미끄럼틀, 미끄러지다

M: 맞아요. 그리고 혼자 있고 싶은 아이들은 창가 옆의 텐트를 이용할 수도 있겠네요.

W: 좋은 생각입니다. 아이들은 숨기를 좋아하죠.

M: 아이들은 나무 앞에 있는 둥근 카펫에 앉을 수도 있어요.

W: 카펫 위에 봉제 호랑이 인형이 귀여워 보이네요. 아이들이 그것을 좋아할 거라 확신해요.

M: 그것이 우리 병원에 오는 아이들이 즐거운 경험을 하도록 도울 거라 확신해요!

2-1 대화를 듣고, 그림에서 대화의 내용과 일치하지 **않는** 것을 고르시오. 답 ❸

M: Hello, Susan. How was the pet cafe you visited yesterday?

W: Hi, Sam. It was wonderful. Look at this picture I took there.
picture와 I 사이에 목적격 관계대명사 that(which)가 생략되었다.

M: Okay. Oh, the dog next to the counter looks sweet. Is it yours?
①번 그림과의 일치 여부에 필요한 부분

W: No. He's the cafe owner's.

M: I'd love to play with the dog.

W: Yeah, we should go together. Check out the flowerbed between the
②번 그림과의 일치 여부에 필요한 부분
trees. Isn't it beautiful?

M: It really is. And I see many good photo spots here. ┌ 주격 관계대명사 that이 이끄는
절이 sculpture를 수식한다.

W: You know my favorite spot? It's the mug sculpture that has a star pattern
③번 그림과의 일치 여부에 필요한 부분 → 별 모양이 아니라 물방울무늬이다.
on it.

M: I like it. It makes the cafe unique. Hmm, what are these balls in the
④번 그림과의 일치 여부에 필요한 부분
basket?

W: People can use them to play catch with their dogs.

M: Sounds fun. By the way, there are only two tables. Don't they need
⑤번 그림과의 일치 여부에 필요한 부분
more?

W: Well, they need space so pets can run around.
┌ look like + 명사(구): ~인 것처럼 보이다

M: I see. It looks like a great place to visit.

정답 전략 대화에서는 머그잔 조각에 별 모양이 하나 있다고 했는데, 그림 속 머그잔 조각에는 많은 물방울이 새겨져 있다.

Words   counter 계산대   flowerbed 화단   sculpture 조각

M: 안녕하세요, Susan. 어제 방문했던 애완동물 카페는 어땠나요?

W: 안녕, Sam. 대단했어요. 거기서 찍은 이 사진을 보세요.

M: 네. 아, 계산대 옆에 있는 개가 멋지네요. 당신 개인가요?

W: 아니요, 카페 주인의 개예요.

M: 그 개와 놀고 싶네요.

W: 네, 우리 같이 가요. 나무 사이에 있는 화단을 보세요. 아름답지 않나요?

M: 정말 아름답네요. 그리고 여기에 사진 찍기에 좋은 장소가 많이 보이네요.

W: 제가 제일 좋아하는 장소 아세요? 별 모양이 있는 머그잔 조각이에요.

M: 마음에 드네요. 그것이 카페를 독특하게 해 주고 있어요. 흠, 바구니 안에 있는 이 공들은 뭔가요?

W: 사람들이 그것들을 사용해 개들과 잡기 놀이를 할 수 있어요.

M: 재미있을 것 같아요. 그런데 테이블이 두 개밖에 없네요. 더 필요하지 않나요?

W: 글쎄요, 애완동물들이 뛰어다닐 수 있도록 공간이 필요하거든요.

M: 알겠어요. 방문하기에 좋은 장소인 것 같네요.

DAY 2 필수 체크 전략 ②
| 42~45쪽

| **1** ③ | **2** ② | **3** ② | **4** ④ | **5** ④ | **6** ⑤ | **7** ③ | **8** ② | **9** ④ | **10** ⑤ | **11** ④ | **12** ⑤ |

1 대화를 듣고, 여자가 지불할 금액을 고르시오. 답 ❸ $72

M: Welcome to Koala World. How may I help you?

M: 코알라 월드에 오신 걸 환영합니다. 무엇

W: Hello, I'd like to buy admission tickets. How much are they?

M: They're $30 for an adult and $10 for a child.
1인당 입장권 가격이므로 메모해둔다.

W: I'd like to buy tickets for two adults and one child. Oh, what's this koala encounter photo?
어른: 30달러×2 = 60달러, 아이: 10달러×1 = 10달러

M: You can get up close to a koala, and a professional photographer takes a photo of <mark>you posing</mark> with the koala.
posing 이하가 앞의 you를 수식한다.

W: It could be a good souvenir for my son. How much is it?

M: It costs $10 for a photo with a frame.
사진 티켓은 10달러이다.

W: Good! Please give me one ticket for a koala encounter photo.
입장권 외에 추가적으로 선택한 부분이다.

M: Okay. You want to buy admission tickets for two adults and one child. And one ticket for a koala photo, right?

W: Yes. Can I use this coupon for a discount?

M: Sure, then you'll get 10% off the total price.
할인 가격이 적용되는지 판단해야 한다.

W: Thanks! I'll pay by credit card.

© Eric Isselee / shutterstock

정답 전략 입장권 가격이 어른은 30달러, 어린이는 10달러인데 어른 2명과 어린이 1명의 입장권을 사고 10달러인 코알라 조우 사진 티켓 1장을 추가로 구입하므로 총 80달러이다. 쿠폰으로 10% 할인을 받을 수 있으므로 72달러를 지불하면 된다.

Words   encounter 조우(만남)   souvenir 기념품   frame 액자

2 대화를 듣고, 남자가 지불할 금액을 고르시오. 답 ❷ $40

W: Hello. Welcome to Uncle John's Dairy Farm. How can I help you?

M: Hi. I'd like to buy admission tickets for the dairy farm.

W: Alright. It's $10 per adult and $5 per child.
계산에 기초가 되는 입장권 가격이므로 잘 메모해 둔다.

M: Okay. I'll take one adult and two children's tickets, please.
어른: 10달러×1 = 10달러, 아이: 5달러×2 = 10달러

W: <mark>Sure thing.</mark> And we also have a hands-on experience program for children. They <mark>get to make</mark> pizza with cheese from our farm.
Sure thing: (제안이나 요청에 대한 답으로) 네
get +to부정사: ~하게 되다

M: Sounds fun. How much is it?

W: It's originally $20 per child. But this week, you can get a 50% discount on the program.
체험 프로그램의 가격이다. 할인이 적용되는지 잘 판단해야 한다.

M: Wow! That's lucky. I'll buy two.
20달러×0.5×2 = 20달러

W: I'm sure your kids will love it.

M: I hope so. Ah, I have a coupon for 10% off. Can I use it?

© Nail Bikhaev / shutterstock

W: Let me check. [Typing sound] Sorry, but this coupon expired last week.
10% 할인 쿠폰은 기간이 만료되어 적용되지 않는다.

M: Too bad I'm not able to use it. I'll pay by credit card.

정답 전략 성인 입장권은 10달러, 어린이 입장권은 5달러이다. 성인 한 명과 어린이 두 명의 입장권을 샀고, 원래는 어린이 한 명에 20달러인 체험 프로그램 이용권을 50% 할인받아 두 장을 샀으므로 총 40달러이다. 10% 할인 쿠폰은 기간 만료로 사용할 수 없다고 했다.

Words   dairy farm 낙농장   hands-on 직접 해 보는   expire 기한이 만료되다

을 도와드릴까요?

W: 안녕하세요, 입장권을 사고 싶은데요. 얼마입니까?

M: 어른은 30달러, 어린이는 10달러입니다.

W: 어른 두 명과 어린이 한 명 표를 사고 싶습니다. 아, 이 코알라 조우 사진은 뭔가요?

M: 코알라에게 가까이 갈 수 있고, 전문 사진작가가 코알라와 자세를 취하고 있는 당신의 사진을 찍습니다.

W: 제 아들에게 좋은 기념품이 될 수 있을 거예요. 얼마죠?

M: 액자가 있는 사진은 10달러입니다.

W: 좋아요! 코알라 조우 사진 티켓 한 장 주세요.

M: 알겠습니다. 어른 두 명과 어린이 한 명 입장권을 구매하고 싶으신 거네요. 그리고 코알라 사진 티켓 한 장, 맞죠?

W: 네. 할인을 위해 이 쿠폰을 사용할 수 있나요?

M: 물론이죠. 그럼 총 가격에서 10% 할인이됩니다.

W: 고맙습니다! 신용카드로 계산할게요.

W: 안녕하세요. Uncle John의 낙농장에 오신 것을 환영합니다. 무엇을 도와드릴까요?

M: 안녕하세요. 낙농장 입장권을 사고 싶어요.

W: 네. 성인 한 명에 10달러이고, 아이 한 명에 5달러입니다.

M: 알겠습니다. 성인 입장권 한 장과 아이 입장권 두 장을 주세요.

W: 네. 그리고 저희는 또한 아이들을 위한 실제 체험 프로그램도 있습니다. 아이들이 저희 농장에서 만든 치즈로 피자를 만들게 됩니다.

M: 재미있겠네요. 얼마인가요?

W: 원래는 아이 한 명에 20달러입니다. 하지만 그 프로그램은 이번 주에 50% 할인을 받을 수 있습니다.

M: 와! 운이 좋네요. 두 장 살게요.

W: 분명히 아이들이 매우 좋아할 겁니다.

M: 그러길 바라요. 아, 제게 10% 할인 쿠폰이 있어요. 사용할 수 있나요?

W: 확인해 볼게요. [타이핑하는 소리] 죄송합니다만, 이 쿠폰은 지난주에 기한이 만료되었습니다.

M: 그것을 사용할 수 없다니 너무 아쉽네요. 신용카드로 지불할게요.

3 대화를 듣고, 여자가 지불할 금액을 고르시오. 답 ❷ $74

M: Welcome to the Science and Technology Museum. How can I help you?

W: Hi. I want to buy admission tickets.

M: Okay. They're $20 for adults and $10 for children.
_{계산에 기초가 되는 입장권 가격이므로 잘 메모해 둔다.}
W: Good. Two adult tickets and two child tickets, please. And I'm a member
_{어른: 20달러×2 = 40달러, 어린이: 10달러×2 = 20달러}
of the National Robot Club. Do I get a discount?

M: Yes. You get 10 percent off all of those admission tickets with your
_{회원에 한해 입장권은 10% 할인을 받을 수 있다.→ 60달러×0.9 = 54달러}
membership.

W: Excellent.

M: We also have the AI Robot program. You can play games with the robots

and take pictures with them.

W: That sounds interesting. How much is it?
_{sound+형용사: ~하게 들리다} _{apply to: ~에 적용되다 ┐}
M: It's just $5 per person. But the membership discount does not apply to
_{AI 로봇 프로그램 가격} _{회원이어도 할인이 적용되지 않는 프로그램에 유의해서 계산한다.}
this program.

W: Okay. I'll take four tickets.
_{5달러×4 = 20달러}
M: So two adult and two child admission tickets, and four AI Robot
_{중간에 대화를 놓치더라도 대화의 후반부에서 다시 한 번 정리해 주므로 후반부에 귀를 기울인다.}
program tickets, right?

W: Yes. Here are my credit card and membership card.

정답 전략 20달러인 어른 입장권 두 장과 10달러인 아이 입장권 두 장을 사는데, 10%의 회원 할인을 받는다(54달러). 1인당 5달러인 AI 로봇 프로그램 티켓 넉 장(20달러)을 추가로 구매하는데, 여기에는 할인이 적용되지 않으므로 총 금액은 74달러이다.

Words admission 입장

M: 과학기술 박물관에 오신 것을 환영합니다. 어떻게 도와드릴까요?

W: 안녕하세요. 입장권을 사고 싶습니다.

M: 알겠습니다. 어른은 20달러이고 아이들은 10달러입니다.

W: 좋습니다. 어른 입장권 두 장과 아이 입장권 두 장 주세요. 그리고 저는 국립 로봇 클럽의 회원입니다. 제가 할인을 받나요?

M: 네. 회원이시면 모든 입장권에 10% 할인을 받습니다.

W: 정말 잘 됐네요.

M: 저희 박물관에는 AI 로봇 프로그램도 있습니다. 로봇들과 게임을 하고 사진을 같이 찍으실 수 있어요.

W: 그거 재미있겠네요. 얼마인가요?

M: 1인당 5달러밖에 안 합니다. 그러나 회원 할인은 이 프로그램에 적용되지 않습니다.

W: 알겠습니다. 티켓 넉 장을 살게요.

M: 그러면 어른 입장권 두 장과 아이 입장권 두 장, 그리고 AI 로봇 프로그램 티켓 넉 장이지요, 맞나요?

W: 네. 여기 제 신용카드와 회원증입니다.

---

4 대화를 듣고, 그림에서 대화의 내용과 일치하지 <u>않는</u> 것을 고르시오. 답 ❹

M: Amy, what are you looking at?

W: It's a photo I took of my family preparing for a party last weekend.
_{family와 preparing 사이에 who was가 생략되었다.}
M: Who's the girl looking at the cake?

W: She's my youngest sister. She's wearing the striped party hat for our
_{①번 그림과의 일치 여부에 필요한 부분}
mom's birthday.

M: She looks so excited. Who's the boy back there?

W: He's my older brother. He's blowing up a balloon.
_{②번 그림과의 일치 여부에 필요한 부분}
M: Is that your father beside your brother?

W: Right. He's cooking steak in a frying pan.
_{③번 그림과의 일치 여부에 필요한 부분}
M: Looks delicious. Oh, I didn't know you have a dog.
_{┌ lie의 현재분사. lie–lay–lain}
W: Yes, her name is Lucy. She's lying on the floor sleeping while we're busy
_{④번 그림과의 일치 여부에 필요한 부분 → Lucy는 아빠가 요리하는 음식을 보고 있다.}
preparing for the party.
_{prepare for: ~을 준비하다}
M: That's cute. The cake on the table looks good.

M: Amy, 뭘 보고 있니?

W: 이건 지난 주말에 내가 파티를 준비하는 우리 가족을 찍은 사진이야.

M: 케이크를 보고 있는 소녀는 누구니?

W: 내 막내 여동생이야. 그녀는 우리 엄마 생신을 위해 줄무늬 파티 모자를 쓰고 있어.

M: 그녀는 매우 신나 보이네. 저기 뒤에 있는 소년은 누구야?

W: 내 오빠야. 그는 풍선을 불고 있어.

M: 오빠 옆에 계신 분이 아버지니?

W: 맞아. 프라이팬에 스테이크를 요리하고 계셔.

M: 맛있어 보인다. 오, 난 너에게 개가 있는지 몰랐네.

W: 응, 이름이 Lucy야. 우리가 파티 준비로 바쁜 동안 Lucy는 바닥에 누워 자고 있어.

M: 귀엽다. 테이블 위의 케이크가 맛있어 보여.

W: I made it myself. I also made the birthday card next to it.

M: Great. Your mom must have been so happy.
must have + 과거분사: ~했음이 틀림없다(강한 추측)
⑤번 그림과의 일치 여부에 필요한 부분

정답 전략 개 Lucy는 아빠가 요리하고 있는 음식을 쳐다보고 있으므로 ④가 대화의 내용과 일치하지 않는다.

Words striped 줄무늬의 lie 눕다

W: 내가 직접 만들었어. 그 옆에 생일 카드도 만들었어.

M: 멋지다. 너희 엄마가 틀림없이 기뻐하셨을 거야.

---

5 대화를 듣고, 그림에서 대화의 내용과 일치하지 <u>않는</u> 것을 고르시오. 답 ❹

W: What are you looking at, honey?

M: Aunt Mary sent me a picture. She's already set up a room for Peter.
set up: ~을 준비하다

W: Wow! She's excited for him to stay during the winter vacation, isn't she?
to부정사의 의미상 주어는 to부정사 앞에 「for+목적격」의 형태로 온다.

M: Yes, she is. I like the blanket with the checkered pattern on the bed.
①번 그림과의 일치 여부에 필요한 부분

W: I'm sure it must be very warm. Look at the chair below the window.
~임에 틀림없다(강한 추측)   ②번 그림과의 일치 여부에 필요한 부분

M: It looks comfortable. He could sit there and read.

W: Right. I guess that's why Aunt Mary put the bookcase next to it.
③번 그림과의 일치 여부에 필요한 부분

M: That makes sense. Oh, there's a toy horse in the corner.
make sense: 말이 되다   ④번 그림과의 일치 여부에 필요한 부분 → 장난감 말이 아니라 곰 인형이 있다.

W: It looks real. I think it's a gift for Peter.

M: Yeah, I remember she mentioned it. And do you see the round mirror on the wall?
⑤번 그림과의 일치 여부에 필요한 부분

W: It's nice. It looks like the one Peter has here at home.
look like + 명사(구): ~인 것처럼 보이다

M: It does. Let's show him this picture.

정답 전략 남자가 구석에 장난감 말(a toy horse)이 있다고 했는데, 그림에는 곰 인형이 있으므로 정답은 ④이다.

Words bookcase 책장 mention 말하다, 언급하다

W: 무엇을 보고 있어요, 여보?

M: Mary 이모가 내게 사진을 하나 보내셨어요. 그분은 벌써 Peter를 위한 방을 준비하셨어요.

W: 왜! 그분은 그가 겨울 방학 동안 머무는 것에 들떠 계시네요, 그렇지 않나요?

M: 네, 그래요. 침대 위의 체크무늬 담요가 맘에 드네요.

W: 분명히 아주 따뜻할 거예요. 창문 아래 의자를 봐요.

M: 안락해 보이네요. 그는 거기에 앉아 독서를 할 수 있을 거예요.

W: 맞아요. 그것이 Mary 이모가 그 옆에 책장을 놓은 이유인 것 같아요.

M: 맞는 말이에요. 오, 구석에 장난감 말이 있어요.

W: 그것이 진짜처럼 보여요. Peter를 위한 선물인 것 같네요.

M: 그래요, 그녀가 그것에 대해 말씀하셨던 것이 기억나요. 그리고 벽에 둥근 거울이 보이나요?

W: 좋네요. Peter가 여기 집에서 쓰는 것과 같아 보여요.

M: 그러네요. 그에게 이 사진을 보여줍시다.

---

6 대화를 듣고, 그림에서 대화의 내용과 일치하지 <u>않는</u> 것을 고르시오. 답 ❺

W: Jack, I found a photo of a garage that you'd like. Look at this.

M: This is exactly how I want my garage to be when we move to a new house.

W: Haven't you always wanted to have a work table?
have + 과거분사(현재완료 계속)가 부정의문문으로 쓰였다.

M: Yes. I'll get it attached to the wall just like the one in the picture.
①번 그림과의 일치 여부에 필요한 부분, it은 a work table을 가리킨다.

W: I think it's a good idea to put the tools up on the wall like this.
②번 그림과의 일치 여부에 필요한 부분

M: Yes. It's a good way to store the hammer, the saw, and the scissors.
to부정사의 형용사적 용법으로 way를 수식한다.

W: Look. The bike is hanging from the ceiling.
③번 그림과의 일치 여부에 필요한 부분

M: We can do that, too. Oh, there's a canoe below the window.
④번 그림과의 일치 여부에 필요한 부분

W: I've always wanted a canoe. Let's buy one when we move.

M: Let's do that. It'll be fantastic.
like는 '~처럼'의 의미를 지닌 전치사로 쓰였다.

W: If we put the tires under the canoe like in this picture, we can use the space more efficiently.
⑤번 그림과의 일치 여부에 필요한 부분 → 타이어는 작업대 밑에 위치해 있다.

W: Jack, 당신이 좋아할 만한 차고 사진을 찾았어요. 이것 좀 봐요.

M: 우리가 새 집으로 이사할 때 내 차고가 딱 이랬으면 좋겠어요.

W: 항상 작업대를 갖고 싶어 하지 않았어요?

M: 그렇죠. 사진의 이것처럼 벽에 붙일 거예요.

W: 도구를 이렇게 벽에 붙이는 것은 좋은 생각인 것 같아요.

M: 그래요. 망치, 톱, 가위를 보관하는 좋은 방법이네요.

W: 보세요. 자전거가 천장에 매달려 있어요.

M: 우리도 저렇게 할 수 있어요. 아, 창문 아래에 카누가 있어요.

W: 난 항상 카누를 갖고 싶었어요. 이사할 때 하나 사요.

M: 그렇게 합시다. 환상적일 거예요.

W: 이 사진처럼 타이어를 카누 밑에 두면 공간을 더 효율적으로 사용할 수 있어요.

M: Sure. I think it's a good idea.

M: 물론이죠. 좋은 생각인 것 같아요.

정답 전략 그림에서 타이어는 작업대(work table) 밑에 있다.

Words garage 차고, 주차장   store 보관하다   ceiling 천장

7 대화를 듣고, 여자가 지불할 금액을 고르시오. 답 ❸ $30

W: There are so many items at this charity bazaar!

W: 이 자선 바자회에는 정말 많은 물건들이 있네요!

M: Yes, we have a lot of donations this year. Do you have something in mind?
have in mind: ~을 염두에 두다

M: 네, 올해는 기부품이 많습니다. 뭐 생각해 둔 거라도 있으신가요?

W: Well, how much are these animal-shaped mugs?

W: 음, 이 동물 모양의 머그잔은 얼마인가요?

M: The regular price of a mug is nine dollars, but we sell them for three dollars each.
계산에 기초가 되는 머그잔의 가격이므로 잘 메모해 둔다.

M: 머그잔의 정가는 9달러이지만, 개당 3달러에 판매하고 있습니다.

W: Wow, that's a steal! I'll take four monkey mugs.
'공짜나 마찬가지다, 횡재다'의 표현
3달러×4 = 12달러

W: 와, 공짜나 마찬가지네요! 원숭이 머그잔 4개 살게요.

M: Okay. Is there anything else you need?

M: 알겠습니다. 그 밖에 더 필요한 건 없으십니까?

W: Well, how much is this backpack on this rack?

W: 음, 이 선반 위에 있는 이 배낭은 얼마인가요?

M: All those items are 50% off. Oh, here's the price tag after discount. It's 20 dollars.
20달러는 이미 50% 할인이 된 가격임에 유의한다.

M: 모든 품목이 50% 할인됩니다. 아, 여기 할인 후의 가격표가 있네요. 20달러입니다.

W: I'll buy it as well. I like its flower pattern.
as well: ~도

W: 그것도 살게요. 저는 그것의 꽃무늬가 마음에 들어요.

M: You got a good deal on it.

M: 잘 사신 겁니다.

W: I think so. I have a two dollar gift coupon. Can I use it now?
추가로 쿠폰이 적용되는지의 여부를 잘 판단해야 한다.

W: 그런 것 같아요. 저는 2달러짜리 선물 쿠폰을 가지고 있어요. 지금 쓸 수 있나요?

M: Of course. I'll take two dollars off the total price.
총 가격에서 2달러 깎아 준다는 의미이다.

M: 물론이죠. 총 가격에서 2달러 깎아 드릴게요.

W: Good. I'll pay in cash.

W: 좋아요. 현금으로 계산할게요.

정답 전략 여자는 개당 3달러인 머그잔 4개와 50% 할인 후의 가격이 20달러인 배낭 1개를 사기로 하고(3달러×4+20달러 = 32달러), 2달러짜리 선물 쿠폰을 사용하므로 지불할 총 금액은 30달러이다.

Words charity bazaar 자선 바자   donation 기부   rack 선반(받침대)   price tag 가격표

8 대화를 듣고, 남자가 지불할 금액을 고르시오. 답 ❷ $140

W: Good afternoon. What can I help you with, sir?

W: 좋은 오후입니다. 무엇을 도와 드릴까요, 손님?

M: I'm looking for inline skates for my twins.

M: 제 쌍둥이들에게 줄 인라인 스케이트를 찾고 있어요.

W: I see. We have beginner skates and advanced skates. A pair of beginner skates is $60 and a pair of advanced skates is $80.
계산에 기초가 되는 가격이므로 이 중 무엇을 선택할지에 유의하면서 듣는다.

W: 그러시군요. 초보자 스케이트와 상급자 스케이트가 있습니다. 초보자 스케이트 한 켤레는 60달러이고 상급자 스케이트 한 켤레는 80달러입니다.

M: My boys will start learning next week.
초보자 스케이트를 선택한다는 의미이다. └start의 목적어로 동명사와 to부정사 모두 올 수 있다.

M: 제 아들들은 다음 주에 배우기 시작할 거예요.

W: Then you need the beginner skates.
판매원이 다시 한 번 확인한다.

W: 그럼 초보자 스케이트가 필요하시군요.

M: Right. I'll buy two pairs in size 13.
60달러 ×2 = 120달러

M: 맞아요. 사이즈 13짜리로 두 켤레를 살게요.

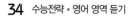

W: Okay. And I think your sons also need safety equipment.

W: 알겠습니다. 그리고 아드님들에겐 안전 장비도 필요하겠어요.

M: They already have elbow and knee pads. So, they only need helmets. How much are helmets?
추가로 필요한 물품을 놓치지 않도록 한다.

M: 팔꿈치와 무릎 패드는 이미 갖고 있답니다. 그래서 헬멧만 필요해요. 헬멧은 얼마인가요?

W: They originally cost $20 each. But we have a promotion this week. So, you will get a 50 percent discount on each helmet.
헬멧 가격이다.
개당 20달러이지만 50% 할인을 받아서 헬멧 하나당 10달러이다.

M: That's nice. I'll buy two helmets.
<u>10달러×2 = 20달러</u>

W: Do you want anything else?

M: No, that's all. Here's my credit card.

정답 전략 60달러짜리 초보자 스케이트 두 개와 50% 할인을 받아 하나당 10달러인 헬멧 두 개를 사 겠다고 했으므로(60달러×2 +10달러×2), 남자가 지불할 금액은 140달러이다.

Words   advanced 상급의   safety equipment 안전 장비

9 대화를 듣고, 남자가 지불할 금액을 고르시오. 답 ❹ $45

M: Welcome to Family Pet Shop. May I help you?

W: Hi, I'm looking for dog food.
<u>look for: ~을 찾다</u>

M: Let me show you.

W: Thanks. How much is it for a bag of dog food?

M: That depends on your dog's age.
<u>depend on: ~에 달려있다</u>

W: Oh, does it make a difference?

M: Yes. It costs $15 per bag for little puppies and $20 per bag for adult
<u>어린 강아지용은 봉지당 15달러, 성견용은 20달러이다.</u>
dogs.

W: My dogs are all grown up. So, I'll get two bags of dog food for adult
<u>성견용 사료 2봉지이므로 40달러가 된다.</u>
dogs.

M: All right. Do you need anything else?

W: Well, can you recommend a good brush?

M: Oh, how about this one? It's very popular among our customers and
only costs $10.
<u>솔은 개당 10달러이다.</u>

W: Perfect. I'll take one.
<u>10달러짜리 솔 1개를 추가 구매한다.</u>

M: Good. So you want two bags of dog food for adult dogs and one brush,
<u>여자가 구입할 물품을 최종적으로 확인해 주고 있는 부분이다.</u>
right?

W: Yes. Can I use this discount coupon?

M: Let me see. [Pause] Yes, you can get 10% off the total with this coupon.
<u>추가 할인 쿠폰이 적용되는지의 여부를 잘 판단하도록 한다.</u>

W: Great. I'll pay in cash.

정답 전략 여자는 20달러짜리 성견용 사료 두 봉지와 10달러짜리 솔 한 개를 사기로 해서 50달러인 데 10% 할인 쿠폰을 사용하므로, 지불해야 할 총 금액은 45달러이다.

Words   recommend 추천하다   customer 고객

10 대화를 듣고, 그림에서 대화의 내용과 일치하지 <u>않는</u> 것을 고르시오. 답 ❺

M: Honey, I found a restaurant for our wedding anniversary.

W: Great. Is that their website?

M: Yeah. Take a look at this photo.
<u>take a look at: ~을 (한 번) 보다</u>

W: Wow! There's a piano on the stage.
<u>①번 그림과의 일치 여부에 필요한 부분</u>

M: Yes. They have live performances on weekends.

W: 원래는 하나당 20달러입니다. 하지만 이 번 주에 판촉행사 중이랍니다. 그래서 헬 멧 하나당 50% 할인받을 수 있어요.

M: 잘됐군요. 헬멧 두 개를 살게요.

W: 더 필요한 것은 없으세요?

M: 네, 그게 다예요. 여기 제 신용카드요.

M: Family Pet Shop에 오신 걸 환영합니 다. 무엇을 도와드릴까요?

W: 안녕하세요, 개 사료를 찾고 있습니다.

M: 제가 보여드리죠.

W: 고맙습니다. 개 사료 한 봉지에 얼마인가 요?

M: 그건 손님 개의 나이에 달려있습니다.

W: 아, 그것 때문에 차이가 나나요?

M: 네. 어린 강아지용은 한 봉지에 15달러이 고, 성견용은 한 봉지에 20달러입니다.

W: 우리 집 개들은 다 컸습니다. 그러니 성견 용 사료 두 봉지를 살게요.

M: 알겠습니다. 그 밖에 또 필요한 게 있으신 가요?

W: 저, 좋은 솔을 추천해 줄 수 있나요?

M: 아, 이건 어떠세요? 저희 고객들 사이에 서 매우 인기가 있는데, 가격은 10달러밖 에 안 합니다.

W: 완벽하네요. 하나 사겠습니다.

M: 좋습니다. 그러면 성견용 사료 두 봉지와 솔 하나를 원하시는 것 맞습니까?

W: 네. 이 할인 쿠폰을 사용할 수 있나요?

M: 어디 볼까요. [잠시 후] 네, 이 쿠폰으로 전 체 금액의 10%를 할인받을 수 있습니다.

W: 아주 좋네요. 현금으로 계산할게요.

M: 여보, 우리 결혼기념일을 위한 음식점을 찾았어요.

W: 잘됐네요. 그것이 그 웹사이트예요?

M: 그래요. 이 사진을 봐요.

W: 왜! 무대 위에 피아노가 있군요.

M: 그래요. 주말마다 라이브 공연이 있어요.

W: 훌륭하군요. 천장에 달린 별 모양의 전등

W: That's wonderful. I like the star-shaped light hanging from the ceiling.

_{light와 hanging 사이에 which(that) is가 생략되었다.}

M: Yeah. It glows beautifully. What do you think of the two pictures on the wall?

_{③번 그림과의 일치 여부에 필요한 부분}

W: They're nice. They add to the atmosphere. Honey, which table should we sit at?

_{add to: ~을 늘리다(증가시키다)}

_{앞에 나온 명사(table)와 대상은 다르지만 종류가 같아서 반복을 피하기 위해서 썼고, 복수형이므로 ones가 왔다.}

M: How about the round table between the rectangular ones?

_{④번 그림과의 일치 여부에 필요한 부분}

W: I love it. It looks pretty, and it's the perfect place to watch a performance.

M: Sure. Look! I like the striped curtains on the window.

_{⑤번 그림과의 일치 여부에 필요한 부분 → 커튼에는 하트 무늬가 그려져 있다.}

W: Yeah, I like the striped pattern, too.

M: I'm glad you like the restaurant. I'll make a reservation.

정답 전략 대화에서는 커튼에 줄무늬가 있다고 했지만, 그림에서는 하트무늬가 있다.

Words glow 빛나다 atmosphere 분위기 rectangular 직사각형의

11 대화를 듣고, 그림에서 대화의 내용과 일치하지 <u>않는</u> 것을 고르시오. 답 ④

M: Rachel, I heard you adopted a puppy.

W: Yes. His name is Coco. I've rearranged the living room for him. Take a look at this picture.

M: Let's see. Oh, this must be Coco. He's playing with a ball.

_{must be: ~임이 틀림없다(강한 추측) ①번 그림과의 일치 여부에 필요한 부분}

W: Yes. It's his favorite toy.

M: I see. Is this striped tent for Coco?

_{②번 그림과의 일치 여부에 필요한 부분}

W: Yeah. I bought it for him last week.

M: It looks cozy. You also put the steps in front of the sofa. What are they for?

_{③번 그림과의 일치 여부에 필요한 부분}

W: They're pet steps to help Coco get on the sofa.

_{준사역동사인 help의 목적격 보어로는 동사원형이나 to부정사가 올 수 있다.}

M: Ah, he can't jump onto it yet. Hey, Rachel, what's this elephant toy on the sofa?

_{④번 그림과의 일치 여부에 필요한 부분 → 코끼리 장난감이 아니라 오리 장난감이다.}

W: It's another toy for Coco.

M: Well, is he being toilet trained?

W: Yes, he is. Do you see the two pads near the potted plant? I'm using them for his toilet training.

_{⑤번 그림과의 일치 여부에 필요한 부분}

M: Good. Everything seems to be perfect for Coco.

_{seem +to부정사: ~한 것같이 보이다}

정답 전략 소파 위에 있는 것은 코끼리가 아니라 오리 장난감이므로 정답은 ④이다.

Words adopt 입양하다 rearrange 재배열(배치)하다 cozy 아늑한 step 계단

12 대화를 듣고, 그림에서 대화의 내용과 일치하지 <u>않는</u> 것을 고르시오. 답 ⑤

W: Hi, David. How was your picnic with your family on the weekend?

M: It was good. Do you want to see a picture I took?

_{picture와 I 사이에 목적격 관계대명사 that(which)이 생략되었다.}

W: Sure. [Pause] Wow, your son has grown a lot.

M: He sure has. He just turned 11 years old.

이 마음에 들어요.

M: 그러네요. 아름답게 빛나는군요. 벽에 걸린 그림 두 점은 어떻게 생각해요?

W: 좋네요. 그것들이 분위기를 더해 주네요. 여보, 우리 어느 테이블에 앉을까요?

M: 직사각형 테이블 사이에 있는 둥근 테이블이 어때요?

W: 마음에 들어요. 예뻐 보이기도 하고, 공연을 보기에 완벽한 장소이기도 해요.

M: 물론이죠. 봐요! 창문의 줄무늬 커튼이 좋군요.

W: 그래요, 나도 줄무늬가 마음에 들어요.

M: 음식점이 마음에 든다니 기쁘군요. 예약할게요.

M: Rachel, 당신이 강아지를 입양했다고 들었어요.

W: 네. 이름은 Coco예요. 제가 그를 위해 거실을 재배치했죠. 이 사진을 보세요.

M: 어디 보자. 오, 이 애가 Coco가 틀림없어요. 공을 가지고 놀고 있네요.

W: 네. 그가 가장 좋아하는 장난감이에요.

M: 그렇군요. 이것은 Coco를 위한 줄무늬 텐트인가요?

W: 네. 지난주에 그를 위해 샀어요.

M: 아늑해 보이네요. 당신은 또한 소파 앞에 계단을 놓았네요. 그건 뭐에 쓰는 거예요?

W: 그것들은 Coco가 소파 위로 올라가는 것을 돕기 위한 애완동물용 계단이에요.

M: 아, 그는 아직 뛰어오르지 못하는 군요. Rachel, 소파 위에 있는 코끼리 장난감은 뭐예요?

W: Coco를 위한 또 다른 장난감이에요.

M: 음, 그는 화장실 훈련을 받고 있나요?

W: 네, 그래요. 화분에 심은 식물 근처에 두 개의 패드가 보이나요? 저는 그의 화장실 훈련에 그것들을 사용하고 있어요.

M: 좋아요. 모든 것이 Coco에게 완벽한 것 같네요.

W: 안녕, David. 주말에 가족들과 소풍은 어땠니?

M: 좋았어. 내가 찍은 사진을 볼래?

W: 물론이지. [잠시 후] 와, 네 아들이 많이 컸구나.

W: Time flies. The drone on top of the box must be his.
①번 그림과의 일치 여부에 필요한 부분

M: Yeah. He brings it with him everywhere.

W: I see. Oh, there are three bicycles.
②번 그림과의 일치 여부에 필요한 부분

M: Yes. We love riding bicycles these days.
love는 목적어로 동명사와 to부정사를 둘 다 취하는 동사이다.

W: That's good. I like that checkered-patterned mat.
③번 그림과의 일치 여부에 필요한 부분

M: That's my wife's favorite pattern. Do you recognize that heart-shaped
④번 그림과의 일치 여부에 필요한 부분
cushion?

W: Of course. We each got that cushion from our company last year.

M: Right. My wife loves it.

W: Me, too. Oh, I guess your wife did the bird painting on the canvas.
⑤번 그림과의 일치 여부에 필요한 부분 → 새(bird) 그림이 아니라 꽃 그림이다.

M: Uh-huh. We all had a great time.

정답 전략 여자는 남자의 아내가 캔버스에 새(bird) 그림을 그린 것 같다고 말했는데, 그림에서는 꽃이 그려져 있다.

Words recognize 알아보다

M: 정말 그렇지. 그 애는 막 11살이 됐어.

W: 세월이 빨라. 상자 위에 있는 드론은 틀림없이 그 애의 것이구나.

M: 응. 그 애는 어디든 그것을 가지고 다녀.

W: 그렇구나. 아, 자전거가 세 대 있네.

M: 응. 우리는 요즘 자전거 타는 것을 아주 좋아해.

W: 그거 좋네. 난 저 체크무늬 매트가 마음에 들어.

M: 그건 내 아내가 가장 좋아하는 무늬야. 저 하트 모양의 쿠션 알아보겠니?

W: 물론이지. 우리는 각자 작년에 회사에서 그 쿠션을 받았지.

M: 맞아. 내 아내는 그것을 아주 좋아해.

W: 나도. 아, 네 아내가 캔버스에 새 그림을 그렸나 본데.

M: 응. 우리는 모두 즐거운 시간을 보냈어.

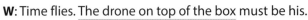

DAY 3 필수 체크 전략 ①
46~47쪽

[대표 유형] **3** ④   **3-1** ④   **4** ②   **4-1** ②

3 대화를 듣고, 과학 시험에 관해 두 사람이 언급하지 <u>않은</u> 것을 고르시오. **답 ④** 진행 시간

[Telephone rings.]

M: Hello?

W: Hi, Tom. This is Susan.

M: Oh, Susan! I was worried about you because you were absent from school today. Are you feeling better?

W: I'm okay now. I have some questions about the science exam. Did Mr. Johnson give any more information about it?
앞으로 나올 정보 항목에 유의하며 듣는다.

M: Yes. The good news is the exam date has been delayed from 11th to 13th of May.
선택지 ①의 근거 have been+과거분사: 현재완료 수동태

W: Wow! That's good for me. Did he mention what types of questions will be on it?

M: Sure. They will all be multiple choice questions like the previous test.
선택지 ②의 근거 여기서는 전치사로 쓰였다.

W: From what I remember, there were 20 questions last time. Is it the same this time?

M: Yes, it's exactly the same. You know what will be covered on it, right?
선택지 ③의 근거

W: As I know, the exam will focus on chapters two through five from the textbook as well as handouts that we were given. Any changes?
선택지 ⑤의 근거 A as well as B: B뿐만 아니라 A도

[전화벨이 울린다.]

M: 여보세요?

W: 안녕, Tom. Susan이야.

M: 오, Susan! 네가 오늘 학교에 결석해서 걱정했어. 좀 나아졌니?

W: 이제 괜찮아. 과학 시험에 대해 몇 가지 질문이 있어. Johnson 선생님이 그것에 대해 더 많은 정보를 주셨니?

M: 응. 좋은 소식은 시험 날짜가 5월 11일에서 13일로 연기되었다는 거야.

W: 왜! 내겐 잘된 일이네. 어떤 유형의 질문이 나올지 언급하셨어?

M: 물론이지. 모두 이전 시험처럼 선다형 문제일 거야.

W: 내가 기억하기로는 지난번에 20문항이었던 것 같아. 이번에도 똑같아?

M: 그래, 정확히 똑같아. 뭐가 포함되는지 알지?

W: 내가 알기로는, 시험은 우리가 받은 유인물뿐만 아니라 교과서의 2과부터 5과까지에 초점을 맞출 거야. 바뀐 거 있니?

M: 아무것도 바뀌지 않았어.

W: 좋아! Tom, 모든 정보를 알려줘서 고마워.

M: 천만에. 내일 학교에서 보자.

M: Nothing has changed.

W: Great! Tom, thanks for all the information.

M: My pleasure. See you tomorrow at school.

정답 전략 시험 날짜와 문제 유형, 문항 개수, 시험 범위는 언급되었지만 진행 시간은 언급되지 않았다.

Words multiple choice 선다형의 cover 포함시키다, 다루다 handout 유인물(수업 자료)

3-1 대화를 듣고, Eugene Kim에 관해 언급되지 <u>않은</u> 것을 고르시오. 답 ❹ 집필 장소

W: Brian, what are you reading?

M: It's a novel written by Eugene Kim, Mom. He's my favorite author.
<small>novel과 written 사이에 which(that) is가 생략되었다.</small>

W: I saw his interview on TV. He's a British novelist who was born in Seoul,
<small>선택지 ①의 근거</small>
Korea.

M: Right. He received the Royal Novel Award this year. It's a famous award.

W: That's great. What's the title of the book he received the award for?

M: The title is *Perhaps Jane*. It's the number one best-seller now.
<small>선택지 ②의 근거</small>

W: What's it about?

M: It's about a woman who follows her dreams.

W: I see. How many books has he written so far?
<small>since는 '~ 이후로'라는 뜻으로 「have+과거분사」 (현재완료 계속적 용법)와 함께 쓰인다.</small>
M: He's written seven books since his debut in 2009.
<small>선택지 ③의 근거</small>
W: He's been quite productive. But he looked fairly young in the interview.
<small>look+형용사: ~해 보이다</small>
How old is he?

M: He's 32 years old.
<small>선택지 ⑤의 근거</small>
W: He is young! He must be very talented.
<small>must be: ~임이 틀림없다(강한 추측)</small>
M: I think so. You have to read one of his books, too.

© Getty Images Bank

정답 전략 대화에서 Eugene Kim의 출생지, 수상작 제목, 집필한 책의 수, 나이는 언급되었으나 집필 장소는 언급되지 않았다.

Words author 작가 novelist 소설가 award 상 productive 다작의

4 다음 표를 보면서 대화를 듣고, 여자가 구입할 재킷을 고르시오. 답 ❷ Model B

M: Alice, Blackhills Hiking Jackets is having a big sale this weekend.

W: Nice. I need a jacket for the hiking trip next week, Jason.

M: Here. Have a look at their online catalog.

W: Wow! They all look nice. But I don't want to spend more than $80.
<small>80달러가 넘는 ⑤는 제외된다.</small>
M: Then you should choose from these four. How many pockets do you want?
<small>the 비교급, the 비교급: ~하면 할수록 더 …한</small>
W: The more the better. Three pockets are not enough.
<small>주머니가 3개인 ①은 제외된다.</small>
M: Does it need to be waterproof?

W: Of course. It's really important because it often rains in the mountains.
<small>방수가 안 되는 ④는 제외된다.</small>
M: Then there're two options left.

W: Brian, 무엇을 읽고 있니?

M: Eugene Kim이 쓴 소설이에요, 엄마. 제가 제일 좋아하는 작가예요.

W: 나도 텔레비전에서 그의 인터뷰를 봤어. 그는 한국 서울에서 태어난 영국 소설가지.

M: 맞아요. 그는 올해 Royal Novel Award를 받았어요. 그것은 유명한 상이에요.

W: 멋지구나. 그에게 그 상을 타게 해준 책의 제목이 뭐니?

M: 제목은 *Perhaps Jane*이에요. 그 책이 지금 베스트셀러 1위예요.

W: 그 책은 무엇에 관한 내용이야?

M: 자신의 꿈을 쫓는 한 여성에 관한 거예요.

W: 그렇구나. 그는 지금까지 얼마나 많은 책을 썼니?

M: 그는 2009년에 데뷔한 이후로 일곱 권의 책을 썼어요.

W: 그는 상당히 다작했구나. 하지만 인터뷰에서 그는 상당히 젊어 보였어. 그는 몇 살이니?

M: 그는 32세예요.

W: 젊구나! 그는 재능이 매우 많음에 틀림없어.

M: 저도 그렇게 생각해요. 엄마도 그의 책들 중 한 권을 읽어 보셔야겠어요.

M: Alice, Blackhills Hiking Jackets에서 이번 주말에 대규모 할인행사가 있을 예정이네요.

W: 잘됐네요. 제가 다음 주에 있을 도보 여행을 위해 재킷이 필요하거든요, Jason.

M: 여기요. 온라인 카탈로그를 봐요.

W: 왜! 모두 다 좋아 보여요. 하지만 80달러를 넘게 쓰고 싶지는 않아요.

M: 그렇다면 이 네 가지 중에서 선택해야 해요. 주머니는 몇 개 원하나요?

W: 많으면 많을수록 좋죠. 주머니 세 개로는 충분하지 않아요.

M: 방수가 되어야 할까요?

W: 물론이죠. 산에서는 비가 자주 오기 때문

W: I like this yellow one.

M: It looks nice, but yellow can get dirty easily. ⌐get+형용사: ~하게 되다

W: That's true. Then I'll buy the other one. 노란색인 ③은 제외된다. / 남자의 조언에 따라 파란색 제품인 ②를 선택한다.

M: I think that's a good choice. ⌐둘 중 다른 하나이므로 the other가 쓰였다.

정답 전략 여자는 가격이 80달러를 넘지 않고, 주머니 세 개는 충분하지 않으며, 방수 기능이 있고, 노란색이 아닌 다른 색을 사겠다고 했으므로 ②를 살 것이다.

Words waterproof 방수의   option 선택(할 수 있는 것)

4-1 다음 표를 보면서 대화를 듣고, 남자가 주문할 찻주전자를 고르시오. **답 ❷** Model B

W: Hi, Daniel. Why are you looking at the brochure for Lily Garden Teapots?

M: Hi, Judy. I'm looking for a teapot as a birthday gift for my friend, Emily. Can you help me?

W: Sure. You have five options to choose from.

M: Right. Hmm. I think 10 cups would be too big. 용량이 10잔인 ⑤는 제외된다.

W: I agree. And as far as I know, metal teapots are not a lady's first choice.
as far as: ~하는 한   금속 제품인 ③은 제외된다.

M: Yeah, I guess not. So, I'm left with these three items.

W: Now, how much do you want to spend?

M: Well, I'd better not spend more than $40. I'm on a tight budget this month. ⌐had better not+동사원형: ~하지 않는 게 낫다 / 40달러가 넘는 ④는 제외된다.

W: Then, you have two options left. I recommend this one with a tray. It'll be useful.

M: Great. I'll order that one. Thanks for your help. 여자의 조언에 따라 쟁반이 있는 제품인 ②를 선택한다.

W: My pleasure.

정답 전략 남자는 용량이 10잔보다 작고, 금속이 아니며, 40달러를 넘지 않고, 쟁반이 있는 것으로 주문하기로 했다.

Words brochure 광고 책자   tight 빠듯한   budget 예산

에 그것은 정말 중요해요.

M: 그럼 선택할 수 있는 것이 두 개 남네요.

W: 저는 이 노란 것이 마음에 들어요.

M: 좋아 보이지만, 노란색은 쉽게 더러워질 수 있어요.

W: 맞아요. 그럼 다른 것을 살게요.

M: 선택을 잘한 것 같아요.

W: 안녕하세요, Daniel. Lily Garden Teapots 에 관한 광고 책자는 왜 보고 계시는 건가요?

M: 안녕하세요, Judy. 제 친구 Emily에게 생일 선물로 줄 찻주전자를 하나 찾고 있어요. 저를 도와주실 수 있나요?

W: 물론이죠. 선택할 수 있는 게 다섯 가지가 있네요.

M: 맞아요. 흠. 10잔은 용량이 너무 클 것 같다고 생각되네요.

W: 동감입니다. 그리고 제가 아는 한 금속 찻주전자는 여성들이 첫 번째로 선택하는 것이 아니에요.

M: 네, 그럴 것 같네요. 그러면 이 세 가지 품목이 남았네요.

W: 이제, 얼마를 쓰고 싶은가요?

M: 음, 40달러 넘게는 쓰지 않는 게 좋을 것 같아요. 이번 달에는 예산이 빠듯하거든요.

W: 그렇다면 선택할 수 있는 게 두 개 남았네요. 저는 쟁반이 있는 이것을 추천합니다. 그것이 유용할 거예요.

M: 좋아요. 그것으로 주문할게요. 도와주셔서 고맙습니다.

W: 별말씀을요.

DAY 3 필수 체크 전략 ② | 48~51쪽

| 1 ③ | 2 ② | 3 ③ | 4 ⑤ | 5 ③ | 6 ② | 7 ⑤ | 8 ③ | 9 ④ | 10 ② | 11 ② | 12 ③ |

1 대화를 듣고, Sky Adventure Event에 관해 언급되지 않은 것을 고르시오. **답 ❸** 참가 연령

W: Hey, Chris. Take a look at this poster.

M: What's it about, Hailey?

W: It's a promotion for Sky Adventure Event. It seems like fun. Why don't we go? seem like: ~처럼 보이다   Why don't we+동사원형 ~?: ~하는 게 어때?(제안)

M: Sounds interesting. The poster says it'll be held from August 4th to 8th. 선택지 ①의 근거

W: It's during our summer vacation. And the event will be in Vaston Grand Park. That's not far from our town. 선택지 ②의 근거

W: 이봐, Chris. 이 포스터를 봐봐.

M: 무엇에 관한 건데, Hailey?

W: Sky Adventure Event 판촉행사야. 재미있을 것 같아. 우리 가보는 게 어때?

M: 흥미로운걸. 포스터에는 8월 4일부터 8일까지 열린다고 나와 있어.

W: 우리 여름 방학 때야. 그리고 그 행사는 Vaston Grand 공원에서 열릴 거야. 그곳은 우리 도시에서 멀지 않아.

M: Great. There will be some enjoyable activities, too.

W: Yeah. We can take a balloon flight or enjoy skydiving.

선택지 ④의 근거

M: I'd like to try. But wouldn't the skydiving be a bit dangerous?

W: Don't worry. Here, it says experienced instructors will be there all the time.

M: Good. Admission tickets are only $10. Let's make reservations online.

선택지 ⑤의 근거

W: Okay. I'm sure it'll be a very exciting experience.

정답 전략 기간, 장소, 활동 종류, 입장권 가격은 언급되었지만, '참가 연령'은 언급되지 않았다.

Words promotion 홍보(판촉) enjoyable 즐거운 instructor 강사

---

2 대화를 듣고, sports climbing course에 관해 언급되지 <u>않은</u> 것을 고르시오. 답 ❷ 수강 인원

W: Hey, Alex. You look really fit. What have you been doing?

have been -ing: 현재완료 진행형

M: I've been taking a sports climbing course.

W: What are the benefits of sports climbing?

M: Climbing the indoor rock walls helps strengthen muscles and increase flexibility.

W: Actually, I've been looking for a new challenge. Tell me more about the course.

이후의 대화에는 코스에 대한 정보가 나올 것으로 예측된다.

consist of: ~로 구성되다

M: It's a one-month course consisting of eight classes. Each class lasts 50 minutes.

선택지 ①의 근거

W: It doesn't sound so hard. Where are the classes offered?

M: They're held at Cypress College. The course offers different classes for different skill levels.

선택지 ③의 근거

W: Sounds good! I can choose the beginner level, then. How much does it cost to sign up?

sign up: 등록하다, 가입하다

M: 100 dollars.

선택지 ④의 근거

W: That's not so much. What should I bring to the class?

M: You should take your own helmet and rock shoes with you.

선택지 ⑤의 근거

W: Okay. Thanks a lot for the information.

정답 전략 강좌 기간, 수업 장소, 수강료, 수업 준비물에 관해 언급되었지만, 수강 인원은 언급되지 않았다.

Words strengthen 강화하다 muscle 근육 flexibility 유연성 last 계속되다

---

3 대화를 듣고, 학생회장 선거에 관해 언급되지 <u>않은</u> 것을 고르시오. 답 ❸ 후보 자격

M: Hi, Jessica. What are you looking at?

W: Oh, hi, Michael. I'm looking at the posters for the student president election to find out more about it.

to부정사 부사적용법(목적)

M: Oh, yeah? When is the election going to be?

M: 좋네. 즐거운 활동도 좀 있을 거야.

W: 그래. 우리는 열기구 비행을 하거나 스카이다이빙을 즐길 수 있어.

M: 해보고 싶다. 하지만 스카이다이빙은 조금 위험하지 않을까?

W: 걱정 마. 여기에 경험 많은 강사들이 상주해 있다고 쓰여 있어.

M: 좋아. 입장권은 10달러밖에 안 하네. 인터넷으로 예약하자.

W: 좋아. 매우 신나는 경험이 될 거라고 확신해.

W: 이봐, Alex. 진짜 건강해 보여요. 여기서 뭘 하고 있었던 거예요?

M: 스포츠 클라이밍 코스를 수강하고 있어요.

W: 스포츠 클라이밍의 장점은 뭐예요?

M: 실내 암벽을 오르는 것은 근육을 강화시켜 주고 유연성을 높이는 데 도움이 되요.

W: 사실, 저는 새로운 도전을 찾고 있었어요. 코스에 대해 더 말해주세요.

M: 8개 반으로 구성된 1개월 과정이에요. 각 수업은 50분 동안 진행되고요.

W: 그렇게 어렵지 않게 들리네요. 수업은 어디서 하나요?

M: Cypress 대학에서 열려요. 이 과정은 기술 수준에 따라 다른 수업을 제공하죠.

W: 괜찮은데요! 저는 초급 레벨을 선택할 수 있겠네요. 등록하는 데 비용이 얼마나 드나요?

M: 100달러예요.

W: 그건 그렇게 많지는 않네요. 수업에 무엇을 가져가야 하나요?

M: 자신의 헬멧과 암벽 신발을 가지고 가야 해요.

W: 좋아요. 알려주셔서 정말 감사해요.

M: 안녕, Jessica. 무얼 보고 있는 거야?

W: 오, 안녕, Michael. 학생회장 선거에 대해 더 많이 알아보려고 선거 포스터들을 보고 있어.

M: 오, 그래? 선거가 언제야?

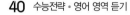

W: It's next Wednesday, July 17.
_{선택지 ①의 근거}

M: Okay. And I'm curious about what the candidates' promises are this year.
_{be curious about: ~에 대해 궁금하다}

W: Well, the first candidate promises to make the school festival the best.
_{선택지 ②의 근거} _{목적격 보어(the best)가 형용사인 5형식 구문이다.}
And the second candidate's promise is to extend gym hours.

M: Hmm .... To make up my mind, I'll have to hear their speeches.
_{make up one's mind: 결정하다}

W: Me, too. They'll each give their speech in the main auditorium this
_{선택지 ④의 근거}
Friday.

M: Okay. This year the method of voting is electronic, isn't it?

W: Yeah. If you log in on the voting page with your student
_{선택지 ⑤의 근거}
number and password, you can vote there.

_{© jannoon028 / shutterstock}

M: Great. I'm excited to see who will be elected!

정답 전략 선거 일자, 후보자 공약, 연설 장소, 투표 방법은 언급되었지만, 후보 자격은 언급되지 않았다.

Words election 선거 candidate 후보자 extend 연장하다 electronic 전자의

---

4 다음 표를 보면서 대화를 듣고, 남자가 선택한 스노클링 세트를 고르시오. **답 ⑤** Model E

W: Good afternoon, sir. How may I help you?

M: I'm trying to buy snorkeling sets for me and my wife, but I'm not sure
_{try +to부정사: ~하려 노력하다}
what type I should buy. Can you show me some models?

W: Sure. Here's our catalog. Which snorkel type would you like?

M: Hmm. This is my first time snorkeling. What would you recommend?

W: Well, for the beginners, we usually recommend the dry type. It's easier
to use than the classic type.
_{to부정사 부사적 용법(형용사 수식)}

M: Okay, I'll take the dry type. What about the mask lenses? What are the
_{classic type에 해당하는 ①과 ②는 제외된다.}
differences between the mask with one lens and the one with two
lenses?

W: If you want a wider view, a mask with two lenses would be better.

M: All right, then. I'll choose the ones with two lenses. Should I also
_{mask lens가 1개인 ③은 제외된다.}
consider the strap?

W: Yes. The price is higher, but it's much more comfortable with a strap.
_{much는 비교급(more comfortable)을 강조하기 위해 쓰인 부사이다.}

M: Okay, I'll take the ones with a strap, then.
_{남은 ④와 ⑤ 중, 끈이 있는 ⑤를 선택하기로 한다.}

W: You made a good choice.

정답 전략 남자는 건식 타입에, 마스크에 두 개의 렌즈가 있고, 끈이 있는 스노클링 세트를 선택했다.

Words classic 고전적인 consider 고려하다 strap 끈

---

5 다음 표를 보면서 대화를 듣고, 여자가 주문할 식탁을 고르시오. **답 ③** Model C

M: Honey, look at this website. There's a big sale on dining tables.

W: Really? Let's get one. Ours is old.
_{our dining table을 의미한다.}

M: It is. Which one do you think we should get?

W: 다음 수요일인 7월 17일이야.

M: 그렇구나. 그리고 후보자들의 공약이 올해는 무엇인지 궁금해.

W: 음, 첫 번째 후보자는 학교 축제를 최고로 만들겠다는 공약을 하고 있어. 그리고 두 번째 후보자의 공약은 체육관 사용 시간을 연장하는 것이야.

M: 흠… 결정을 내리기 위해서는 그들의 연설을 들어야 하겠어.

W: 나도 그래. 그들 각자 이번 주 금요일에 대강당에서 연설할 거야.

M: 알았어. 올해 투표 방식은 전자식이야, 그렇지 않니?

W: 맞아. 투표 페이지에 학번과 비밀번호로 로그인하면 거기에서 투표할 수 있어.

M: 훌륭하네. 누가 당선될지 보려니 흥분된다!

W: 좋은 오후입니다, 선생님. 무엇을 도와드릴까요?

M: 저와 제 아내를 위해 스노클링 세트를 사려고 하는데, 어떤 타입을 사야 할지 모르겠어요. 모델 좀 보여주시겠어요?

W: 물론이죠. 여기 카탈로그가 있습니다. 스노클 타입은 어떤 것으로 하시겠어요?

M: 흠. 스노클링은 이번이 처음입니다. 어떤 것을 추천하시겠어요?

W: 음, 초보자들에게는 보통 건식 타입을 추천합니다. 고전적인 타입보다 사용이 더 편리하거든요.

M: 좋아요, 건식 타입으로 할게요. 마스크 렌즈는요? 한 개의 렌즈가 있는 마스크와 두 개의 렌즈가 있는 마스크의 차이점은 무엇인가요?

W: 더 넓은 시야를 원하신다면, 두 개의 렌즈가 있는 마스크가 나을 거예요.

M: 알았어요, 그럼. 렌즈 두 개 있는 것으로 할게요. 끈도 고려해야 할까요?

W: 네. 가격은 더 비싸지만, 끈이 있으면 훨씬 편해요.

M: 알겠어요, 그럼 끈이 달린 것으로 할게요.

W: 잘 선택하셨습니다.

M: 여보, 이 웹사이트 좀 봐요. 대규모로 식탁 할인 판매를 하고 있어요.

W: 정말요? 하나 사요. 우리 것이 오래됐어요.

W: Hmm. I think we need a table for at least four people.

┌ at least: 적어도

최소한 4인용을 원하므로 ①은 제외된다.

M: Right. We can have visitors and dine together.

W: We should decide our price range.

M: Well, we can't afford a table over $500.

500달러가 넘는 식탁인 ⑤는 제외된다.

W: Then, these models are within our budget.

M: I like marble tables. They look more stylish than wood.

목재 식탁인 ②는 제외된다.

W: I agree. Now we have just two options left.

M: Which color shall we choose? How about brown?

┌ 동사로 '어울리다'라는 의미로 쓰였다.

W: Hmm, that won't match our wallpaper very well.

갈색 식탁인 ④는 제외된다.

M: That's a good point. I didn't think about that. Let's buy the other one.

남은 두 제품 중 갈색 제품은 제외하므로 ③을 주문하기로 한다.

W: Okay. I'll order it now.

정답 전략 적어도 4인용은 되어야 하고, 가격이 500달러를 넘지 않으며, 대리석으로 된 것 중에서, 갈색을 제외했다.

Words dining 식사 range 범위 afford 살 여유가 있다 budget 예산 marble 대리석

6 다음 표를 보면서 대화를 듣고, 여자가 구입할 스피커를 고르시오. 답 **②** Model B

W: Justin, I'm thinking of buying one of these portable speakers. Can you help me choose one?

준사역동사 help의 목적격 보어는 동사원형이나 to부정사가 온다.

M: Sure. There are five products to select from. How much can you spend?

W: My maximum budget is 60 dollars.

가격이 60달러가 넘는 ⑤는 제외된다.

M: I see. Where are you going to use the speaker?

┌ 문장 끝에서 '그렇지만, 하지만'의 뜻으로 쓰였다.

W: Mostly at home. It should weigh less than one kilogram though.

1킬로그램이 넘는 ④는 제외된다.

M: Right. If it's light, you can use it wherever you want at home. How about the battery life?

「관계부사+ever」의 형태로, 자체에 선행사를 포함하여 부사절을 이끈다.

W: It needs to last longer than eight hours.

건전지 수명이 8시간이 안 되는 ①은 제외된다.

M: Okay. How about the design? I recommend you get one with fabric. It'll create a warmer atmosphere in your house.

W: Good idea. A fabric one will be a good match with my bedroom.

남은 ②와 ③ 중. 직물로 된 ②를 선택하기로 한다.

M: Then, this is the best speaker for you.

match는 이 문장에서 '아주 잘 어울리는 것'의 의미로 쓰였다. 이외에 명사로 '성냥', '경기, 시합' 등의 의미를, 동사로 '어울리다', '연결시키다' 등의 의미를 지닌 다의어이다.

W: It is. I'll buy it now.

정답 전략 최대 예산이 60달러이며, 1킬로그램보다는 가볍고, 건전지 수명은 8시간보다 길며, 직물로 된 것을 사겠다고 했다.

Words portable 휴대용인 fabric 직물 atmosphere 분위기

7 대화를 듣고, Rainbow Lunch Box에 관해 언급되지 않은 것을 고르시오. 답 **⑤** 배달 여부

W: Mr. Andrews. You brought lunch today.

M: Yeah. It's a Rainbow Lunch Box. It's a new thing these days.

W: Really? Is it any good?

M: Sure. It's really delicious and comes with fruit.

M: 그래요. 어느 것을 사야 할 것 같아요?

W: 흠. 적어도 4인용 식탁은 필요한 것 같아요.

M: 맞아요. 손님이 와서 함께 식사할 수 있어요.

W: 우리의 가격 범위를 정해야 해요.

M: 음, 500달러가 넘는 식탁은 살 여유가 없어요.

W: 그렇다면, 이 모델들이 우리의 예산 범위 내에 있어요.

M: 난 대리석 식탁이 마음에 들어요. 목재보다 더 멋있어 보여요.

W: 같은 생각이에요. 이제 선택할 수 있는 것이 딱 두 개 남았어요.

M: 어떤 색상을 선택할까요? 갈색은 어때요?

W: 흠, 그것은 우리의 벽지와 그다지 잘 어울리지 않을 거예요.

M: 좋은 지적이에요. 그 점을 생각하지 못했네요. 다른 것으로 사도록 해요.

W: 좋아요. 지금 그것을 주문할게요.

W: Justin, 나는 이 휴대용 스피커 중의 하나를 살 생각을 하고 있어. 내가 하나를 고르는 것을 도와줄 수 있니?

M: 물론이지. 고를 수 있는 다섯 개의 제품이 있구나. 얼마를 쓸 수 있어?

W: 내 최대 예산은 60달러야.

M: 그렇구나. 스피커를 어디에서 사용할 거야?

W: 주로 집에서지. 그런데 1킬로그램보다는 무게가 적어야 할 것 같아.

M: 맞아. 가벼워야 집에서 원하는 어디에서든 그것을 쓸 수 있지. 건전지 수명은 어때?

W: 8시간보다 더 오래 지속되어야겠지.

M: 알았어. 디자인은 어때? 나는 네가 직물로 된 것을 사기를 추천해. 그것이 네 집에서 더 온화한 분위기를 만들 거야.

W: 좋은 생각이야. 직물로 된 스피커는 내 침실에 잘 어울리는 것이 될 거야.

M: 그럼, 이것이 너한테 가장 잘 맞는 스피커네.

W: 그러네. 이제 그걸로 살래.

W: Andrews 씨. 오늘 점심 도시락을 가져오셨네요.

M: 네. Rainbow Lunch Box입니다. 요즘 새로운 거죠.

W: 정말요? 그게 좋나요?

W: Terrific! I should get one. I don't have enough time <u>to pack</u> a lunch every

　　morning. Where can I buy them?

to부정사의 형용사적 용법

M: <u>You can find them in any supermarket.</u>

선택지 ①의 근거

W: Good. I see you have the beef lunch box. What other kinds are there? I

　　like chicken.

M: <u>There are beef, chicken, and fish.</u>

선택지 ②의 근거

W: Perfect. Yours looks big. Is there a smaller one?

M: Yeah. I have a large one. But there are two

　　<u>different sizes, large and regular.</u>

선택지 ③의 근거

W: Great. How much are they?

M: <u>The large is $6, and the regular is $4.</u>

선택지 ④의 근거　　┌ much는 비교급(more expensive)을 강조하기 위해 쓰인 부사이다.

W: It's not <u>much more expensive</u> than a sandwich. I'll get one tomorrow.

정답 전략　도시락의 판매 장소, 종류, 크기, 가격은 언급되었지만, 배달 여부에 대해서는 언급되지 않았다.

Words　terrific 아주 좋은, 멋진　pack 싸다

---

8 대화를 듣고, 남자의 결혼식에 관해 언급되지 <u>않은</u> 것을 고르시오. 답 ❸ 식사 메뉴

W: Hey, Mike.

M: Hi, Kelly.

W: You've been very busy these days.

M: Yes, I've been <u>preparing for</u> my wedding next month.

prepare for: ~를 준비하다

W: How's it going?

M: Good. Here's a wedding invitation for you.

W: Thank you so much. It's on October 5th, right?

선택지 ①의 근거

M: Yes. And we're <u>getting married</u> at City Hall.

선택지 ②의 근거　　└ get married: 결혼(식)을 하다

W: That'll be great. So, I heard you're going to have a small wedding.

M: That's right. We've only <u>invited 50 people</u>, just family and close friends.

선택지 ④의 근거

W: Sounds great. I'm glad you included me. I'll definitely be there to

　　congratulate you on your wedding.

　　　　　　　　　　　　　　　　　　　　　　　┌ plan의 목적어로 to부정사가 온다.

M: I'm so happy that you can come. You know what? I'm <u>planning to sing</u> a

　　song for my bride as a special event.

선택지 ⑤의 근거

W: Oh, that's so sweet. It'll be a perfect day.

정답 전략　결혼식의 날짜, 장소, 초대 인원, 특별 이벤트는 언급되었지만, 식사 메뉴는 언급되지 않
았다.

Words　invitation 초대　include 포함하다　congratulate 축하하다　bride 신부

---

9 대화를 듣고, International Fireworks Festival에 관해 언급되지 <u>않은</u> 것을 고르시오. 답 ❹ 주제

M: Honey, what are you looking at?

W: I'm looking at the International Fireworks Festival website. You know I

M: 물론이죠. 정말로 맛있고 과일도 곁들여 나오거든요.

W: 아주 좋네요! 저도 사야겠어요. 매일 아침 도시락을 쌀 충분한 시간이 없어요. 그것을 어디서 살 수 있나요?

M: 어느 슈퍼마켓이든 그것을 살 수 있어요.

W: 좋네요. 소고기 도시락을 사오셨네요. 다른 종류로 무엇이 있나요? 저는 닭고기를 좋아해요.

M: 소고기, 닭고기, 생선이 있어요.

W: 완벽하네요. 당신의 것은 커 보여요. 더 작은 것도 있나요?

M: 네. 저는 큰 걸 샀어요. 하지만 큰 것과 보통 것으로 해서 두 가지 다른 크기가 있어요.

W: 훌륭하군요. 가격이 얼마죠?

M: 큰 것은 6달러이고, 보통 것은 4달러예요.

W: 샌드위치보다 그다지 많이 비싸지 않네요. 내일 하나 사야겠어요.

W: 안녕, Mike.

M: 안녕, Kelly.

W: 너 요즘 많이 바빴구나.

M: 응, 다음 달에 있을 나의 결혼식 준비를 하고 있어.

W: 어떻게 되어가고 있니?

M: 잘 되고 있어. 이것이 너에게 주는 결혼식 초대장이야.

W: 정말 고마워. 10월 5일이구나, 그렇지?

M: 응. 그리고 우리는 시청에서 결혼식을 할 거야.

W: 그거 멋지겠다. 그런데 나는 네가 작은 결혼식을 올린다고 들었어.

M: 맞아. 우리는 50명만을 초대했는데, 단지 가족과 가까운 친구들이야.

W: 멋진 것 같아. 네가 나를 포함해 줘서 기뻐. 너의 결혼식에 축하해 주러 꼭 갈게.

M: 네가 올 수 있어서 정말 기뻐. 그거 알아? 나는 특별한 이벤트로 나의 신부를 위해 노래를 부를 계획이야.

W: 오, 정말 다정하구나. 완벽한 날이 될 거야.

M: 여보, 뭘 보고 있어요?

W: International Fireworks Festival 웹사이트를 보고 있어요. 내가 불꽃놀이를

love fireworks.

M: Okay, then we should go. When is it?

W: It's on Saturday, November 24th and starts at 8 p.m. It's also at the same
<u>선택지 ①의 근거</u>
place as last year.

M: Ah! It'll be held at Green Dove Park again?
<u>선택지 ②의 근거</u>
W: Yes. And the website <mark>says four</mark> countries are going to participate this
says와 four 사이에 명사절 접속사
that이 생략되었다.
year.

M: Great. Which countries?
┌take part: (~에) 참가하다
W: Korea, Spain, China and the U.S. will <mark>take part</mark>.
<u>선택지 ③의 근거</u>
M: Our children loved the festival last year. Let's take them again.

W: Of course. But last year, there were almost no <mark>parking spaces available</mark>
available은 명사(parking spaces)를 뒤에서 수식한다.
near the park.

M: If we don't drive, how should we get there?

W: The festival provides a free shuttle bus from Town Hall Station.
<u>선택지 ⑤의 근거</u>
M: Really? Then, let's take the shuttle bus.

[정답 전략] 축제의 개최 일시, 개최 장소, 참가국, 교통편은 언급되었지만, 주제에 대해서는 언급되지
않았다.

Words firework 불꽃놀이   participate 참가하다

10 다음 표를 보면서 대화를 듣고, 여자가 등록할 강좌를 고르시오. [답 **❷** Coding

M: Hi, can I help you?

W: Hi. I'd like to see which classes your community center is offering in July.

M: Here. Take a look at this flyer.

W: Hmm .... I'<mark>m interested in</mark> all five classes, but I shouldn't take this one. I'm
be interested in: ~에 관심(흥미)이 있다
allergic to certain flowers.
특정 꽃에 알레르기가 있으므로 ④는 제외된다.
M: Oh, that's too bad. Well, now you've got four options.

W: I see there's a wide range of fees. I don't want to spend more than $100,
100달러 이상은 쓰고 싶지 않으므로 ⑤는 제외된다.
though.

M: All right. And how about the location? Do you care which location you

go to?
┌prefer는 목적격 보어로 to부정사를 취한다.
W: Yeah. Greenville is closer to my home, so I'd <mark>prefer</mark> my class <mark>to be</mark> there.
장소로 Greenville을 원하고 있으므로 ③은 제외된다.
M: Okay. What time is good for you?

W: Well, I'm busy until 6 p.m., so I'll take a class after that.
남은 ①과 ② 중, 6시 이후의 강좌를 원하므로 ②를 선택하게 된다.
M: I see. There's just one left then. It's a really popular class.
┌sign up: (강좌에) 등록하다
W: Great. <mark>Sign</mark> me up.

[정답 전략] 여자는 특정 꽃에 알레르기가 있어서 관련된 강좌를 들을 수 없고, 수업료로 100달러보다
더 많이 쓰고 싶지 않다고 했다. 장소는 Greenville이 좋다고 했고, 오후 6시 이후에 있는 강좌를 수
강할 것이라고 했으므로 ②가 정답이다.

Words flyer 전단   allergic to ~에 알레르기가 있는   fee 수업료   care 상관하다

정말 좋아하는 거 알잖아요.

M: 좋아요, 그럼 가봐야죠. 언제예요?

W: 11월 24일 토요일이고, 오후 8시에 시작
해요. 작년과 같은 장소이기도 해요.

M: 아! 또 Green Dove Park에서 열리는 거
네요?

W: 맞아요. 그리고 웹사이트에 따르면 금년
에는 4개국이 참가할 거래요.

M: 대단하네요. 어느 나라들이에요?

W: 한국, 스페인, 중국, 그리고 미국이 참가할
거래요.

M: 우리 아이들이 작년에 그 축제를 무척 좋
아했어요. 애들을 또 데려갑시다.

W: 물론이죠. 하지만 작년에 공원 근처에 주
차할 데가 거의 없었잖아요.

M: 차를 가져가지 않으면 어떻게 가야하지
요?

W: 축제 주최자 측에서 Town Hall 역에서
출발하는 무료 셔틀버스를 제공한대요.

M: 정말이에요? 그럼, 셔틀버스를 탑시다.

M: 안녕하세요, 도와드릴까요?

W: 안녕하세요. 7월에 주민 센터에서 어떤
강좌를 제공하는지 알고 싶습니다.

M: 여기 있습니다. 이 전단을 보세요.

W: 음 … 저는 다섯 강좌에 모두 흥미가 있는
데, 이 강좌는 들을 수가 없네요. 저는 특
정 꽃에 알레르기가 있거든요.

M: 아, 안됐네요. 음, 이제 네 개의 선택권이
있군요.

W: 수업료가 아주 다양하네요. 그런데 저는
100달러보다 더 많이 쓰고 싶지는 않아요.

M: 알겠습니다. 그리고 장소는 어떠세요? 어
느 장소에 가는지에 신경을 쓰시나요?

W: 네. Greenville이 저희 집에 더 가까워서
저는 제 강좌가 그곳에 있는 걸 더 선호해
요.

M: 좋습니다. 어느 시간이 좋으신가요?

W: 음, 제가 오후 6시까지는 바빠서 그 이후
에 있는 강좌를 수강할 거예요.

M: 알겠습니다. 그러면 딱 한 개가 남는군요.
그건 정말 인기 있는 강좌입니다.

W: 잘됐네요. 등록해 주세요.

11 다음 표를 보면서 대화를 듣고, 두 사람이 주문할 와플 메이커를 고르시오. 답 ② Model B

M: Honey, look at this website. There are five waffle maker models on sale now.

on sale: ① 판매 중인 ② 할인 중인

W: Oh, I was thinking of buying one.

M: Should we buy the cheapest one?

W: No. I've heard of this model, and its reviews aren't that good.

not과 함께 그다지 … (않다)는 뜻을 나타내는 부사로, good을 수식한다.

제일 싼 것은 평가가 안 좋다고 했으므로 ①은 제외된다.

M: Then, we won't buy it. Hmm ..., some of the waffle makers come with removable plates, but the others don't.

the others는 '(나머지) 다른 것들'을 의미한다.

W: The ones with fixed plates are hard to clean.

hard는 이 문장에서 '(육체적 · 정신적으로) 힘든'의 의미로 쓰였다.

M: Then the ones with fixed plates are out. What about the waffle shape?

접시가 고정된 제품은 제외하므로 ③은 제외된다.

W: I like round waffles better than square ones.

둥근 와플을 선호하므로 ⑤는 제외된다.

M: All right. Let's choose from the ones that make round waffles.

W: Great. Do you think we need an audible alert? It goes off when the waffles are done.

go off: (경보기 등이) 울리다

M: Well, I'm afraid the sound might wake up our baby while he's sleeping.

W: Good point. Let's order the one without it.

남은 ②와 ④ 중, 경보기가 없는 제품을 원하므로 ②를 선택하게 된다.

M: Perfect!

정답 전략 와플 제조기를 고르는데, 제일 저렴한 것과 고정된 접시가 있는 것을 제외하며, 둥근 와플을 만드는 것 중 경보기가 없는 것을 골랐다.

Words audible 잘 들리는 alert 경보(기)

12 다음 표를 보면서 대화를 듣고, 여자가 구매할 램프를 고르시오. 답 ❸ Model C

M: Welcome to Jay's Lighting Store. How may I help you?

W: I'm here to look for a floor lamp for my living room.

M: Here, take a look at this catalog. We have five models you can choose from. Are you looking for anything specific?

주격 관계대명사 that이 이끄는 절이 앞의 one을 수식한다.

W: Yes. It shouldn't be too short. I'd like to get one that's taller than one hundred and thirty centimeters.

키가 130cm보다 작은 ①은 제외된다.

M: Then how about these four models? Would you like LED bulbs?

W: Yes, I would. They last longer than standard bulbs.

LED 전구가 아닌 ⑤는 제외된다. last는 이 문장에서 동사로 '오래가다'의 의미로 쓰인 다의어이다.

M: And they save energy. I definitely recommend LEDs. What's your price range?

W: Well, I don't want to spend more than fifty dollars.

50달러가 넘는 ④는 제외된다.

M: Then you have two options left. Which color do you like better?

여기서 go with는 '고르다'의 뜻으로 쓰였다.

W: Hmm ..., I'll go with the white one.

남은 ②와 ③ 중, 흰색 제품을 원하므로 ③을 선택하게 된다.

M: Good choice. Would you like to pay in cash or by credit card?

W: I'll pay in cash.

M: 여보, 이 웹사이트를 봐요. 지금 5개의 와플 제조기 모델이 판매되고 있어요.

W: 아, 하나 살까 생각 중이었어요.

M: 제일 저렴한 걸로 살까요?

W: 아니요. 이 모델은 들어봤는데요, 평가가 별로 안 좋아요.

M: 그럼, 사지 말아야겠어요. 음… 와플 제조사들 중 일부는 제거할 수 있는 접시를 가지고 있지만, 다른 것들은 그렇지 않네요.

W: 고정된 접시가 있는 것은 청소하기가 어려워요.

M: 그럼 접시가 고정된 것은 제외해요. 와플 모양은 어떤가요?

W: 나는 네모난 와플보다 둥근 와플을 더 좋아해요.

M: 좋아요. 둥근 와플을 만드는 것 중에서 고릅시다.

W: 좋아요, 경보기가 필요할까요? 와플이 다 되면 경보기가 울려요.

M: 글쎄요, 그 소리가 우리 아기가 자고 있을 때 깨울까 봐 걱정돼요.

W: 좋은 지적이네요. 경보기가 없는 것으로 주문해요.

M: 완벽해요!

M: Jay의 조명 기구 판매점에 오신 것을 환영합니다. 어떻게 도와드릴까요?

W: 제 거실에 쓸 바닥용 전기스탠드를 사러 왔습니다.

M: 여기, 이 카탈로그를 보세요. 고르실 수 있는 다섯 개의 모델들이 있습니다. 어떤 특별한 것을 찾으십니까?

W: 네. 키가 너무 작으면 안 돼요. 130cm보다는 더 큰 것을 사고 싶어요.

M: 그렇다면 이 네 가지 모델들이 어떤가요? LED 전구로 하시겠어요?

W: 네, 그리고 싶어요. 일반 전구보다 더 오래가잖아요.

M: 그리고 에너지도 절약되지요. 저는 단연코 LED를 권해 드립니다. 가격 범위는 얼마인가요?

W: 음, 50달러 넘게는 쓰고 싶지 않아요.

M: 그렇다면 두 가지 선택이 남네요. 어떤 색을 더 좋아하시나요?

W: 음…, 흰색으로 고르겠어요.

M: 좋은 선택입니다. 현금으로 계산하시겠어

정답 전략 전기스탠드가 130cm보다 크고 LED 전구가 부착된 것을 선택했으며, 가격이 50달러를 넘지 않는 것 중 흰색으로 사겠다고 했다.

Words standard 일반적인, 보통의   save 절약하다

누구나 합격 전략

1 ④ **2** ④ **3** ③ **4** ③ **5** ② **6** ③

---

1 대화를 듣고, 남자가 지불할 금액을 고르시오. **답** ④ $54

W: Hello. Can I help you?

M: Yes. I want to buy a baseball bat for my son. He is 11 years old.

W: How about this baseball bat? It's the most popular. It's 30 dollars.
_{야구 배트 한 개의 가격이니 잘 메모해 둔다.}

M: Okay. I'll take one bat. Do you also have baseball gloves?
_{30달러×1 = 30달러}

W: Sure. How about this glove? It's soft and comfortable.

M: How much is it?

W: It's 15 dollars.

M: Hmm .... That's reasonable. I'll buy two gloves.
_{글러브는 1개에 15달러이고, 2개이므로 30달러이다.}

W: Okay. Don't you need any safety balls for children? They are light and soft.

M: I think I've got all I need. Can I use this coupon?
_{all과 I 사이에 목적격 관계대명사 that이 생략되어 있다.}

W: Of course. Then you can get 10% off the total price.
_{쿠폰 적용 여부를 잘 파악해야 한다.} └ 총 가격이 60달러이므로 10% 할인을 받으면 54달러가 된다.

M: Great. I'll use the coupon and pay by credit card.

정답 전략 30달러인 야구 배트 1개와 15달러인 글러브 2개를 구입하고(30달러×1 +15달러×2= 60달러) 쿠폰으로 전체 금액에서 10%를 할인 받았으므로, 54달러를 지불해야 한다.

Words reasonable 합리적인, 너무 비싸지 않은

W: 안녕하세요. 제가 좀 도와 드릴까요?

M: 네. 제 아들에게 야구 배트를 사주고 싶어요. 그는 11살입니다.

W: 이 야구 배트는 어때요? 그게 제일 인기가 많아요. 30달러입니다.

M: 좋아요. 배트를 하나 살게요. 야구 글러브도 있나요?

W: 물론이죠. 이 글러브는 어떠세요? 부드럽고 편안해요.

M: 얼마예요?

W: 15달러입니다.

M: 음… 가격이 합리적이네요. 글러브 두 개를 살게요.

W: 알겠습니다. 어린이를 위한 안전공은 필요하지 않으신가요? 그것들은 가볍고 부드럽습니다.

M: 제가 필요한 건 다 산 것 같네요. 이 쿠폰을 사용할 수 있나요?

W: 물론이죠. 그러면 총 가격에서 10%를 할인받을 수 있습니다.

M: 좋네요. 쿠폰을 사용하고 신용카드로 지불하겠습니다.

---

2 대화를 듣고, Dream Bio Research Project에 관해 언급되지 **않은** 것을 고르시오. **답** ④ 연구 장소

M: Hello, Dr. Peterson. How are you doing these days?

W: Hello, Dr. Collins. Good, I'm working on the Dream Bio Research Project.

M: You mean the medical research project sponsored by the government?
_{project와 sponsored 사이에 that(which) is가 생략되어 있다.}

W: That's right. More than 20 researchers are involved in the project and I'm
_{선택지 ①의 근거}
  the head researcher.

M: Wow, you're in charge of a really big job. How big is the budget for the
_{in charge of: ~을 맡아서(담당해서)}
  project?
_{┌ be allowed to: ~하는 것이 허용되다}

W: We're allowed to spend one million dollars on the project.
_{선택지 ②의 근거}

M: That's a really huge amount. It's a project to develop a new drug for lung
_{선택지 ③의 근거}
  cancer, isn't it?

W: That's right.

M: 안녕하세요, Peterson 박사님. 요즘 어떻게 지내세요?

W: 안녕하세요, Collins 박사님. 좋아요, 저는 Dream Bio 연구 프로젝트를 하고 있어요.

M: 정부에서 후원하는 의학 연구 프로젝트 말인가요?

W: 맞아요. 20명이 넘는 연구원들이 이 프로젝트에 참여하고 있고 저는 수석 연구원입니다.

M: 와, 정말 큰 역할을 맡으셨네요. 그 프로젝트의 예산은 얼마나 되나요?

W: 저희는 그 프로젝트에 백만 달러를 쓸 수 있어요.

M: 정말 엄청난 액수네요. 폐암 신약을 개발하는 프로젝트죠. 그렇죠?

M: How long will the research project last?

W: It's a 5year project. I hope we can develop the drug within this period.
<u>선택지 ⑤의 근거</u>

M: I wish you success, Dr. Peterson.

W: Thank you, Dr. Collins.

정답 전략 여자가 진행하고 있는 연구 프로젝트에 관해 연구원의 수, 예산 규모, 연구 목적, 연구 기간은 언급되었지만, 연구 장소는 언급되지 않았다.

Words sponsor 후원하다 head researcher 수석 연구원 lung cancer 폐암

3 대화를 듣고, 그림에서 대화의 내용과 일치하지 <u>않는</u> 것을 고르시오. **답 ❸**

M: Have you thought about how we will furnish our student lounge?

W: Yes, I have. I found a photo of a cool student lounge. We can get some good ideas from this photo.

M: Let me have a look. It looks good and cozy.

I especially like that large sofa on the right.
<u>①번 그림과의 일치 여부에 필요한 부분</u>

W: What about the round clock above the sofa?
<u>②번 그림과의 일치 여부에 필요한 부분</u>

M: I like its simple design.

W: But the dart board next to the window doesn't look very nice. We might
<u>③번 그림과의 일치 여부에 필요한 부분 → 다트 판이 아니라 달력이 걸려 있다.</u>
break the window if we threw darts.
<u>가정법과거로 현재 사실을 반대로 가정한다.</u>

M: I agree. We'd better not hang anything next to the window.
<u>had better의 부정형은 had better not으로 표현한다.</u>

W: There's a large TV on the left wall. Don't we need one like that?
<u>④번 그림과의 일치 여부에 필요한 부분</u>

M: Yes. We could use it for presentations or watching movies.

W: The round table and chairs in the middle of the room look convenient.
<u>⑤번 그림과의 일치 여부에 필요한 부분</u>

M: Yeah. Let's ask our school to order something similar to them.

정답 전략 창문 옆에 있는 것은 다트 판이 아니라 달력이다.

Words furnish (가구 등을) 갖추다, 설비[비치]하다 cozy 아늑한 presentation 발표

4 다음 표를 보면서 대화를 듣고, 여자가 주문할 휴대용 스피커와 마이크 세트를 고르시오. **답 ❸** Model C

M: Ms Sanders, are you buying something online?

W: Yes. I'm trying to buy a portable speaker and microphone set. Can you help me choose one?
<u>5형식 문장에서 help는 목적격 보어로 동사원형(choose)과 to부정사(to choose)를 모두 쓸 수 있다.</u>

M: Sure. Let's see .... There's a wide range of prices.

W: Well, I want to buy one that's less than $100.
<u>100달러 이하인 것을 사길 원하므로 ⑤는 제외된다.</u>

M: All right. I think running time is also important. What do you think?
<u>would like to+동사원형: ~하고 싶다</u>

W: I agree. I'd like to choose one that can last at least 10 hours after a full charge.
<u>완전 충전 후 10시간은 지속되길 원하므로 ①은 제외된다.</u>

M: I see. What about the color?

W: Well, I don't like the grey ones.
<u>회색은 좋아하지 않으므로 ②는 제외된다.</u>

M: That leaves only two options. Do you want a model with a clip microphone?

W: 맞아요.

M: 그 연구 프로젝트는 얼마나 오래 지속될까요?

W: 5년짜리 프로젝트예요. 저는 저희가 이 기간 내에 그 약을 개발할 수 있기를 바라요.

M: 성공을 빕니다, Peterson 박사님.

W: 감사합니다, Collins 박사님.

M: 학생 휴게실을 어떻게 꾸밀지 생각해 봤어요?

W: 네, 그래요. 저는 멋진 학생 휴게실의 사진을 발견했어요. 우리는 이 사진에서 좋은 아이디어를 얻을 수 있어요.

M: 어디 좀 봐요. 괜찮고 아늑해 보이네요. 저는 특히 오른쪽에 있는 큰 소파가 좋아요.

W: 소파 위에 있는 둥근 시계는 어때요?

M: 심플한 디자인이 마음에 들어요.

W: 하지만 창문 옆에 있는 다트 판은 그다지 좋아 보이지 않네요. 다트를 던지면 유리창이 깨질지도 몰라요.

M: 동의해요. 창문 옆에는 아무것도 걸지 않는 게 좋겠어요.

W: 왼쪽 벽에 큰 TV가 있어요. 그런 것이 필요하지 않을까요?

M: 네. 발표나 영화를 볼 때에 쓸 수 있을 것 같아요.

W: 방 한가운데에 있는 둥근 탁자와 의자가 편리해 보이네요.

M: 네. 우리 학교에도 그것들과 비슷한 것을 주문해 달라고 합시다.

M: Sanders 씨, 인터넷에서 뭐 사려고요?

W: 네. 휴대용 스피커와 마이크 세트를 사려고 하는데요. 고르는 것 좀 도와주시겠어요?

M: 물론이죠. 어디보자 … 가격대가 다양하네요.

W: 음, 100달러 이하인 것을 사고 싶어요.

M: 좋아요. 나는 지속 시간도 중요하다고 생각해요. 당신은 어떻게 생각해요?

W: 동의해요. 완전 충전 후 최소 10시간은 지속할 수 있는 것으로 선택하고 싶어요.

M: 알겠어요. 색상은요?

W: 글쎄요, 회색은 별로 좋아하지 않아요.

M: 두 가지 선택만 남았네요. 클립 마이크가 달린 모델을 원하나요?

W: 물론이죠. 그래야 손을 자유롭게 할 수 있겠죠.

W: Of course. It'll keep my hands free.

┌ 5형식 문장에서 목적격 보어(free)가 형용사일 경우, 형용사는 목적어(my hands)의 상태를 뜻한다.

클립 마이크가 달린 모델을 원하므로 ③을 선택하게 된다.
M: Then, this model is the best one for you.

W: Okay. I'll order it. Thanks for your help.

M: You're welcome.

정답 전략 휴대용 스피커와 마이크 세트를 고르는데, 100달러 이하인 것을 원하며, 지속 시간이 10시간은 되어야 하고, 회색은 싫어한다. 그리고 클립 마이크가 달린 모델을 원하므로 ③이 알맞다.

Words portable 휴대용의 running time 지속 시간 charge 충전

5 대화를 듣고, 남자가 지불할 금액을 고르시오. 답 ② $65

W: Honey, we're running out of fine dust masks. Don't we need to order some more?
  run out of: ~을 다 써버리다

M: Oh, right. [Typing sound] Let's order them on this website. The masks are $2 each and a pack of 10 masks is $15.
  마스크의 가격이 개당과 묶음당에 차이가 나므로 잘 메모해 둔다.

W: Then it's cheaper to buy them in packs. Let's get four packs.
  한 묶음에 15달러짜리 4개이므로 60달러이다.

M: Okay. We also need some handwash, right?

W: Yes. Is there any special promotion going on?
  go on: 일어나다. 벌어지다

M: Let me see. [Pause] Oh, there is. We can buy three bottles of handwash for $10. It was originally $5 per bottle.
  손 세정제는 3개들이 한 묶음에 10달러이다.
  혼동을 유발하는 정보이니 유의한다.

W: That's a good deal. Let's buy three bottles then.
  한 묶음이므로 10달러이다.

M: All right. Do we need anything else?

W: No, that's all. Oh, hang on. Look here. If we spend more than $50, we can get a 5-dollar discount.
  hang on: (남에게) 잠시만, 잠깐만
  쿠폰 할인을 적용받을 수 있는지를 잘 파악해야 한다.

M: Great. I'll place the order now with my credit card.

정답 전략 10개들이 한 묶음에 15달러인 마스크 네 묶음을 고르고, 3병에 10달러인 손 세정제를 추가했으므로 총 70달러이다. 50달러 이상을 쓰면 5달러를 할인 받으므로, 최종 지불 금액은 65달러이다.

Words fine dust 미세 먼지 originally 원래 place (주문을) 넣다

6 대화를 듣고, 〈Romance City〉에 관해 언급되지 않은 것을 고르시오. 답 ③ 줄거리

M: Maria, what are you watching?

W: I'm watching the preview of the new TV drama, Romance City.

M: Romance City? When does it start?

W: The first episode will be aired on March 9th.
  선택지 ①의 근거

M: Oh, it's this Saturday!

W: Yes. My favorite actor, Liam Collins, is the main character.
  선택지 ②의 근거

M: Oh, he is? I like him, too.

W: The director is Sam Adams. He also directed Dreamcatcher.
  선택지 ④의 근거

M: Really? I loved that drama.

W: You know what? Romance City is based on the bestselling novel of the same title.
  ┌ be based on: ~에 기초(근거)하다
  선택지 ⑤의 근거

M: 그렇다면, 이 모델이 당신에게 가장 좋겠어요.

W: 알겠어요. 그걸로 주문할게요. 도와줘서 고마워요.

M: 별 말씀을요.

W: 여보, 미세 먼지 마스크가 다 떨어져 가요. 좀 더 주문해야 하지 않을까요?

M: 아, 맞다. [타이핑 소리] 이 사이트에서 주문해요. 마스크는 한 개에 2달러이고 마스크 10개들이 한 묶음에 15달러네요.

W: 그럼 묶음으로 사는 게 더 싸네요. 네 묶음 사요.

M: 좋아요. 우리는 손 세정제도 좀 필요해요, 그렇죠?

W: 네. 진행 중인 특별한 판촉행사라도 있나요?

M: 어디 보자. [잠시 후] 오, 있어요. 손 세정제 세 병을 10달러에 살 수 있어요. 원래 한 병에 5달러였네요.

W: 그거 괜찮은 가격이네요. 그럼 세 병 사요.

M: 좋아요. 더 필요한 건 없어요?

W: 없어요, 그게 다예요. 오, 잠시만요. 여기 봐요. 50달러 이상을 쓰면 5달러 할인을 받을 수 있어요.

M: 좋네요. 지금 내 신용카드로 주문할게요.

M: Maria, 뭘 보고 있어요?

W: 새 드라마 〈Romance City〉의 예고편을 보고 있어요.

M: 〈Romance City〉? 언제 시작해요?

W: 첫 회는 3월 9일에 방송될 거예요.

M: 아, 이번 주 토요일이구나!

W: 네. 제가 제일 좋아하는 배우 Liam Collins가 주인공이에요.

M: 아, 그래요? 나도 그를 좋아해요.

W: 감독은 Sam Adams예요. 그는 〈Dreamcatcher〉를 감독하기도 했죠.

M: 정말요? 저는 그 드라마를 매우 좋아했어요.

W: 그거 알아요? 〈Romance City〉는 동명의 베스트셀러 소설을 원작으로 하고 있어요.

M: Have you read the novel?

W: Of course. I enjoyed it very much.

M: 그 소설 읽어봤어요?

W: 물론이죠. 아주 재미있었죠.

정답 전략 새 드라마인 Romance City에 관해 첫 방영 날짜, 주연 배우, 감독, 원작 소설은 언급되었지만, 줄거리는 언급되지 않았다.

Words preview 예고편 episode 1회 방송분 air 방송하다 direct 감독하다

창의·융합·코딩 전략 ①, ② | 54~57쪽

1 ④. The monkey in the cage has a branch in its hand. It looks happy.   **2** 해석의 도표 참조
3 해석의 도표 참조   **4** 18, 12, 30

1 해석 Brian: 한 소녀가 모자를 쓰고 있어요. 그녀에게 잘 어울려요. Olivia: 두 마리의 새가 나뭇가지 위에 있어요. 그들은 평화로워 보여요. Kihun: 연못 뒤에 폭포가 있어요. 그것은 멋져 보여요. Leo: 우리 안의 원숭이는 손에 바나나를 들고 있어요. 행복해 보여요. Somi: 화분 옆에 아이스크림 판매대가 있어요. 아이들이 무척 좋아할 거예요.
올바른 표현 → 우리 안의 원숭이는 손에 나뭇가지를 들고 있어요. 행복해 보여요.
정답 전략 그림을 보고 다섯 사람의 설명을 선택지 순서대로 따라 가면, ④의 Leo가 말한 설명이 그림과 일치하지 않음을 알 수 있다. 즉, 우리 안의 원숭이는 손에 '바나나'가 아니라 '나뭇가지'를 들고 있다.
Words branch 나뭇가지 peaceful 평화로운 waterfall 폭포 cage 우리

2 해석 W: 이봐요, Tom. 여기 침낭 광고지가 있어요. 캠핑 여행에 하나 필요하지 않으세요? M: 오, 멋진데요. 맞아요. W: 특별히 마음에 두고 있는 게 있나요? M: 꼭 그렇진 않지만, 가벼운 것, 800그램보다 더 가벼운 것이 필요해요. W: 이 모델들은 어떠세요? 모두 800그램 아래예요. M: 좋아 보이긴 합니다만, 200달러 넘게 쓰고 싶지는 않아요. W: 이 모델들은 당신의 예산 범위 안에 들어요. M: 네. 그것들이 꽤 멋지긴 한데, 이것은 아니네요. 저는 지퍼가 있는 것이 더 좋아요. W: 이 파란색은 어때요? 파란색이 올해 유행하는 색이에요. M: 알고 있어요. 하지만 파란색은 정말 제 색상이 아니에요. W: 그러면 선택할 수 있는 모델이 딱 하나만 남네요. M: 네. 그럼 그것으로 살게요.

Sleeping Bags for Sale

① Weight	② Price	③ Zipper	④ Color	⑤ Model
900g	$100	×	Green	A
700g	$120	○	~~Blue~~	~~B~~
700g	$140	○	Gray	Ⓒ
600g	$190	~~×~~	~~Gray~~	~~D~~
600g	~~$230~~	○	~~Green~~	~~E~~

정답 전략 무게가 800그램보다 더 가볍고(900그램짜리 제외), 가격이 200달러를 넘지 않고(230달러짜리 제외), 지퍼가 있으며(지퍼가 없는 네 번째 제품 제외), 색상이 파란색이 아니어야 하므로(파란색인 두 번째 제품 제외), 남자가 구입할 침낭으로 가장 적절한 것은 세 번째 제품인 C이다.
Words flyer 광고지, 전단 sleeping bag 침낭 specific 특정한 budget 예산 trendy 유행하는

3 해석 W: 여보, 봄이네요. 이번 주말에 새로 생긴 식물원에 가 보는 게 어때요? M: Redwood Valley에 있는 왕립수목원을 말하는 거예요? W: 네, 여기에서 별로 안 멀어요. 우리나라에서 가장 큰 식물원 중 하나래요. M: 맞아요. 축구장의 거의 네 배 크기라고 들었어요. W: 네. 당신도 알겠지만, 나무 심기나 가이드를 동반한 투어 같은 흥미로운 프로그램도 제공해요. M: 좋은데요. 우리 아이들은 나무 심기를 정말 좋아할 거예요. W: 당연히요. 이번 토요일에 가요. 언제 출발하죠? M: 아침 9시는 어때요? 수목원이 오전 10시부터 오후 6시까지 개관한대요. W: 좋아요. 재미있을 거예요.

Royal Botanic Garden	
위치	Redwood Valley 안
크기	축구장의 약 네 배
프로그램	나무 심기나 가이드를 동반한 투어
입장료	알 수 없음
개관 시간	오전 10시부터 오후 6시까지

© NikhomTreeVector / shutterstock

정답 전략 Royal Botanic Garden은 Redwood Valley에 위치하고 있고, 축구장의 4배 크기이며, 나무 심기나 가이드를 동반한 투어 프로그램이 있다. 개관

시간은 오전 10시 부터 오후 6시까지이며, 입장료에 대해서는 나와 있지 않다.

Words　botanic 식물의　locate 위치를 정하다　plant 심다

4 [해석] M: Lynn의 정원 센터에 오신 것을 환영합니다. 어떻게 도와드릴까요? W: 안녕하세요, 전 정원 도구를 좀 찾고 있어요. 삽이 있나요? M: 물론이죠, 두 종류의 삽이 있어요. W: 두 종류 사이의 차이는 뭔가요? M: 하나는 플라스틱 손잡이가 있고, 다른 건 나무 손잡이예요. W: 음, 나무 손잡이가 달린 삽으로 할게요. 얼마인가요? M: 원래는 개당 20달러인데, 이번 주에는 모든 삽을 10%씩 할인합니다. W: 잘됐네요! 저는 정원용 장갑도 필요해요. M: 알겠습니다. 이 고무코팅 장갑을 추천해 드리죠. 한 켤레는 8달러이지만, 두 켤레는 12달러밖에 안 합니다. W: 오, 두 켤레 살게요.
→ 나무 손잡이가 달린 삽은 이번 주에는 18달러이고, 고무코팅 장갑 두 켤레는 12달러이다. 그래서 여자는 30달러를 지불할 것이다.

Words　gardening 원예　shovel 삽　handle 손잡이

신유형·신경향 전략

1 ①　2 ④　3 ③　4 ②

1　대화를 듣고, 두 사람이 하는 말의 주제로 가장 적절한 것을 고르시오. [답] ❶ 아파트 옥상에 텃밭을 조성하는 것의 장점

W: Mr. Baker, will you come to the neighborhood meeting tonight?

M: Maybe I will. What's the topic of the meeting by the way?

W: We'll discuss building rooftop vegetable gardens on our apartment
　　바로 위에서 남자가 물은 '회의의 주제'에 대한 답이다.
　　buildings.

M: That's a great idea! I've always wanted to do vegetable gardening.

W: Yeah, we can grow and share fresh organic vegetables.
　　　　　　　아파트 옥상 텃밭을 만들면 얻게 되는 장점 1

M: Right. Working on the gardens together, we can build a sense of
　　　　　　　　　　　　　　　　　아파트 옥상 텃밭을 만들면 얻게 되는 장점 2
　　community.

W: We'll also have beautiful green spaces on the rooftops. Easy access to
　　　　　　　　　　　　　　　　　　　　　아파트 옥상 텃밭을 만들면 얻게 되는 장점 3
　　nature can relieve our stress.

M: How nice! And I read that rooftop gardens help to reduce the dust in
　　　　　　　　　　　　　　　　　　아파트 옥상 텃밭을 만들면 얻게 되는 장점 4　　help의 목적어로 to부정사나 동사원형이 올 수 있다.
　　the air.

W: Really? We can make a positive contribution to the environment.
　　　　　　　　　　make a contribution (to): (~에) 기여하다, 공을 세우다

M: Definitely. Rooftop vegetable gardens on our apartment buildings seem
　　pretty beneficial in many ways.
　　　　seem+형용사: ~인 것 같다, ~해 보인다

W: Our neighbors would love to talk about it.

M: Yeah, I hope they also support this idea.

[정답 전략] 두 사람은 아파트 옥상에 텃밭을 조성하게 되면 얻게 되는 여러 장점에 관한 대화를 나누면서 오늘 밤 반상회를 기대하고 있으므로 정답은 ①이다.

Words　neighborhood meeting 반상회　sense of community 공동체 의식　relieve 완화하다
contribution 기여　beneficial 유익한

2　대화를 듣고, Hampton Soccer Program에 관해 알 수 없는 것을 고르시오. [답] ❹ 모집 인원에 제한이 있다.

M: Honey, we need to find a soccer program for Kevin.

W: Right. I brought a brochure about Hampton Soccer Program from the
　　community center.

W: Baker 씨, 오늘 밤 반상회에 오실 건가요?

M: 아마도 갈 거 같아요. 그런데 회의 주제가 뭐예요?

W: 우리 아파트 건물 위에 옥상 텃밭을 짓는 것에 대해 논의할 거예요.

M: 좋은 생각이네요! 저는 항상 텃밭 가꾸기를 하고 싶었거든요.

W: 네, 우리는 신선한 유기농 야채를 재배하고 공유할 수 있어요.

M: 맞아요. 정원에서 함께 일하면서 공동체 의식을 형성할 수 있죠.

W: 또한 옥상에 아름다운 녹지 공간을 가질 수 있을 거예요. 자연에 쉽게 접근하는 것은 우리의 스트레스를 완화시킬 수 있어요.

M: 정말 멋져요! 그리고 옥상 정원이 공기 중의 먼지를 줄이는 데 도움이 된다는 것을 읽었어요.

W: 정말요? 우리는 환경에 긍정적인 기여를 할 수 있어요.

M: 물론이죠. 우리 아파트의 옥상 텃밭은 여러 면에서 꽤 이로운 것 같네요.

W: 우리 이웃들이 그것에 대해 이야기하고 싶어 할 거예요.

M: 네, 그들도 이 생각을 지지했으면 좋겠어요.

M: 여보, Kevin을 위한 축구 프로그램을 찾아야 해요.

W: 맞아요. 주민 센터에서 Hampton 축구 프로그램에 관한 안내 책자를 가져왔어요.

50　수능전략·영어 영역 듣기

M: Good. Let me see. The program will be held in the soccer field in
Riverside Park.
선택지 ①의 근거

W: Isn't that good? The park is near our house.

M: Right. It says the program starts on May 2nd, and it goes
선택지 ②의 근거
every weekend for two months.

W: Yeah. He'll play and practice for three hours a day.

M: Wow. It's a tough schedule.

W: Yes. But he'll improve his skills a lot. Look. The instructor is Aaron Smith.
He's a well-known soccer coach in this town.
선택지 ③의 근거

M: Really? He must be good at teaching. What about the participation fee
be good at: ~을 잘하는
for the program?
It은 the participation fee를 가리킨다.

W: It's $400. Do you think it's expensive?
선택지 ⑤의 근거

M: It's not bad considering the length of the program.

W: Right. Kevin will be happy to hear about this.
to부정사의 부사적 용법으로, 감정을 나타내는 형용사를 수식해 감정의 원인을 나타낸다.

M: I'm sure he'll be.

정답 전략 Hampton 축구 프로그램에 관해 '모집 인원에 제한이 있다.'는 언급은 없다.

Words tough 힘든 instructor 강사, 지도자 considering ~을 고려하면

3 대화를 듣고, 여자가 지불할 금액을 고르시오. 답 ❸ $45

M: Good morning. Welcome to Happy Bakery. How can I help you?

W: I need to buy a cake for my sister's birthday. Could you recommend
one?

M: Sure. These chocolate and strawberry cakes are our best sellers.

W: Oh, they look delicious. How much are they?

M: This chocolate cake is 20 dollars, and the strawberry cake is 30 dollars.
계산에 기초가 되는 케이크의 가격이므로 어떤 케이크를 선택할지 잘 파악한다.

W: Hmm .... I'll buy that strawberry cake.
딸기 케이크를 선택했으므로 30달러가 든다.

M: Wonderful. Can I get anything else for you?

W: Well, we're having a small party. It might be nice to be able to give
might는 '아마 ~일 것이다'라는 약한 추측을 나타낸다.
something to our guests to take home.

M: How about our homemade cookies? They're 4 dollars each.
쿠키는 개당 4달러이다.

W: That sounds perfect. Can I get five cookies?
개당 4달러짜리 쿠키가 5개이면 20달러가 든다.

M: Absolutely. So, that's one strawberry cake and five cookies, right?
중간에 대화를 놓쳤어도, 이 부분에서 다시 파악할 수 있다.

W: Correct. And I think I saw a sign in your window that you're having a sale
that은 동격의 접속사로 that 이하의 내용이 sign과 동격이다.
right now.

M: You're right. If you spend at least 40 dollars, you'll receive a 10 percent
at least: 최소한
discount on your total purchase.
40달러 이상 구매자에게 10% 할인을 해 주므로 여자가 구매한 총 금액을 먼저 계산해 본다.

W: Terrific! Here's my credit card.

M: 좋아요. 어디 봐요. 프로그램은 Riverside 공원의 축구장에서 열리네요.

W: 좋지 않아요? 공원은 우리 집 근처에 있잖아요.

M: 맞아요. 프로그램은 5월 2일에 시작되며, 2개월 동안 매주 주말마다 진행된다고 해요.

W: 네. 그는 하루에 세 시간 동안 경기를 뛰면서 연습할 거예요.

M: 와. 힘든 일정이네요.

W: 네. 하지만 실력이 많이 늘 거예요. 보세요. 강사는 Aaron Smith예요. 그는 이 마을에서 유명한 축구 코치죠.

M: 정말요? 그는 가르치는 것을 잘하는 게 틀림없어요. 프로그램 참가비는 어떻게 되나요?

W: 400달러요. 비싸다고 생각해요?

M: 프로그램의 기간을 고려할 때 나쁘지 않아요.

W: 맞아요. Kevin이 이 소식을 들으면 기뻐할 거예요.

M: 분명 그럴 거예요.

M: 좋은 아침이에요. Happy 제과점에 오신 것을 환영합니다. 무엇을 도와드릴까요?

W: 제 여동생 생일에 케이크를 사야 해서요. 하나 추천해 주시겠어요?

M: 물론이죠. 이 초콜릿과 딸기 케이크가 저희 제과점에서 가장 잘 팔립니다.

W: 오, 맛있어 보이네요. 얼마예요?

M: 이 초콜릿 케이크는 20달러이고, 딸기 케이크는 30달러입니다.

W: 음… 저는 저 딸기 케이크를 살게요.

M: 좋네요. 더 필요하신 건 없으세요?

W: 음, 우리는 작은 파티를 열려고요. 손님들에게 집으로 가져갈 무언가를 줄 수 있으면 좋을지도 모르겠어요.

M: 손으로 만든 쿠키는 어떠세요? 하나에 4달러입니다.

W: 훌륭하네요. 쿠키 다섯 개 될까요?

M: 물론이죠. 그러면, 딸기 케이크 하나와 쿠키 다섯 개네요, 그렇죠?

W: 맞아요. 그리고 창문에서 지금 할인 중이라는 안내를 본 것 같아요.

M: 맞습니다. 최소한 40달러를 쓰시면 총 구매 금액의 10%를 할인받으실 수 있어요.

W: 아주 좋아요! 여기 제 신용카드입니다.

정답 전략 여자는 30달러짜리 딸기 케이크 1개와 4달러짜리 쿠키 5개를 구입하여 총 50달러어치를 구매했다. 40달러 이상 구매자에게 총 구매 금액의 10%를 할인해 주고 있으므로, 여자는 45달러를 지불할 것이다.

Words　best seller 잘 나가는 상품　purchase 구매, 구입

4 다음 표를 보면서 대화를 듣고, 두 사람이 구입할 책장의 가격을 고르시오. 답 ❷ $50

W: Honey, look at this flyer. This store has bookcases on sale.

M: Great. It may be a good chance to replace our old bookcase.
　　　　　　　　　　　　　　　앞의 명사 chance를 꾸며 주는 to부정사의 형용사적 용법으로 쓰였다.

W: Let's see. [Pause] We should not choose the plastic one. It is likely to
　　플라스틱 제품은 선택할 생각이 없으므로 A는 제외된다.　　be likely +to부정사:
　break easily.　　　　　　　　　　　　　　　　　　　　　　～할 것 같다

M: You're right. And, how many shelves do we need?

W: Not many. We don't have that many books, so three or four would be
　　　　　　　　　　　　　　　　　　　선반이 5개인 E는 제외된다.
　enough.

M: I agree. Let's choose the color now.

W: I think a red bookcase would be pretty and colorful.
　혼동을 유발하는 요소이므로 끝까지 잘 듣고 판단해야 한다.

M: Red is good, but it doesn't match our furniture. White would be a better
　남은 3개 중 빨간색에 해당되는 C를 제외된다.
　choice.

W: Good point. Then, we have only two options left.
　　　　　　　　　　　흰색 제품인 B와 D가 남아 있다.

M: We've already spent a lot of money decorating the house. Why don't we
　　　　　　　spend money -ing: ～하느라 돈을 쓰다　　　　　B와 D 중, 더 싼 B를 권하고 있다.
　buy the cheaper one?

W: Okay. Then let's buy this one.
　　　　　B제품으로 선택하기로 한다.

정답 전략 두 사람은 책장을 교체하기로 하면서 플라스틱 제품을 제외하고, 선반이 3～4개짜리인 것 중 빨간색을 제외하며, 남은 두 제품 중 더 싼 가격의 제품인 B로 선택한다. 따라서 B 책장의 가격은 50달러가 된다.

Words　replace 교체하다　shelf 선반(pl. shelves)

W: 여보, 이 전단지를 봐요. 이 상점은 책장을 할인 판매하고 있어요.

M: 좋네요. 우리의 오래된 책장을 교체할 좋은 기회일지도 몰라요.

W: 어디 봐요. [잠시 후] 플라스틱 책장은 고르면 안 돼요. 그것은 쉽게 부서질 것 같아요.

M: 당신 말이 맞아요. 그리고 선반은 몇 개 필요할까요?

W: 많을 필요 없어요. 책이 그렇게 많지 않아서 서너 개면 충분할 거예요.

M: 동의해요. 이제 색깔을 골라요.

W: 빨간 책장이 예쁘고 화려할 것 같아요.

M: 빨간색은 좋은데, 우리 가구와 어울리지 않아요. 흰색이 더 나을 거예요.

W: 좋은 지적이에요. 그러면, 우리에게는 두 가지 선택밖에 남지 않았네요.

M: 우리는 집을 꾸미는데 이미 많은 돈을 들였어요. 좀 더 싼 것을 사는 게 어때요?

W: 좋아요. 그럼 이걸로 사요.

1·2등급 확보 전략 1회

64~67쪽

| 1 ③ | 2 ④ | 3 ⑤ | 4 ④ | 5 ② | 6 ① | 7 ② | 8 ① | 9 ② | 10 ① | 11 ② | 12 ③ |

1 대화를 듣고, 여자가 농구를 보러 가지 못한 이유를 고르시오. 답 ❸ 딸을 돌보아야 했기 때문에

M: Hi, Charlotte. How was the basketball game last night?

W: Well, unfortunately, I couldn't go.

M: Oh, no! What happened? Were the tickets sold out?
　　　　　　　　　　　　　　　sold out: 매진된
　　　　　　　　　　　　오답 ②를 유도하는 표현

W: No, I bought a ticket in advance.
　　　　　　　　in advance: 미리

M: I'm not surprised. I know they're your favorite team.

W: Yeah. I even changed my work schedule to go to the game.

M: But you couldn't go. Why not?

W: Well, I had to take care of my daughter unexpectedly.
　　　　　　　　take care of: ～을 돌보다

M: 안녕하세요, Charlotte. 어젯밤 농구 시합은 어땠어요?

W: 음, 아쉽게도 가지 못했어요.

M: 저런! 무슨 일이 있었어요? 표가 매진되었어요?

W: 아니요. 표는 미리 샀어요.

M: 놀랍지도 않군요. 제가 알기로는 그들은 당신이 가장 좋아하는 팀이잖아요.

W: 그래요. 저는 심지어 그 시합을 보러 가려고 업무 일정까지 바꾸었어요.

M: 그렇지만 갈 수 없었군요. 왜 가지 못했나요?

M: Doesn't your husband usually watch her on weekdays?
on weekdays: 평일에

W: He does. But suddenly he had to go on a business trip yesterday, so I
오답 ⑤를 유도하는 표현
had to take care of her.

M: That's too bad. Well, there's always next time.

정답 전략 여자는 남편의 갑작스러운 출장으로 아이를 돌보아야 해서 농구 시합을 관람하지 못했다.

Words unfortunately 불행히도   unexpectedly 예상외로

2 대화를 듣고, 남자의 의견으로 가장 적절한 것을 고르시오. **답 ❹** 교실 공기의 질 개선을 위해 공기 청정기를 설치해야 한다.

W: It's too stuffy in the classroom.

M: It really is. I think the air quality has gone bad since we turned on the
turn on: (전기 등을) 켜다
heating.

W: Yeah. We didn't have such a problem during the fall.

M: It's a problem. Our chances to catch a cold increase when breathing in
catch a cold: 감기에 걸리다
dry and dirty air.

W: What about opening the window more often?
오답 ①을 유도하는 표현으로, 여자가 제시한 의견이다

M: I doubt it'll work. It's too cold these days, so if we open the window,
work는 이 문장에서 동사로 '(원하는) 효과가 나다'의 의미를 지닌 다의어이다.
somebody will close it immediately.

W: You may be right, but we can persuade our classmates.
오답 ③을 유도하는 표현

M: Well, the air is not very clean outside. On some days, the concentration
오답 ⑤를 유도하는 표현
of fine dust is dangerously high.

W: Hmm .... Maybe you have some other good ideas.

조동사 수동태: should+be+과거분사
M: Yeah. I think air purifiers should be installed in the classroom.
여러 가지 상황을 고려하여 남자가 제시한 최종 의견이다.

W: But it'll cost money to buy them and pay for the electricity bills.
오답 ②를 유도하는 표현

M: It's worth the money, I believe. We can stay healthier and study better.

정답 전략 남자는 교실 공기의 질 개선을 위해 공기 청정기를 설치하자고 했고 여자는 비용이 든다고 했으나, 남자는 그럴만한 가치가 있다고 했다.

Words stuffy (환기가 안 되어) 답답한   concentration 농도   air purifier 공기 청정기

3 대화를 듣고, 두 사람의 관계를 가장 잘 나타낸 것을 고르시오. **답 ❺** 자동차 정비사 – 자동차 주인

M: Hello, Ms. Green. How are you?

W: Hi, Mr. Johnson. I'm here to pick up my car.
여자는 자기 차를 가지러 왔다.

M: Okay. Come with me. [Pause] Here's your car.

W: It looks like a new one.
look like+명사(구): ~인 것처럼 보이다

M: I fixed and repainted the scratched part.
남자는 차를 수리하는 사람인 것 같다.

W: This is already the third time I visited here for the same kind of mistake.
said와 you 사이에 명사절을 이끄는 접속사 that이 생략되었다.

M: You said you bumped your car while you were parking, right?
여자는 주차하면서 자기 차를 부딪쳤다.

W: Yes. I've driven my car for a year, but I still have some difficulties with
parking.

W: 음, 예상치 못하게 딸을 돌보아야 했어요.

M: 평일에는 남편께서 보통 딸을 돌보시지 않나요?

W: 그렇지요. 그런데 어제는 갑자기 남편이 출장을 가야 해서 제가 딸을 돌보아야 했어요.

M: 참 안됐군요. 음, 늘 다음번이 있지요.

W: 교실이 너무 답답해.

M: 정말 그래. 난방을 켠 이후로 공기 질이 나빠진 것 같아.

W: 그래. 가을에는 그런 문제가 없었는데.

M: 그게 문제야. 우리의 감기 걸릴 확률은 건조하고 더러운 공기를 마실 때 증가해.

W: 창문을 좀 더 자주 여는 건 어떨까?

M: 잘 될 것 같지 않아. 요즘 날씨가 너무 추워서 창문을 열면 누군가가 바로 닫을 거야.

W: 네 말이 맞을지도 모르지만, 우리는 우리 반 친구들을 설득할 수 있어.

M: 글쎄, 바깥 공기는 그렇게 깨끗하지 않아. 어떤 날에는, 미세 먼지 농도가 위험할 정도로 높아.

W: 음… 아마 다른 좋은 생각이 있을 거야.

M: 그래. 나는 교실에 공기 청정기를 설치해야 한다고 생각해.

W: 하지만 그것들을 사고 전기세를 내려면 돈이 들 거야.

M: 그 돈의 가치가 있다고 믿어. 우리는 더 건강하게 지내고 공부를 더 잘 할 수 있잖아.

M: 안녕하세요, Green 씨. 어떻게 지내세요?

W: 안녕하세요, Johnson 씨. 차를 가지러 왔어요.

M: 네. 저와 함께 가시죠. [잠시 후] 여기 손님의 차예요.

W: 새 것 같아요.

M: 긁힌 부분을 고치고 칠을 다시 했어요.

W: 같은 종류의 실수를 해서 여기 방문한 것이 벌써 세 번째예요.

M: 주차하다가 차를 부딪쳤다고 했죠, 맞아요?

W: 네. 1년간 운전했는데 주차하는 데 여전히 어려움이 있어요.

M: You might want to find someone to help you practice parking.
└ help는 목적격 보어로 동사원형(practice)과
to부정사(to practice)를 모두 쓸 수 있다.

W: I guess so. Thanks for your suggestion.

┌ 남자는 수리비 청구서를 여자에게 준다.
M: No problem. Here's the repair bill for today.

┌ 여자는 신용카드로 지불할 예정이다.
W: Okay. I'll pay by credit card.

정답 전략 여자는 차를 가지러 와서 수리비를 신용카드로 지불하려고 하며, 남자는 차를 수리하는 사람이고, 수리비 청구서를 여자에게 주고 있다. 따라서 남자는 자동차 정비사이고 여자는 자동차 주인임을 알 수 있다.

Words   scratch 긁다   bump 부딪치다   park 주차하다   repair bill 수리비

4 대화를 듣고, 남자가 할 일로 가장 적절한 것을 고르시오. **답 ④** 할인 행사용 도서 진열하기

W: Mr. Johnson, how are the Children's Book Week preparations going?

M: They're going well. For the signing events, I've already contacted the
선택지 ③의 내용으로 이미 남자가 한 일이다.
authors.

W: That's great. Did you finish the advertising preparations I asked for?

┌ 이어동사(동사+부사)의 목적어가 대명사일 때 「동사+대명사+
M: Yes. I made fliers for the events and printed them out.   부사」의 순으로 쓴다.
선택지 ①의 내용으로 이미 남자가 한 일이다.

W: Great. I also think sending text messages to our members will help.
think와 sending 사이에 명사절을 이끄는 접속사 that이 생략되었다.

M: No worries. I've done that, too.
선택지 ⑤의 내용으로 이미 남자가 한 일이다.

W: Okay. Do you remember the discount event? If customers buy one
book, they get another for 50% off.
'50%를 할인하여'의 의미이다.

M: Yes, I do. You said you would decide which books would be part of the
event.

W: Right. Here's the list of the books. The next step is displaying them for
the discount event. Would you like to do that?
┌ it은 The next step is displaying them for the discount event.를
M: No problem. I'll do it. 가리키므로 앞으로 남자가 할 일임을 알 수 있다.
┌ 선택지 ②의 내용이지만, 남자가 아니라 여자가 할 일이다.
W: Thanks. Then I'll order some gifts for the events.

정답 전략 남자는 저자 사인회를 위한 연락, 홍보 전단 인쇄, 홍보 문자 메시지 보내기 등을 다 마쳤으며, 후반부에서 여자가 책을 진열하는 일을 부탁하자 그것도 하겠다고 대답했다.

Words   signing event 사인회   contact 연락하다   advertising preparation 홍보(광고) 준비

5 대화를 듣고, 두 사람의 관계를 가장 잘 나타낸 것을 고르시오. **답 ②** 영양 교사 – 학생회장

W: Ryan, hi. Come on in.

M: Good morning, Ms. Brown. Have you read the survey results that I gave
you?

W: Yes. But the thing is, I did a similar survey this spring and the results
the thing is: 실은(중요한 사실이나 이유를 언급할 때)
were somewhat different.

M: Really? Different how?

W: According to your survey, students want more meat on their lunch
according to: ~에 따르면
menu but my survey shows they want more greens.

M: I wonder why we got different results.

M: 주차 연습을 도와줄 사람을 찾고 싶을지도 모르겠어요.

W: 그런 것 같아요. 제안해 주셔서 감사합니다.

M: 천만에요. 오늘 수리비 청구서 여기 있습니다.

W: 네. 신용카드로 지불할게요.

W: Johnson 씨, 아동 도서 주간 준비는 어떻게 되어 가고 있어요?

M: 잘 되어 갑니다. 사인회를 위해서 이미 저자들과 연락했습니다.

W: 훌륭하군요. 제가 요청한 홍보 준비도 마쳤어요?

M: 네. 그 행사를 위한 전단을 만들어서 인쇄했습니다.

W: 좋아요. 우리 회원들께 문자 메시지를 보내는 것도 도움이 될 것 같아요.

M: 걱정하지 마세요. 그것도 했습니다.

W: 좋아요. 할인 행사 기억하세요? 고객들이 책 한 권을 사면 다른 책은 50% 할인하여 사는 행사 말이에요.

M: 네, 기억합니다. 당신은 어느 책이 그 행사의 일부가 될지 결정하겠다고 하셨지요.

W: 맞아요. 여기 그 책들의 목록이 있어요. 다음 단계는 할인 행사를 위하여 그것들을 진열하는 일이에요. 그 일도 해 주겠어요?

M: 물론입니다. 제가 하겠습니다.

W: 고마워요. 그러면 저는 그 행사를 위한 선물 몇 가지를 주문할게요.

W: Ryan, 안녕. 어서 들어와.

M: 안녕하세요, Brown 선생님. 제가 드린 설문조사 결과 읽어 보셨어요?

W: 그래. 하지만 실은 이번 봄에 비슷한 조사를 했는데 결과가 좀 달랐어.

M: 정말요? 어떻게 다른가요?

W: 네 조사에 따르면, 학생들은 점심 메뉴에 더 많은 고기를 원하지만, 내 조사에서는 그들이 더 많은 채소를 원한다는 것을 보여 줘.

M: 저희가 왜 다른 결과를 얻었는지 궁금하네요.

W: I think it's because your survey didn't include the third graders.

M: I thought it'd be better not to include them since they're graduating soon.

여기서 since는 이유를 나타내는 접속사이다.
it은 가주어이고, not to include them이 진주어이다. to부정사의 부정형은 to 앞에 not을 쓴다.

W: That makes sense. I'll take your survey results into consideration when I plan next month's menu.

take ~ into consideration: ~를 고려하다, 참작하다
when 이하의 부사절의 내용으로 보아, 여자의 직업을 짐작해 볼 수 있다.

M: Thank you. Also, can I conduct a survey for the school menu regularly? As the student president, I'd like to keep my campaign promise.

남자는 본인의 신분(학생회장)을 밝히면서 선거 공약을 지키고 싶다고 말한다.

W: Of course. That'll be helpful.

© Monkey Business Images / shutterstock

[정답 전략] 학교 점심 메뉴에 대한 설문 조사 결과를 이야기하는 대화로, 여자는 메뉴를 계획하는 사람이므로 '영양 교사'이고, 남자는 학생들의 의견을 전달하고 있으므로 '학생회장'임을 알 수 있다.

Words　survey 설문조사　grader 학년생　conduct (특정한 활동을) 하다

W: 내 생각에는 네 설문조사가 3학년 학생들을 포함하지 않았기 때문인 것 같아.

M: 그들은 곧 졸업하니까 포함하지 않는 게 좋을 것 같아서요.

W: 일리가 있네. 다음 달 메뉴를 계획할 때 네 설문조사 결과를 고려할게.

M: 감사합니다. 그리고 학교 메뉴에 대한 설문조사를 정기적으로 할 수 있나요? 학생회장으로서, 저는 선거 공약을 지키고 싶어요.

W: 물론이지. 그게 도움이 될 거야.

---

6 대화를 듣고, 남자가 Mark를 위해 할 일로 가장 적절한 것을 고르시오. [답] **①** 숙소 알아보기

M: Honey, do you remember my friend Mark?

W: Yeah, sure. Does he still live in Busan?

M: Yes, he does. We talked on the phone yesterday. He says he has a job interview next week in Seoul.

오답 ④를 유도하기 위한 표현이다.

W: Good. Perhaps you two can meet up for old time's sake.

for old time's sake: 옛날을 생각하며
meet up: (약속을 하여) 만나다

M: Actually, there is one thing I need to talk to you about. He was asking if he could sleep over at our house before the interview.

명사절을 이끄는 접속사
남자의 친구인 Mark가 남자의 집에서 머무를 수 있냐고 물어보았다.
sleep over: (남의 집에서) 자고 가다

W: I guess he couldn't find a room at a hotel.

M: Right. He says the hotels downtown are fully booked for that night due to the city festival.

오답 ⑤를 유도하기 위한 표현이다.
due to+명사(구): ~때문에

W: I see. When does he want to sleep over?

M: Next Friday. The job interview is on Saturday.

W: I'm afraid it won't work. My parents are coming over next Thursday and staying with us through the weekend. Don't you remember?

come over: (누구의 집에) 들르다
여자의 부모님의 방문 일정과 겹쳐서 Mark의 부탁을 들어주기 힘든 상황이다.

M: Oh, I almost forgot. I'm the one who bought the train tickets for them. Then I should look up a place where Mark can stay.

오답 ②를 유도하기 위한 표현이다.
남자의 할 일: Mark가 대신 머무를 수 있는 곳을 알아보려고 한다.

W: You do that. He'd be grateful that you helped.

[정답 전략] 남자는 친구인 Mark가 면접을 보기 위해 서울에 올 때 그들의 집에서 머무를 수 있는지 여자에게 의논하고 있다. 그 날은 여자의 부모님 방문 일정이 먼저 잡혀 있어서 남자는 대신 Mark가 머무를 숙소를 알아보기로 했다.

Words　look up 찾아 보다　grateful 감사하는

M: 여보, 내 친구 Mark 기억나요?

W: 네, 물론이죠. 그는 아직도 부산에 살고 있나요?

M: 네, 그래요. 우리는 어제 전화 통화를 했어요. 그는 다음 주에 서울에서 취업 면접이 있다고 해요.

W: 좋네요. 옛날을 생각하며 둘이 만날 수 있겠어요.

M: 실은, 당신한테 얘기할 게 한 가지 있어요. 그는 면접 전에 우리 집에서 자고 가도 되냐고 물었어요.

W: 호텔에 방을 못 구했나 보네요.

M: 맞아요. 그는 시내 호텔들이 도시 축제 때문에 그날 밤 예약이 꽉 찼다고 말하네요.

W: 그렇군요. 그는 언제 자고 가고 싶어 해요?

M: 다음 주 금요일이요. 면접이 토요일에 있어요.

W: 안될 것 같은데요. 우리 부모님이 다음 주 목요일에 오셔서 주말 동안 우리와 함께 계실 거잖아요. 기억 안 나요?

M: 아, 잊을 뻔 했네요. 내가 그분들을 위해 기차표를 산 사람인데요. 그럼 Mark가 머무를 수 있는 곳을 찾아봐야겠네요.

W: 그렇게 하세요. 그는 당신이 도와주면 고마워할 거예요.

---

7 대화를 듣고, 두 사람이 하는 말의 주제로 가장 적절한 것을 고르시오. [답] **②** 장난감 대여 서비스 이용의 장점

M: Honey, Jonathan looks bored with his toys. I think he needs some new ones.

look+형용사: ~해 보이다

M: 여보, Jonathan이 자기 장난감에 싫증이 난 것 같군요. 아이에게 새 장난감이 좀 필요할 것 같아요.

W: I agree. He's five, but his toys are for younger children.
　　오답 ⑤를 유도하기 위한 표현이다.

M: Why don't we try a toy rental service instead of buying toys?
　　두 사람이 대화를 나눌 소재이다. instead of: ~ 대신에

W: How does it work?

M: You pay a small monthly fee and take any toys you want. Then, you
　　　　　　　　　　　　　　　　　　toys와 you 사이에 목적격 관계대명사
return them later.　　　　　　　that(which)가 생략되어 있다.

W: Sounds good. That way, we could get Jonathan various new toys
　　　　　　　　　　　장난감 대여 서비스의 장점 1
without paying much.
　　┌ 주어로 쓰인 동명사(구)는 단수 취급하므로 동사도 단수 동사로 쓴다.

M: Besides, renting toys saves space in our house since we won't store his
　　　　　장난감 대여 서비스의 장점 2
old toys anymore.

W: Wonderful. I guess it's also good for the environment.
　　　　　　　　　　오답 ③을 유도하기 위한 표현이다.

M: What do you mean?

W: We could reduce waste by sharing one toy with other families instead of
　　　장난감 대여 서비스의 장점 3
every family buying the same one.

M: Good point.
　　┌ 주어로 쓰인 동명사(구)는 단수 취급하므로 동사도 단수 동사로 쓴다.

W: Using this service seems like a good option. Let's try it.

정답 전략 부부가 아이에게 새 장난감을 사 주지 말고 대여 서비스를 이용하는 데 합의하면서, 장난감
대여 서비스의 여러 장점을 이야기하는 상황이다.

Words　rental 대여　rent (사용료를 내고) 빌리다　store 보관하다

---

8 대화를 듣고, 여자의 의견으로 가장 적절한 것을 고르시오. 답 ① 불필요한 쓰레기를 줄이기 위해 과도한 포장을 지양해야 한다.

W: Hey, Connor. What are you doing with all of these gift boxes?

M: Mom, I'm wrapping a scarf for Grandma. You know, her birthday is in a
week.

W: Great. But do you really need these three boxes for just one scarf?
　　이 문장에 이미 남자의 행동에 대한 여자의 부정적인 생각이 드러나 있다.

M: Yes. The boxes are all different sizes, and I'll put
each one inside the other.

W: Well, don't you feel bad about wasting all of those boxes?
　　여자는 남자가 상자들을 낭비하고 있다고 생각한다.

M: What do you mean? I just wanted the gift to look fancy and interesting.
　　　　　　　　　　　　　　　　　┌ end up -ing: 결국 ~이 되다
W: I understand. However, the boxes will end up being thrown away, right?
　　　　　　　　　　　　　　여자는 상자들이 결국 한 번만 쓰고 버려진다고 말한다.
M: So, you mean it's overpackaging? Oh, I didn't know I was wasting boxes.
　　　　　　　　　　　　　　　┌ avoid의 목적어로 동명사가 온다.
W: Yeah. I think we should avoid overpackaging to reduce unnecessary
　　　여자의 생각과 의견이 가장 잘 드러나는 문장이다.
waste.

M: You're right. I'll use one box for now and save the others for later.
　　　　　　　　　　　┌ no matter how: 어떻게 ~하더라도, 아무리 ~해도
W: Good idea. No matter how it looks, Grandma will love your gift.

정답 전략 여자는 불필요한 낭비를 줄이기 위해 과대 포장을 피해야 한다고 했다.

Words　wrap 포장하다　fancy 화려한, 고급의　save 남겨 두다　overpackage 과대 포장하다

W: 같은 생각이에요. 그 애는 다섯 살인데 장난감은 더 어린 아이용이에요.

M: 장난감을 사는 대신에, 장난감 대여 서비스를 이용해 보면 어때요?

W: 그건 어떻게 운영돼요?

M: 월 이용료를 조금씩 내고 원하는 장난감을 어느 것이나 가져가는 거죠. 그런 다음 나중에 돌려주는 거예요.

W: 좋은데요. 그렇게 하면 돈을 많이 내지 않고도 Jonathan에게 다양한 새 장난감을 구해 줄 수 있겠어요.

M: 게다가 장난감을 대여하면, 오래된 장난감을 더 이상 보관하지 않을 테니까 우리 집의 공간을 절약해 주지요.

W: 멋져요. 그것은 환경에도 좋을 것 같아요.

M: 무슨 뜻이에요?

W: 모든 가정이 똑같은 장난감을 사는 대신 장난감 하나를 다른 가정과 나누어 씀으로써 쓰레기를 줄일 수 있을 거예요.

M: 좋은 지적이군요.

W: 이 서비스를 이용하는 것은 좋은 선택처럼 보여요. 그렇게 해 봐요.

W: 얘, Connor야. 이 모든 선물 상자들로 무얼 하고 있니?

M: 엄마, 할머니께 드릴 스카프를 포장하고 있어요. 아시다시피, 할머니 생신이 일주일 후잖아요.

W: 훌륭하구나. 그런데 단 한 개의 스카프에 이 세 개의 상자들이 꼭 필요하니?

M: 네. 상자들의 크기가 모두 다르고, 각 상자를 다른 상자 속에 넣을 거예요.

W: 음, 그 상자들을 모두 낭비하는 것에 대해 기분이 언짢지는 않니?

M: 무슨 말씀이세요? 저는 단지 선물이 화려하고 흥미로워 보이기를 원했을 뿐이에요.

W: 이해해. 하지만 그 상자들은 결국 버려질 거잖아, 그렇지?

M: 그럼, 이게 과대 포장이라는 말씀이신가요? 아, 제가 상자들을 낭비하는 줄은 몰랐어요.

W: 그래. 불필요한 낭비를 줄이기 위해 우리는 과대 포장을 피해야 한다고 생각해.

M: 엄마 말이 맞아요. 상자 한 개는 지금 사용하고 나머지는 나중을 위해 남겨 둘게요.

W: 좋은 생각이야. 겉모습이 어떻든지, 할머니는 네 선물을 아주 좋아하실 거야.

9 대화를 듣고, 여자가 <u>다른 주문처</u>를 찾고 있는 이유를 고르시오. 답 ❷ 더 빠른 배송을 원해서

M: Ms. White, what are you doing on the Internet?

W: Oh, Mr. Brown. I'm looking for a store to order some file folders for my class.

M: Oh, I thought you already ordered them, didn't you?

W: Actually, I didn't. I thought I had found the right store, but now I changed my mind.
┌ change one's mind: 생각을 바꾸다
that은 선행사가 store인 주격 관계대명사이다.
이 문장에서는 형용사로 '제대로 된'의 의미로 쓰였다.

M: Did you find a store that offers lower prices?
오답 ③을 유도하는 표현이다.

W: No. The store I found was the cheapest and even had free delivery.
오답 ④를 유도하는 표현이다.

M: Then, were the file folders sold out?

W: No. They have plenty in stock.
in stock: 재고로, 비축되어

M: If so, why are you still searching for another store?

W: Because their scheduled delivery will take too long. I need the folders tomorrow.
진짜 이유는 주로 대화의 후반부에 나옴에 유의한다. 여자는 서류철이 내일 당장 필요해서 더 빠른 배송을 해주는 가게를 찾고 있음을 알 수 있다.

M: I see. So, you're looking for a store with faster delivery, right?
여자가 다른 주문처를 찾는 이유를 다시 정리해준다.

W: Yes. The sooner, the better!
the+비교급, the+비교급: ~할수록 …하다

정답 전략 여자는 서류철이 내일 당장 필요해서 더 빠른 배송을 해 주는 곳을 찾고 있었다.

Words plenty 충분한, 많은 scheduled 예정된

M: White 씨, 인터넷에서 뭐하고 계세요?

W: 아, Brown 씨. 제 수업을 위해 서류철을 주문하려고 가게를 찾고 있어요.

M: 아, 이미 주문하신 줄 알았는데, 안 그래요?

W: 실은, 안 그랬어요. 제대로 된 가게를 찾았다고 생각했는데, 지금 생각이 바뀌었어요.

M: 좀 더 싸게 파는 가게를 찾았나요?

W: 아니요. 제가 찾은 가게가 가장 싸고 심지어 무료 배송까지 했어요.

M: 그럼 서류철이 다 팔렸나요?

W: 아니요. 재고가 많아요.

M: 그렇다면, 왜 아직도 다른 가게를 찾고 있는 거예요?

W: 배송 예정 시간이 너무 오래 걸리기 때문이에요. 서류철이 내일 필요하거든요.

M: 그렇군요. 그럼, 더 빠른 배송이 가능한 가게를 찾고 계신 거군요, 그렇죠?

W: 네. 빠르면 빠를수록 좋아요!

10 대화를 듣고, 두 사람의 관계를 가장 잘 나타낸 것을 고르시오. 답 ❶ 꽃꽂이 강사 – 수강생

M: Hi, Sofia. What did you do with the bouquet you made last Friday?
bouquet와 you 사이에 목적격 관계대명사 which나 that이 생략되었다.

W: Hi, Brandon. I had it delivered to my friend. She was really happy to get it.
it은 the bouquet로, have의 목적어인 it이 수동적으로 어떤 대상이 되므로 목적격 보어로 과거분사가 왔다.

M: Did you tell her you made it yourself?
꽃다발을 여자가 직접 만들었다는 정보이다.

W: Yes. I also told her that I made it in your class. She said she'd like to learn from you, too.
your class라고 말한 것으로 보아, 남자는 꽃꽂이 강사인 듯하다.
learn from you의 언급으로 보아, 남자는 꽃꽂이 강사임이 틀림없다.

M: I'm glad to hear that. Why don't you invite her to join my class sometime?

W: Yeah, I suggested signing up for the next one-day class together.
┌ sign up: 등록하다
친구와 같이 등록하라고 제안한 것으로 보아, 여자는 꽃꽂이반 수강생이다.

M: Good. You will get to spend quality time together.
get+to부정사: ~할 수 있다, ~하게 되다

W: I think so, too. I'll let her know how to register.
┌ how+to부정사: ~하는 방법, 어떻게 ~하는지

M: Thank you. Today you'll learn how to arrange spring flowers in a vase. Look here. I've made this one in advance.
오늘 꽃꽂이 수업 내용이다. 이를 통해 두 사람의 관계가 꽃꽂이 강사와 수강생임을 다시 한번 확인할 수 있다.

W: Wow, it looks gorgeous. I can't wait to make one myself.
I can't wait +to부정사: 어서 빨리 ~하고 싶어 하다, 기다릴 수 없다

M: Okay. Shall we get started?

정답 전략 여자는 남자가 강의하는 수업에서 꽃다발을 만들었으므로, 두 사람은 '꽃꽂이 강사 – 수강생' 관계이다.

M: 안녕하세요, Sofia. 지난 금요일에 당신이 만든 꽃다발은 어떻게 했어요?

W: 안녕하세요, Brandon. 저는 그것을 친구에게 배달시켰어요. 그녀는 그것을 받아서 정말 기뻐했죠.

M: 당신이 직접 만들었다고 말했어요?

W: 네. 그리고 선생님 수업 시간에 제가 만들었다고 말했어요. 그녀도 당신에게 배우고 싶다고 했어요.

M: 그 말을 들으니 기쁘네요. 언제 우리 반에 그녀를 초대하는 게 어때요?

W: 네, 다음 일일 수업에 같이 등록하자고 제안했어요.

M: 좋아요. 귀중한 시간을 함께 보낼 수 있을 거예요.

W: 저도 그렇게 생각해요. 그녀에게 등록하는 방법을 알려 줄게요.

M: 감사합니다. 오늘은 꽃병에 봄꽃을 꽂는 방법을 배울 거예요. 여기 보세요. 제가 이것을 미리 만들어 놨어요.

W: 와, 아주 멋져 보여요. 빨리 직접 만들어 보고 싶어요.

M: 좋아요. 그럼 시작할까요?

11 대화를 듣고 남자가 화상 회의에 참석하지 <u>못한</u> 이유를 고르시오. 답 ❷ 휴대 전화가 고장 나서

M: Hey, Diane. I'm sorry I couldn't attend the video conference this morning.

W: That's okay. I just assumed you <u>were occupied with</u> **something important**.
┌ be occupied with: ~로 바쁘다
오답 ⑤를 유도하는 표현이다.   -thing으로 끝나는 대명사는 형용사가 뒤에서 수식한다.

M: Not exactly. I was on <u>the train coming</u> back from my business trip.
train과 coming 사이에 that(which) was가 생략되어 있다.

W: Oh, I guess you had a problem accessing the Internet on the train.
오답 ④를 유도하는 표현이다.

M: No, the Internet was fine and the train had wifi.

W: Then, were you too busy and <u>lost track of time</u>?
┌ lose track of time: 시간이 가는 것을 잊다
오답 ①을 유도하는 표현이다.

M: No. When I took out my phone to join, the person next to me hit my hand with his bag.
기차 안에서 화상 회의를 하기 위해 휴대 전화를 꺼낸 순간부터 일어난 일을 말하고 있다.

W: Oh, no! Did you drop your phone?
뭔가 안 좋은 일에 대한 예감의 말이다.

M: Yes. The screen totally cracked, and my phone wasn't working anymore.
휴대 전화가 떨어져서 생긴 문제를 말하고 있다. → 휴대 전화 고장으로 화상 회의에 참여할 수 없었다.

W: I'm so sorry to hear that.

M: So, there was no <u>way</u> I could join the conference.
way와 I 사이에 관계부사 how가 생략되었다.

W: I understand. I'll share the details of the morning conference later.

정답 전략   남자는 출장에서 돌아오는 기차 안에서 휴대 전화를 바닥에 떨어뜨렸고, 전화기가 완전히 깨져서 화상 회의에 참여할 수 없었다.

Words   conference 회의   assume 추정하다   access 접속하다   crack 금이 가다

12 대화를 듣고, 여자가 할 일로 가장 적절한 것을 고르시오. 답 ❸ 배우들 분장하기

[Cell phone rings.]

M: Tammy, what's up?

W: Hi, Billy. How's the semester going?

M: I'm so busy preparing for the play.
남자의 현재 상황이다.

W: That's right. You're producing a play for the autumn festival. How's it going?
남자는 가을 축제에서 연극 연출을 맡고 있다. 오답 ④를 유도하는 표현이다.

M: Pretty well. The first performance is in three weeks.

W: Great. Is everything ready?

M: Not yet. We're still making the stage background. Students from the school art club are helping us.
연극 준비 팀에서 하고 있는 일로, 오답 ⑤를 유도하는 표현이다.

W: I see. Anything I can help with? I can <u>put up</u> posters.
┌ put up: 붙이다, 게시하다
오답 ②를 유도하는 표현이다.

M: Thank you. But we've already put them up.
남자가 포스터를 이미 다 붙였다고 말하고 있으므로, 여자가 할 일이 아님을 알 수 있다.

W: <u>I wish I could help</u> with something.
I wish+주어+동사의 과거형: ~하면 좋을 텐데(현재 사실에 대한 아쉬움)

M: Well, we need someone to do the make-up for the actors. Didn't you <u>take a course</u> on that before?
남자는 배우들 분장하는 일을 할 사람이 필요하다고 말하고 있다.
take a course: 수강하다

M: 안녕, Diane. 오늘 아침 화상 회의에 참석하지 못해 죄송합니다.

W: 괜찮아요. 그저 중요한 일 때문에 바쁘신 줄 알았어요.

M: 그렇진 않았어요. 저는 출장에서 돌아오는 기차에 타고 있었어요.

W: 아, 기차에서 인터넷에 접속하는 데 문제가 있었나 보군요.

M: 아니요, 인터넷은 괜찮았고 기차에는 와이파이가 있었어요.

W: 그럼 너무 바빠서 시간 가는 줄 몰랐어요?

M: 아니요. 참석하려고 휴대 전화를 꺼냈을 때, 제 옆 사람이 그의 가방으로 제 손을 쳤어요.

W: 아, 안 돼! 전화기를 떨어뜨렸나요?

M: 네. 화면이 완전히 깨져서 제 휴대 전화가 더 이상 작동하지 않았어요.

W: 정말 안됐군요.

M: 그래서 제가 회의에 참석할 방법이 없었어요.

W: 이해합니다. 나중에 아침 회의의 세부 사항을 말해 줄게요.

[휴대 전화가 울린다.]

M: Tammy, 무슨 일이니?

W: 안녕, Billy. 학기는 어때?

M: 난 연극 준비로 너무 바빠.

W: 맞아. 가을 축제에서 네가 연극을 연출할 거지. 어떻게 되어 가니?

M: 꽤 잘 되고 있어. 3주 있으면 첫 공연이야.

W: 훌륭해. 모든 것이 준비되었니?

M: 아직은 아니야. 우리는 아직 무대 배경을 만들고 있어. 학교 미술부 학생들이 우리를 도와주고 있지.

W: 그렇구나. 내가 도와 줄 일이 있니? 포스터를 붙일 수 있어.

M: 고마워. 하지만 우린 이미 그것을 다 붙였어.

W: 내가 무언가 도와줄 수 있으면 좋겠는데.

M: 음. 우린 배우들을 위해 분장을 해 줄 사람이 필요한데. 네가 전에 그 과정을 수강하지 않았니?

W: 맞아. 그랬어. [잠시 후] 좋아, 내가 배우들을 위해 분장을 해 줄게.

M: 고마워. 진심으로 감사해.

W: Yes, I did. [Pause] Okay, I'll do the make-up for the actors.

┌ do the make-up: 분장하다, 화장하다

여자는 남자의 제안(배우들 분장하기)을 흔쾌히 허락한다.

M: Thanks. I appreciate it.

정답 전략 남자는 여자에게 배우들의 분장을 해 달라고 부탁했고 여자가 승낙했다.

Words semester 학기 background 배경 appreciate 감사하다

1·2등급 확보 전략 2회

68~71쪽

| 1 ④ | 2 ⑤ | 3 ③ | 4 ③ | 5 ② | 6 ④ | 7 ④ | 8 ④ | 9 ④ | 10 ③ | 11 ④ | 12 ⑤ |

1 대화를 듣고, 여자가 지불할 금액을 고르시오. 답 ④ $75

M: Hello. May I help you?

W: Yes. I need a badminton racket for my son.

He's starting lessons next week.

© Anton Starikov / shutterstock

M: How old is your son?

W: Seven. What's a good one?

M: How about this one? It's only $20 and perfect for children that age.

사고자 하는 아동용 배드민턴 라켓 가격이므로 잘 메모해 둔다.

W: Okay. I'll take it.

20달러짜리 1개면 20달러이다.   *┌ in case: ~할 경우를 대비해서*

M: What about rackets for adults in case you want to play with your son?

남자는 여자에게 성인용 라켓을 권하고 있다.

W: Oh, that's a great idea.

M: I recommend these two. This is $30 and the other is $55. But the $55

둘 중에 나머지 하나를 가리킨다.

racket is much lighter.

much, still, even, far, a lot은 '훨씬, 더욱'이라는 뜻으로 비교급을 강조한다.

W: I really like the lighter one, but it's a bit expensive.

여자는 가벼운 라켓을 사고 싶어 하지만, 다소 비싸 망설이고 있다.

M: Well, if you buy the lighter one, I can give you a dozen shuttlecocks

더 비싸지만 가벼운 제품으로 산다면, 10달러 상당의 12개 셔틀콕 세트를 무료로 준다는 제안이다.

worth $10 for free. You'll need shuttlecocks anyway.

W: That's a good deal. Then I'll get the lighter one.

M: Okay. So, the rackets for you and your son. And of course, the free

중간에 대화를 놓치더라도, 대부분 마지막 부분에서 구매 물건을 한 번 더 정리해 주는 경우가 많다.

shuttlecocks.

W: Thank you. Here's my credit card.

정답 전략 여자는 자기 아들을 위해 20달러짜리 배드민턴 라켓을 사고, 자신이 쓸 55달러짜리 성인용 배드민턴 라켓을 사기로 했다. 셔틀콕은 무료로 제공된다고 했으므로, 총 금액은 75달러이다.

Words light 가벼운 dozen 12개

M: 안녕하세요. 도와드릴까요?

W: 네. 제 아들을 위한 배드민턴 라켓이 필요해요. 그는 다음 주에 수업을 시작할 겁니다.

M: 아드님이 몇 살이죠?

W: 일곱 살입니다. 무엇이 좋은 거죠?

M: 이건 어떠세요? 20달러밖에 안 하고 그 나이의 아이들에게는 안성맞춤입니다.

W: 알겠습니다. 그걸로 살게요.

M: 아드님과 경기하고 싶을 때를 대비해서 성인용 라켓은 어떠십니까?

W: 오, 그거 좋은 생각입니다.

M: 저는 이 두 가지를 추천합니다. 이것은 30달러이고 다른 것은 55달러입니다. 하지만 55달러짜리 라켓이 훨씬 더 가볍습니다.

W: 더 가벼운 것이 정말 마음에 드는데, 좀 비싸네요.

M: 음, 만약 더 가벼운 것을 사시면, 10달러 상당의 12개의 셔틀콕 세트를 공짜로 드릴 수 있습니다. 어차피 셔틀콕은 필요하실 거예요.

W: 좋은 거래네요. 그럼 더 가벼운 것으로 할게요.

M: 알겠습니다. 그럼, 손님과 아드님을 위한 라켓입니다. 그리고 물론 무료 셔틀콕도 있습니다.

W: 감사합니다. 여기 제 신용카드입니다

2 대화를 듣고, Digital Publishing Workshop에 관해 언급되지 않은 것을 고르시오. 답 ⑤ 준비물

[Cell phone rings.]

M: Hey, Charlotte. What's up?

┌ course와 called 사이에 that(which) is가 생략되어 있다.

W: Hi, Chris. I'm looking at information about an online course called

대화의 소재: '디지털 출판 워크숍'이라는 온라인 강좌

Digital Publishing Workshop. How about taking it with me?

M: Sounds interesting. Tell me more.

[휴대 전화가 울린다.]

M: 안녕, Charlotte. 무슨 일이야?

W: 안녕, Chris. '디지털 출판 워크숍'이라는 온라인 강좌에 관한 정보를 보고 있어. 나와 같이 수강하는 게 어때?

M: 흥미롭게 들리네. 더 말해봐.

W: 이 워크숍의 목적은 디지털 잡지 및 전자

W: The purpose of the workshop is ⌜to provide⌝ guidelines for publishing
    to부정사의 명사적 용법으로 보어로 사용되었다.
    선택지 ①의 근거
    digital magazines and ebooks. What do you think?

M: Actually, I've been dreaming about publishing my own ebooks. But, is it
    과거의 어느 때부터 현재까지 계속 꿈꿔오고 있는 상황이므로 현재완료 진행형으로 표현되었다.
    okay if I don't have any experience?

W: Of course. It's targeted at college students who're just starting out.
    선택지 ②의 근거

M: Great. Then when is the workshop?

W: It's held for three days from October 27th to 29th.
    선택지 ③의 근거

M: Excellent. Midterm exams will be over by then. Do we need to register?

W: Yes. We can do it online. There's a link to the registration page on our
    선택지 ④의 근거
    library's website.

M: Okay. Let's sign up.

정답 전략 디지털 출판 워크숍의 목적, 대상, 날짜, 등록 방법은 언급되었지만, 준비물은 언급되지 않았다.

Words publishing 출판 guideline 지침 register 등록하다 registration 등록

3 다음 표를 보면서 대화를 듣고, 남자가 주문할 자전거를 고르시오. 답 ③ Model C

M: Hey, Olivia. You know a lot about bicycles. Would you help me choose
    a lot은 '많이'의 의미로, 동사를   *5형식에서 help는 목적격 보어로*
    꾸며 주는 부사의 역할을 한다.   *동사원형(choose)과 to부정사(to*
    one from this list?   *choose)를 모두 쓸 수 있다.*

W: Sure. Let me see. [Pause] Oh, you're looking at bicycles for commuters.
    Well, I don't recommend the black one for your safety at night.
    검은색 제품에 해당하는 ①은 제외된다.

M: You're right. It won't be safe when it's dark. Then I'll go for the other
    colors.

W: Good idea. What's your budget?

M: I can spend up to $300. ⌜up to: ~까지⌝
    300달러가 넘는 제품에 해당하는 ⑤는 제외된다.

W: Okay. Now you need to choose a frame size.

M: Should I choose a medium-sized frame?

W: No. Because you're tall, you'll need a bigger one.
    사이즈가 medium 제품인 ②는 제외된다.

M: Okay. I'll get one of these then. Do you think I need a foldable bicycle?

W: Hmm, it depends on how often you use public transportation.
    depend on: ~에 달려 있다. ~에 의존하다

M: I rarely use public transportation, so I guess I don't need a foldable one.
    접이식은 필요하지 않다고 했으므로 ④는 제외된다.

W: Then, this model is the best choice for you.
    최종적으로 남는 제품은 ③이다.

M: Great. I'll order it now. Thanks.

정답 전략 여자와 남자는 대화를 통해 검은색이 아니고, 가격은 300달러 이하이며, 프레임은 중간보다 크고, 접이식이 아닌 자전거를 구입하기로 했다. 따라서 남자가 주문할 자전거는 ③이다.

Words commuter 통근자 budget 예산 foldable 접이식의, 접을 수 있는

4 대화를 듣고, 그림에서 대화의 내용과 일치하지 않는 것을 고르시오. 답 ③

W: Honey, today I went to the house we'll be moving in to. I really liked the
    move in: 이사를 들어가다

책 출판에 대한 지침을 제공하는 거야. 어떻게 생각해?

M: 사실, 나는 내 전자책을 출판하는 것을 꿈꿔 왔어. 그런데, 경험이 없어도 괜찮을까?

W: 물론이지. 그것은 이제 막 시작하는 대학생들을 대상으로 하고 있어.

M: 좋아. 그럼 워크숍은 언제야?

W: 10월 27일부터 29일까지 3일간 열려.

M: 잘됐다. 그때쯤이면 중간고사가 끝날 거야. 등록해야 하니?

W: 응. 우리는 그것을 온라인으로 할 수 있어. 우리 도서관 웹사이트에 등록 페이지 링크가 있어.

M: 좋아. 등록하자.

M: 이봐요, Olivia. 당신은 자전거에 대해 많이 알고 있죠. 이 목록에서 하나 고르는 것 좀 도와주겠어요?

W: 물론이죠. 어디 봐요. [잠시 후] 아, 통근자들을 위한 자전거를 보고 있군요. 그렇다면, 밤에 당신의 안전을 위해 검은색 자전거는 추천하지 않아요.

M: 맞아요. 검은색은 어두울 때는 안전하지 않을 거예요. 그럼 다른 색으로 할게요.

W: 좋은 생각이에요. 예산이 어떻게 되죠?

M: 300달러까지는 쓸 수 있어요.

W: 알겠어요. 이제 프레임 크기를 선택해야 해요.

M: 중간 크기의 프레임을 골라야 할까요?

W: 아니요. 당신은 키가 크니까 더 큰 것이 필요할 거예요.

M: 알겠어요. 그럼 이것들 중 하나로 해야겠군요. 접이식 자전거가 필요할까요?

W: 음, 그것은 대중교통을 얼마나 자주 이용하느냐에 달렸어요.

M: 저는 대중교통을 거의 이용하지 않아서, 접이식 자전거는 필요 없을 것 같아요.

W: 그렇다면, 이 모델이 당신을 위한 최선의 선택이에요.

M: 훌륭해요. 지금 그것을 주문할게요. 고마워요.

W: 여보, 오늘 우리가 이사할 집에 갔었어요. 욕실 수리한 게 정말 맘에 들었어요.

bathroom renovations.

M: Oh, really? Did you take a picture of the bathroom?
  take a picture of: ~의 사진을 찍다

W: Of course. Here it is. How's the plant in the corner? I bought it on the
  ①번 그림과의 일치 여부에 필요한 부분
  way to the house.

M: Excellent choice. The cabinet next to the clock is perfect for our family.
  ②번 그림과의 일치 여부에 필요한 부분

W: Yeah, it'll be useful for storing all of our towels.

M: You're right. And look at this round mirror over the bathroom sink. It's
  ③번 그림과의 일치 여부에 필요한 부분 → 거울의 모양은 사각형이다.
  very modern.

W: Yes. That's my favorite part. And I also like the two lights on the wall.
  ④번 그림과의 일치 여부에 필요한 부분

M: Me, too. Aren't they unique?

W: Absolutely. What do you think about the shower curtain with the heart
  ⑤번 그림과의 일치 여부에 필요한 부분
  pattern?

M: The kids will definitely love it.
  ┌ to move는 to부정사의 부사적 용법으로 감정을 나타내는 형용사를 수식한다.
W: I agree. I'm excited to move in to our new house this weekend.

정답 전략 욕실 세면대 위에 있는 거울은 원형이 아니라 사각형이다.

Words　renovation 수리, 수선　modern 현대적인　unique 독특한

5 대화를 듣고, 남자가 지불할 금액을 고르시오. 답 ❷ $130

W: Welcome to Vestian Electronics. How can I help you?

M: Hi. I need webcams for my son and daughter for their online classes.
  Which one would you recommend?

W: This one is really popular among youngsters. It has a great design and
  among: (셋 이상) ~중에서
  picture quality.

M: That model seems good. How much is it?
  ┌ on sale: ① 세일 중인 ② 판매 중인
W: The original price was $70, but it's on sale. It's $60 now.
  계산에 기초가 되는 가격인데, 할인 후의 가격이 나오므로 잘 메모해 둔다.
M: Nice! I'll take two.
  60달러짜리 2개이므로 120달러가 된다.
W: Anything else?

M: I also need a wireless speaker.

W: I recommend this one. The sound quality is good and it's only $20.
  무선 스피커의 기초 가격이니, 잘 메모해 둔다.
M: Perfect. Then I'll take that as well.
  as well: ~도
W: Do you also need two of these?
  혼동 요소로 무선 스피커 개수가 등장했다. 이에 대한 답을 근거로 무선 스피커 개수 파악을 정확히 해야 한다.
M: No. Just one is enough. I already have one speaker at home.
  20달러짜리 1개이므로 20달러가 추가로 든다.
W: Okay. Also, this week, we're having an autumn sales event. With any
  purchase of $100 or more, we're giving a $10 discount to customers.
  총 지불액이 100달러가 넘으면 10달러 할인을 해 주므로, 이를 잘 적용해서 계산해야 한다.
M: Great! Here's my credit card.

정답 전략 남자는 60달러짜리 웹 카메라 2개와 20달러짜리 스피커 1개를 샀으므로 총 140달러를
내야 하는데, 할인 판매 행사가 있어 10달러를 할인 받으므로 130달러를 내야 한다.

Words　youngster 청소년　wireless 무선의　purchase 구매

M: 오, 정말요? 욕실 사진을 찍었나요?

W: 물론이죠. 여기 있어요. 구석에 있는 식물은 어때요? 그 집에 가는 길에 그걸 샀어요.

M: 탁월한 선택이에요. 벽시계 옆의 수납장은 우리 가족에게 딱 알맞아요.

W: 그래요. 우리 수건 전부를 수납하는 데 유용할 거예요.

M: 당신 말이 맞아요. 그리고 세면대 위에 있는 이 원형 거울을 보세요. 매우 현대적이에요.

W: 그래요. 내가 제일 좋아하는 부분이에요. 그리고 벽에 있는 두 개의 조명도 마음에 들어요.

M: 나도 그래요. 독특하지 않나요?

W: 물론이죠. 하트무늬가 있는 샤워 커튼은 어떻게 생각하나요?

M: 아이들이 분명히 아주 좋아할 거예요.

W: 동의해요. 이번 주말에 우리 새집으로 이사하게 돼서 설레네요.

W: Vestian Electronics에 오신 것을 환영합니다. 무엇을 도와드릴까요?

M: 안녕하세요. 저는 제 아들과 딸이 온라인 수업에 쓸 웹 카메라가 필요합니다. 어떤 것을 추천하시겠어요?

W: 이것이 청소년들 사이에서 매우 인기가 있습니다. 디자인과 화질이 정말 좋거든요.

M: 그 모델이 좋아 보이네요. 얼마인가요?

W: 원래 가격은 70달러였습니다만, 할인 판매 중입니다. 지금은 60달러입니다.

M: 잘됐네요! 두 개 살게요.

W: 다른 것은 필요하신 게 없으신지요?

M: 무선 스피커도 필요해요.

W: 이것을 추천합니다. 음질이 좋고 단지 20달러예요.

M: 딱 좋네요. 그럼 그것도 살게요.

W: 이것도 두 개 필요하신가요?

M: 아니요. 하나만으로 충분해요. 집에 이미 스피커가 하나 있거든요.

W: 알겠습니다. 또한 이번 주에 저희가 가을 할인 판매 행사를 하고 있습니다. 100달러 이상 구매 시 고객들에게 10달러 할인을 해드리고 있습니다.

M: 좋아요! 여기 제 신용카드입니다.

6 대화를 듣고, Bradford Museum of Failure에 관해 언급되지 않은 것을 고르시오. **답 ④** 입장료

M: Hey, Kelly. Have you been to the Bradford Museum of Failure?
　　　　　have been to+장소: 현재완료(경험)

W: I've never even heard of it.

M: Well, I went there yesterday and it was amazing.

W: What does the museum exhibit?

M: It exhibits numerous failed products from the world's best-known
　　선택지 ①의 근거
　　companies.

W: Interesting. That makes me curious about the purpose of founding the

　　museum.
　　　　　　　　to부정사의 부사적 용법(목적)
M: It was founded to deliver the message that we need to admit our
　　선택지 ②의 근거　　　　　　　　　　　　　└ 동격의 접속사
　　failures to truly succeed.

W: That's quite a message, and it makes a lot of sense. Did it just open?
　　　　　　　　　　　　　　　　　수량형용사로 셀 수 있는 명사와 셀 수
M: No, it opened in 2001.　　　없는 명사 모두를 수식할 수 있다.
　　선택지 ③의 근거
W: How come I've never heard of it?
　　how come (~)?: 어째서 (~인가)?
M: I guess many people don't know about it. But visiting the museum was

　　an eye-opening experience.

W: Where is it?

M: It's located in Greenfalls, Hillside.
　　선택지 ⑤의 근거
W: That's not too far from here. I'll be sure to visit it.

정답 전략 박물관의 전시품, 설립 목적, 개관 연도, 위치는 언급되었지만, 입장료에 대한 언급은 없다.

Words　numerous 많은　found 설립하다　deliver 전달하다　eye-opening 놀랄 만한

7 대화를 듣고, 그림에서 대화의 내용과 일치하지 않는 것을 고르시오. **답 ④**

M: Mom, I think the backyard is ready for Dad's birthday party.
　　　　　　　　　　　　　　be ready for: ~할 준비가 되다
W: Really? Let's see.

M: [Pause] I hung a screen between the trees.
　　　　　　①번 그림과의 일치 여부에 필요한 부분
W: That's nice.

M: I think he'll enjoy watching our old family videos there.
　　　　　　enjoy는 동명사만 목적어로 취하는 동사이다.
W: I'm sure he will. Oh, did you buy the heart-shaped cake on the table?
　　　　　　　　　　　　　　　　②번 그림과의 일치 여부에 필요한 부분
M: Yes. I got it from Dad's favorite bakery.

W: He'll love it. What are the two boxes under the chair?
　　　　　　　　　③번 그림과의 일치 여부에 필요한 부분
M: They're gifts from Grandma and Grandpa.

W: How nice of them. Hmm. I think the striped mat on the grass is too
　　　성격을 나타내는 형용사+of+목적격　　　④번 그림과의 일치 여부에 필요한 부분
　　small. We cannot all sit there.　　→ 매트의 무늬는 줄무늬가 아니라 별무늬이다.

M: You're right. I'll bring more chairs.

W: Good idea. And you put the grill next to the garden lamp.
　　　　　　　　⑤번 그림과의 일치 여부에 필요한 부분
M: Yeah. As you know, Dad loves barbecue.

M: 이봐, Kelly. Bradford Museum of Failure에 가본 적이 있니?

W: 그곳에 대해 들어본 적도 없어.

M: 음, 난 어제 거기에 갔었고, 그곳은 놀라웠어.

W: 그 박물관은 무엇을 전시하고 있니?

M: 그곳은 세계에서 가장 유명한 회사들의 실패한 많은 제품들을 전시하고 있어.

W: 흥미로운데. 그 말을 들으니 그 박물관을 설립한 목적에 관해 궁금해지는데.

M: 그곳은 우리가 진정으로 성공하기 위해서는 우리의 실패를 인정할 필요가 있다는 메시지를 전달하기 위해 설립되었어.

W: 대단한 메시지이고, 정말 맞는 말이지. 그곳은 바로 얼마 전에 개관했니?

M: 아니, 그곳은 2001년에 개관했어.

W: 어째서 내가 그곳에 관해서 들은 적이 없지?

M: 많은 사람이 그곳에 관해 알지 못하는 것 같아. 하지만 그 박물관을 방문한 것은 놀랄 만한 경험이었어.

W: 그곳은 어디에 있어?

M: Hillside의 Greenfalls에 있어.

W: 여기서 그다지 멀지 않네. 꼭 그곳을 방문할 거야.

M: 엄마, 뒤뜰에 아빠 생신 파티를 위한 준비가 다 된 것 같아요.

W: 정말? 어디 보자.

M: [잠시 후] 나무들 사이에 스크린을 걸었어요.

W: 좋구나.

M: 아빠께서 거기서 옛날 우리 가족 비디오를 보는 것을 좋아하실 것 같아요.

W: 분명히 그러실 거야. 아, 탁자 위의 하트 모양 케이크를 네가 샀니?

M: 네. 아빠가 좋아하시는 빵집에서 샀어요.

W: 아빠가 좋아하실 거야. 의자 아래의 상자 두 개는 뭐지?

M: 그것들은 할머니와 할아버지께서 보내신 선물이에요.

W: 정말 좋으신 분들이야. 흠, 내 생각에는 잔디 위의 줄무늬 매트가 너무 작은 것 같구나. 우리가 모두 다 거기에 앉을 수 없겠어.

M: 맞아요. 의자를 더 가져올게요.

W: 좋은 생각이야. 그리고 정원 램프 옆에 그릴을 놓았구나.

W: Right. We're almost ready for the party.

정답 전략 대화에서는 the striped mat on the grass(잔디 위의 줄무늬 매트) 라고 했는데, 그림에서는 별무늬 매트가 있다.

8 다음 표를 보면서 대화를 듣고, 여자가 구매할 블루투스 이어폰을 고르시오. 답 ④ Model D

M: Welcome to Aiden's Electronics. What can I do for you?

W: Hi. I'm looking for bluetooth earphones.

M: Okay. These are the five models we carry. Do you have any particular
　　brand in mind?
　　　　　　　　have in mind: ~을 염두에 두다

W: No, but I want earphones with a battery that lasts at least three hours. It
　　　　　　주격 관계대명사 that이 이끄는 절이 battery를 수식한다.
　　배터리 지속 시간이 3시간은 되어야 하므로 ①은 제외된다.
　　takes me more than two hours to go to work.

M: All right. Are you interested in wireless charging?

W: Yes. It'd be nice to charge my earphones without connecting to a
　　무선 충전이 가능한 것을 원하므로 ③은 제외된다.
　　charging cable.

M: Got it. What about the price?

W: I definitely don't want to spend more than $100.
　　100달러 이상짜리는 구매할 생각이 없으므로 ⑤는 제외된다.

M: No problem. Then you are down to these two. This model comes with a
　　silicone case cover, and that one comes with a leather case cover.

W: Well, I don't like the feel of the silicone. It feels weird.
　　실리콘 재질인 ②는 제외된다.

M: Then, this is the model for you.
　　　　　최종적으로 선택된 제품은 ④이다.

W: Perfect. I'll take it.

정답 전략 여자는 배터리가 적어도 3시간 동안 지속되고, 무선 충전이 되고, 가격이 100달러가 넘지 않으며, 가죽 케이스 커버가 들어 있는 블루투스 이어폰을 구매하기로 결정했다.

Words　wireless charging 무선 충전　charging cable 충전 케이블　leather 가죽

9 대화를 듣고, 남자가 지불할 금액을 고르시오. 답 ④ $63

M: Good afternoon.

W: Hi, welcome to the gift shop. How was the soap art exhibition?

M: It was amazing. I never imagined such impressive artwork made of soap.
　　　　　　　　　　artwork와 made 사이에 that(which) was가 생략되어 있다.

W: Many visitors say that. And you know what? We're having a promotion
　　this week. All items are 10% off.
　　　　　　모든 품목에 적용이 되므로 잘 메모해 둔다.

M: That's great. I like this handmade soap. How much is it?

W: It's $20 for one set.
　　한 세트에는 20달러이다.

M: Good. I'll buy two sets. Oh, is this a soap flower?
　　한 세트에 20달러짜리 2개이면 40달러이다.

W: Uh-huh. You can use it as an air freshener. The large
　　남의 말에 동의할 때 사용하는 감탄사　'~로서'라는 뜻으로 자격이나 기능을 나타낸다.
　　one is $10, and the small one is $5.
　　크기에 따라 가격이 다르니, 무엇을 선택할지 잘 듣는다.

M: It smells really nice. I'll take three large ones, please.
　　　　　　큰 것이 10달러이니 3개이면 30달러이다.

W: Okay. Anything else?

M: 네. 아시다시피 아빠는 바비큐를 매우 좋아하세요.

W: 맞아. 우리는 파티를 위한 준비가 거의 다 된 것 같구나.

M: Aiden's Electronics에 오신 것을 환영합니다. 무엇을 도와 드릴까요?

W: 안녕하세요. 블루투스 이어폰을 찾고 있어요.

M: 알겠습니다. 이것들이 저희가 가지고 있는 다섯 가지 모델입니다. 생각하고 있는 특정 브랜드가 있나요?

W: 아니요. 하지만 적어도 3시간 동안 지속되는 배터리가 있는 이어폰을 원해요. 출근하는 데 두 시간 넘게 걸리거든요.

M: 알겠습니다. 무선 충전에 관심이 있으신가요?

W: 네. 충전 케이블에 연결하지 않고 이어폰을 충전하면 좋을 것 같아요.

M: 알겠습니다. 가격은요?

W: 절대로 100달러 이상은 쓰고 싶지 않아요.

M: 문제없어요. 그러면 결국 이 두 개네요. 이 모델은 실리콘 케이스 커버가 들어 있고, 저 모델은 가죽 케이스 커버가 들어 있어요.

W: 음, 저는 실리콘의 감촉이 마음에 들지 않아요. 느낌이 이상해요.

M: 그럼, 이게 손님을 위한 모델이네요.

W: 완벽해요. 그것을 살게요.

M: 안녕하세요.

W: 안녕하세요. 선물 가게에 오신 걸 환영합니다. 비누 예술 전시회는 어땠나요?

M: 놀라웠어요. 저는 비누로 만들어진 그렇게 인상적인 예술작품을 전혀 상상하지 못했어요.

W: 많은 방문객이 그렇게 말씀하십니다. 그리고 그거 아세요? 저희는 이번 주에 판촉행사를 하고 있습니다. 모든 품목이 10% 할인됩니다.

M: 그거 잘됐어요. 저는 이 수제 비누가 마음에 드네요. 얼마예요?

W: 한 세트에 20달러입니다.

M: 좋아요. 두 세트를 사겠어요. 아, 이건 비누 꽃인가요?

W: 네. 그것을 방향제로 사용하실 수 있습니다. 큰 것은 10달러이고 작은 것은 5달러입니다.

M: No, thanks. That's it.

W: So, here are two sets of handmade soap, and three large soap flowers.
대부분 대화의 마지막 부분에서 구매 품목과 개수를 다시 한 번 정리해 준다. → 총 70달러가 된다.
And like I said, you get a discount.
모든 품목을 10% 할인해 주므로 63달러가 된다.

M: Thanks. Here's my credit card.

정답 전략 남자는 20달러짜리 수제 비누 두 세트와 10달러짜리 큰 비누 꽃 세 개를 사겠다고 했으므로 총 금액은 70달러인데, 모든 품목이 10% 할인된다고 했으므로 63달러를 지불해야 한다.

Words exhibition 전시회, 전시 impressive 인상적인

M: 향이 정말 좋네요. 큰 것으로 세 개 사겠습니다.

W: 좋습니다. 다른 건 필요 없으세요?

M: 아뇨, 괜찮습니다. 그러면 됐어요.

W: 자, 여기 수제 비누 두 세트와 큰 비누 꽃 세 개입니다. 그리고 제가 말씀드렸듯이 할인을 받으십니다.

M: 고맙습니다. 여기 제 신용카드가 있습니다.

---

10 대화를 듣고, Ten Year Class Reunion Party에 관해 언급되지 <u>않은</u> 것을 고르시오. 답 ❸ 회비

W: Hi, Ross. How's everything going for our Ten Year Class Reunion Party?

M: I think we're done, Jennifer.

W: Then let's <u>go over</u> what we've prepared.
go over: ~을 점검하다
행사 준비에 대한 여러 검토 사항이 나올 것으로 예측된다.

M: I already booked the Silver Corral Restaurant for the party.
선택지 ①의 근거

W: Good. It <u>must have been</u> very difficult to get a reservation because <u>our</u>
must have+과거분사: ~했음이 틀림없다(강한 추측)
<u>party is on December 24th.</u>
선택지 ②의 근거

M: Yeah, we were lucky.

W: What food will they <u>serve</u>?
serve는 이 문장에서 동사로 '(식당 등에서 음식을) 제공하다'의 의미로 쓰였다.

M: Their steak, spaghetti, and pizza are famous, so that's <u>what</u> I ordered.
선택지 ④의 근거   what은 선행사를 포함하는 관계대명사로, the thing which로 바꾸어 쓸 수 있다.

W: Sounds delicious. And the souvenirs for the party are ready, too.

M: You ordered mugs for souvenirs, right?
선택지 ⑤의 근거

W: Yes, I did. I'll bring them that day.

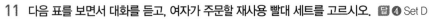

M: Perfect. It's going to be a great party.

정답 전략 10주년 동창회 파티의 장소, 날짜, 음식, 기념품은 언급되었지만, 회비는 언급되지 않았다.

Words class reunion 동창회 souvenir 기념품

W: 안녕, Ross. 우리의 10주년 동창회 파티 준비는 어떻게 되어가고 있어?

M: 준비가 다 된 것 같아, Jennifer.

W: 그럼 우리가 준비한 것을 검토해 보자.

M: 내가 이미 파티를 위해 Silver Corral 식당을 예약했어.

W: 잘했어. 우리 파티가 12월 24일이라 예약하기 정말 어려웠겠다.

M: 맞아, 우리가 운이 좋았어.

W: 그 식당은 어떤 음식을 제공해?

M: 그 식당의 스테이크, 스파게티, 그리고 피자가 유명해서, 그걸로 주문했어.

W: 맛있겠다. 그리고 파티 기념품도 준비되어 있어.

M: 기념품으로 머그잔을 주문한 거 맞지?

W: 맞아, 그것을 주문했어. 그건 그날 내가 가져올 거야.

M: 완벽하군. 멋진 파티가 될 거야.

---

11 다음 표를 보면서 대화를 듣고, 여자가 주문할 재사용 빨대 세트를 고르시오. 답 ❹ Set D

M: Hi, Nicole. What are you doing?

W: Hi, Jack. I'm <u>trying to buy</u> a reusable straw set on the Internet. Do you
try+to부정사: ~하려 노력하다(애쓰다)
want to see?

M: Sure. [Pause] These bamboo ones seem good. They're <u>made from</u>
be made from: ~로 만든(화학적 변화가 있을 때)
natural materials.
cf. be made of: ~로 만든(물리적 변화가 있을 때)

W: That's true, but I'm worried they <u>may not dry quickly</u>.
대나무 재료에 해당하는 ①은 제외된다.

M: Okay. Then let's look at straws made from other materials. How much
<u>are</u> you <u>willing to spend</u> on a set of straws?
be willing+to부정사: 기꺼이 ~하다

W: <u>I don't want to spend more than $10.</u>
10달러가 넘는 제품에 해당하는 ⑤는 제외된다.

M: That's reasonable. How about length?

W: To use with my tumbler, <u>eight or nine inches should be perfect.</u>
길이가 7인치인 제품에 해당하는 ②는 제외된다.

M: Then you're <u>down to</u> these two. A carrying case would be very useful
down to: ~까지 줄인   휴대 케이스가 있는 제품을 추천하고 있다.

M: 안녕, Nicole. 뭐 하고 있어?

W: 안녕, Jack. 인터넷에서 재사용할 수 있는 빨대 세트를 사려고 하는 중이야. 보고 싶어?

M: 물론이지. [잠시 후] 이 대나무 빨대들이 좋아 보이네. 그것들은 천연 재료로 만들어졌어.

W: 그건 그렇지만, 난 그것들이 빨리 마르지 않을까 걱정돼.

M: 알겠어. 그럼 다른 재료로 만든 빨대를 살펴보자. 빨대 한 세트에 얼마를 쓸 생각이 있어?

W: 난 10달러 넘게 쓰고 싶지는 않아.

M: 그게 합리적이지. 길이는 어때?

W: 내 텀블러에 사용하려면 8인치나 9인치가 완벽할 거야.

M: 그럼 이 두 개만 남아. 휴대 케이스가 외출할 때 매우 유용할 거야.

when going out.

┌ 친구의 추천을 받아들여, 휴대 케이스가 있는 ④번으로 주문한다.

W: Good point. I'll take your recommendation and order this set now.

정답 전략 여자는 대나무 이외의 것으로 만들어지고, 10달러를 넘지 않으며, 길이는 8인치나 9인치이며, 휴대 케이스가 있는 재사용 빨대를 주문하기로 했다.

Words reusable 재사용할 수 있는 natural material 천연 재료

12 대화를 듣고, 그림에서 대화의 내용과 일치하지 <u>않는</u> 것을 고르시오. 답 ❺

W: Wow, Sam. You turned the student council room into a hot chocolate booth.

M: Yes, Ms. Thompson. We're ready to sell hot chocolate to <mark>raise money</mark> for
raise money: 돈을 마련하다, 모금하다
children <mark>in need</mark>.
in need: 어려움에 처한

W: Excellent. What are you going to put on the bulletin board under the
①번 그림과의 일치 여부에 필요한 부분
clock?

M: I'll post information <mark>letting</mark> people <mark>know</mark> where the profits will go.
사역동사 let은 5형식 문장에서 목적격 보어로 동사원형(know)을 쓴다.

W: Good. I like the banner on the wall.
②번 그림과의 일치 여부에 필요한 부분

M: Thanks. I designed it myself.

W: Awesome. Oh, I'm glad you put my <u>stripe-patterned tablecloth on the</u>
③번 그림과의 일치 여부에 필요한 부분
table.

M: Thanks for letting us use it. Did you notice the snowman drawing that's
④번 그림과의 일치 여부에 필요한 부분
hanging on the tree?

W: Yeah. I remember it was drawn by <mark>the child you</mark> helped last year. By the
the child와 you 사이에 목적격 관계대명사 who가 생략되었다.
way, there are three boxes on the floor. What are they for?
⑤번 그림과의 일치 여부에 필요한 부분 → 상자는 세 개가 아니라 두 개가 있다.

M: We're going to <mark>fill</mark> those <mark>up with</mark> donations of toys and books.
fill up with: ~로 가득 채우다

W: Sounds great. Good luck.

정답 전략 여자가 바닥에 상자가 세 개 있다고 말했는데, 그림에는 두 개가 있다.

Words student council room 학생회실 bulletin board 게시판 profit 수익금 banner 현수막

W: 좋은 지적이야. 네 추천을 받아들여서 지금 이 세트를 주문할게.

W: 와, Sam. 학생회실을 핫초콜릿 부스로 바꾸어 놓았구나.

M: 네, Thompson 선생님. 저희는 어려움에 처한 아이들을 위해 모금하려고 핫초콜릿을 팔 준비가 됐어요.

W: 훌륭하구나. 시계 아래에 있는 게시판에는 뭘 붙일 거니?

M: 수익금이 어디로 갈지를 사람들에게 알리는 정보를 게시할 거예요.

W: 좋아. 나는 벽에 걸린 현수막이 마음에 드는구나.

M: 감사합니다. 제가 직접 그걸 디자인했어요.

W: 멋지구나. 아, 탁자에 내 줄무늬 식탁보를 깔아서 기뻐.

M: 저희가 그것을 사용할 수 있게 해 주셔서 감사해요. 나무에 걸려있는 눈사람 그림 알아보셨어요?

W: 그래. 작년에 너희가 도와줬던 아이가 그린 것을 기억해. 그런데, 바닥에 상자 세 개가 있네. 무엇에 쓰는 거니?

M: 기부 받은 장난감과 책으로 그걸 채우려고요.

W: 좋은 생각이구나. 행운을 빈다.

DAY 1 개념 돌파 전략 ① CHECK

8~9쪽

1 ① **2** ② **3** ①

해석 **1** Chris는 그의 친구들과 영화를 보러 간다면서 Emily가 같이 갈 수 있는지 물어본다. 그녀는 그러고 싶지만 부모님이 집에 안 계셔서 남동생을 돌봐야 해서 갈 수 없다. **2** A: 이 식당 정말 좋아 보이네요. 전에 여기 와 본 적 있어요? B: 네, 제가 제일 좋아하는 식당 중 하나예요. 메뉴판을 보죠. A: 모든 게 다 좋아 보이네요. 추천해 주실 수 있어요? B: ② 물론이죠. 여기는 양파 수프가 훌륭해요. ① 괜찮아요. 저는 이미 배가 불러요. ③ 네. 저는 당신이 그곳에 제 시간에 갈 것을 권해요. **3** A: 나는 팀 프로젝트를 하고 있어. B: 무엇에 관한 건데? A: '기후 변화'에 관한 거야. B: 재미있을 것 같아. 네 팀에는 누가 있어? A: Jack 알지? 그가 리더야. Jenny는 조사를 하고 있고 Alex는 슬라이드를 만들고 있어. B: 정말 멋진 팀인데! 그럼 네 역할은 뭐야? A: ① 나는 발표를 담당하고 있어. ② 나는 네가 그 역할에 적임자라고 생각해. ③ 너의 팀을 신중하게 선택하는 것이 중요해.

 DAY 1 개념 돌파 전략 ②

10~13쪽

1 ③ **2** ① **3** ④ **3-1** ①

1 다음 상황 설명을 듣고, Sarah가 Peter에게 할 말로 가장 적절한 것을 고르시오. 답 ❸ Why don't you practice acting in front of your family?

W: Sarah and Peter are supposed to act in *Beauty and the Beast* on stage at
　　　　　　　　　　be supposed +to부정사: ~하기로 되어 있다
the school festival. While practicing together, Peter looks really nervous.
　　　　　　　　　　　　　　연습할 때의 Peter의 상황을 표현하고 있다.
His voice is too small and he even forgets what he should say from time
Peter의 문제점: 목소리가 작고, 대사를 잊어버린다.
to time. Sarah is worried about Peter, so she asks him to discuss his
　　　　　　　　　　　　　　　　　　　　　　　ask는 목적격 보어로 to부정사가 온다.
problem with her. Peter says that he is afraid of acting in front of many
　　　　　　　　　　　　　　　　Peter의 두려움: 사람들 앞에서 연기하는 것이 두렵다.
people. Then, Sarah remembers her experience from last year. When
　　　　　　　　　　　　　　　　　　　　　┌ used +to부정사: ~하곤 했다
she felt the same way, she used to practice while her family or friends
Sarah의 경험: 가족들과 친구들 앞에서 연습했다.
watched, and she found it really helpful. Now, Sarah wants to suggest
　　　　　(should)　　　　　┌ ~처럼
that he practice as she did. In this situation, what would Sarah most
Sarah의 제안: 자기가 했던 방식처럼 연습해 보라.
likely say to Peter?

Sarah: _____

정답 전략 마지막 질문 바로 앞 문장에서 Sarah는 Peter에게 자기가 했던 방식으로 연습해 보라고 제안하고 싶어 한다. 따라서 ③ '가족들 앞에서 연기 연습을 해 보는 게 어때?'가 적절하다. ① 아무도 없을 때 무대에서 연습하자. ② 친구들과 연극을 보러 가는 건 어때? ④ 선생님과 이야기해서 네 역할을 바꾸는 게 좋겠다. ⑤ 많은 시간을 들여 대본을 암기하는 것이 중요해.

W: Sarah와 Peter는 학교 축제 무대에서 '미녀와 야수'를 연기하기로 되어 있다. 함께 연습을 하면서 Peter는 정말 불안해 보인다. 그의 목소리는 너무 작고 심지어 가끔 무슨 말을 해야 할지 잊기도 한다. Sarah는 Peter가 걱정이 되어서 그의 문제를 자신과 상의해 보자고 한다. Peter는 많은 사람들 앞에서 연기하는 것이 두렵다고 말한다. 그때 Sarah는 작년 자신의 경험을 기억한다. 그녀도 같은 방식으로 느낄 때, 가족이나 친구들이 지켜보는 가운데 연습을 하곤 했는데, 그것이 정말 도움이 된다는 것을 알았다. 이제 Sarah는 그가 자신이 했던 것처럼 연습할 것을 제안하고 싶다. 이 상황에서 Sarah는 Peter에게 무엇이라고 말하겠는가?

2 대화를 듣고, 여자의 마지막 말에 대한 남자의 응답으로 가장 적절한 것을 고르시오. 답 ❶ Just give me about ten minutes.

W: Honey, I'm going out for a walk. Do you want to join me?
　　　　　　　　　　　　　　여자의 제안: 산책 같이 가기

W: 여보, 나 산책하러 나갈 거예요. 나와 같이 갈래요?

M: Sure. But can you wait for a moment? I have to send an email to one of
<u>동의의 표현</u>   <u>요청: 급한 업무 처리 시간 필요</u>
my co-workers right now.

W: No problem. How long do you think it'll take?
          <u>업무 처리 시간이 얼마나 걸릴지 묻고 있다.</u>

M: _____

정답 전략 여자의 마지막 말이 시간이 얼마나 걸리는지 묻는 것이므로 남자의 응답으로 알맞은 것은 이메일을 보내는 시간과 관련된 ①이다. ② 우리가 집에 돌아가는 데에 한 시간이 걸렸어요. ③ 난 당신이 일에 집중할 필요가 있다고 생각해요. ④ 내 동료들을 초대해 줘서 고마워요. ⑤ 이메일을 보내는 것을 끝내면 내게 전화해요.

M: 물론이죠. 하지만 잠시 기다려 줄 수 있어요? 지금 바로 동료에게 이메일을 보내야 해요.

W: 그럼요. 얼마나 걸릴 것 같아요?

M: ① 내게 10분 정도만 시간을 줘요.

---

3 대화를 듣고, 남자의 마지막 말에 대한 여자의 응답으로 가장 적절한 것을 고르시오. 답❹ It's okay. Family always comes first for me.

W: Brian, are you ready for the field trip tomorrow? I'm really excited.
          <u>대화의 소재가 '현장 학습'임을 알 수 있다.</u>

M: Didn't you hear the news? We're not going on the field trip tomorrow.

W: Really? What's the problem?
          <u>현장 학습 가지 못하는 이유를 묻는다.</u>

M: Because of the flood warning. Some roads are already closed.
          <u>현장 학습을 가지 못하는 이유: 홍수 경보</u>

W: I can't believe it. Then is the trip canceled?

M: No. I read on the school website that it's just postponed until next
          <u>현장 학습이 다음 주말로 연기되었다.</u>
weekend.

W: Oh, no. I can't go next weekend.
          <u>여자는 미뤄진 현장 학습에는 갈 수 없다.</u>

M: Why can't you make it?
          <u>make it: 가다, 참석하다</u>

W: Next Saturday is my grandfather's 80th birthday. All my family will get
together and have a party.   ┌ 현재완료(진행)에 since가 있으면
          <u>여자는 다음 주말에 할아버지 생신 파티에 참석할 계획이다.</u>   '계속'에 해당된다.

M: You've been looking forward to the field trip since the beginning of this
          <u>look forward to+명사(구): ~을 고대하다</u>
semester. You may be disappointed if you don't go.
          <u>남자는 여자가 그간 고대해 왔던 현장 학습을 놓치게 되어 걱정한다.</u>

W: _____

정답 전략 여자는 현장 학습이 연기되어 참여할 수 없는 상황이고, 남자는 여자가 실망하는 것을 걱정하며 위로의 말을 했다. 이에 어울리는 여자의 응답은 '현장 학습보다는 가족이 우선'이라는 의미를 담고 있는 ④이다. ① 미안해. 파티가 연기되었어. ② 고마워. 너를 위해 내가 멋진 기념품을 살게. ③ 아직이야. 우린 어디서 묵을지 결정하지 않았어. ⑤ 맞아. 네가 현장 학습에 참여하기에는 너무 늦었어.

W: Brian, 내일 현장 학습 갈 준비 됐니? 난 정말 신이 나.

M: 소식 못 들었어? 우리는 내일 현장 학습을 가지 않을 거야.

W: 정말? 뭐가 문제인데?

M: 홍수 경보 때문에. 일부 도로는 이미 폐쇄되었어.

W: 믿을 수가 없어. 그러면 여행이 취소된 거야?

M: 아니. 그저 다음 주말로 연기되었다고 학교 웹사이트에서 읽었어.

W: 아, 안 돼. 나는 다음 주말에는 못가.

M: 왜 못 가?

W: 다음 주 토요일은 할아버지 80세 생신이야. 우리 가족 모두가 함께 모여 파티를 할 거야.

M: 너는 이번 학기 초부터 현장 학습을 기다려 왔잖아. 가지 못하면 실망할 수도 있겠다.

W: ④ 괜찮아. 나에겐 가족이 항상 우선이야.

3-1 대화를 듣고, 여자의 마지막 말에 대한 남자의 응답으로 가장 적절한 것을 고르시오. 답❶ Certainly. Just pick them up and enjoy the freshness.

[Telephone rings.]

M: Hello. This is Jonas Egg Delivery.
          ┌ make a complaint about: ~에 관해 항의하다
W: Hi, I'd like to make a complaint about your egg delivery service.
          <u>여자는 배달 업체에 불만을 제기한다.</u>
M: Okay. What seems to be the problem?
          <u>seem+to부정사: ~인 것 같다, ~처럼 보이다</u>
W: The eggs are sometimes delivered at nighttime the day before the
delivery date.

M: That can happen. The delivery rounds start at nighttime and continue
until early in the morning.

[전화벨이 울린다.]

M: 여보세요. Jonas Egg 배달입니다.

W: 안녕하세요, 달걀 배달 서비스에 대해 불만을 제기하고 싶은데요.

M: 네. 무엇이 문제로 보이시나요?

W: 달걀은 때때로 배달일 전날 밤에 배달되잖아요.

M: 그럴 수 있죠. 배달 경로를 도는 것은 밤에 시작해서 이른 아침까지 계속됩니다.

W: I'm worried that the eggs will go bad if they stay out all night.
여자의 걱정: 주문한 달걀이 밤새 밖에 있어서 상할까 봐 걱정된다.

M: You don't need to worry. Since our eggs have never been refrigerated,
don't need +to부정사: ~할 필요가 없다(= need not(don't have to))
they remain fresh for days without refrigeration.
달걀 배송 업체의 입장: 냉장 보관 없이도 며칠 동안은 신선도가 유지가 가능하다.

W: You mean your eggs are not refrigerated?

M: Exactly. They're fresh from the farm.

W: So are you saying that the eggs are okay left outside for the whole
여자의 확인: 달걀을 밤새 밖에 두어도 문제가 없다고 재차 질문한다.
night?

M: _____

[정답 전략] 여자는 주문한 달걀이 밤에 배달되면 신선도가 떨어질까 봐 배송 시스템에 불만을 제기하고 있다. 여자의 마지막 말이 다시 한 번 달걀의 상태가 괜찮을지 확인하는 것이므로, '밖에 두어도 전혀 이상 없다'는 의미를 간접적으로 전달하는 ①이 가장 알맞다. ② 아니요, 빠른 배송에는 추가 요금이 청구됩니다. ③ 죄송합니다. 즉시 달걀을 회수하겠습니다. ④ 걱정하지 마세요. 저희는 최고의 냉장 시스템을 갖추고 있습니다. ⑤ 알겠습니다. 달걀을 새 주소로 배송해 드리겠습니다.

W: 저는 달걀이 밤새도록 밖에 있으면 상할까 봐 걱정돼요.

M: 걱정하실 필요 없습니다. 저희의 달걀은 냉장 보관된 적이 없기 때문에, 냉장 보관 없이 며칠 동안은 신선하게 유지됩니다.

W: 달걀이 냉장 보관되어 있지 않다는 말씀이신가요?

M: 맞습니다. 농장에서 갓 가져온 겁니다.

W: 그럼 달걀은 밤새도록 밖에 놔둬도 괜찮다는 얘기죠?

M: ① 물론이죠. 그냥 그것들을 집어 들고 신선함을 즐기세요.

[대표 유형] **1** ⑤   **1-1** ⑤   **2** ①   **2-1** ⑤

1 다음 상황 설명을 듣고, Jason이 Sarah에게 할 말로 가장 적절한 것을 고르시오. 답 ⑤ Don't worry. I can get the job done before the deadline.

W: Jason is a sculptor and Sarah is the head of a local library. A few days ago, Sarah hired Jason to create a sculpture for the library's reopening by the end of next month. This morning, Sarah received the final
'(늦어도) ~까지는'의 의미
look+형용사: ~해 보이다
design of the sculpture from Jason. She likes his design, but it looks quite complicated to her. She's worried whether he can finish in time,
목적어로 쓰이는 명사절에서 whether는 if로 바꿔 쓸 수 있다.
Sarah의 우려: 디자인이 복잡해 제시간에 끝낼 수 있을까?
in time: 시간 맞춰
so she calls him to express her concern. However, Jason thinks that he has enough time to make it since he has worked on these types of
Jason의 생각: 이미 비슷한 작품을 해 보았기에 기일을 충분히 맞출 수 있다.
sculptures before. So Jason wants to tell Sarah that he can finish it in
Jason이 Sarah에게 하고 싶은 말을 담은 문장이다.
time and that she doesn't have to be concerned. In this situation, what
that이 이끄는 두 개의 명사절을 and를 사이에 두고 병렬 관계를 이루고 있다.
would Jason most likely say to Sarah?

Jason: _____

[정답 전략] Sarah는 Jason이 제시간에 작업을 끝낼 수 있을지 우려하지만, Jason은 자신이 제시간에 끝낼 수 있으니 걱정하지 말라고 말하고 싶은 상황이다. 따라서 ⑤ '걱정하지 마세요. 저는 마감일 전에 그 일을 끝낼 수 있습니다.'가 가장 적절하다. ① 행운을 빌어요. 당신의 일을 제시간에 끝내길 바랍니다. ② 알겠습니다. 조각품의 변경 사항에 대해 논의하기 위해 만납시다. ③ 참 안됐네요. 재개관 일정이 연기되어 유감입니다. ④ 서두르세요. 최종 디자인을 즉시 보내주셔야 합니다.

Words sculptor 조각가 head 장, 책임자 reopening 재개관

1-1 다음 상황 설명을 듣고, Megan이 Philip에게 할 말로 가장 적절한 것을 고르시오.

답 ⑤ I'm afraid the members' discount doesn't apply to this book.

M: Philip goes to a bookstore to buy a recently published book titled *The*
titled 앞에 that(which) is가 생략되어 있다.

W: Jason은 조각가이고 Sarah는 지역 도서관장이다. 며칠 전, Sarah는 다음 달 말까지 도서관 재개관을 위한 조각품을 만들도록 Jason을 고용했다. 오늘 아침, Sarah는 Jason으로부터 조각품의 최종 디자인을 받았다. 그녀는 그의 디자인이 마음에 들지만, 그것이 그녀에게는 꽤 복잡해 보인다. 그녀는 그가 제시간에 끝낼 수 있을지 걱정돼서 그에게 전화를 걸어 우려를 표한다. 하지만, Jason은 이전에 이런 종류의 조각품들을 작업해 보았기 때문에 그것을 만들 시간이 충분하다고 생각한다. 그래서 Jason은 Sarah에게 자신이 그것을 제시간에 끝낼 수 있으며 그녀가 걱정할 필요가 없다고 말하고 싶다. 이러한 상황에서 Jason은 Sarah에게 무엇이라고 말하겠는가?

M: Philip은 최근 출간된 The Psychology of Everyday Affairs(일상의 심리학)라는

Psychology of Everyday Affairs. While Philip is looking for the book,
he **happens to see** an advertisement poster on the wall. It says that
└ happen +to부정사: 우연히 ~하다
if people **sign up for** a membership, they can get a 10% discount on
└ sign up for: ~에 등록하다
광고 포스터의 내용: 회원 가입 시, 책을 10% 할인해 준다.
books. At the counter, he meets Megan, **who** works at the bookstore.
관계대명사의 계속적 용법으로 and she로 바꿔 쓸 수 있다.
He tells her that he wants to become a bookstore member to get a
discount on the book. However, Megan knows that the membership
회원 할인의 진실: 할인은 출간된 지 1년이 지난 책에 한정되어 있다.
discount is only for **books that** were published more than a year ago.
주격 관계대명사 that이 이끄는 절이 books를 수식한다.
Even though Megan doesn't want to disappoint Philip, she has to tell
him that he cannot get the discount on the book he wants to buy. In
Megan의 입장: Philip이 실망스러움을 느껴도 그가 사려는 책은 할인이 안 된다는 점을 말해야 한다.
this situation, what would Megan most likely say to Philip?

Megan: _____

정답 전략 회원 할인은 출간된 지 1년이 지난 책에만 해당되기 때문에, Megan은 Philip이 사려는
책에는 회원 할인이 적용되지 않는 상황을 설명해야 한다. 따라서 Megan이 할 말로 가장 적절한 것
은 ⑤ '죄송하지만 이 책에는 회원 할인이 적용되지 않습니다.'이다. ① 회원 가입을 하시면 할인을 받
으실 수 있습니다. ② 고객님의 회원 번호를 찾을 수가 없어서 유감스럽습니다. ③ 안타깝게도, 찾으시
는 포스터는 판매용이 아닙니다. ④ 신간이 성공적으로 출간된 것을 축하합니다.

Words release 발간, 출시 apply 적용하다 title 제목을 붙이다 publish 출간하다, 출판하다

제목의 책을 사기 위해 서점에 간다. Philip
은 그 책을 찾다가, 우연히 벽에 붙어 있는
광고 포스터를 보게 된다. 거기에는 회원
가입을 하면 책에 대해 10% 할인을 받을
수 있다고 적혀 있다. 계산대에서 그는
Megan을 만나는데, 그녀는 서점에서 일
한다. 그는 그녀에게 책 할인을 받기 위해
서점 회원이 되고 싶다고 말한다. 그러나
Megan은 회원 할인은 출간된 지 1년이
넘은 책에만 해당한다는 것을 알고 있다.
Megan은 Philip을 실망시키고 싶지 않
지만, 그가 사고 싶은 책은 할인을 받을 수
없다는 것을 그에게 말해야 한다. 이런 상
황에서 Megan은 Philip에게 무엇이라고
말하겠는가?

© Getty Images Korea

---

2 대화를 듣고, 남자의 마지막 말에 대한 여자의 응답으로 가장 적절한 것을 고르시오. 답 ❶ Good. Let's meet around six.

M: Alicia, these donuts are delicious. Can you tell me **where you bought**
남자는 도넛을 어디서 사왔는지 궁금해 한다.   └ 간접의문문:
them?   의문사+주어+동사

W: They're from a new donut shop. I can take you there if you want.
여자는 도넛 가게로 데려다 주겠다고 제안한다.

M: That'd be nice. How's today after work?
남자는 업무 종료 후에 가자고 제안한다.

W: _____

정답 전략 남자는 업무가 끝난 후에 도넛 가게에 가자고 제안했으므로, 여자의 응답으로는 만날 시간
을 제안한 ①이 가장 적절하다. ② 괜찮아요, 저는 도넛을 좋아하지 않아요. ③ 저는 제 도넛 가게를 열
고 싶어요. ④ 걱정하지 말아요. 저 혼자 할 수 있어요. ⑤ 당신의 도넛 요리법을 알려주셔서 감사해요.

Words by oneself 혼자, 홀로 share 공유하다, 나누다

M: Alicia, 이 도넛 맛있네요. 어디에서 샀는
지 말해 줄 수 있어요?

W: 새로 생긴 도넛 가게에서 사왔어요. 원하
면 제가 데려다 줄게요.

M: 그러면 좋지요. 오늘 일 끝나고 어때요?

W: ① 좋아요. 6시쯤에 만나요.

2-1 대화를 듣고, 남자의 마지막 말에 대한 여자의 응답으로 가장 적절한 것을 고르시오. 답 ❺ Sure. Why don't we go out to get some fresh air?

M: Kate, look at the time! We**'ve been working** for two hours straight.
현재완료진행시제는 계속 진행되어 온 일을 나타낸다.

W: Already? Wow, I didn't realize so much time had passed.
┌ 「Neither+동사+주어」로 도치가 이루어진 문장이다.
M: **Neither did I.** Maybe we should take a break.
남자는 휴식을 제안한다.

W: _____

정답 전략 두 시간 동안 계속해서 일을 하던 상황에서 남자가 잠시 쉬자고 제안했으므로 이어질 여자
의 말로 ⑤가 가장 적절하다. ① 유감스럽네요. 언제 시계를 망가뜨렸어요? ② 죄송해요. 저는 어제 모
임에 참석하지 못했어요. ③ 맞아요. 우리는 지금 바로 일하러 돌아가야 하나요? ④ 감사합니다. 더 배
울 수 있는 좋은 기회였습니다.

Words straight 내리, 연달아 계속하여 realize 깨닫다

M: Kate, 시간 좀 봐요! 우리는 두 시간 동안
계속해서 일하고 있어요.

W: 벌써요? 와, 전 이렇게 시간이 많이 흘렀
는지 몰랐어요.

M: 저도요. 우리는 잠시 휴식을 취해야 할 것
같아요.

W: ⑤ 그래요. 바람 좀 쐬러 밖으로 나가는
게 어떨까요?

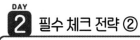
| **1** ② | **2** ④ | **3** ⑤ | **4** ② | **5** ④ | **6** ④ | **7** ④ | **8** ① | **9** ⑤ | **10** ① | **11** ① | **12** ① |

1 다음 상황 설명을 듣고, Rachel이 Kevin에게 할 말로 가장 적절한 것을 고르시오. 답 ❷ Why don't you work out at the closer one?

M: Kevin is looking for a place to work out every day. He has found two
Kevin은 매일 운동할 곳을 찾는다.　　　　　　　work out: 운동하다
fitness centers with good facilities. The first one is a 5-minute walk from

home, and the second one is a 30-minute walk. Kevin likes the first

fitness center because it's closer to home. However, he also thinks that
첫 번째 피트니스 센터의 장점: 집에서 거리가 가깝다.
the second fitness center can be a good choice because it offers a great
두 번째 피트니스 센터의 장점: 신규 회원에게 할인을 많이 해 준다.
discount for new members. Kevin cannot decide which one to choose

and asks his sister, Rachel, for advice. Rachel remembers that he quit
　　　　　　　　　　　　　Rachel의 기억: Kevin은 피트니스 센터가 멀어서 운동을 그만둔 적이 있다.
exercising in the past because the fitness centers were far from home.
quit은 목적어로 동명사가 온다.　　　　　　　　　　　　　┌ based on: ~에 근거하여
She thinks that Kevin should choose a fitness center based on distance,
Rachel의 조언: 비용보다는 거리에 근거를 두고 선택하라.　　　관계사절 X → 분사
not cost. So, Rachel wants to suggest to Kevin that he should choose
　　　　　　제안의 의미를 나타내는 동사(suggest)와 함께 쓰인 that절의 should는 생략하고 동사원형만 쓸 수 있다.
the fitness center near home. In this situation, what would Rachel most

likely say to Kevin?

Rachel: _____

정답 전략　Rachel은 Kevin에게 집 근처의 피트니스 센터를 선택하라고 말하고 싶다. 따라서 ② '더 가까운 곳에서 운동하는 게 어때?'라고 말할 것이다. ① 매일 운동하는 게 필요해? ③ 난 시설이 좋은 곳을 권할게. ④ 넌 예산 내에 있는 것을 골라야 해. ⑤ 일하기에 더 나은 곳을 찾아보는 것은 어때?

Words　facility 시설　budget 예산　quit 그만두다

M: Kevin은 매일 운동을 할 장소를 찾고 있다. 그는 좋은 시설을 갖춘 피트니스 센터 두 곳을 찾았다. 첫 번째 피트니스 센터는 집에서 걸어서 5분 거리에 있고, 두 번째 피트니스 센터는 30분 거리에 있다. Kevin은 집에서 더 가까워서 첫 번째 피트니스 센터가 마음에 든다. 그런데 그는 두 번째 피트니스 센터가 신규 회원에게 큰 할인을 제공하기 때문에 좋은 선택일 수 있다고도 생각한다. Kevin은 어느 피트니스 센터를 선택해야 할지 결정할 수 없어서 누나 Rachel에게 조언을 구한다. Rachel은 이전에 그가 피트니스 센터가 집에서 멀었기 때문에 운동을 그만두었던 일을 기억한다. 그녀는 Kevin이 비용이 아니라 거리에 근거를 두고 피트니스 센터를 선택해야 한다고 생각한다. 그래서 Rachel은 Kevin에게 집 근처에 있는 피트니스 센터를 선택해야 한다고 제안하고 싶다. 이런 상황에서 Rachel은 Kevin에게 무엇이라고 말하겠는가?

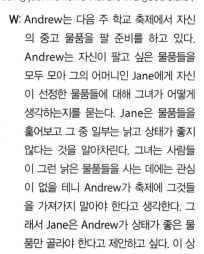

2 다음 상황 설명을 듣고, Jane이 Andrew에게 할 말로 가장 적절한 것을 고르시오.

답 ❹ How about choosing just the items that are in a good state?

W: Andrew is preparing to sell his used things at his school festival next
Andrew는 중고 물품을 팔 준비를 하고 있다.
week. Andrew gathers all the stuff that he wants to sell and asks his
　　　　　　　　　　　　　　　　목적격 관계대명사
mother, Jane, what she thinks of his selections. Jane looks through the
Andrew는 선정한 물품들에 관해 어머니인 Jane의 의견을 듣고 싶어 한다.　　look through: ~을 훑어보다
items and notices that some of them are old and in poor condition. She
Jane의 판단: 물품의 일부는 낡고 상태가 좋지 않다.
thinks that Andrew shouldn't take such worn-out things to the festival

because people won't be interested in buying them. So, Jane wants
　　　　　　　　　　┌ 접속사　　　┌ 생략 가능
to suggest that Andrew should only pick out the ones that are in fine
Jane의 제안: 상태가 좋은 물건만 선택하라.　　　　　　　　주격 관계대명사
condition. In this situation, what would Jane most likely say to Andrew?

Jane: _____

정답 전략　마지막 질문 바로 앞 문장으로 보아 Jane은 아들인 Andrew에게 학교 축제의 중고장터에 상태가 좋은 물품만 선별해 가져갈 것을 제안하고 싶어 한다. 따라서 ④ '좋은 상태의 물품만 고르는 것이 어때?'가 가장 알맞다. ① 모든 사람이 다음 주를 위해 확실히 준비되어 있게 해라. ② 너는 축제를 위해 이 재킷을 입어야 할 것 같구나. ③ 네 물건 전부를 완벽한 상태로 유지한 것에 대해 고맙구나. ⑤ 새것 대신에 중고 물품을 사는 것이 어떠니?

Words　state 상태　secondhand 중고의　stuff 물품　selection 선정　worn-out 낡아빠진

W: Andrew는 다음 주 학교 축제에서 자신의 중고 물품을 팔 준비를 하고 있다. Andrew는 자신이 팔고 싶은 물품들을 모두 모아 그의 어머니인 Jane에게 자신이 선정한 물품들에 대해 그녀가 어떻게 생각하는지를 묻는다. Jane은 물품들을 훑어보고 그 중 일부는 낡고 상태가 좋지 않다는 것을 알아차린다. 그녀는 사람들이 그런 낡은 물품들을 사는 데에는 관심이 없을 테니 Andrew가 축제에 그것들을 가져가지 말아야 한다고 생각한다. 그래서 Jane은 Andrew가 상태가 좋은 물품만 골라야 한다고 제안하고 싶다. 이 상황에서, Jane은 Andrew에게 무엇이라고 말하겠는가?

3 다음 상황 설명을 듣고, Josh가 Lily에게 할 말로 가장 적절한 것을 고르시오. **답⑤** Why don't you switch your phone to one like mine?

M: Josh and Lily are friends. Josh notices that Lily looks tired at school
Josh는 Lily가 피곤해 보임을 알아차린다.
these days. Josh is worried about Lily and asks her if she's okay. Lily
says she's using her phone too much. She finds it hard to put her
smartphone down late at night, watching videos and playing games.
Lily의 고민: 영상을 보고 게임을 하느라 스마트폰을 손에서 내려놓을 수가 없다.　　　　　　┌ that is: 즉
Josh wants to offer her a solution to <mark>break her bad habit.</mark> <mark>That is,</mark>
　　　　　　　　　　　　　　　　　break a habit: 버릇을 고치다
changing her phone to a feature phone. He's using one himself, and
Josh의 제안: 피처 폰으로 바꿔라.
he's happy with it. It has limited functions, so he uses his phone only for
피처 폰의 제한적 기능: 전화 통화와 문자 메시지 용도로 사용
phone calls and text messages. <mark>Using a feature phone helps</mark> him <mark>avoid</mark>
　　　　　　　　　　　　　　　　　주어로 쓰인 동명사(구)는 단수 취급한다.
<mark>wasting</mark> time on his phone. Josh wants to <mark>recommend</mark> that Lily <mark>use</mark> the
avoid는 동명사만 목적어로 쓴다.
same kind of phone as his. In this situation, what would Josh most likely
　　　　　　　　　　제안(recommend)을 나타내는 동사가 있으므로 that절에서 use 앞에 should가 생략되었다.┘
say to Lily?

Josh: _____

정답 전략 Josh는 Lily에게 전화기를 피처 폰으로 바꿔 보라는 해결책을 제시하고자 한다. 즉, Josh
가 할 말로 가장 적절한 것은 ⑤ '네 전화기를 내 것과 같은 것으로 바꾸는 게 어떨까?'이다. ① 전화기
가 작동하지 않는다니 안됐네. ② 잘 때는 그냥 전화기를 꺼둬. ③ 매장에서 최신 모델을 확인해 봤니?
④ 수업 중에는 전화기를 사용해서는 안 돼.

Words　switch 바꾸다　solution 해결책　limited 제한된　function 기능

M: Josh와 Lily는 친구이다. Josh는 요즘 Lily가 학교에서 피곤해 보이는 것을 알아차린다. Josh는 Lily가 걱정되어 그녀에게 괜찮은지 물어본다. Lily는 전화를 너무 많이 쓰고 있다고 말한다. 그녀는 영상을 보고 게임을 하느라 밤늦게까지 스마트폰을 내려놓는 것이 힘들다는 것을 알게 된다. Josh는 그녀의 나쁜 습관을 고치기 위한 해결책을 제시하기를 원한다. 즉, 그녀의 전화기를 피처 폰으로 바꾸는 것이다. 그는 자신이 직접 쓰고 있고 만족하고 있다. 그것은 기능이 제한적이어서 그는 전화 통화나 문자 메시지 용도로만 전화를 사용한다. 피처 폰을 사용하는 것은 그가 전화기에 시간을 낭비하는 것을 피할 수 있도록 돕는다. Josh는 Lily가 자신과 같은 종류의 전화를 쓰도록 권하고 싶다. 이런 상황에서, Josh는 Lily에게 무엇이라고 말하겠는가?

---

4 대화를 듣고, 여자의 마지막 말에 대한 남자의 응답으로 가장 적절한 것을 고르시오. **답②** That's why I practiced a lot this time.

W: David, how was your driving test yesterday?
　　　　　　　대화의 소재: 운전면허 시험
M: I passed. I got my driver's license.
　┌ What a relief!: 정말 다행이야!
W: <mark>What a relief!</mark> You failed the previous test because you didn't have
　　　　　　　지난번 시험에 떨어진 이유: 준비할 시간이 충분하지 않았다.
enough time <mark>to prepare.</mark>
　　　　　　　to부정사의 형용사적 용법으로 앞의 time을 수식한다.
M: _____

정답 전략 여자의 마지막 말이 남자가 지난번 운전면허 시험에서는 충분히 준비하지 못해서 시험에
떨어진 것을 안다는 내용이므로 이어서 남자가 할 말은 ②이다. ① 우리가 여행을 하기 위해 항상 차
가 필요한 것은 아니야. ③ 네가 길이 막히지 않아서 다행이다. ④ 반드시 시험 시간에 맞춰 도착해야
해. ⑤ 시험 볼 때 신분증을 깜박했어.

Words　identification card 신분증　driver's license 운전면허증　relief 안도, 안심

W: David, 어제 운전면허 시험은 어땠어?
M: 통과했어. 내가 운전면허증을 땄어.
W: 다행이다! 너는 준비할 시간이 충분하지 않아서 지난번 시험에서 떨어졌잖아.
M: ② 그게 바로 이번에는 연습을 많이 한 이유지.

---

5 대화를 듣고, 남자의 마지막 말에 대한 여자의 응답으로 가장 적절한 것을 고르시오. **답④** Really? It'll be great to play in your band.

　　　　　　　　　　　　　　　┌ to부정사 형용사적 용법
M: Hey, Lauren. Are you still looking for a band to play drums in?
　　　　　　　　　남자는 여자가 드럼 연주를 할 밴드를 아직도 찾고 있는지 묻는다.
W: Yes, but I haven't found one yet. Your band is still my first choice, but I
　　　　　　　　　　　여자는 남자의 밴드에 빈자리가 없어 아쉬워하고 있다.
<mark>know you</mark> already have a drummer.
know와 you 사이에 명사절 접속사 that이 생략되었다.
M: Actually, our drummer had to quit for personal reasons. We want you to
　　　　　　　　　　　　　　　　　　　남자의 제안: 여자가 자기네 밴드
play drums in our band.
　　　　　　　에서 드럼 연주를 해 주길 원한다.
W: _____

정답 전략 남자의 밴드에서 드럼 연주자가 그만두어, 남자는 대신 여자가 드럼을 연주해 주었으면 좋
겠다고 제안했다. 따라서 남자의 마지막 말에 대한 여자의 응답으로 가장 적절한 것은 ④이다. ① 좋

M: 안녕, Lauren. 아직도 드럼 연주할 밴드를 찾고 있니?
W: 응, 하지만 아직 찾지 못했어. 내 첫 번째 선택은 여전히 너희 밴드이지만, 너희에게 이미 드럼 연주자가 있다는 것을 알고 있어.
M: 사실, 우리 드럼 연주자가 개인적인 이유로 그만두게 되었어. 우리는 네가 우리 밴드에서 드럼을 연주하기를 원해.
W: ④ 정말? 너희 밴드에서 연주하는 것은 아주 멋진 일일 거야.

아. 다른 밴드를 찾아볼게. ② 멋지다! 너는 우리의 드럼 연주자가 될 수 있어. ③ 미안해. 나는 네게 그 자리를 줄 수 없어. ⑤ 놀라운데! 네가 드럼을 연주하는 줄 몰랐어.

Words   position 위치, 자리   quit 그만두다   personal 개인적인

---

6 대화를 듣고, 여자의 마지막 말에 대한 남자의 응답으로 가장 적절한 것을 고르시오. 답 ❹ You can leave it with me and I'll find the owner.

W: Mr. Brown, I brought this P.E. uniform that somebody left in the
   <u>여자는 누군가가 두고 간 체육복을 선생님에게 가져 온다.</u>
   cafeteria.

M: That's very considerate of you. Is the student's name on the uniform?
   <u>남자는 체육복에 이름표가 있는지 확인한다.</u>

W: Yes, but the student is not from our homeroom class. The uniform must
   <u>여자는 이름표의 학생이 누구인지 모른다.</u>   ~임이 틀림없다(강한 추측)
   belong to a student in another class.
   belong to+명사: ~에 속하다

M: _____

정답 전략   여자가 학생식당에 누군가가 두고 간 체육복을 선생님인 남자에게 가져왔으므로, 남자의 응답은 ④가 가장 적절하다. ① 나는 내 교복을 어디에다 두었는지 기억해. ② 우리는 이제 체육 수업에 참여할 수 없어. ③ 너는 구내식당이 문을 닫기 전에 서둘러야 해. ⑤ 누군가 너의 소지품과 함께 그것을 가져오기를 바라.

Words   belongings 소지품   P.E. uniform 체육복   considerate 배려심이 깊은

W: Brown 선생님, 누가 학생식당에 두고 간 체육복을 제가 가져왔는데요.

M: 너는 배려심이 무척 깊구나. 체육복에 학생의 이름이 있니?

W: 네, 하지만 그 학생은 저희 반이 아니에요. 그 체육복은 틀림없이 다른 반 학생 거예요.

M: ④ 나에게 그것을 맡기면 내가 주인을 찾아보마.

---

7 다음 상황 설명을 듣고, Peter가 Peter의 할머니에게 할 말로 가장 적절한 것을 고르시오.
답 ❹ How about taking a smartphone class at the senior center?

M: Peter recently gave his grandmother a smartphone for her birthday.

   She uses it frequently and often asks Peter to help her do things such
                                                  help는 목적격 보어로 동사원형과 to부정사를 모두 쓸 수 있다.
   as sharing photos or downloading apps. Peter is happy to help her, but

   he has to go abroad for a long business trip next week. He's worried
         go abroad: 외국에 가다
   that she'll have no one to help her with her smartphone. So he searches
   <u>Peter의 걱정: 출장 기간에 할머니께 스마트폰 사용법을 가르쳐 드릴 수 없다.</u>   search for: ~을 찾다
   for a way to help her and finds that the local senior center offers a class
                        <u>Peter의 대안: 지역 노인 복지관에서 스마트폰 사용법을 배울 수 있다.</u>
   which teaches seniors how to use smartphones. He thinks the class
   which는 선행사를 a class로 하는 주격 관계대명사이다.
   can help her use the smartphone by herself. So, Peter wants to tell his
                                   by oneself: 혼자서, 도움을 받지 않고
   grandmother to learn smartphone skills from the senior center. In this
   <u>Peter의 제안: 할머니께 노인 복지관에서 스마트폰 사용 기술을 배워 보시라고 권하고 싶다.</u>
   situation, what would Peter most likely say to his grandmother?

Peter: _____

정답 전략   Peter는 할머니께 지역 노인 복지관에서 하는 강좌를 통해 스마트폰 사용 기술을 배워 보시라고 말씀드리고 싶어 하므로, 가장 적절한 응답은 ④의 '노인 복지관에서 스마트폰 강좌를 들어 보시는 게 어떠세요?'이다. ① 할머니께서 스마트폰을 너무 많이 사용하셔서 걱정이 돼요. ② 할머니의 전화기로 앱을 다운로드하는 방법을 설명해 드릴게요. ③ 급우들과 사진을 공유하는 것은 어떠세요? ⑤ 더 큰 화면을 가진 새 스마트폰을 사 드리는 게 낫겠어요.

Words   frequently 자주   business trip 출장   senior center 노인 복지관

M: Peter는 최근에 할머니 생신 선물로 스마트폰을 드렸다. 할머니는 그것을 자주 사용하시고 사진 공유하기나 앱 다운로드하기 같은 것을 하도록 도와달라고 자주 Peter에게 부탁하신다. Peter는 할머니를 도와드리는 것이 행복하지만 다음 주에 장기 출장으로 해외에 나가야 한다. 그는 스마트폰에 대해 할머니를 도와드릴 사람이 아무도 없을까 걱정된다. 그래서 그는 할머니를 도와드릴 방법을 찾다가 지역 노인 복지관에서 어르신들에게 스마트폰을 사용하는 방법을 가르쳐 주는 강좌를 제공하고 있다는 것을 알게 된다. 그는 그 강좌가 할머니가 혼자 스마트폰을 사용하시도록 도와줄 수 있다고 생각한다. 그래서 Peter는 할머니께 노인 복지관에서 스마트폰 사용 기술을 배워 보시라고 말씀드리고 싶다. 이 상황에서, Peter는 할머니께 무엇이라고 말하겠는가?

© Umberto Shtanzman / shutterstock

---

8 다음 상황 설명을 듣고, Mary가 Steve에게 할 말로 가장 적절한 것을 고르시오. 답 ❶ Why don't you take leave today and look after yourself?

M: Mary is leading a sales team at a company. Her team is working hard

   on a proposal for a very important contract. In the morning, Mary

M: Mary는 한 회사에서 영업팀을 이끌고 있다. 그녀의 팀은 매우 중요한 계약의 제안 작업을 열심히 하고 있다. 오전에 Mary

notices that Steve, one of her team members, is frequently massaging
Mary는 팀원인 Steve의 건강 상태가 좋지 않다는 것을 눈치 챈다.

his shoulder while frowning. Mary asks Steve if he is feeling okay. Steve
= while he frowns

says that he has been feeling pain in his shoulder for the last few days,

but he also says that he is okay to continue working. Mary is concerned
Steve는 통증은 있어도 일을 계속 할 수 있다고 한다. ┗ continue의 목적어로 to부정사, 동명사 모두 올 수 있다.

that if Steve continues to work despite his pain, his health could
despite+명사(구): ~에도 불구하고

become worse. She believes that his health should be the first priority.
Mary는 건강을 최우선으로 해야 한다고 믿는다.

So, she wants to suggest to Steve that he take the day off and take care
take 앞에 should가 생략되어 있다. 제안의 의미를 나타내는 동사(suggest)와 함께 쓰인 that절의 should는 생략할 수 있다.

of himself. In this situation, what would Mary most likely say to Steve?
지시문의 바로 앞 문장이 핵심이므로, 이 문장에 잘 어울리는 선택지를 고르도록 한다.

Mary: _____

정답 전략 Mary는 Steve에게 휴가를 내서 몸을 돌보라는 제안을 하고 싶어 하므로 ①의 '오늘 휴가
를 내고 자신을 돌보는 게 어떻겠어요?'와 같이 말할 것이다. ② 당신의 관심사가 구직에 있어서 우선
사항이 되어야 해요. ③ 팀원의 생각을 적극적으로 지원하는 게 낫겠어요. ④ 건강 제품 판매를 늘릴
방법을 찾아봅시다. ⑤ 그 계약의 세부사항을 바꾸는 게 어떻겠어요?

Words leave 휴가 contract 계약(서) first priority 최우선 사항

는 팀원 중 한 명인 Steve가 수시로 얼굴
을 찡그리며 어깨를 마사지하고 있는 것
을 알게 된다. Mary는 Steve에게 괜찮
냐고 묻는다. Steve는 지난 며칠 동안 어
깨에 통증을 느끼고 있다고 말하지만, 계
속 일을 해도 괜찮다고도 말한다. Mary
는 Steve가 아픈데도 계속해서 일하면
그의 건강이 나빠질까봐 걱정된다. 그녀
는 그의 건강이 최우선 사항이 되어야 한
다고 믿는다. 그래서 그녀는 Steve에게
하루 휴가를 내고 스스로를 돌볼 것을 제
안하고 싶다. 이 상황에서, Mary는
Steve에게 무엇이라고 말하겠는가?

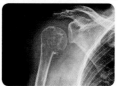

© Thomas Hecker / shutterstock

---

9 다음 상황 설명을 듣고, Brian의 어머니가 Brian에게 할 말로 가장 적절한 것을 고르시오.

답 ❺ Why don't you pack your bag by yourself for the trip?

W: Brian is a high school student. He has only traveled with his family

before. Until now his mother has always taken care of his travel bag,
Brian은 여행 가방을 늘 어머니가 챙겨 주는 것에 익숙해 있다.

so he doesn't have any experience preparing it himself. This weekend,

Brian is supposed to go on a school trip with his friends. He asks
be supposed+to부정사: ~하기로 되어 있다

his mother to get his stuff ready for his trip this time, too. However,
Brian은 평소처럼 여행 가방을 어머니가 챙겨 줄 것을 부탁한다.

she believes Brian is old enough to prepare what he needs, and she
형용사/부사+enough+to부정사: ~할 정도로 충분히 …한 ┌ to부정사 명사적 용법

thinks this time is a great opportunity for him to learn to be more
어머니는 이번을 Brian이 자립적이 될 수 있는 기회로 삼으려 한다. └ to부정사 형용사적 용법

independent. So, she wants to tell Brian that he should get his things
어머니의 바람: 내 도움 없이 짐을 스스로 꾸려 보아라. → 이 문장을 정확히 파악하고 선택지를 살핀다.

ready and put them in his bag without her help. In this situation, what

would Brian's mother most likely say to Brian?

Brian's mother: _____

정답 전략 어머니가 Brian에게 자립심을 길러 주기 위해 여행 가방을 스스로 꾸려 보라고 말하고 싶
어 하는 상황이므로, ⑤ '여행을 위해 네 가방을 너 스스로가 꾸리는 게 어떻겠니?'라고 말할 것이다.
① 새로운 곳에 갈 때마다 꼭 나에게 전화하렴. ② 수학여행은 친구를 사귈 좋은 기회란다. ③ 나는 여
행이 너의 시야를 넓혀준다고 믿어. ④ 짐을 너 스스로 옮기는 게 어떻겠니?

Words broaden 넓히다 luggage (여행용) 짐 independent 자립적인, 독립적인

W: Brian은 고등학생이다. 그는 전에 오직
가족하고만 여행을 해 왔다. 지금까지 그
의 어머니가 항상 그의 여행 가방을 챙겨
주셨으므로, 그는 여행 가방을 자신이 직
접 준비한 경험이 없다. 이번 주말에
Brian은 자기 친구들과 수학여행을 가기
로 되어 있다. 그는 이번에도 어머니께 그
의 여행에 필요한 물건을 준비해 달라고
부탁한다. 하지만, 어머니는 Brian이 자
신에게 필요한 것을 준비할 수 있는 충분
한 나이가 되었다고 믿고, 이번이 그가 보
다 자립적이 되는 법을 배울 수 있는 좋은
기회라고 생각한다. 그래서 어머니는
Brian에게 어머니의 도움 없이 자신의 물
건들을 준비해서 그것들을 가방에 넣어야
한다고 말하고 싶다. 이런 상황에서
Brian의 어머니는 Brian에게 무엇이라고
말하겠는가?

---

10 대화를 듣고, 남자의 마지막 말에 대한 여자의 응답으로 가장 적절한 것을 고르시오. 답 ❶ They'll let me know in a week.

┌ participate in: ~에 참가하다

M: Hi, Ellen. I heard you participated in the audition for the musical.
두 남녀가 나누는 대화의 소재이다.

W: Yeah, I did. But I'm not sure if I'll get the role. I'm waiting for the results.
명사절 접속사로 whether로 바꾸어 쓸 수 있다.

M: When will they give the results?
마지막 질문이 When으로 시작하는 의문문이므로 시간과 관련된 선택지를 골라야 한다.

W: _____

M: 안녕, Ellen. 나는 네가 그 뮤지컬의 오디
션에 참가했다고 들었어.

W: 응, 참가했어. 그런데 내가 배역을 맡게
될지는 확실히 모르겠어. 나는 결과를 기
다리고 있거든.

남자가 여자에게 오디션 결과가 언제 나오는지 물었으므로, 여자의 응답으로 가장 적절한 것은 '시간'으로 답한 ①이다. ② 내가 그 뮤지컬을 보게 되다니 설렌다. ③ 나는 그 결과를 웹사이트에 올렸어. ④ 나는 마침내 내가 원했던 주연을 맡았어. ⑤ 그들은 10분 안에 오디션을 시작할 거야.

Words post 올리다, 게시하다 role 배역

M: 언제 그들이 결과를 알려주는데?

W: ① 그들은 내게 일주일 안에 알려줄 거야.

11 대화를 듣고, 여자의 마지막 말에 대한 남자의 응답으로 가장 적절한 것을 고르시오. 답 ❶ All right, I'll take the bus then.

W: Michael, you're going to take the school bus today, right?

M: If it's warmer than yesterday, I'm going to take my bicycle, Mom. Why?

  ┌ much는 비교급을 수식해 '훨씬 더 ~한'의 의미를 지닌다.   had better(~하는 게 낫다)의 부정형은 had better not이다.
W: It's much colder and windier today. You'd better not ride your bicycle.

M: _____
  마지막 문장이 권유의 성격이므로 이에 어울리는 답변을 생각해 본다.

날씨가 좋지 않아 자전거를 타지 않는 게 좋겠다고 엄마가 권유했으므로 남자의 응답으로 가장 적절한 것은 ①이다. ② 아니요, 제 자전거는 또 고장 났어요. ③ 문제없어요. 제가 태워드릴게요. ④ 걱정하지 마세요. 저는 이미 학교에 도착했어요. ⑤ 정말 그래요. 날씨가 따뜻해지고 있어서 기뻐요.

Words give a ride 태워주다 indeed 정말, 확실히

W: Michael, 오늘 학교 버스 탈거지, 그렇지?

M: 날씨가 어제보다 더 따뜻하면 제 자전거를 타려고 해요, 엄마. 왜요?

W: 오늘이 훨씬 더 춥고 바람도 더 많이 부는구나. 자전거를 타지 않는 게 좋겠다.

M: ① 알았어요. 그러면 버스를 탈게요.

12 대화를 듣고, 남자의 마지막 말에 대한 여자의 응답으로 가장 적절한 것을 고르시오. 답 ❶ Okay, I'll send the address to your phone.

[Cell phone rings.]

M: Honey, I've just left work. I'll be home in half an hour.
  leave work: 퇴근하다 ┌ stop by: ~에 잠시 들르다
W: Good. Is it possible for you to stop by the dry cleaner's shop and pick up

  my dress?
  and를 사이에 두고 to stop by와 (to) pick up이 병렬 관계이다.

M: Sure. Can you tell me where the shop is located?

W: _____
  마지막 질문이 where가 포함된 간접의문문이므로 장소를 언급한 선택지를 고른다.

남자가 여자에게 세탁소의 위치를 알려줄 수 있는지 물었으므로, 여자의 응답으로 가장 적절한 것은 '세탁소 위치'에 관해 언급한 ①이다. ② 네. 정오까지 당신의 원피스를 세탁해 놓을게요. ③ 물론이지요. 내일 가게를 열 예정이에요. ④ 아니요. 저는 새로운 곳으로 이사하지 않을 겁니다. ⑤ 너무 늦었어요. 저는 이미 집에 와 있어요.

Words dry cleaner's shop 세탁소 be located 위치해 있다

[휴대 전화가 울린다.]

M: 여보, 저 방금 퇴근했어요. 30분 후에 집에 도착할 거예요.

W: 잘됐네요. 세탁소에 들러서 제 원피스를 찾아올 수 있어요?

M: 그럼요. 세탁소 위치가 어디인지 알려줄 수 있어요?

W: ① 알겠어요. 당신 휴대 전화로 주소를 보낼게요.

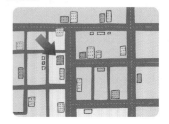

DAY 3 필수 체크 전략 ①

20~21쪽

[대표 유형] **3** ③   **3-1** ⑤   **3-2** ⑤   **3-3** ⑤

3 대화를 듣고, 여자의 마지막 말에 대한 남자의 응답으로 가장 적절한 것을 고르시오. 답 ❸ Great, That'll be a good way to take time for yourself.

W: Honey, I'm home.

M: Is everything all right? You seem low on energy.

W: I am. I'm pretty burnt out.
  be burnt out: 녹초가 되다
M: It's no wonder. You've been so stressed out from work these days.
  남자의 우려: 여자가 요즘 일로 스트레스를 많이 받고 있다.
W: Yeah, I can't remember the last time that I really got to enjoy myself.
  여자의 상태: 여유로웠던 시간이 생각도 나지 않을 정도로 지쳤다.
M: You need to recharge your batteries. Why don't you spend some time
  need+to부정사: ~할 필요가 있다   남자의 제안: 주말에 혼자만의 시간을 즐겨 보라.
  alone this weekend?

W: Maybe you're right. I might need my own personal time.

M: Yes. And don't worry about the kids. I'll take care of them.

W: 여보, 나 왔어요.

M: 모든 일이 잘 되고 있어요? 기운이 없어 보이네요.

W: 맞아요. 난 정말 지쳤어요.

M: 그럴 만도 하죠. 요즘 일 때문에 스트레스를 많이 받고 있잖아요.

W: 그래요, 내가 마지막으로 정말 마음껏 즐겼던 때도 기억나지 않아요.

M: 당신은 재충전할 필요가 있어요. 이번 주말에는 혼자 시간을 좀 보내는 게 어때요?

W: 당신 말이 맞을 지도 몰라요. 나만의 개인적인 시간이 필요한 것 같아요.

W: Sounds good. Then let me think about what I can do.

사역동사 let의 목적격 보어로 동사원형이 온다.

M: You can go to the theater, ride your bike along the river, or do whatever

남자는 여자가 시간을 즐길 수 있는 몇 가지 방법을 제안한다. whatever는 복합관계대명사로 '~하는 것은 무엇이든지'의 의미이다.

makes you feel happy.

사역동사 make의 목적격 보어로 동사원형이 온다.

W: Well, there's an exhibition that I've been interested in.

마지막 말이 평서문이므로 이에 적절한 선택지를 골라야 한다.

M: _____

정답 전략 남자가 여자에게 재충전할 자신만의 시간을 가져 보라고 조언을 했고, 여자는 그간 관심이 있었던 전시회가 있다고 말한다. 이에 자연스러운 남자의 응답은 ③이다. ① 걱정 말아요. 스트레스가 당신이 생각하는 것만큼 항상 나쁜 것만은 아니에요. ② 외출할 때는 언제나 충전기를 가지고 가는 것을 잊지 말아요. ④ 너무 많이 운동하면 에너지가 다 소진될 거라고 생각해요. ⑤ 환상적이네요. 아이들과 그 전시회에서 즐거운 시간을 보냅시다.

Words   charger 충전기   low (몸 · 기분이) 처지는, 기운이 없는   recharge 재충전하다

3-1 대화를 듣고, 남자의 마지막 말에 대한 여자의 응답으로 가장 적절한 것을 고르시오. **답 ⑤** Okay. I'll let you know my decision soon.

M: Hey, Sylvia. I saw your new movie a few days ago. You played the

character beautifully.

W: Thanks, Jack. I had so much fun acting in that movie.

have fun -ing: ~하느라 즐거운 시간을 보내다

M: I'm sure you did. Sylvia, I'm going to be directing a new movie. You'd be

두 사람의 관계는 배우와 감독일 것으로 보인다.

perfect for the lead role.

W: Oh, really? What's the movie about?

M: It's a comedy about a dreamer who just moved to a new town.

who는 a dreamer를 선행사로 하는 주격 관계대명사이다.

W: That sounds interesting, and I'd like to be in your movie. But I'm not sure

I'm the right person for the role.

여자는 본인이 그 역에 적합할 것이라는 확신이 없다.

M: Why do you say that?

W: Well, I haven't acted in a comedy before.

여자가 확신이 없는 이유는 코미디 연기를 한 적이 없기 때문이다.

M: Don't worry. You're a natural actor.

and를 사이에 두고 read와 decide는 병렬 관계를 이루고 있다.

W: That's kind of you. Can I read the script and then decide?

여자의 제안: 대본 검토 후, 결정하겠다. wait는 목적어로 to부정사가 온다.

M: Sure. I'll send you a copy of the script. I'll be waiting to hear from you.

남자의 마지막 말이 '여자의 연락을 기다리겠다'는 말로 끝남에 주목한다.

W: _____

정답 전략 여자의 연락을 기다리겠다는 남자의 말에 대해 여자의 응답으로 자연스러운 것은 서둘러 결정하고 답을 주겠다는 말이다. 따라서 ⑤가 가장 적절하다. ① 물론이죠. 저는 이 대본을 읽은 후에 감명을 받았어요. ② 당연하죠. 지난번 코미디 영화에서 제가 연기를 잘했다고 생각해요. ③ 좋아요. 제가 당신의 새로운 드라마를 위해 대본을 쓸게요. ④ 미안해요. 저는 그 영화를 감독할 수 없어요.

Words   absolutely 틀림없이   lead role 주인공 역   dreamer 몽상가   natural 타고난

3-2 대화를 듣고, 여자의 마지막 말에 대한 남자의 응답으로 가장 적절한 것을 고르시오. **답 ⑤** Okay. We'll send the gray skirt to you right away.

[Cell phone rings.]

W: Hello.

M: Good afternoon. This is S&G Clothing Company. Can I speak to Ms.

Thompson, please?

M: 그래요. 그리고 아이들은 걱정하지 말아요. 내가 애들을 돌볼 테니.

W: 좋아요. 그럼 내가 무엇을 할 수 있을지 생각해 볼게요.

M: 극장에 가거나, 자전거를 타고 강가를 달리거나, 당신이 행복감을 느끼게 하는 것은 무엇이든지 할 수 있어요.

W: 음, 내가 관심이 있었던 전시회가 하나 있긴 해요.

M: ③ 좋은데요. 그것은 당신 자신을 위한 시간을 갖기에 좋은 방법일 거예요.

M: 이봐요, Sylvia. 며칠 전에 당신의 새 영화를 봤어요. 등장인물을 멋지게 연기했더군요.

W: 고마워요, Jack. 그 영화에서 연기하면서 아주 재미있었어요.

M: 분명히 그랬을 거예요. Sylvia, 제가 새 영화를 감독할 거예요. 당신이라면 주인공 역에 완벽할 거예요.

W: 오, 정말요? 무엇에 관한 영화예요?

M: 막 새로운 마을로 이주한 몽상가에 관한 코미디 영화예요.

W: 재미있을 것 같고, 당신 영화에 출연하고 싶어요. 하지만 제가 그 역에 적합한 사람이라는 확신이 들지는 않아요.

M: 왜 그렇게 말하세요?

W: 음, 전에 코미디 영화에서 연기해 본 적이 없거든요.

M: 걱정하지 말아요. 당신은 타고난 배우이니까.

W: 친절하시네요. 대본을 읽고 난 다음에 결정해도 될까요?

M: 물론이죠. 대본 한 부를 보내 드릴게요. 당신의 연락을 기다리고 있겠습니다.

W: ⑤ 알았습니다. 곧 제 결정을 알려 드릴게요.

[휴대 전화가 울린다.]

W: 여보세요.

M: 안녕하세요. 여기는 S&G Clothing Company입니다. Thompson 씨와 통화할 수 있을까요?

W: Yes, speaking.

M: I'm calling to tell you about the order you placed.
you 앞에 목적격 관계대명사(that 또는 which)가 생략되어 있다.

W: Oh, is there a problem?

M: Yes. Unfortunately, the black skirt you ordered is out of stock at the moment.
skirt와 you 사이에 목적격 관계대명사(that 또는 which)가 생략되어 있다.
남자는 여자가 주문한 상품의 재고가 없다는 소식을 전한다. *out of stock: 재고가 없는*

W: Oh, no. I need it for my graduation ceremony this weekend.

M: We're very sorry for the inconvenience.

W: Okay. Then, what are my options?

M: You may cancel your order and get a full refund. Or we could send you the same skirt, but in a different color.
남자의 설명: 전액 환불을 받거나 다른 색으로 변경해서 받는 것이 가능하다.

W: Hmm .... What colors do you have?

M: We currently have only gray in stock. If we send it out today, it'll arrive by Thursday.
in stock: 재고가 있는
현재 재고 상품은 회색만 있다.

W: Well, I like the design of the skirt, so gray's fine.
여자의 선택: 디자인이 마음에 들어 회색도 괜찮다.

M: _____

정답 전략 남자는 여자가 주문한 검은색 스커트가 품절이고 회색만 있다고 했다. 이에 여자가 회색 스커트도 괜찮다고 대답했으므로, 남자의 응답으로 가장 적절한 것은 ⑤이다. ① 문제없습니다. 고객님은 환불받으실 겁니다. ② 물론이죠. 그것이 제가 주문을 취소한 이유입니다. ③ 아주 좋습니다. 저는 그것을 사이즈가 더 큰 것으로 교환하겠습니다. ④ 좋네요. 소포를 받으셨다는 말을 들으니 기쁩니다.

Words refund 환불 place an order 주문을 하다 inconvenience 불편 currently 현재

3-3 대화를 듣고, 남자의 마지막 말에 대한 여자의 응답으로 가장 적절한 것을 고르시오. **답 ⑤** You're right. I think I should leave the school orchestra.

M: Hi, Sujin. Congratulations on being elected president of the student council.
남자는 여자가 학생회장으로 선출된 것을 축하해 주고 있다.

W: Thank you, Mr. Williams.

M: You're going to be very busy. Aren't you also playing the flute in the school orchestra?

W: Right. And I'm editing the school English newspaper as well.
as well: 또한, 역시

M: Wow! That's a lot. Isn't it going to be tough to handle all of those responsibilities?
남자의 걱정: 여자가 맡은 일이 너무 많아 힘들까 봐 걱정된다.

W: I think so, too. Actually, I was considering quitting either the orchestra or the newspaper. Do you have any advice?
consider는 목적어로 동명사를 취하는 동사이다.
여자의 도움 요청: 오케스트라와 신문 중 무엇을 그만둘지 몰라 조언을 구한다.
either A or B: A 또는 B 중 하나

M: Hmm .... You might want to think about what it is that you're interested in. It would be even better if it's your passion.
남자의 생각: 본인이 더 열정을 갖고 있는 일에 주력하는 게 좋다.

W: I totally agree. You know, I'm in the orchestra only because my dad wanted me to join.
여자의 의견: 오케스트라는 아빠가 원해서 가입했다.

M: I see. Then, do you like editing the school newspaper?

W: 네, 전데요.

M: 고객님께서 하신 주문에 관해 말씀드리려고 전화를 드렸습니다.

W: 오, 문제가 있나요?

M: 네. 유감스럽게도, 고객님이 주문하신 검은색 스커트가 지금 재고가 없습니다.

W: 오, 안 돼요. 저는 이번 주말에 제 졸업식에 그게 필요하거든요.

M: 불편을 드려서 정말 죄송합니다.

W: 알겠어요. 그럼, 제가 선택할 수 있는 게 뭐죠?

M: 고객님은 주문을 취소하시고 전액 환불받으실 수 있습니다. 아니면 저희가 고객님께 똑같은 스커트를 다른 색으로 보내드릴 수 있습니다.

W: 흠… 어떤 색이 있나요?

M: 저희는 현재 회색만 재고가 있습니다. 저희가 오늘 그것을 보내면 목요일까지는 도착할 겁니다.

W: 음, 저는 그 스커트 디자인이 마음에 들어서 회색도 괜찮아요.

M: ⑤ 알겠습니다. 저희가 회색 스커트를 고객님께 바로 보내드리겠습니다.

M: 안녕, 수진. 학생회장으로 선출된 것을 축하한다.

W: 고맙습니다, Williams 선생님.

M: 아주 바빠지겠구나. 너는 학교 오케스트라에서 플루트 연주도 하고 있지 않니?

W: 맞아요. 그리고 학교 영자신문 편집도 하고 있어요.

M: 와! 하는 일이 많구나. 맡은 일들 전부를 처리하는 게 힘들지 않겠니?

W: 저도 그렇게 생각해요. 사실 오케스트라나 신문 중 하나를 그만둘까 생각하고 있었어요. 조언해 주실 말씀 있으세요?

M: 흠… 너는 네가 관심이 있는 게 무엇인지 생각해 보는게 좋겠구나. 그것이 네가 열정적으로 하는 일이면 훨씬 더 좋을 거야.

W: 전적으로 맞는 말씀이에요. 아시다시피 제가 오케스트라에 있는 것은 저희 아빠가 제가 거기에 가입하기를 원하셔서일 뿐이랍니다.

M: 그렇구나. 그러면, 학교 신문을 편집하는 것은 좋아하니?

┌ 여자의 장래 희망: 기자가 되는 것

W: Yes, I enjoy it. I want to be a journalist someday.

┌ It seems that+주어+동사: ~인 것 같다

M: It seems to me that the newspaper is your passion.
남자의 의견: 신문 관련 일에 여자의 열정이 더 많아 보인다.

W:

정답 전략 여자는 너무 바빠서 맡은 일 중에 어떤 것을 그만둘지 선생님께 상담을 하고 있는 상황이다. 여자와 선생님 모두 여자가 신문 편집 일을 즐겁게 하고 있다는 의견이므로, 남자의 마지막 말에 대한 여자의 응답으로 가장 적절한 것은 ⑤이다. ① 걱정하지 마세요. 선생님이 아주 바쁘시다는 걸 알고 있어요. ② 일리 있는 말씀이에요. 저는 플루트 연습에 집중할게요. ③ 확실해요. 당신(선생님)이 훌륭한 기자가 되실 수 있게 제가 도울 수 있어요. ④ 안됐네요. 다음에는 선출될 거라고 확신해요.

Words make sense 타당하다   student council 학생회   handle 처리하다, 다루다

W: 네, 그 일은 즐거워요. 저는 언젠가 기자가 되고 싶거든요.

M: 내가 보기에는 신문이 네가 열정적으로 하는 일인 것 같구나.

W: ⑤ 선생님 말씀이 맞아요. 저는 학교 오케스트라를 그만두어야겠다고 생각해요.

---

3 DAY 필수 체크 전략 ②

22~25쪽

| 1 ⑤ | 2 ⑤ | 3 ① | 4 ③ | 5 ① | 6 ③ | 7 ① | 8 ④ | 9 ② | 10 ② |

1 대화를 듣고, 남자의 마지막 말에 대한 여자의 응답으로 가장 적절한 것을 고르시오. 답 ⑤ Perfect. That's high enough to avoid the smell.

[Telephone rings.]

M: Front desk. How may I help you?

W: I'm in Room 201. I specifically booked a non-smoking room, but I smell
여자의 문제 제기: 금연 객실을 예약했는데, 방에서 담배 냄새가 난다.
cigarette smoke in my room.

M: We're sorry about that. Let me check that for you. [Typing sound] You're
Wendy Parker, right?

W: Yes, that's correct.

M: Hmm, the record says we assigned you a non-smoking room.

W: Then why do I smell cigarette smoke here?

┌ ~ 때문에

M: Well, since your room is close to the ground level, cigarette smoke must
남자의 확인: 지상의 담배 연기가 들어온 것 같다.
have come in from outside. Sorry for the inconvenience. Would you like
must have+과거분사: ~ 했음에 틀림없다(과거 일에 대한 강한 추측)   남자의 제안: 객실 교체
to switch rooms?

W: Yes, please. The smell is really bothering me.

M: Let me first check if there are any rooms available.
available은 뒤에서 명사를 수식한다.

W: If it's possible, I'd like to move to a higher floor. Maybe higher than the
여자의 요청: 5층 이상 객실로 교체를 원한다.
5th floor?

M: Okay. [Typing sound] Oh, we have one. Room 908 on the 9th floor is
남자의 확인: 9층 908호 객실 이용이 가능하다.
available.

W: _____

정답 전략 금연 객실을 예약한 여자는 방에서 담배 냄새가 나서 안내 데스크에 불만 전화를 건 상황이다. 남자가 9층 객실로 교체를 제안했으므로, 여자의 응답으로는 ⑤가 가장 적절하다. ① 다시 한 번 확인 부탁드려요. 호텔 예약이 꽉 찼을 리가 없어요. ② 아쉽네요. 제가 가능한 한 일찍 체크아웃을 했어야 했어요. ③ 물론이죠. 저는 당신의 청소 서비스에 매우 만족합니다. ④ 미안해요. 제 방과 당신 방을 바꿀 수는 없어요.

Words assign 배정하다   ground level 지면 높이   switch 교체하다   available 이용 가능한

[전화벨이 울린다.]

M: 안내 데스크입니다. 무엇을 도와 드릴까요?

W: 201호입니다. 저는 특별히 금연 객실을 예약했는데요, 제 방에서 담배 연기 냄새가 나네요.

M: 죄송합니다. 제가 확인해 드리겠습니다. [타이핑 소리] Wendy Parker 씨, 맞으시죠?

W: 네, 맞습니다.

M: 흠, 기록을 보니 저희가 금연 객실을 배정했네요.

W: 그럼 왜 여기서 담배 연기 냄새가 나죠?

M: 글쎄요, 고객님의 방이 지면과 가까워서 담배 연기가 밖에서 들어온 게 틀림없습니다. 불편을 드려 죄송합니다. 객실 교체를 원하시나요?

W: 네, 부탁합니다. 냄새가 정말 괴롭네요.

M: 우선 이용 가능한 방이 있는지 확인해 보겠습니다.

W: 가능하다면, 더 높은 층으로 옮기고 싶어요. 5층보다 더 높은 층이 가능할까요?

M: 알겠습니다. [타이핑 소리] 아, 하나 있습니다. 9층 908호가 이용 가능합니다.

W: ⑤ 완벽하네요. 냄새를 피하기에 충분히 높네요.

© Gabriel Georgescu / shutterstcok

정답과 해설 **77**

2 대화를 듣고, 여자의 마지막 말에 대한 남자의 응답으로 가장 적절한 것을 고르시오. 답 ⑤ Thanks. I'll call now to see if they're available that day.

W: Jason, I heard you're planning a sports day for your company.

M: Yeah, it's next Saturday. But the problem is that I haven't been able to
남자의 걱정: 회사 운동회를 위한 장소를 아직 섭외하지 못하고 있다.
reserve a place yet.

W: Oh, really? Have you looked into Portman Sports Center?
look into: 조사하다, 살펴보다

M: I have. Unfortunately, they're remodeling now.

W: That's too bad. It's perfect for sports events.

M: I know. Well, I've been looking everywhere, but every place I've called is
「every+명사」가 주어로 올 때 단수
취급하므로 동사로 is가 쓰였다.
booked.

W: Oh, no. Can you postpone the event until they finish remodeling?
여자의 제안: 운동회 날을 연기해서 원하는 곳을 예약하면 어떨까?

M: No, we can't. The company has a busy schedule after that day.
남자의 입장: 회사 일정으로 인해 행사를 연기할 수는 없다.

W: Hmm .... How about Whelford High School? They have great sports
여자의 제안: Whelford 고등학교를 이용해 보라.
facilities.

M: Really? Are they open to the public?

W: Sure, they are. We rented them for a company event last month.

M: Sounds like a good place to reserve.
┌to부정사의 형용사적 용법
남자의 입장: 여자가 추천한 장소가 마음에 든다.   ┌had better+동사원형: ~하는 편이 낫다

W: Yes, it is. But the facilities are popular, so you'd better hurry up.
여자의 조언: 시설이 인기가 좋으니, 서둘러 알아보라.

M: _____

정답 전략 여자는 남자에게 추천한 시설이 인기가 좋으니 서둘러 알아보라고 조언을 하고 있다. 이에 어울리는 남자의 응답은 ⑤이다. ① 괜찮아요. 당신은 다른 장소를 예약할 수 있어요. ② 알겠어요. 당신 회사 행사에 참여하려면 서둘러야 해요. ③ 왜 아니겠어요? 저희 회사에는 자체적인 체육 시설이 있답니다. ④ 동의해요. 우리는 개조 공사가 완료될 때까지 기다려야 해요.

Words remodel 개조하다 postpone 연기하다 facility 시설 the public 일반인

3 대화를 듣고, 남자의 마지막 말에 대한 여자의 응답으로 가장 적절한 것을 고르시오. 답 ① All right. I'll check if it's in the jacket and call you back.

[Cell phone rings.]

W: Hi, honey. What's up?

M: Where are you right now?

W: I just parked my car. I'll be home in a minute. How about you?

M: I'm at the grocery store, but I've just realized one of my credit cards is
┌realized 다음에 접속사 that이 생략되어 있다.
남자의 문제상: 신용카드를 분실한 것 같다.
missing.

W: Really? You should call the credit card company and cancel your card
┌and를 사이에 두고 call과 cancel이 병렬 관계를 이루고 있다.
여자의 조언: 분실 신고부터 하라.
right away.

M: I will. But before I do that, can you check the pockets of my jacket,
남자의 부탁: 분실 신고 전에 어제 입었던 옷 속에 카드가 있는지 확인해 달라.
please?

W: Okay. Which jacket do you want me to check?

M: It's the brown one. I wore it yesterday.

W: You mean the one I bought for you last spring?
the one과 I 사이에 목적격 관계대명사 that이 생략되어 있다.

© Juksy/shutterstock

W: Jason, 당신이 당신 회사 운동회를 계획하고 있다는 말을 들었어요.

M: 네, 다음 주 토요일이에요. 하지만 문제는 제가 아직도 장소를 예약하지 못했다는 거예요.

W: 오, 정말요? Portman Sports Center는 알아봤어요?

M: 알아봤죠. 유감스럽게도 그곳은 지금 개조 공사 중이에요.

W: 그거 참 안됐네요. 거긴 체육 행사를 위해서 완벽한 곳인데.

M: 알고 있죠. 흠, 전부 살펴보고 있지만 제가 전화한 곳은 모두 예약이 되어 있어요.

W: 오, 저런. 개조 공사가 끝날 때까지 행사를 연기할 수 있나요?

M: 아니요, 그럴 수 없어요. 그날 이후에는 회사 일정이 바쁘거든요.

W: 흠…. Whelford 고등학교는 어때요? 훌륭한 체육 시설이 있는 곳이죠.

M: 정말요? 일반인에게 개방을 하나요?

W: 물론이죠, 개방해요. 저희는 지난달에 회사 행사로 그곳을 빌렸어요.

M: 예약하기에 좋은 장소 같네요.

W: 네, 맞아요. 하지만 시설이 인기가 있으니 서두르는 것이 좋겠어요.

M: ⑤ 고마워요. 지금 전화해서 그날 사용할 수 있는지 알아볼게요.

[휴대 전화가 울린다.]

W: 안녕, 여보. 무슨 일이에요?

M: 당신 지금 어디에 있어요?

W: 방금 차를 주차했어요. 곧 집에 갈 거예요. 당신은요?

M: 나는 식료품 가게에 있는데, 내 신용카드 중 하나가 없어진 걸 방금 알았어요.

W: 정말요? 당장 신용카드 회사에 전화해서 당신 카드를 취소해야 해요.

M: 그럴게요. 하지만 그러기 전에 당신이 내 재킷 주머니를 좀 확인해 줄 수 있어요?

W: 알았어요. 어느 재킷을 내가 확인하길 원해요?

M: 갈색 재킷이요. 어제 내가 그걸 입었어요.

W: 내가 지난봄에 당신한테 사 준 거 말하는 거죠?

M: 맞아요. 그게 거실에 있어요. 그동안 나는 그 카드를 떨어뜨렸을 경우를 대비해서 식료품 가게를 둘러볼게요.

M: That's right. It's in the living room. Meanwhile, I'll look around the
남자의 계획: 여자가 옷을 살펴보는 동안 자신은 가게를 살펴보겠다.
grocery store just in case I dropped the card.
(just) in case: (혹시라도) ~할 경우에 대비해서

W: _____

W: ① 알았어요. 그게 그 재킷에 있는지 확인해 보고 다시 전화할게요.

정답 전략 남자가 신용카드가 없어진 것을 알고 여자에게 전화를 걸어 어제 본인이 입었던 재킷에 카드가 있는지 살펴봐 달라고 부탁했으므로, 여자의 응답으로는 ①이 가장 적절하다. ② 걱정하지 말아요. 당신을 위해 내가 분실물 보관소에 가 볼게요. ③ 너무 안됐네요. 제가 제 신용카드를 교체할게요. ④ 알았어요. 그것을 찾지 못하면 새 재킷을 살게요. ⑤ 고마워요. 식료품 가게로 저를 태우러 오세요.

Words lost and found 분실물 보관소   replace 교체하다   meanwhile 그동안

4 대화를 듣고, 여자의 마지막 말에 대한 남자의 응답으로 가장 적절한 것을 고르시오. 답 ❸ Sure, I'll try to find my pictures of Thai holidays.

W: Good morning, Mr. Smith.

M: Hello, Ms. Brown. How's your geography class going?

W: It's going well. My class just finished learning about Western Europe.
finish는 동명사만 목적어로 쓰는 동사이다.

M: Good. What are you going to do next?

W: I'm going to cover Southeast Asia. Oh, didn't you live in Thailand for a
cover는 이 문장에서 '다루다'의 의미로 쓰인 동사이다.
while?

M: Yes. I lived there for three years.
남자의 경험: 태국에서 3년간 살았다.

W: Well, I'm going to teach my students about Thai holidays and food next
여자의 계획과 고민: 다음 주에 태국 명절과 음식에 관해 수업을 할 예정인데, 문제가 있다.
week, but I have a problem.

M: What's the matter?

be familiar with: ~에 익숙하다
W: I'm familiar with Thai food, but I don't have any personal experience of
여자의 문제점: 태국 음식은 익숙한데, 태국 명절은 잘 모른다.
Thai holidays.

M: Oh, I can help you with that. I experienced many Thai holidays while I
남자의 상황: 태국 명절을 많이 경험했고, 사진도 갖고 있다.
was there. I might have some pictures.

W: Wow, that's great. Could you find them for me? I'm looking for some
여자의 도움 요청: 수업에 쓸 시각 자료가 필요하다.
visual materials for my class.

M: _____

정답 전략 여자가 남자에게 자신의 수업 시간에 쓸 태국 명절에 관한 시각 자료 사진을 찾아봐 달라고 부탁하고 있으므로, 남자의 응답으로는 ③이 가장 적절하다. ① 문제없어요. 제 학생들에게 퀴즈에 관해 알릴게요. ② 네. 제 휴가로 태국에 빨리 가고 싶어요. ④ 물론이죠. 저는 선생님이 아주 훌륭한 요리사라고 확신해요. ⑤ 네. 제가 선생님을 위해 항공권을 샀어요.

Words inform 알리다, 통지하다   cover 다루다   visual material 시각 자료

5 대화를 듣고, 남자의 마지막 말에 대한 여자의 응답으로 가장 적절한 것을 고르시오.

답 ❶ Okay, I'll ask her to buy some shrimp on her way home.

W: Dad, you're early. What are you doing in the kitchen?

M: Hi, Amy. I finished work early, so I'm going to cook something.

W: Great! What are you going to cook?

M: How about turkey sandwiches and mashed potatoes?

W: That sounds good. But can you make your shrimp pasta, instead?
여자의 제안: 새우 파스타를 만들어 달라.

W: 안녕하세요, Smith 선생님.

M: 안녕하세요, Brown 선생님. 선생님의 지리 수업은 어떻게 진행되고 있어요?

W: 잘되고 있어요. 제 수업은 이제 막 서유럽에 관해 학습하는 것을 끝냈어요.

M: 좋군요. 다음에는 무엇을 하실 거예요?

W: 동남아시아를 다룰 예정이에요. 아, 선생님은 한동안 태국에 살지 않으셨어요?

M: 맞아요. 3년 동안 그곳에 살았어요.

W: 음, 다음 주에 제 학생들에게 태국의 명절과 음식에 관해 가르치려고 하는데요, 문제가 있어요.

M: 문제가 뭔데요?

W: 제가 태국 음식에는 익숙한데, 태국 명절에 대한 개인적인 경험이 전혀 없어요.

M: 오, 그건 제가 도울 수 있어요. 제가 그곳에 있는 동안 많은 태국 명절을 경험했거든요. 저한테 사진도 좀 있을 거예요.

W: 와, 잘 됐어요. 저를 위해서 그것들을 찾아주실 수 있어요? 제 수업을 위해 시각 자료를 찾고 있어서요.

M: ③ 물론이죠. 태국 명절을 찍은 제 사진을 찾아볼게요.

W: 아빠, 일찍 오셨네요. 주방에서 뭘 하세요?

M: 안녕, Amy. 나는 일이 일찍 끝나서 뭔가 요리를 하려고 해.

W: 멋져요! 무엇을 요리하실 거예요?

M: 칠면조 샌드위치와 으깬 감자가 어때?

W: 그것도 좋아요. 하지만 대신에 아빠의 새우 파스타를 만들어 주실 수 있나요?

M: I know that's your favorite, but we don't have any shrimp.
남자의 입장: 집에 새우가 없어서 새우 파스타는 곤란하다.

W: Oh, please, Dad. Your shrimp pasta is the best!
여자의 간청: 아빠의 새우 파스타가 정말 먹고 싶다.

M: Okay. Well, there's a seafood market near your mom's company. Why don't you call and see **if** she can buy some shrimp?
'~인지 (아닌지)'의 의미로 whether로 바꿔 쓸 수 있다.
남자의 결정: 엄마에게 퇴근길에 새우를 사 오라고 전화하라.

W: That's a good idea. I think it's about time **for her** to leave the office.
to부정사의 의미상 주어

M: Yeah. You'd better hurry up. I'll **start preparing** vegetables for the pasta.
start는 동명사와 to부정사를 모두 목적어로 쓰는 동사이다.
남자의 제안: 너는 엄마에게 서둘러 전화해라. 나는 새우 파스타를 위한 준비를 시작하겠다.

W: _____

정답 전략 아빠가 엄마에게 연락해서 새우를 사다줄 수 있는지 물어보라고 딸에게 말했으므로 딸의 응답으로는 ①이 가장 적절하다. ② 좋은 생각이에요. 칠면조 샌드위치는 언제나 제가 제일 좋아하는 거예요. ③ 네. 제가 지금 새우 파스타를 엄마의 직장으로 가져갈게요. ④ 좋아요. 몇 군데 좋은 음식점을 추천할게요. ⑤ 당연하죠. 엄마는 오늘 직장을 하루 쉬었어요.

Words recommend 추천하다　take a day off 하루 휴가를 얻다

M: 그걸 네가 제일 좋아한다는 건 아는데, 우리에게는 새우가 없구나.

W: 아, 제발, 아빠. 아빠의 새우 파스타는 최고예요!

M: 좋아. 음, 엄마 회사 근처에 해산물 시장이 있지. 네가 엄마에게 전화해서 새우를 좀 살 수 있는지 알아보는 게 어떨까?

W: 좋은 생각이에요. 엄마가 사무실에서 나올 때쯤 된 것 같아요.

M: 그래. 너는 서두르는 게 낫겠어. 나는 파스타를 위한 채소 준비를 시작할게.

W: ① 알았어요. 집에 오는 길에 새우를 좀 사다 달라고 엄마에게 부탁할게요.

---

6 대화를 듣고, 여자의 마지막 말에 대한 남자의 응답으로 가장 적절한 것을 고르시오.

답 ❸ Sure, I'll check the app for a spot and make a reservation.

M: Honey, what time are we visiting the museum?

W: We should be able to get to the museum at around 2 p.m. after having lunch at Nanco's Restaurant.

M: Okay. Are we taking the bus?

W: We have two kids with us and the museum is **pretty** far from the restaurant. Let's drive.
pretty 는 부사로 far를 수식하며, '꽤'라는 뜻으로 쓰였다.

M: But **it**'ll be hard **to find** a parking space at the museum today. There are so many visitors on the weekend.
가주어　진주어
남자의 걱정: 박물관에 주차 공간을 찾기가 쉽지 않을 것이다.

W: How about using an app to **search for** parking lots near the museum?
search for: ~을 찾다
여자의 제안: 주차장을 찾아 주는 앱을 사용해 보자.

M: Is there an app for that?

W: Yes. The app is called Parking Paradise. It helps you find and reserve a parking spot.
여자가 준 정보: 주차할 곳을 찾아주는 앱이 있다.

M: That's cool! Have you tried it?

W: No. But I heard **that** it's user-friendly and convenient.
명사절 접속사로 목적절을 이끌므로 생략 가능

M: It sounds handy. Let me **find the app and download** it.
and를 사이에 두고 find와 download가 병렬 관계를 이루고 있다.
남자의 할 일: 앱을 검색해서 내려 받겠다.

W: Okay. Can you find a parking space while I get the kids ready?
여자의 제안: 자신이 아이들을 준비시킬 테니, 주차 장소를 찾아보라.

M: _____

정답 전략 여자가 주차 공간을 찾을 수 있겠는지 남자에게 물었을 때 남자의 응답으로 가장 알맞은 것은 ③이다. ① 지금은 안 돼요. 밤늦게 그곳에 주차하는 것이 더 쉬울 거예요. ② 좋아요. 당신이 곧 도착할 거라는 말을 들으니 기뻐요. ④ 잠시만요. 아이들이 박물관에서 돌아올 거예요. ⑤ 문제없어요. 아이들의 안전을 위해 그 앱을 삭제할게요.

Words parking space 주차 공간　user-friendly 사용자 친화적인　handy 유용한, 편리한

M: 여보, 우리 몇 시에 박물관에 갈 거예요?

W: Nanco's Restaurant에서 점심을 먹은 후에 오후 2시 경에는 박물관에 도착할 수 있을 거예요.

M: 알았어요. 버스를 타는 거죠?

W: 우리는 아이 둘을 데려가고 박물관은 그 식당에서 꽤 멀어요. 차를 가지고 가요.

M: 하지만 오늘은 박물관에 주차 공간을 찾기가 어려울 텐데요. 주말에는 방문객이 아주 많아요.

W: 박물관 근처의 주차장을 찾아주는 앱을 사용해 보는 게 어때요?

M: 그런 앱이 있어요?

W: 네. Parking Paradise라는 앱이에요. 그것은 주차할 자리를 찾아서 예약할 수 있게 도와줘요.

M: 멋진 걸요! 그걸 써본 적이 있어요?

W: 아니요. 하지만 그건 사용자 친화적이고 편리하다고 들었어요.

M: 유용할 것 같네요. 그 앱을 찾아서 내려 받을게요.

W: 알겠어요. 내가 아이들을 준비시킬 동안 당신이 주차 공간을 찾을 수 있겠어요?

M: ③ 물론이죠. 내가 그 앱에서 주차 자리가 있는지 알아보고 예약할게요.

© non c/shutterstock

7 대화를 듣고, 남자의 마지막 말에 대한 여자의 응답으로 가장 적절한 것을 고르시오. 답 ❶ No problem. I can email you the details of our program.

[Phone rings.]

W: Ashton Science Museum. How can I help you?

M: Hi. I'm planning a field trip for my students, and I was wondering if your
남자의 문의: 고등학생의 현장 학습으로 추천할 프로그램이 있는가?   = whether
museum had any programs for high school students.

W: Yes, we have one. It's named Teen Science Adventure. When is the field
여자의 답변: '십 대 과학 모험' 프로그램을 추천한다.
trip?

M: It's October 14th. I'm bringing about 50 students. Is it available that
day?

W: Let me check. [Mouse clicking sound] It's available in the afternoon.

M: Perfect. Can you briefly explain the program?

W: Sure. It includes workshops, hands-on activities, and AI robot
여자의 설명: 프로그램에 포함된 활동 내용을 구체적으로 설명하고 있다.
demonstrations.

M: Amazing.

W: And the highlight of this program is the VR Escape Room where
where는 관계부사로 in which로 바꿔 쓸 수 있다.
students get to solve virtual challenges using scientific knowledge.
get to+동사원형: ~하게 되다

M: It sounds fun and educational. My students would love that.
남자의 의견: 여자가 추천해 준 프로그램이 마음에 든다.

W: Would you like to make a reservation then?

M: It'd be nice if you could send me more information today, so I can
남자의 요청: 프로그램에 대해 교장 선생님과 상의할 수 있게 더 많은 정보를 보내 주었으면 좋겠다.
discuss it with my principal.
다의어로, 여기서는 '교장'이라는 의미로 쓰였다.

W: _____

정답 전략 남자가 여자에게 프로그램에 관해 더 많은 정보를 보내줄 것을 요청했으므로, 여자의 응답으로는 ①이 가장 적절하다. ② 걱정하지 마세요. 어떤 요일이 이용 가능한지 알려드리겠습니다. ③ 맞습니다. 저는 더 많은 학생을 모아야 합니다. ④ 사실입니다. 과학 원리를 설명하는 것은 어렵습니다. ⑤ 훌륭하네요. 좋은 공상과학 영화를 추천해 드릴 수 있습니다.

Words hands-on 직접 해 보는 demonstration 시연 Escape Room 방탈출 게임 virtual 가상의

[전화가 울린다.]

W: Ashton 과학박물관입니다. 무엇을 도와 드릴까요?

M: 안녕하세요. 저는 학생들을 위한 현장 학습을 계획하고 있는데요, 박물관에 고등학생들을 위한 프로그램이 있는지 궁금해서요.

W: 네, 하나 있습니다. '십 대 과학 모험'이라는 것입니다. 현장 학습이 언제인가요?

M: 10월 14일이에요. 50명 정도의 학생들을 데려가려고 합니다. 그날 이용이 가능한 가요?

W: 확인해 보겠습니다. [마우스 클릭 소리] 오후에 이용 가능하네요.

M: 아주 좋네요. 프로그램에 대해 간단히 설명해 주실 수 있을까요?

W: 물론입니다. 프로그램에는 워크숍, 직접 해 보는 활동, 그리고 인공지능 로봇 시연이 포함됩니다.

M: 대단하네요.

W: 그리고 이 프로그램의 하이라이트는 학생들이 과학 지식을 이용해 가상의 과제를 해결하게 되는 VR Escape Room이죠.

M: 재미있고 교육적인 것 같네요. 학생들이 정말 좋아할 거예요.

W: 그럼 예약하시겠습니까?

M: 교장 선생님과 상의할 수 있도록 오늘 제게 더 많은 정보를 보내주시면 좋겠네요.

W: ① 그럼요. 저희 프로그램의 세부 사항을 이메일로 보내드릴 수 있습니다.

---

8 대화를 듣고, 여자의 마지막 말에 대한 남자의 응답으로 가장 적절한 것을 고르시오. 답 ❹ Definitely. I want to go to congratulate him myself.

[Cell phone rings.]

M: Hello, Joe Burrow speaking.

W: Hello. This is Officer Blake from the Roselyn Police Station.

M: Oh, it's good to speak to you again.
and를 사이에 두고 found와 brought가 병렬 관계를 이루고 있다.

W: Nice to speak to you, too. Do you remember the boy who found your
남자의 상황: 전에 서류 가방을 잃어버린 적이 있었으나 한 소년이 찾아 주었다.
briefcase and brought it here?

M: Sure. I wanted to give him a reward. But he wouldn't accept it.
남자의 고마움의 표시: 소년에게 사례금을 주고 싶었으나 소년은 사양했다.

W: I remember you saying that before.
동명사의 의미상 주어는 동명사 앞에 목적격이나 소유격을 쓴다.

[휴대 전화가 울린다.]

M: 여보세요, Joe Burrow입니다.

W: 여보세요. 저는 Roselyn 경찰서의 Blake 경찰관입니다.

M: 아, 다시 통화하게 되어서 반갑습니다.

W: 저도 통화하게 되어서 반갑습니다. 선생님의 서류 가방을 발견해서 여기로 가져 왔던 소년을 기억하세요?

M: 물론이죠. 저는 그 아이에게 사례금을 주고 싶었어요. 그러나 그 아이가 받으려 하지 않았지요.

W: 전에 그렇게 말씀하신 것이 저도 생각나요.

M: Yeah. I'd still like to somehow express my thanks in person.
　　　　　　　　　　　　　　　　　　　　　in person: 직접, 몸소

W: Good. That's why I'm calling you. Are you available next Friday at 10 a.m.?

M: Yes. I'm free at that time. Why?
　　　'다른 약속이 없는, 한가한'의 뜻으로 쓰였다.

W: The boy will receive the Junior Citizen Award for what he's done for you.
　　경찰서 소식 전달: 소년의 선행에 대해 시상식을 열 예정이다.

M: That's great news!

W: There'll be a ceremony for him at the police station, and he invited you
as his guest. I was wondering if you can make it.
　　　　　　　└ = whether　　└ make it: 참석하다, 가다
　　소년이 남자를 시상식에 내빈으로 초대했고, 참석이 가능한지 묻고 있다.

M: _____

정답 전략 남자는 자신의 가방을 찾아준 소년에게 고마움을 표시하고 싶었으므로, 소년이 상을 받는 자리에 참석할 수 있는지 묻는 여자의 말에 대한 남자의 응답으로 적절한 것은 ④이다. ① 걱정하지 마세요. 제가 이미 그의 서류 가방을 찾았어요. ② 물론이에요. 당신은 그 상을 받을 자격이 있어요. ③ 별말씀을요. 저는 단지 시민으로서의 의무를 다했을 뿐이에요. ⑤ 멋졌어요. 그것은 제가 가 본 최고의 시상식이었어요.

Words　deserve ~을 받을 만하다　duty 의무　officer 경찰관　reward 사례금, 보상금

M: 네. 저는 아직도 어떻게든 제 감사의 마음을 직접 표현하고 싶어요.

W: 좋네요. 그래서 제가 전화를 드리는 겁니다. 다음 주 금요일 오전 10시에 시간 되세요?

M: 네. 그때 시간 있습니다. 왜요?

W: 그 소년이 선생님을 위해 한 일로 Junior Citizen Award를 받을 거예요.

M: 정말 좋은 소식이네요!

W: 경찰서에서 그 아이를 위한 시상식이 열릴 것이고, 그 아이가 선생님을 내빈으로 초대했습니다. 선생님께서 오실 수 있는지 제가 궁금해서요.

M: ④ 물론이에요. 제가 가서 직접 그 아이를 축하해 주고 싶어요.

---

9 대화를 듣고, 남자의 마지막 말에 대한 여자의 응답으로 가장 적절한 것을 고르시오.

답 ❷ Get over it. Don't let the past keep you from moving forward.

M: Hi, Olivia. How was your weekend?

W: Good. Didn't you have a street singing performance last weekend? How
was it?
　여자의 관심: 지난 주말에 있었던 남자의 거리 공연에 관해 묻고 있다.

M: Oh, it was a disaster.

W: What happened?

M: At first, it was okay. But as a crowd gathered, my mind went blank and I
forgot the lyrics.
　　　　　　　　　　　　　　　└ go blank: 백지상태가 되다
　남자의 상황: 군중이 모이자 긴장하여 가사까지 잊어버려 공연을 망쳤다.

W: I'm sorry to hear that. You'll be fine next time.
　　여자가 격려하고 있다.　　　　　　　└ give up on: ~을 포기하다

M: There won't be a next time. I'm thinking of giving up on the singing
audition next month.
　　　　　　　남자의 상황: 다음 달에 있을 오디션마저 포기하려고 생각 중이다.
　　　　　　　└ such a+형+명: 정말 ~한 … (명사를 강조)

W: Seriously? That audition is such a big chance for you!
　　　　└ 분사구문의 형태로, 부사절로 고치면 after I ruined가 된다.

M: But after ruining the street performance, I lost confidence.
　남자의 좌절감: 거리 공연을 망친 이후, 자신감을 잃은 상태이다.

W: It was just a one-time failure. I believe you'll do great in the audition.
　　　　　　　　　　　　　　　여자가 남자를 격려하고 있다.
You have a gift!

M: What if I get nervous again? I don't want to repeat the same experience.
　　~라면 어떻게 하지?

W: _____

정답 전략 남자는 오디션에서 지난번 거리 공연에서와 똑같은 실수를 할까 두렵다고 했으므로, 여자가 해 줄 말은 '격려의 의미'를 담고 있는 ②가 적절하다. ① 그거 좋을 것 같은데. 네가 그 재앙을 극복했다니 기뻐. ③ 어쩌면 네 말이 맞아. 나는 노래하는 데 더 많은 시간을 써야 해. ④ 걱정하지 마. 네 오디션이 왜 취소되었는지 알아봐. ⑤ 진정해. 너는 지금 너무 자신에 차 있어.

Words　overcome 극복하다　get over 극복하다, ~로부터 회복하다　disaster 재앙, 재난
lyrics 노랫말　ruin 망치다

M: 안녕, Olivia. 주말은 어땠니?

W: 잘 지냈어. 너 지난 주말에 거리 노래 공연을 한다고 하지 않았니? 어땠어?

M: 아, 그건 재앙이었어.

W: 무슨 일이 있었어?

M: 처음에는 공연이 괜찮았어. 그런데 군중이 모이자, 아무 생각도 안 나서 가사를 잊어버렸어.

W: 그 말 들으니 안 됐다. 다음번에는 잘할 거야.

M: 다음번은 없을 거야. 나는 다음 달 노래 오디션을 포기하려고 생각 중이야.

W: 진심이야? 그 오디션은 네게 아주 큰 기회야!

M: 하지만 거리 공연을 망친 후 나는 자신감을 잃었어.

W: 그것은 단지 한 번의 실수였을 뿐이야. 나는 네가 오디션에서 훌륭히 해내리라 믿어. 너는 재능이 있어!

M: 내가 또 긴장하면 어쩌지? 똑같은 경험을 되풀이하고 싶지 않아.

W: ② 이겨내야지. 지나간 일이 네가 앞으로 나아가지 못하게 하지는 마.

10 대화를 듣고, 여자의 마지막 말에 대한 남자의 응답으로 가장 적절한 것을 고르시오. **답 ②** It would be awesome to borrow your brother's.

W: Hi, Justin. I heard you're going to be the MC at the school festival.
남자의 역할: 학교 축제에서 사회자 역할을 맡았다.

M: Yes, I am, Cindy.

W: Do you have everything ready?

M: Mostly. I have all the introductions ready and I've practiced a lot.
남자의 준비 상태: 인사말도 준비되었고 연습도 많이 했다.

W: I'm sure you'll do a great job.

M: I hope so, too. But there's one thing I'm worried about.
thing와 I'm 사이에 목적격 관계대명사 that이 생략되었다.

W: What is it?

M: I need a suit, so I'm thinking of buying one. But it's expensive, and I
남자의 걱정: 축제에서 입을 정장이 필요한데, 사기엔 비싸기도 하지만 향후 또 입을 일이 없다.
don't think I'll wear it after the festival.
┌ ask는 목적어로 to부정사를 취한다.
W: Well, if you want, I can ask my older brother to lend you one of his suits.
여자의 제안: 원한다면, 오빠의 정장 중 한 벌을 빌려 달라고 부탁하겠다.
He has a lot of them.
a lot of는 '많은'의 의미를 지닌 형용사의 역할로 가산과 불가산 명사 앞에 모두 쓸 수 있다.

M: Could you please?

W: I'd be happy to.

M: Thanks. But will his suit be my size?
남자의 우려: 여자의 오빠와 자신의 사이즈가 맞을까 걱정된다.

W: It will. You and my brother pretty much have the same build.
여자의 의견: 남자는 오빠와 비슷한 체구라 잘 맞을 거라고 본다.

© Rob van Esch / shutterstock

M: _____

정답 전략 정장이 필요한 남자에게 여자가 오빠의 정장을 빌려 주겠다고 제안했으므로 이어질 남자의 말로 적절한 것은 ②이다. ① 내 정장에 돈을 쓰는 것은 가치 있는 일이야. ③ 네 오빠는 축제에서 재미있는 시간을 보낼 거야. ④ 나는 새 정장을 입은 네 모습을 보기를 고대해. ⑤ 너는 사회자로서 대단한 명성을 쌓을 거야.

Words worthwhile ~할 가치가 있는   reputation 평판, 명성   lend 빌려주다   build 체구

W: 안녕, Justin. 네가 학교 축제에서 사회를 맡게 될 거라는 말을 들었어.

M: 응, 그럴 거야, Cindy.

W: 모든 게 준비 됐니?

M: 대부분. 모든 인사말은 준비되어 있고, 나는 연습을 많이 했어.

W: 틀림없이 너는 잘 해낼 거야.

M: 나 역시 그러길 바라고 있어. 하지만 걱정하고 있는 게 하나 있어.

W: 그게 뭔데?

M: 정장이 필요해서 한 벌을 살까 생각 중이야. 그렇지만 비싸고, 내가 축제 이후에도 그걸 입을 것 같지 않아.

W: 음, 네가 원한다면, 나의 오빠에게 그의 정장 중 한 벌을 너에게 빌려주라고 부탁할 수 있어. 오빠는 정장을 많이 가지고 있거든.

M: 그렇게 해 줄래?

W: 기꺼이 해 줄게.

M: 고마워. 하지만 그의 정장이 내 사이즈에 맞을까?

W: 맞을 거야. 너와 내 오빠는 아주 비슷한 체구를 가지고 있어.

M: ② 네 오빠의 정장을 빌린다면 정말 좋겠다.

누구나 합격 전략 | 26~27쪽

1 ③   **2** ④   **3** ①   **4** ④   **5** ⑤   **6** ②

1 다음 상황 설명을 듣고, Katie가 Brian에게 할 말로 가장 적절한 것을 고르시오. **답 ③** Why don't we try an online survey instead?

M: Katie and Brian are classmates. They're doing a school project, and they
┌ as는 '~로(서)'의 의미로 쓰였다.
decide to research students' eating habits as their topic. Brian says that
Katie와 Brian의 프로젝트 주제: 학생들의 식습관 조사
in order to analyze students' eating habits they need to do a survey.
in order+to부정사: ~하기 위해, ~하려고
And he proposes they make a pen-and-paper survey. But Katie thinks
Brian의 제안: 펜과 종이를 이용한 설문조사를 하자.   ┌ to가 중복되어 collect, count 앞에 생략되었다.
it would take too much time to distribute, collect, and count hundreds
Katie의 생각: 펜과 종이를 이용한 설문조사는 시간이 너무 많이 든다.
of papers. Then, Katie remembers she once took an online survey that
Katie의 경험: 온라인 설문조사가 빠르다.
she completed quickly. So Katie wants to suggest that they do a survey
Katie의 바람: 온라인 설문조사를 실시하는 것
using the Internet rather than on paper. In this situation, what would
rather than: ~보다는, ~대신에
Katie most likely say to Brian?

Katie: _____

M: Katie와 Brian은 같은 반 친구이다. 그들은 학교 프로젝트를 하고 있는데, 주제로 학생들의 식습관을 조사하기로 한다. Brian은 학생들의 식습관을 분석하기 위해서 설문 조사를 할 필요가 있다고 말한다. 그리고 펜과 종이를 이용한 설문을 하자고 제안한다. 그러나 Katie는 수백 장의 종이를 나눠 주고, 모으고, 세는 데 너무 많은 시간이 걸릴 거라고 생각한다. 그때, Katie는 그녀가 빨리 끝냈던 온라인 설문을 한 것을 기억한다. 그래서 Katie는 종이보다는 인터넷을 사용하여 설문을 할 것을 제안하고 싶다. 이런 상황에서 Katie는 Brian에게 무엇이라고 말하겠는가?

Katie는 온라인 설문이 빨리 끝났던 것을 기억하고 이 방법을 제안해 보고 싶어 한다. 따라서 Katie가 Brian에게 제안할 말은 ③ '대신에 온라인 설문조사를 실시해 보는 것은 어떨까?'이다. ① 너는 식습관을 바꾸는 게 좋겠어. ② 우리는 프로젝트의 주제를 선택해야 해. ④ 설문조사를 위해 복사물을 모아 줄 수 있겠니? ⑤ 나는 설문조사를 위한 질문들을 이미 만들었어.

Words   research 조사하다   analyze 분석하다   survey 설문(조사)   distribute 나누어 주다

2 대화를 듣고, 남자의 마지막 말에 대한 여자의 응답으로 가장 적절한 것을 고르시오. 답 ④ It's damaged. Several pages are missing.

M: Welcome to Alice Bookstore. How may I help you?

W: I bought this book here yesterday, but I want to exchange it for another
┌ exchange A for B: A를 B로 교환하다
copy.
여자의 요청: 어제 사갔던 책을 교환하고 싶다.

M: Sure. May I ask what's wrong with it?
남자의 응대: 교환은 가능한데, 교환의 이유를 알고 싶다.

W: _____

M: Alice 서점에 오신 것을 환영합니다. 무엇을 도와 드릴까요?

W: 어제 이 책을 여기서 샀는데요, 다른 책으로 교환하고 싶어요.

M: 그러죠. 무엇이 문제인지 여쭤봐도 될까요?

W: ④ 손상이 되었어요. 몇 페이지가 없어요.

남자는 책을 왜 교환하는지 묻고 있으므로, 여자는 '책 교환의 이유'를 말할 것이다. 따라서 ④가 가장 적절하다. ① 그것은 잘못된 주소로 배송되었어요. ② 제가 그 책을 직접 받고 싶습니다. ③ 저는 그 섹션에서 그 책을 찾을 수 없었어요. ⑤ 문제없어요. 이 신용카드로 계산할게요.

Words   damage 손상을 주다   copy (책·신문 등의) 한 부   ship 배송하다

3 대화를 듣고, 여자의 마지막 말에 대한 남자의 응답으로 가장 적절한 것을 고르시오. 답 ① Great. It'll be really nice if we sing together.

W: What's the tune you're humming, Kevin?
여자는 남자가 콧노래를 부르고 있는 곡에 관심 있어 한다.
M: Ah, it's a song I sang in choir last week.
a song과 I 사이에 목적격 관계대명사 which가 생략되었다.
W: I didn't know you were in a choir!

M: It's just a small choir. We meet every Wednesday night and sing
together.

W: What kind of songs does the choir sing?
여자의 질문: 합창단이 즐겨 부르는 노래의 장르는 무엇인지?
M: A real mix, actually. We do classical, jazz, pretty much anything you can
think of.
think of: ~을 생각하다, ~을 머리에 떠올리다
W: That sounds fun.

M: You seem interested. How about joining our choir?
남자의 제안: 우리 합창단에 가입해라.
W: Well, I love music, but I'm not a good singer.
여자의 걱정: 음악은 좋아하지만, 노래는 못한다.   ┌ 관계대명사절이 주어로 쓰일 때는 단수 취급한다.
M: It doesn't matter. What matters is that you enjoy what you're doing.
남자의 조언: 중요한 것은 본인이 하고 있는 일을 즐기는 것이다.
W: Then I guess I'll give it a try.
여자의 결정: 용기를 내어 가입해 보겠다.   └ give it a try: 한번 해 보다
M: _____

W: 네가 콧노래 부르는 곡이 뭐야, Kevin?

M: 아, 지난주에 내가 합창단에서 불렀던 노래야.

W: 나는 네가 합창단인 줄은 몰랐네!

M: 그냥 작은 합창단이야. 우리는 매주 수요일 밤에 만나 함께 노래해.

W: 합창단은 어떤 종류의 노래를 불러?

M: 사실, 정말 많이 섞여 있지. 우리는 클래식, 재즈 등 네가 생각할 수 있는 건 모두 해.

W: 재미있겠다.

M: 너 관심 있어 보인다. 우리 합창단에 들어오는 건 어때?

W: 글쎄, 나는 음악은 정말 좋아하는데, 노래는 잘 못 불러.

M: 그건 중요하지 않아. 중요한 건 네가 하는 일을 즐기는 거야.

W: 그렇다면, 한번 해 볼게.

M: ① 좋았어. 우리가 같이 노래하면 정말 좋을 거야.

남자가 여자에게 합창단 가입을 권유했고, 여자가 승낙했으므로 남자는 '반가움과 격려의 말'을 할 것이다. 따라서 ①이 가장 적절하다. ② 고마워. 너의 합창단에서 좋은 시간을 보냈어. ③ 다시 생각해 봐. 합창단에서 노래하는 것은 쉽지 않아. ④ 사실은 나는 클래식 음악에는 열혈 팬이 아니야. ⑤ 신경 쓰지 마. 합창 연습이 취소되었어.

Words   tune 곡, 선율   choir 합창단   matter 중요하다

© Art_Eva / shutterstock

4 다음 상황 설명을 듣고, Lucy가 Mike에게 할 말로 가장 적절한 것을 고르시오. 답 ④ How about planning out our trip in advance?

W: Lucy and Mike are a married couple. Lucy has traveled overseas many
해외여행 경험: Lucy는 많고, Mike는 없다.
times, but Mike has no experience with overseas trips. One day, for their

W: Lucy와 Mike는 부부이다. Lucy는 여러 번 해외여행을 다녀왔는데, Mike는 해외여행 경험이 없다. 어느 날, 여름휴가로

summer vacation, Lucy and Mike decided to take a trip to Australia for two weeks. While talking about what to prepare, Mike tells Lucy that
what+to부정사: 무엇을 ~할 지
he'd like to go there without plans and just do whatever they want in
해외여행 준비에 임하는 Mike의 생각: 계획 없이 떠나 순간마다 하고 싶은 것을 하자.
the moment. But Lucy knows the importance of planning based on her
based on: ~에 근거하여
experience with overseas travel. She is worried about having difficulties
Lucy의 걱정: 계획 없이 해외여행을 하는 것은 어려움이 있다.
traveling without plans. So Lucy wants to suggest to Mike that they
Lucy의 제안: 여행 계획을 미리 세우자.
make plans for their trip. In this situation, what would Lucy most likely say to Mike?

Lucy: _____

정답 전략 Lucy는 계획 없이 떠나는 여행이 어렵다고 생각하므로 여행 계획을 세우자고 Mike에게 제안하고 싶다. 따라서 Lucy가 Mike에게 할 말로는 ④의 '여행 계획을 미리 세우는 것은 어떨까요?'가 적절하다. ① 우리는 해외여행을 갈 여유가 없어요. ② 우리 휴가 동안에 집에 있는 게 어떨까요? ③ 거기 도착하면 제게 전화하는 거 잊지 말아요. ⑤ 당신은 마감 전에 일을 끝내야 해요.

Words   afford ~을 할 여유가 되다   overseas 해외의   in advance 미리

Lucy와 Mike는 2주 동안 호주로 여행을 가기로 결정했다. 무엇을 준비해야 할지 이야기를 하는 중, Mike는 Lucy에게 아무 계획 없이 그곳에 가서 그저 그 순간마다 그들이 원하는 것이 무엇이든 그것을 하고 싶다고 말한다. 하지만 Lucy는 자신의 해외여행 경험을 바탕으로 계획의 중요성을 알고 있다. 그녀는 계획 없이 여행하며 어려움을 겪는 것을 걱정한다. 그래서 Lucy는 Mike에게 여행 계획을 세우자고 제안하고 싶다. 이 상황에서, Lucy는 Mike에게 무엇이라고 말하겠는가?

© Getty Images Bank

5 대화를 듣고, 여자의 마지막 말에 대한 남자의 응답으로 가장 적절한 것을 고르시오. 답 ⑤ Well, he's too busy working so he couldn't make it.

W: Grandpa! I didn't expect to see you here!
expect는 목적어로 to부정사가 온다.
M: Hi, Molly. I came to pick you up. How was school?
할아버지가 손녀를 데리러 왔다.
W: Great, but where's Dad? I thought he was picking me up today.
여자는 아빠가 데리러 올 줄 알았다. └「타동사+부사」의 목적어가 대명사일 때, 「동사+대명사+부사」 순으로 쓴다.
M: _____

정답 전략 마지막 여자의 말로 보아 남자가 할 말은 '아빠가 데리러 오지 못한 이유'에 해당하는 ⑤일 것이다. ① 서둘러, 그렇지 않으면 학교에 늦을 거야. ② 물론이지, 왜 안 되겠어? 네 아빠를 모시러 가자. ③ 미안한데, 학교 버스는 이미 떠났단다. ④ 알았다. 내일 아침에는 학교까지 내가 태워다 줄게.

W: 할아버지! 여기서 할아버지를 뵐 줄 몰랐어요!
M: 안녕, Molly. 내가 널 데리러 왔단다. 학교는 어땠니?
W: 좋았어요, 그런데 아빠는 어디 계세요? 전 오늘 아빠가 절 데리러 오시는 줄 알았어요.
M: ⑤ 음, 아빠는 일하느라 바빠서 올 수가 없었단다.

6 대화를 듣고, 남자의 마지막 말에 대한 여자의 응답으로 가장 적절한 것을 고르시오. 답 ② Of course, I'll send it to you right away.

M: Cathy, can you help me? I'm preparing my science presentation, but it's
남자의 고민: 발표 주제를 설명하기가 힘들다.
not easy to explain my topic.
W: Sure. What can I do to help?
┌ have trouble (in) -ing: ~하느라 고생하다
M: I'm having trouble creating a way to visualize what I say in my
남자의 문제: 발표 자료를 시각화하는 것이 어렵다.
presentation.
W: How about using an image or a chart? It can help your audience
여자의 제안: 이미지나 차트를 이용해 보라.
understand the topic because they'll be able to clearly see the
5형식 문장에서 help 동사는 목적격 보어로 동사원형(understand)과 to부정사(to understand) 모두를 쓸 수 있다.
information.
┌ be familiar with: ~에 익숙하다
M: That's a great idea, but I'm not familiar with how to make those things.
남자의 부탁: 여자가 제안해 준 사항에 대해 조언을 요청한다.
Do you have any tips?
W: You could use an infographic building program. I've used one to make
여자의 조언: 인포그래픽 설계 프로그램을 사용해라.
proper graphs and tables before. It's easy to use.
to부정사 부사적 용법(형용사 수식)
M: Really? How did you get the program?

M: Cathy, 절 좀 도와 줄 수 있어요? 과학 발표를 준비 중인데, 제 주제를 설명하기가 쉽지 않네요.
W: 물론이죠. 제가 무엇을 도와 드리면 될까요?
M: 발표에서 제가 말하려는 바를 시각화하는 방법을 만드는 데 어려움을 겪고 있어요.
W: 이미지나 차트를 이용하는 것은 어때요? 청중들이 정보를 명확히 볼 수 있을 테니 주제를 이해하는 데에 도움이 될 수 있거든요.
M: 좋은 생각이긴 한데, 제가 그런 것들을 만드는 법에 익숙하지 않아서요. 조언이라도 있을까요?
W: 인포그래픽 설계 프로그램을 사용할 수 있어요. 이전에 적절한 그래프와 표를 만들 기 위해 사용한 적이 있어요. 사용하기 편해요.
M: 정말요? 그 프로그램은 어떻게 얻을 수 있어요?

W: I downloaded it from a website last semester. It's a freeshare program.

여자의 조언: 해당 프로그램 입수 경로를 알려 준다.

M: That program would help me a lot. Would you give me the website

남자의 부탁: 프로그램을 받을 수 있는 주소를 가르쳐 달라.

address?

W: _____

W: 저는 지난 학기에 웹사이트에서 내려 받았어요. 무료 공유 프로그램이에요.

M: 그 프로그램이 제게 많이 도움이 될 거 같네요. 제게 웹사이트 주소 좀 알려 주시겠어요?

W: ② 물론이죠. 지금 바로 보내 드릴게요.

[정답 전략] 남자는 여자가 추천한 프로그램을 받을 수 있는 웹사이트 주소를 가르쳐 달라 했으므로, 여자는 주소를 알려주겠다는 의미로 ②와 같이 답할 것이다. ① 고맙지만 됐어요. 저는 저만의 인포그래픽을 만들 수 있어요. ③ 죄송해요. 제가 어제 그것을 내려 받는 것을 잊었어요. ④ 알겠어요. 더 짧을수록 더 좋다는 말씀이군요. ⑤ 알겠습니다. 이 페이지에 그 그래프를 넣겠습니다.

Words   visualize 시각화하다   proper 제대로 된   table 표, 목록   semester 학기   freeshare program 무료 공유 프로그램

창의·융합·코딩 전략 ①, ②

| 28~31쪽

1 ⓐ G ⓑ S ⓒ S ⓓ G ⓔ G ⓕ correct
2 (1) ⓓ (2) ⓒ (3) ⓕ (4) ⓔ (5) ⓐ (6) ⓑ
3 (1) 아빠와 딸, 컴퓨터 프로그래밍 자격증 시험장, 신분증 (2) ① (3) F, T, F

1 [해석] Steven은 Green 씨의 마케팅팀에 새로 온 직원입니다. 팀장으로서 Green 씨는 그에게 소비자 행동에 관한 발표를 준비해 달라고 요청했습니다. 그의 발표문 초고를 검토했을 때, 그녀는 Steven이 인터넷에서 얻은 부정확한 자료를 포함시켰다는 것을 알아차렸습니다. 그녀가 그것에 관해 질문했을 때, Steven은 자신은 인터넷 자료만 사용한다고 말했습니다. 문제는 그가 그 정보가 믿을 만한지 확인하지 않는다는 것입니다. 그러나 Green 씨는 인터넷상의 정보가 항상 정확한 것은 아니라는 것을 알고 있습니다. 그래서 Green 씨는 Steven에게 그가 인터넷상에서 찾은 정보가 정확한 것인지를 확인하라고 말하고 싶습니다. 이 상황에서, Green 씨는 Steven에게 무엇이라고 말하겠습니까?
S는 마케팅 팀에 새로 온 사람이다. ⓐ G는 마케팅 팀의 리더(팀장)이다. ⓑ S는 종종 인터넷에서 가져온 틀린 자료를 사용한다. ⓒ S는 인터넷의 정보가 신뢰할 만한지 확인하지 않는다. ⓓ G는 인터넷에 있는 정보가 항상 정확하다고 생각하지 않는다. ⓔ G는 그 새로운 직원에게 "당신은 온라인에서 찾은 정보가 ⓕ 정확한지 확인해야 합니다."라고 말할 것이다.

2 [해석]

(1) 내일 몇 시에 문을 여세요? — ⓓ 저희는 오전 11시부터 열어요.

(2) 밤에는 추운 날씨에 대비하는 게 좋을 거야. — ⓒ 네 말이 맞아. 따뜻한 재킷을 가져갈래.

(3) 나는 그때 중요한 업무 회의가 있어. — ⓕ 그 말을 들으니 유감이야. 지금 예약을 취소할게.

(4) 좋은 것 같아. 너는 그 프로그램을 독학하고 있어? — ⓔ 아니, 나는 주민 센터에서 수업을 들어.

(5) 전시회는 6시까지 열려 있어. 방과 후에 시간 되니? — ⓐ 물론이지. 같이 가자.

(6) 네 말이 맞아. 너는 오늘 대중교통을 이용하는 게 좋을 거야. — ⓑ 알겠어. 그럼 난 지하철을 타야겠다.

3 해석 W: 아빠, 저 Sarah예요. 방금 컴퓨터 프로그래밍 자격증 시험 보러 도착했어요.

M: 잘했구나! 그곳에 빨리 도착했네. 시험 볼 준비는 다 됐니?

W: 아뇨. 저 큰 문제가 있어요. 신분증을 안 가져왔어요.

M: 오, 지금 내가 학생증을 가져다주길 원하니?

W: 그게 가능하지가 않아요. 학교에서 지난달에 학생증을 잃어버렸거든요.

M: 오, 이런. 시험 감독 본부에 뭘 해야 할지 물어봤니?

W: 대신 여권을 가지고 시험을 볼 수 있다고 했어요. 여권이 틀림없이 제 방 어딘가에 있을 거예요.

M: 정말? 어디에 뒀는지 기억나니?

W: 흠…. 아, 기억나요! 책상 서랍 안에 뒀어요.

M: _____

(1) 정답 전략 여자가 아빠라고 불렀으므로 아빠와 딸 관계이다. 여자는 컴퓨터 프로그래밍 자격증 시험을 보러 도착했다고 했으므로 시험장에 있고, 신분증을 가져오지 않아서 문제가 있다고 말했다.

(2) 해석 ① 알았다. 내가 그걸 찾아서 지금 당장 너에게 가져다주마. ② 확실해. 시험 끝나는 데 30분이 걸릴 거야. ③ 바로 그거야. 나는 서류를 가져 왔어야 했어.

정답 전략 아빠가 학생증을 가져다줄지 물었지만 딸이 학생증을 잃어버렸다고 하며 대신 여권이 있는 위치를 알려주었으므로, 아빠는 여권을 딸에게 가져다 줄 것이다.

(3) 정답 전략 여자는 학생증을 학교에 두고 온 게 아니라 잃어버렸고, 여권은 책상 서랍 안에 두었다.

DAY 1 개념 돌파 전략 ① CHECK

34~35쪽

| 1 ② | 2 ② | 3 charity event | 4 ② | 5 ③ | 6 ③ |

해석 1 어젯밤 ⋯ 강한 비바람이. 쏟아지는 빗줄기가 ⋯ 학교의 복도가 젖어 있고 미끄러운. ⋯ 걸을 때 특별히 위험합니다. ⋯일 때 특히 주의해 주세요. 여러분은 미끄러져 넘어지면 다칠 수 있어 ⋯ 상황을 수습하기 위해 저희가 ⋯. 2 학생 사물함이 노후화되면서 많은 사람들로부터 불만이 접수되고 있습니다. 그래서 저희는 주말에 사물함을 교체하기로 했습니다. 이번 금요일인 3월 22일까지 사물함을 비우고 열어 두시기 바랍니다. 반드시 사물함에서 물건을 모두 챙기고 아무것도 남기지 않도록 해 주세요. 치우지 않은 모든 물건들은 폐기될 것입니다. 3 학생회는 다음 주 월요일부터 수요일까지 자선 행사를 열 예정입니다. 이미 다양한 유용한 물품을 기부해 주신 분들께 감사드립니다. 저희는 모든 물품을 5달러 이하로 판매하고 있으며, 모든 돈은 지역 자선 단체에 기부될 예정입니다. 행사는 오후 3시부터 5시까지 학교 체육관에서 열릴 것입니다. 많은 학생들이 이 자선 행사에 참여하기를 바랍니다. → 위 단락의 목적은 <u>자선 행사</u> 개최를 공지하는 것이다. [4~6] 안녕하세요, 여러분. 오늘, 우리는 우리의 동물 동반자들이 무엇을 좋아하는지에 대해 이야기할 것입니다. 바로 장난감입니다. 장난감은 어떻게 우리의 반려동물들을 도울까요? 첫째, 장난감은 반려동물을 행복하게 하는 데 매우 중요한 역할을 합니다. 스크래처 같은 장난감은 고양이의 스트레스를 줄이는 데 도움이 됩니다. 둘째, 장난감은 반려동물이 운동을 하게 하는 좋은 도구입니다. 예를 들어, 햄스터는 바퀴가 달린 장난감을 타고 달리는 것을 매우 좋아합니다. 마지막으로, 장난감은 여러분과 반려동물 사이에 유대감을 형성합니다. 공을 가지고 노는 것은 여러분과 여러분의 개에게 즐거운 경험을 줄 것입니다. 이제 장난감을 가지고 노는 반려동물의 영상을 봅시다.

DAY 1 개념 돌파 전략 ②

36~37쪽

| 1 ① | 2 Q1 ② | Q2 ⑤ |

1 다음을 듣고, 남자가 하는 말의 목적으로 가장 적절한 것을 고르시오. 답 ❶ 오디션 개최를 공지하려고

M: Hello, everyone. This is Ted Williams, the drama teacher. As you know, 화자가 누구인지 밝히고 있다: 연극 담당 교사 there's a musical in the school festival every year. And the auditions for actors are going to be held soon. Even if you don't think you're talented, 배우 선발을 위한 오디션을 공지하고 있다. that's okay. Most importantly, I'm <mark>looking for</mark> students with passion. All ┌ look for: 찾다, 구하다 오디션 자격 요건: 열정을 가진 사람 interested students should submit an application to me no later than 신청서 제출 기한: 6월 23일 June 23rd. The auditions are going to be held on June 24th from three 오디션 개최일과 장소: 6월 24일 오후 3시 ~ 5시에 학교 강당 to five p.m. in the school auditorium. If you need more information, 추가 정보는 게시판 포스터를 확인하라. please check the poster on the bulletin board. I'm <mark>looking forward to</mark> look forward to -ing: ~을 고대하다 <mark>seeing</mark> you at the auditions. Thank you.

정답 전략 남자는 연극 담당 교사로, 학교 축제에서 열릴 뮤지컬에 출연할 배우를 선발하기 위한 오디션이 있다고 알리고 있다. 따라서 ①이 가장 적절하다.

M: 안녕하세요, 여러분. 저는 연극 담당 교사 Ted Williams입니다. 여러분도 알다시피, 매년 학교 축제에서 뮤지컬이 있습니다. 그리고 곧 배우 오디션이 열릴 예정입니다. 여러분이 재능이 있다고 생각하지 않더라도 괜찮습니다. 가장 중요한 것은 열정을 가진 학생들을 찾고 있다는 것입니다. 관심 있는 모든 학생들은 늦어도 6월 23일까지 저에게 신청서를 제출해야 합니다. 오디션은 6월 24일 오후 3시부터 5시까지 학교 강당에서 열릴 예정입니다. 정보를 더 원하면 게시판에 있는 포스터를 확인해 주세요. 저는 오디션에서 여러분을 뵙기를 기대하고 있겠습니다. 감사합니다.

2 다음을 듣고, 물음에 답하시오. 답 Q1 ❷ English animal expressions and their meanings Q2 ❺ snake

W: Okay, students. We just talked about idiomatic expressions related to
_{앞서 언급한 내용을 말하고 있으므로 이 부분을 이 담화의 주제로 혼동하지 않도록 한다.}
color. As you know, idioms are creative descriptions. We use them to
share an idea or feeling. Now, let's learn some animal idioms in English.
_{지금 배울 내용(주제): 영어로 된 동물 관용구}
The first idiom is "at a snail's pace," which means moving very slowly.
_{동물 관련 표현 1: 달팽이   주격 관계대명사의 계속적 용법으로 and it로 바꿔 쓸 수 있다.}
This idiom is easy to understand because we all know how slowly snails
move. The next one, "hold your horses," is a common way of telling
_{간접의문문의 형태: 「의문사+주어+동사」의 순서}
_{동물 관련 표현 2: 말}
someone to wait or slow down. If someone says "hold your horses,"
they're telling you to "wait a minute." And children often hear from their
parents, "I'm watching you like a hawk." This expression is often used
_{동물 관련 표현 3: 매}
to make sure that someone doesn't misbehave or make a mistake. The
_{make sure: 확인하다   or로 병렬 구조를 이루고, make 앞에 doesn't가 생략되어 있다.}
last idiom is "I'll be a monkey's uncle." People use this expression when
_{동물 관련 표현 4: 원숭이}
something unexpected or unlikely happens. It's used in a comical way.
_{-thing으로 끝나는 부정대명사는 형용사가 뒤에서 수식한다.}
These idioms may be confusing at first, but once you learn them, you'll
_{'일단 ~하면'의 의미}
have a fun new way of talking.

정답 전략 **Q1** 동물과 관련된 관용 표현과 그 표현이 의미하는 바를 설명하고 있으므로, 주제로 가장 적절한 것은 ②의 '영어로 된 동물 관련 표현과 그 의미'이다. ① 동물들이 스스로를 보호하도록 돕는 색깔들 ③ 다양한 언어로 표현된 동물의 소리 ④ 아이들을 위한 교실용 동물 놀이와 활동 ⑤ 동화 속에서 자주 등장하는 동물들
Q2 ⑤의 '뱀'은 언급되지 않았다. ① 달팽이 ② 말 ③ 매 ④ 원숭이

W: 좋아요, 학생 여러분. 우리는 방금 색깔과 관련된 관용 표현에 대해 이야기했습니다. 여러분도 알다시피, 관용구는 창의적인 설명입니다. 우리는 그것들을 아이디어나 느낌을 공유하기 위해 사용합니다. 이제 영어로 된 동물 관용구에 대해 배워 봅시다. 첫 번째 관용구는 매우 느리게 움직인다는 것을 의미하는 "달팽이 걸음으로"입니다. 달팽이가 얼마나 느리게 움직이는지 우리 모두 알기 때문에 이 관용구는 이해하기 쉽습니다. 그다음에, "말을 잡아라"는 누군가에게 기다리거나 속도를 늦추라고 말하는 흔한 방법입니다. 만약 누군가가 "말을 잡으세요"라고 말한다면, 그들은 당신에게 "잠깐만 기다리세요"라고 말하고 있는 것입니다. 그리고 아이들은 종종 부모님으로부터 "매처럼 너를 지켜보고 있단다."라는 말을 듣습니다. 이 표현은 누군가가 잘못된 행동을 하거나 실수를 하지 않도록 확인하기 위해 자주 사용됩니다. 마지막 관용구는 "내가 원숭이의 삼촌이 될 거야."입니다. 사람들은 예상치 못했거나 일어날 것 같지 않은 일이 일어났을 때 이 표현을 사용합니다. 코믹하게 쓰이죠. 이러한 관용구들은 처음에는 혼란스러울 수 있지만, 일단 여러분이 그것들을 배우면, 여러분은 재미있게 말하는 새로운 대화 방식을 갖게 될 것입니다.

DAY **2** **필수 체크 전략 ①** | 38~39쪽

[대표 유형] **1** ⑤   **1-1** ②   **1-2** ⑤   **1-3** ⑤

1 다음을 듣고, 남자가 하는 말의 목적으로 가장 적절한 것을 고르시오. 답 ❺ 댄스 동아리 회원 모집 인원 증원을 공지하려고

M: Good afternoon, students of Robinson High School. This is Mr.
Anderson, coach of the school dance club. I'd like to announce that
_{남자의 직업: 교내 댄스 동아리의 코치}
we'll be recruiting additional new members for our school dance
_{교내 댄스 동아리 신입 회원 추가 모집을 알리고 있다.}
club. Previously we were looking for 10 new club members, and many
_{기존의 동아리 신입 회원 모집 인원: 10명}
students showed interest in joining. Luckily, we've been assigned
_{show interest in: ~에 관심을 보이다}
to a bigger room than expected. Now we're allowed to accept five
_{조정된 동아리 신입 회원 모집 인원: 5명이 증원되어 총 15명}
additional new members to make a total of 15 students. Once again,
_{to부정사의 부사적 용법(결과): ~해서 (결국) …하다}
I'm happy to inform you that our school dance club has increased the
_{신입 회원 모집 인원 증원 재안내}
number of new members to recruit. Thank you for your interest.
_{to부정사의 형용사적 용법}

정답 전략 말하는 이는 교내 댄스 동아리의 코치라고 했으며, 신입 회원을 추가로 모집할 것이라고 했다. 따라서 말의 목적으로 가장 적절한 것은 ⑤이다.

M: 안녕하세요, Robinson 고등학교 학생 여러분. 저는 교내 댄스 동아리의 코치인 Anderson입니다. 저희 교내 댄스 동아리의 신입 회원을 추가로 모집할 것이라는 것을 알리고자 합니다. 이전에 저희는 10명의 동아리 신입 회원을 구했는데, 많은 학생들이 가입에 관심을 보여 주었습니다. 다행스럽게도, 우리는 기대했던 것보다 더 큰 동아리방을 배정 받았습니다. 이제 우리는 5명의 신입 회원 추가가 허용되어서 총 15명의 학생을 받아들일 수 있게 되었습니다. 다시 한 번, 우리 교내 댄스 동아리가 모집할 신입 회원의 수를 증원하게 되었다는 것을 알리게 되어 기쁩니다. 관심을 보여 주셔서 감사합니다.

Words announce 알리다 recruit 모집하다 additional 추가의 previously 이전에 assign 배정하다

1-1 다음을 듣고, 여자가 하는 말의 목적으로 가장 적절한 것을 고르시오. 답 ❷ 학교 매점의 영업 재개를 안내하려고

W: Hello, students. This is your principal, Ms. Carson. I'm sure you've all
　　　　　　　　　　　　여자의 직업: 학교 교장
been looking forward to the reopening of our school store. I'm very
　　　look forward to+명사(구): ~을 고대하다
happy to announce that after some improvements the store will finally
공지 내용: 매점을 개선한 후, 내일 재개장할 것이다.
open again tomorrow. Based on your comments and requests, we have
　　　　　　　　　　┌and를 사이에 두고 have expanded와 (have) replaced가 병렬 관계를 이루고 있다.
expanded the space of the store and replaced the chairs and tables. So
매점의 개선 내용: 공간 확장, 의자와 테이블 교체　　　　　　　　to부정사의 의미상 주어
now, the school store has become a better place for you to relax and
　　　　　　　　　　　　　　　　　　　　　to부정사의 형용사적 용법
enjoy your snacks. The store's operating hours will remain the same as

before. Once again, our school store is reopening
　　　　　학교 매점 개장 재안내
tomorrow. I hope you will all enjoy it.

정답 전략 여자는 자신을 학교 교장이라고 소개했으며, 매점이 다시 문을
열 것이라고 알리고 있다. 따라서 말의 목적으로 가장 적절한 것은 ②이다.

Words　improvement 개선　request 요청　expand 확장하다　replace 교체하다

W: 안녕하세요, 학생 여러분. 저는 여러분의 학교 교장 Carson입니다. 여러분 모두 우리 학교 매점의 재개장을 고대하고 있었을 것으로 확신합니다. 약간의 개선 후에 매점이 마침내 내일 다시 문을 열 것이라고 알리게 되어 저는 매우 기쁩니다. 여러분의 의견과 요청을 바탕으로, 매점 공간을 넓히고 의자와 테이블을 교체했습니다. 그래서 이제, 학교 매점은 여러분이 휴식을 취하고 간식을 즐기기에 더 좋은 장소가 되었습니다. 매점 운영 시간은 이전과 동일하게 유지될 것입니다. 다시 한번, 우리 학교 매점이 내일 다시 문을 엽니다. 저는 여러분이 그곳을 즐기기를 바랍니다.

1-2 다음을 듣고, 남자가 하는 말의 목적으로 가장 적절한 것을 고르시오. 답 ❺ 노래 경연 우승자 선정을 위한 투표를 독려하려고

M: Welcome back to the final episode of *Tomorrow's Singer*. We hope you
　　　　　　　　　　남자가 진행하는 프로그램의 마지막 방송이다.
enjoyed the performances of our two finalists. Now, it's time to pick the
현재 두 명의 결승전 진출자의 공연이 끝난 상태이다.　　　　　　　　　　to부정사 형용사적 용법
winner of our singing competition. Vote now by texting the name of
　　　　　　　　　　　　　　　　　최종 우승자를 가리기 위한 문자 투표를 독려하고 있다.
your favorite contestant to the number at the bottom of your TV screen.

This is your last chance to help your favorite contestant become a super
　　　　　　　　　　　　help는 목적격 보어로 동사원형과 to부정사를 모두 쓸 수 있다.
star. You can also win exciting prizes just by voting. Remember voting
　　　　　투표를 독려하기 위하여 참여에 따른 상도 소개하고 있다.
closes in only five minutes. So, cast your vote now and decide who'll be
주어로 쓰인 동명사(구)는 단수 취급하므로 동사(closes)도 이에 수 일치되었다.
tomorrow's singer. We'll be right back after a short commercial break.

정답 전략 남자는 프로그램의 이름(Tomorrow's Singer)을 먼저 언급한 후, 노래 경연 대회의 우승자를 뽑을 시간이라고 말하면서 투표를 독려하고 있다. 따라서 말의 목적으로 가장 적절한 것은 ⑤이다.

Words　finalist 결승전 진출자　competition 경연 (대회)　contestant 참가자　bottom 하단

M: 'Tomorrow's Singer(내일의 가수)'의 마지막 회에 다시 오신 것을 환영합니다. 두 명의 결승전 진출자의 공연을 즐기셨기를 희망합니다. 이제, 저희 노래 경연 대회의 우승자를 뽑을 시간입니다. 지금 여러분의 TV 화면 하단에 있는 번호로 여러분이 가장 좋아하는 참가자의 이름을 문자 메시지로 보내 투표해 주세요. 이것이 가장 좋아하는 참가자가 슈퍼스타가 되도록 도울 수 있는 마지막 기회입니다. 여러분은 또한 그저 투표를 하는 것만으로도 설레게 하는 상을 받을 수도 있습니다. 투표가 5분 후에 종료된다는 것을 기억하세요. 그러니 지금 여러분의 표를 던져 누가 내일의 가수가 될지 결정하세요. 저희는 짧은 광고 시간 후에 바로 다시 돌아오겠습니다.

1-3 다음을 듣고, 여자가 하는 말의 목적으로 가장 적절한 것을 고르시오. 답 ❺ 졸업 사진 촬영 장소 변경을 공지하려고

W: Good afternoon, Brook High School students. This is Ms. Kim, and
　　┌in charge of: ~을 담당하고 있는
I'm in charge of this year's graduation album. As it was previously
여자의 신분: 올해의 졸업 앨범 담당자
announced, senior students will take photos for their graduation album
졸업반 학생들의 졸업 앨범 사진 촬영일 재공지　　　┌take place: 일어나다, 발생하다
tomorrow. It was scheduled to take place at Shinewood Park. However,
　　　　　　　원래 예정되었던 졸업 사진 촬영 장소: Shinewood 공원
we're expecting heavy rain tomorrow, so we've changed the location.
내일 폭우 예상으로 졸업 사진 촬영 장소 변경 공지　┌목적어가 동작의 대상(수동)일 때 have의 목적격 보어로 과거분사가 온다.
Students will have their class photos taken in the school auditorium
학생들의 학급 사진은 학교 강당에서, 개인 사진은 학교 도서관에서 찍을 예정
and individual photos in the school library. Please don't forget that the
　　　　　　　　photos와 in 사이에 taken이 생략되어 있다.　졸업 사진 촬영 장소 변경 재안내
location for graduation photos has changed. Thank you for listening.

정답 전략 여자는 졸업 앨범 담당자로, 내일 폭우가 예상되어 졸업 사진 촬영 장소가 바뀌었다는 사실을 알리고 있다. 따라서 말의 목적으로 가장 적절한 것은 ⑤이다.

Words　graduation 졸업　senior 졸업반(의)　auditorium 강당　individual 개인의

W: 안녕하세요, Brook 고등학교 학생 여러분. 저는 Ms. Kim이며, 올해의 졸업 앨범을 담당하고 있습니다. 전에 알려드린 것처럼, 졸업반 학생들은 내일 졸업 앨범을 위한 사진을 촬영할 것입니다. 그것은 Shinewood 공원에서 진행될 예정이었습니다. 그러나 내일 폭우가 예상되어, 장소를 변경했습니다. 학생들은 학급 사진은 학교 강당에서 촬영하고 개인 사진은 학교 도서관에서 촬영하게 될 것입니다. 졸업 사진 촬영 장소가 바뀌었다는 것을 잊지 마시기 바랍니다. 경청해 주셔서 고맙습니다.

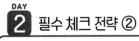

1 다음을 듣고, 여자가 하는 말의 목적으로 가장 적절한 것을 고르시오. **답 ⑤** 개 훈련 센터를 홍보하려고

W: Hello, dog lovers. Does your dog chew up your shoes or bark for no
　　　　　　　　　　　　　　　　　　반려견의 문제 행동
reason at times? Is it hard to control your dog during walks? You
　　　　　at times: 때때로
no longer have to worry. We'll help you solve these problems. At
　　　　　　　　　　　　　help는 목적격 보어로 동사원형 또는 to부정사를 모두 쓸 수 있다.
the Chester Dog Training Center, we have five professional certified
전문가가 있는 개 훈련 센터 소개
trainers who will improve your dog's behavior. We also teach you how
　　　　　주격 관계대명사
to understand your dog and what to do when it misbehaves. Leave it
how+to부정사: 어떻게 ~할지, ~하는 방법　　　what+to부정사: 무엇을 ~할지
to the Chester Dog Training Center. We'll train your dog to become a
　　　　　　　　　　　　　　　　　　Chester Dog Training Center의 역할 소개
well-behaved pet. Call us at 234-555-3647 or visit our website at www.

chesterdogs.com.

정답 전략 여자는 개들의 문제 행동을 언급하면서 이러한 문제가 있는 개들의
행동을 개선해 주는 전문 조련사를 갖춘 개 훈련 센터에 개를 맡겨 달라고 말
하고 있다. 따라서 여자가 하는 말의 목적으로 가장 적절한 것은 ⑤이다.

Words chew up 씹다　certified 자격증을 갖춘　misbehave 잘못된
행동을 하다　well-behaved 얌전한

W: 안녕하세요, 개를 사랑하는 여러분. 여러분의 개가 여러분의 신발을 씹거나 때때로 아무런 이유 없이 짖습니까? 산책하는 동안에 여러분의 개를 통제하기가 어려운가요? 더는 걱정할 필요가 없습니다. 저희가 이러한 문제들을 해결하도록 여러분을 도와드리겠습니다. Chester Dog Training Center에 여러분의 개의 행동을 개선해 줄, 전문 자격증을 갖춘 훈련사가 다섯 명이 있습니다. 저희는 또한 여러분의 개를 이해하는 법과 개가 잘못된 행동을 할 때 무엇을 해야 할지를 여러분께 가르쳐 드립니다. Chester Dog Training Center에 개를 맡겨 주세요. 저희는 여러분의 개가 얌전한 반려동물이 될 수 있도록 훈련시킬 것입니다. 234-555-3647로 저희에게 전화주시거나 저희 웹사이트인 www.chesterdogs.com을 방문해 주세요.

2 다음을 듣고, 남자가 하는 말의 목적으로 가장 적절한 것을 고르시오. **답 ①** 발명 대회 참가 신청 마감일 변경을 안내하려고

M: Good morning, Hotwells High School students. This is your science

teacher, Mr. Moore, with an announcement about our invention
남자가 자기소개를 하면서 발명 대회에 관해 말하려 한다.
contest. I know you all have creative invention ideas, and I'm excited

to see them. As you know, we were accepting applications until July
　　　　　　　　　예고된 발명 대회 참가 신청서 마감일: 7월 8일　　　현재완료 수동태
8th through the school website. However, the deadline has been
　　　　　　　　　　　　　　　　　　마감일 변경 사유: 웹사이트 보수 기간과 겹침
changed due to website maintenance on July 7th and 8th. So, I'd like to
　　　due to+명사(구): ~때문에, ~로 인해
inform you that we've moved the deadline to July 10th. Thank you for
변경된 발명 대회 참가 신청서 마감일: 7월 10일
understanding, and please don't forget the changed deadline. If you
　　　　　마감일 변경을 재차 알림
have questions, please visit me in my office. Thank you.

정답 전략 과학 교사인 남자는 곧 있을 발명 대회에 관해 안내하면서, 신청서 마감일을 7월 10일로
변경하였음을 알리고 있다. 따라서 남자가 하는 말의 목적으로 가장 적절한 것은 ①이다.

Words invention 발명　application 신청(서), 지원(서)　maintenance 보수, 유지

M: 안녕하세요, Hotwells 고등학교 학생 여러분. 저는 여러분의 과학 교사인 Mr. Moore이며, 우리의 발명 대회에 관해 알려드리고자 합니다. 저는 여러분 모두에게 창의적인 발명 아이디어가 있다는 것을 알고 있으며, 그것들을 보게 되어 신이 납니다. 알다시피 학교 웹사이트를 통해 7월 8일까지 신청서를 접수하고 있었습니다. 그런데 7월 7일과 8일의 웹사이트 보수로 인해 마감일이 변경되었습니다. 그래서 마감일이 7월 10일로 옮겨졌다는 것을 알려드리고자 합니다. 이해에 감사드리며 변경된 마감일을 잊지 마시기 바랍니다. 문의 사항이 있으면 제 사무실로 저를 찾아와 주시기 바랍니다. 감사합니다.

3 다음을 듣고, 여자가 하는 말의 목적으로 가장 적절한 것을 고르시오. **답 ④** 라디오 앱의 새로운 기능을 소개하려고

W: Hello, NPBC radio station listeners! I'm Jennifer Lee, the host of Monday
　　　　　　　　　　　　여자의 신분: 라디오 방송국 프로그램의 진행자
Live. More than 100,000 listeners have installed and used our radio

app on their smart phones to listen to our programs. To satisfy our
　　　　　　　　　　　　　　　　　to부정사의 부사적 용법(목적)
audience's growing needs, we've added three new functions to our app.
프로그램 앱에 세 가지 새로운 기능을 추가했음을 알리고 있다.

W: 안녕하세요, NPBC 라디오 방송국 청취자 여러분! 저는 '생방송 월요일'의 진행자 Jennifer Lee입니다. 십만 명이 넘는 청취자 여러분이 스마트폰에 저희 라디오 앱을 설치하고 사용해서 저희 프로그램을 듣고 계십니다. 저희 청취자들의 증가하

The best function is that you can download your favorite programs.
새로운 기능 1: 프로그램 내려받기 기능
This is useful if you miss our show or want to listen to it again. Another
'(못 보고) 놓치다'의 의미로 쓰인 다이어
useful function is that you can bookmark your favorite stories and listen
새로운 기능 2: 프로그램 북마크 기능   can 뒤에 and를 사이에 두고 bookmark와 listen이 병렬 관계를 이루고 있다.
to a personalized playlist. Finally, you can set an alarm to wake up to
새로운 기능 3: 알람 설정 기능   to부정사의 부사적 용법(목적)
your favorite radio program. I hope these new functions of our radio
                                          set an alarm: 알람을 설정하다
app will make your day more enjoyable.
            5형식 문장에서 목적격 보어로 형용사가 올 경우는 목적어(your day)의 상태를 말한다.

정답 전략 여자는 자신을 라디오 프로그램의 진행자라고 소개하면서, 라디오 앱에 새로 추가된 기능을 차례대로 소개하고 있다. 따라서 여자가 하는 말의 목적으로 가장 적절한 것은 ④이다.

Words install 설치하다 function 기능 personalized 개인 맞춤형의

는 요구 사항을 충족시키기 위해 저희는 앱에 세 가지의 새로운 기능을 추가했습니다. 최고의 기능은 여러분이 가장 좋아하는 프로그램을 내려받을 수 있다는 점입니다. 이것은 여러분이 저희 쇼를 놓치거나 그것을 다시 듣고 싶을 때 유용합니다. 또 다른 유용한 기능은 여러분이 가장 좋아하는 이야기를 북마크해서 개인 맞춤형 곡 목록으로 들을 수 있다는 것입니다. 마지막으로 여러분은 가장 좋아하는 라디오 프로그램에 맞추어 잠에서 깰 수 있도록 알람을 설정할 수 있습니다. 저희 라디오 앱의 새로운 기능이 여러분의 하루를 더 즐겁게 만들어 드리기를 바랍니다.

4 다음을 듣고, 남자가 하는 말의 목적으로 가장 적절한 것을 고르시오. 답 ❶ 경기 취소를 공지하려고

M: Attention, Whittenberg Dragons and Westbrook Whales fans. This is an
announcement about today's game at Estana Stadium. Today's baseball
                                    start는 목적어로 동명사와 to부정사 모두를 쓸 수 있고, 의미 차이도 없다.
game was supposed to begin in twenty minutes. But it started raining
     be supposed +to부정사: ~하기로 되어 있다
one hour ago, and has not stopped. According to the forecast, the
현재 날씨: 비가 그치지 않고 있다.   일기 예보: 날씨가 점점 나빠질 것
weather will only get worse. Because of this, we have decided to cancel
            get worse: 악화되다   기상 상태로 인해 경기를 취소하기로 결정했음을 알리고 있다.
today's game. Tickets you purchased for today's event will be fully
                  you 앞에 목적격 관계대명사 that(which)이 생략되어 있다.
refunded. And information about the make-up game will be updated
                                                    미래 시제 수동태
on our website soon. Once again, today's game has been canceled due
              폭우로 인해 경기가 취소되었음을 재차 알리고 있다.
to heavy rain. Thank you for visiting our stadium, and we hope to see
                                                        hope는 목적어로
you again at our next game.   to부정사만 쓴다.

정답 전략 남자는 한 시간 전에 내리기 시작한 비가 점점 심해진다고 하는 일기 예보를 바탕으로 오늘의 야구 경기를 취소한다는 소식을 전하고 있다. 따라서 남자가 하는 말의 목적으로 가장 적절한 것은 ①이다.

Words cancel 취소하다 purchase 구입하다 be fully refunded 전액 환불되다
make-up game 추가 경기

M: Whittenberg Dragons와 Westbrook Whales 팬 여러분께 알려드립니다. Estana 경기장에서 열리는 오늘 경기에 대한 공지입니다. 오늘 야구 경기는 20분 후에 시작하기로 되어 있었습니다. 하지만 한 시간 전에 비가 내리기 시작했고, 멈추지 않고 있습니다. 일기 예보에 따르면 날씨가 더 나빠질 뿐이라고 합니다. 이로 인해 저희는 오늘 경기를 취소하기로 결정했습니다. 오늘 경기를 위해 여러분이 구입한 표는 전액 환불될 것입니다. 그리고 추가 경기에 대한 정보는 곧 저희 웹 사이트에서 새로이 알려드릴 것입니다. 다시 한 번 말씀드리지만, 오늘 경기가 폭우로 인해 취소되었습니다. 저희 경기장을 방문해 주셔서 감사드리며, 다음 경기에서 다시 뵙기를 바랍니다.

5 다음을 듣고, 여자가 하는 말의 목적으로 가장 적절한 것을 고르시오. 답 ❺ 장학금 신청 방법 변경 사항을 안내하려고

W: Hello, Riverwalk High School students! I'm your math teacher, Ms.
                                                여자의 직업: 수학 교사
Woods. As you know, the application period for the Math & Dream
                    장학금 신청 기간이 다가옴을 알리고 있다.
Scholarship is approaching. However, there have been some changes
                        올해에는 장학금 신청 방법에 변경이 있음을 알리고 있다.
to how to apply this year. Today, I'd like to let you know about them. The
  how +to부정사: 어떻게 ~할지, ~하는 방법   사역동사 let은 목적격 보어로 동사원형을 쓴다.
first change is that you need to fill out and submit an online application.
변경 사항 1: 온라인 신청서로 제출 방식 변경   fill out: 작성하다, 기입하다
In addition, you have to submit your plan to study in a mathematics-
변경 사항 2: 수학 관련 분야에서의 학업 계획서 제출   to부정사의 형용사적 용법
related field along with your application. It should be no more than 400
            along with: ~와 함께
words. Finally, all applicants for this scholarship need to provide two
변경 사항 3: 추천서 2장 제출
letters of recommendation instead of one. For more information, please

W: 안녕하세요, Riverwalk 고등학교 학생 여러분! 저는 여러분의 수학 교사인 Ms. Woods입니다. 여러분도 알다시피, 수학과 꿈의 장학금 신청 기간이 다가오고 있습니다. 하지만, 올해에는 신청 방법에 몇 가지 변경 사항이 있습니다. 오늘 그것들에 관해서 여러분에게 알려드리고 싶습니다. 첫 번째 변경 사항은 온라인 신청서를 작성해서 제출해야 한다는 것입니다. 덧붙여 여러분의 신청서와 함께 수학 관련 분야에서의 학업 계획을 제출해야 합니다. 그것은 400단어를 넘어서는 안 됩니다. 마지막으로 이번 장학금의 지원자 모

come and see me. Thank you.

정답 전략 여자는 본인을 수학 교사로 소개하면서, 올해의 장학금 신청 방법에 변화가 있다고 알리며 변경 사항들을 알리고 있다. 따라서 여자가 하는 말의 목적으로 가장 적절한 것은 ⑤이다.

Words scholarship 장학금 approach 다가오다 apply 신청하다 related ~와 관련된
applicant 신청자 letter of recommendation 추천서

두는 추천서를 한 장이 아닌 두 장을 준비해야 합니다. 더 많은 정보가 필요하면 저를 만나러 오시기 바랍니다. 감사합니다.

---

6 다음을 듣고, 남자가 하는 말의 목적으로 가장 적절한 것을 고르시오. 답 ❸ 우수 직원상 신청을 권장하려고

M: Good morning, Pyntech company employees. I'm Paul Larson from
   남자의 신분: 인사과 직원
the Department of Human Resources. As you know, the deadline
                                       우수 직원상 신청 마감일을 공지하고 있다.
to apply for the Excellent Employee Award is next Friday. So far, only
to부정사의 형용사적 용법   encourage는 목적격 보어로 to부정사를 쓴다.
a few people have applied for the award. I'd like to encourage all of
                                       모두가 신청서를 제출해 줄 것을 권장하고 있다.
you to submit your application form for a chance to win. In addition
                                                       in addition to+명사(구): ~이외에도
to the $300 prize, it's an opportunity for your efforts to be recognized.
수상자에게 주어지는 상: 상금 외에도 업무 노력을 인정받을 기회   to부정사의 형용사적 용법
Application for this award is open to any employee who has shown
우수 직원상의 신청 자격: 뛰어난 업무 실적이 있고 근무 환경 조성에 긍정적 영향을 준 직원
outstanding performance and has helped create a positive work
environment this year. It doesn't matter whether you won previously
                                            명사절을 이끄는 접속사 whether는 '~인지 아닌지'의 의미이다.
or not. So if you think you're qualified, please don't hesitate to apply for
다시 한 번 우수 직원상 신청을 독려하고 있다.
the Excellent Employee Award. Maybe you'll be the winner this year!

정답 전략 남자는 본인을 인사과 직원으로 소개하면서, 우수 직원상 신청 마감일을 알리고 자격이 있다면 모두 신청서를 제출할 것을 권하고 있다. 따라서 남자가 하는 말의 목적으로 가장 적절한 것은 ③이다.

Words award 상 outstanding 뛰어난 qualified 자격을 갖춘

M: 좋은 아침입니다. Pyntech사 직원 여러분. 저는 인사과의 Paul Larson입니다. 여러분도 아시다시피, 우수 직원상을 신청하는 마감일이 다음 주 금요일입니다. 지금까지는, 단 몇 분만이 그 상을 신청하셨습니다. 저는 여러분 모두가 상을 탈 기회를 위해 여러분의 신청서를 제출해 줄 것을 권장합니다. 300달러의 상금 이외에도, 그것은 여러분의 노력을 인정받을 기회입니다. 이 상의 신청은 올해 뛰어난 실적을 보여 주었고 긍정적인 근무 환경을 조성하는 데에 도움을 준 직원 누구에게나 열려 있습니다. 여러분이 이전에 수상했는지의 여부는 중요하지 않습니다. 그러니 여러분이 자격을 갖추었다고 생각하시면, 우수 직원상을 신청하는 것을 주저하지 마십시오. 아마 여러분이 올해 수상자일 수도 있으니까요!

---

7 다음을 듣고, 여자가 하는 말의 목적으로 가장 적절한 것을 고르시오. 답 ❷ 이사 지침 준수를 요청하려고

W: Hello, residents! This is Dana from the management office. Recently,
                    여자의 신분: 관리실 직원
we've had many complaints from residents concerning moving. So, we'd
이사에 관한 주민들의 항의가 있었음을 알리고 있다.   전치사로 '~에 관하여'의 의미이다.
like to ask you to follow our guidelines when moving out. First, contact
이사 갈 때의 지침을 공지하고 있다. ┌ to부정사의 부사적 용법(목적)
our office to reserve the elevator one week prior to moving. Making
지침 1: 이사 가기 일주일 전에 엘리베이터 사전 예약   prior to+명사(구): ~에 앞서
a reservation can help prevent any inconvenience to other residents.
            help는 목적어로 동사원형과 to부정사를 모두 쓸 수 있다.
Second, do not park your moving trucks in front of building entrances.
지침 2: 건물 입구 앞에 이삿짐 트럭 주차 금지
Parking there may cause accidents and block traffic. One more thing.
                          and를 사이에 두고 cause와 block이 병렬 관계이다.
Large items like furniture or electronics must be thrown away in the
지침 3: 크기가 큰 가구나 전자 제품은 적절한 장소에 폐기   throw away: 버리다
proper area. Failure to do so will create a messy environment. By
following these guidelines, you can help make our community a better
place. Thank you for your cooperation.

정답 전략 여자는 자신을 관리실 직원으로 소개하고, 이사에 관한 항의가 많았음을 알리면서 이사 갈 때의 지침을 따를 것을 요청하고 있다. 따라서 여자가 하는 말의 목적으로 가장 적절한 것은 ②이다.

Words resident 주민 contact ~에 연락하다 reserve 예약하다 inconvenience 불편
electronics 전자 제품(기기) cooperation 협조

W: 안녕하세요, 주민 여러분! 저는 관리실의 Dana라고 합니다. 최근에 이사에 관해 주민들로부터 항의가 많았습니다. 그래서 이사 가실 때 여러분께서 저희의 지침을 따라 주시기를 부탁드리고자 합니다. 첫째, 이사하기 일주일 전에 저희 사무실에 연락하셔서 엘리베이터를 예약하십시오. 예약을 함으로써 다른 주민들에게 불편을 끼치는 것을 예방하는 데 도움이 될 수 있습니다. 둘째, 이삿짐 트럭을 건물 입구 앞에 주차하지 마십시오. 거기에 주차함으로써 사고를 일으킬 수 있고 교통을 방해할 수 있습니다. 한 가지 더 말씀드리겠습니다. 가구나 전자 제품과 같이 크기가 큰 물건들은 적절한 장소에 버리셔야 합니다. 그렇게 하지 않으면 환경이 엉망이 될 것입니다. 이러한 지침을 따름으로써 여러분은 우리 공동체를 더 나은 곳으로 만드는 데 도움을 주실 수 있습니다. 협조해 주셔서 감사합니다.

8 다음을 듣고, 남자가 하는 말의 목적으로 가장 적절한 것을 고르시오. 답 ❶ 학교 오케스트라 연주회를 알리려고

M: Hello, Limestone High School students. This is your music teacher, Mr.
남자의 직업: 음악 교사
Peterson. Today I'm proud to announce that the school orchestra will be
올해에는 학교 오케스트라가 시청에서 연주회를 개최함을 알리고 있다.
holding its concert at City Hall this year. They'll be playing well-known
미래 진행형: will be -ing
classical music from Beethoven and Mozart. The concert will be held on
연주회의 개최일과 시간을 알리고 있다.
Saturday, September 16th, from 6 to 7 p.m. If you want to attend, sign
형용사로 '무료의'의 의미로 쓰인 다의어
up for free tickets on the school website. The orchestra members have
부사로 '열심히'의 의미로 쓰인 다의어
been practicing really hard for this concert. Come, show your support,
현재완료 진행형: have(has) been -ing   연주회의 참석을 독려하고 있다.
and enjoy the performance of the orchestra. I hope to see you there.

정답 전략 음악 교사인 남자는 학교 오케스트라가 올해에는 시청에서 연주회를 연다고
말하면서 개최일과 시간, 무료입장권 신청 방법 등을 알리고 있다. 따라서 남자가
하는 말의 목적으로 가장 적절한 것은 ①이다.

Words well-known 잘 알려진, 유명한   attend 참석하다

M: 안녕하세요, Limestone 고등학교 학생 여러분. 저는 여러분의 음악 교사인 Mr. Peterson입니다. 오늘 저는 우리 학교 오케스트라가 금년에는 시청에서 연주회를 열게 될 것임을 알려 드리게 되어 자랑스럽습니다. 그들은 베토벤부터 모차르트까지 유명한 고전 음악을 연주할 것입니다. 연주회는 9월 16일 토요일, 오후 6시부터 7시까지 열릴 것입니다. 참석을 원하시면 학교 웹사이트에서 무료입장권을 신청하세요. 오케스트라 단원들은 이 연주회를 위하여 정말 열심히 연습해 왔습니다. 오셔서 여러분의 지지를 보여 주시고, 오케스트라의 연주를 즐기세요. 거기서 여러분을 만나기를 희망합니다.

DAY 3 필수 체크 전략 ①

| 44~45쪽

[대표 유형] **2 Q1** ② **Q2** ③   **2-1 Q1** ② **Q2** ⑤   **2-2 Q1** ③ **Q2** ④

2 다음을 듣고, 물음에 답하시오. 답 **Q1** ❷ ways that plants protect themselves from danger **Q2** ❸ clovers

W: Good morning, students. Previously, we learned about various
관계부사 where로 바꾸어 쓸 수 있다.
environments in which plants grow. Today, we'll discuss how plants
오늘의 학습 주제: 식물이 위협으로부터 자신들을 방어하는 방법
defend themselves from threat. Even though plants cannot run away
from danger, they know how to keep themselves safe. First, many
how+to부정사: 어떻게 ~할지, ~하는 방법
plants, like roses, have sharp thorns. When animals get too close, these
방어 방법 1: 날카로운 가시 이용
thorns cut them, warning them to stay away. Also, plants can create
분사구문의 연속동작에 해당되며, and they warn으로 바꿔 쓸 수 있다.   방어 방법 2: 고약한 맛이 나는 물질 생성
substances that cause a bad taste. When insects attack, for example,
주격 관계대명사
tomato plants release chemicals, making their leaves taste bad. Next,
분사구문의 연속동작에 해당되며, and they make로 바꿔 쓸 수 있다.
some plants form partnerships with insects. For instance, some cherry
방어 방법 3: 곤충과 동반자 관계 형성
trees attract ants by making a sweet liquid. The ants guard the tree
from enemies to keep this food source safe. Finally, there are plants that
to부정사의 부사적 용법(목적)   방어 방법 4: 독 생성
generate a poison to protect themselves. For example, certain walnut
to부정사의 부사적 용법(목적)
trees see other nearby trees as a danger, so they produce a poison
see A as B: A를 B로 여기다(간주하다)
to prevent the other trees from growing. Now, let's watch a video about
to부정사의 부사적 용법(목적)
these incredible plants.

정답 전략 **Q1** 여자는 오늘의 학습 주제로 '식물이 위협으로부터 어떻게 자신을 방어하는지'에 관해
말하고 있다. 따라서 여자가 하는 말의 주제로 가장 적절한 것은 ②의 '식물이 위험으로부터 자신을 보
호하는 방법'이다. ① 화학 물질이 식물에게 해로운 이유 ③ 식물이 무성하게 자라는 것을 막는 것의
어려움 ④ 위험한 곤충이 식물에게 가까이 가지 못하게 하기 위한 조언 ⑤ 야생에서 독성이 있는 식물
을 알아보는 것의 중요성

W: 안녕하세요, 학생 여러분. 이전에 우리는 식물이 자라는 다양한 환경에 관하여 배웠습니다. 오늘 우리는 식물이 위협으로부터 어떻게 자신들을 방어하는지에 관해 토론할 것입니다. 식물은 위험으로부터 도망칠 수는 없지만, 스스로를 안전하게 지키는 방법은 알고 있습니다. 첫째, 장미와 같은 많은 식물에는 날카로운 가시가 있습니다. 동물이 너무 가까이 오면 이러한 가시가 그 동물을 베어 떨어져 있으라고 경고합니다. 또한 식물은 고약한 맛이 나는 물질을 만들어 낼 수 있습니다. 예를 들어 곤충들이 공격할 때, 토마토 식물은 화학 물질을 방출하여 잎이 불쾌한 맛이 나게 합니다. 그다음으로 어떤 식물은 곤충과 동반자 관계를 형성합니다. 예를 들어 어떤 벚나무는 달콤한 액체를 만들어 개미를 유혹합니다. 개미는 이 식량원을 안전하게 지키기 위해 적으로부터 나무를 보호합니다. 마지막으로 자신을 보호하기 위해 독을 생성하는 식물이 있습니다. 예를 들어 특정 호두나무는 주변의 다른 나무를 위험으로 여겨서 그 다른 나무가 자라는 것을 막기 위해 독을 만들어 냅니다. 이제 이 놀라운 식물들에 관한 영상을 봅시다.

Q2 ③의 '클로버(토끼풀)'는 언급되지 않았다. ① 장미 ② 토마토 식물 ④ 벚나무 ⑤ 호두나무

Words   threat 위협   thorn 가시   substance 물질   release 방출하다
partnership 동반자 관계   generate 생성하다   overgrow (잡초 등이) 무성하게 자라다

2-1 다음을 듣고, 물음에 답하시오. 답 Q1 ❷ benefits of insects to human beings Q2 ❺ ladybugs

M: Hello, students. Last class, we discussed the harm caused by insects.
_{caused 앞에 that(which) was가 생략되어 있다.}
Today, we're going to learn about the advantages that insects can bring
오늘의 학습 주제: 곤충이 우리에게 가져다줄 수 있는 이점들   _{목적격 관계대명사이므로 생략 가능}
us. First, honeybees play a crucial role in the reproductive process of
_{1. 꿀벌: 식물의 생식 과정에서 결정적 역할을 함}
plants by helping them to produce seeds. In the U.S., the honeybees'
_{help는 목적격 보어로 동사원형과 to부정사를 모두 쓸 수 있다.}
assistance in this process accounts for about $20 billion in crops per
_{account for: ~을 차지하다}
year, including fruits and vegetables. Second, insects like grasshoppers
_{2. 메뚜기류: 세계의 주요 식량원}
are a major food source in the world because they're high in protein
and low in cholesterol. In Mexico, for example, you can easily find fried
grasshoppers sold in village markets. Next, silkworms are responsible
_{3. 누에: 세계 견직물 생산의 대부분을 책임짐}
for producing most of the world's silk, which is recognized as a valuable
_{관계대명사의 계속적 용법으로 and it로 바꿔 쓸 수 있다.}
product. In China, silkworms produce approximately 30,000 tons of raw
_{현재완료 수동태}
silk annually. Finally, fruit flies have been used by many researchers in
_{4. 초파리: 유전적 연구를 위한 유용한 실험 대상}
genetic studies. Fruit flies are practical test subjects for such studies due
to their short lifespan. Now, let's watch some video clips to help you
_{due to+명사(구): ~때문에}
understand better.

정답 전략 **Q1** 남자는 오늘 '곤충이 우리에게 가져다줄 수 있는 이점'에 대해 배울 것이라고 말했다. 따라서 남자가 하는 말의 주제로 가장 적절한 것은 ②의 '곤충이 인간에게 주는 이점'이다. ① 곤충에 미치는 식물의 긍정적인 영향 ③ 곤충 번식의 다양한 방법 ④ 질병과 곤충 사이의 관계 ⑤ 곤충이 농작물에 피해를 입히는 것을 막는 방법

Q2 ⑤의 '무당벌레'는 언급되지 않았다. ① 꿀벌 ② 메뚜기 ③ 누에 ④ 초파리

Words   crucial 결정적인   reproductive 생식의   approximately 대략   annually 연간
genetic 유전학의   practical 유용한   subject 실험 대상   lifespan 수명

M: 안녕하세요, 학생 여러분. 지난 수업 시간에, 우리는 곤충에 의해 야기되는 해로움에 관해 토론했습니다. 오늘은 곤충이 우리에게 가져다줄 수 있는 이점에 대해 배워 보려고 합니다. 첫째, 꿀벌은 식물이 씨앗을 생산하는 데 도움을 줌으로써 식물의 생식 과정에서 결정적인 역할을 합니다. 미국에서는, 이 과정에서 꿀벌들의 도움이 과일과 채소를 포함하여, 농작물로 연간 약 200억 달러 정도를 차지합니다. 둘째, 메뚜기와 같은 곤충들은 단백질이 풍부하고 콜레스테롤이 낮아서 세계의 주요 식량원입니다. 예를 들어 멕시코에서, 여러분은 마을 시장에서 판매되는 튀긴 메뚜기를 쉽게 찾아볼 수 있습니다. 다음으로, 누에가 세계 견직물 생산의 대부분을 책임지고 있는데, 이 견직물은 귀중한 상품으로 인정받습니다. 중국에서는 누에가 매년 대략 3만 톤의 생사(生絲)를 생산합니다. 마지막으로, 초파리는 많은 연구원에 의해 유전학 연구에서 사용되어 왔습니다. 초파리는 그들의 짧은 수명 때문에 그런 연구를 위한 유용한 실험 대상입니다. 이제, 여러분이 더 잘 이해하도록 도와줄 짧은 영상을 봅시다.

2-2 다음을 듣고, 물음에 답하시오. 답 Q1 ❸ why wild animals came to flourish in cities Q2 ❹ Bangkok

W: Hello, students. I'm sure you've encountered some wild animals in cities.
Let's look at some reasons that wild animals have done well and their
오늘의 학습 주제: 야생동물이 도시에서 잘 살고 그들의 개체 수가 증가한 이유
populations have grown in cities. First, pigeons were rare in cities like
_{사례 1: 파리 – 비둘기}
Paris, but now you can easily find them. Urban expansion reduced the
number of animals hunting them, and food waste in cities has been
_{the number of+복수명사: ~의 수}
a great food source for them. And, while London is not by the sea, it
_{사례 2: 런던 – 갈매기}
has many seagulls. This is because nesting on the roofs of buildings
_{주어로 쓰인 동명사(구)는 단수 취급하므로 동사도 수 일치한다.}
protects their chicks from danger. Next, Delhi is home to about 30,000
_{사례 3: 델리 – 원숭이}
monkeys. Experts say that monkeys' high intelligence and comfort with
humans let them flourish in the city. Lastly, in the 19th century, there
_{사역동사 let는 목적격 보어로 동사원형을 쓴다.}   _{사례 4: 뉴욕시 – 다람쥐}

W: 안녕하세요, 학생 여러분. 저는 여러분이 도시에서 몇몇 야생동물을 우연히 맞닥뜨린 적이 있다고 확신합니다. 야생동물이 도시에서 잘 살고 그들의 개체 수가 증가한 몇 가지 이유를 살펴봅시다. 첫째, 비둘기는 파리 같은 도시에서는 드물었는데, 지금은 쉽게 발견할 수가 있습니다. 도시의 팽창으로 인해 비둘기를 사냥하는 동물의 수가 줄어들었고, 도시의 음식물 쓰레기는 그것들에게 훌륭한 식량원이 되었습니다. 그리고 런던은 바다 인근에 있지 않은데도 불구하고 갈매기가 많습니다. 이는 건물의 옥상에 둥지를 틀어 새끼들이 위험으로부터 보호되기 때문입니다.

was a small population of squirrels in New York City. Squirrels were seen as public pets, so the city planted nut-bearing trees as their food source. This increased their population in the city. Let's watch a video about these animals' city lives.

정답 전략 **Q1** 여자는 초반부에 야생동물이 도시에 잘 살고, 그 개체 수가 증가하게 된 몇 가지 이유를 살펴보자고 말하고 있다. 따라서 여자가 하는 말의 주제로 가장 적절한 것은 ③의 '야생동물이 왜 도시에서 번성하게 되었는가'이다. ① 유기된 반려동물로부터 어떤 문제가 발생하는가 ② 도시의 성장이 야생동물의 다양성에 어떻게 영향을 미쳤는가 ④ 도시를 친환경적으로 만드는 방법 ⑤ 도시에서 벌어지는 인간과 동물 사이의 문제

Q2 ④의 '방콕'은 언급되지 않았다. ① 파리 ② 런던 ③ 델리 ⑤ 뉴욕시

Words   encounter 우연히 맞닥뜨리다   population 개체 수   expansion 팽창
nest 둥지를 틀다   chick 새끼 새   flourish 번성하다   nut-bearing 견과류가 열리는

다음으로, 델리는 30,000마리 원숭이들의 서식지입니다. 전문가들은 원숭이의 높은 지능과 인간을 편안해하는 점 때문에 도시에서 번성한다고 말합니다. 마지막으로, 19세기에는 뉴욕시에 다람쥐 개체 수가 적었습니다. 다람쥐는 공공 반려동물로 여겨졌고, 그래서 시는 그것들의 식량원으로 견과류가 열리는 나무를 심었습니다. 이 때문에 도시에서 그것들의 개체 수가 증가했습니다. 이 동물들의 도시 생활에 관한 영상을 봅시다.

DAY 3 필수 체크 전략 ②
| 46~49쪽

1 ③ **2** ⑤ **3** ⑤ **4** ③ **5** ① **6** ③ **7** ② **8** ③ **9** ② **10** ⑤ **11** ① **12** ③

[1-2] 다음을 듣고, 물음에 답하시오.   답 1 ❸ application of mathematics in different types of art 2 ❺ cinema

M: Good morning, students. You might think that math is all about boring formulas, but actually it involves much more. Today, we'll learn how mathematics is used in the arts. First, let's take music. Early
비교급 앞에 쓰이는 부사로 '훨씬'의 의미이다.
오늘의 학습 주제: 수학이 예술에서 어떻게 사용되는가
mathematicians found that dividing or multiplying sound frequencies
start는 목적어로 동명사와 to부정사 모두 오며, 의미에 차이가 없다.
created different musical notes. Many musicians started applying
1. 음악: 음악가들이 화음을 만들어 내는 데 수학적 개념 적용
this mathematical concept to make harmonized sounds. Second,
주어로 쓰인 동명사(구)는 단수 취급하므로 동사와 수 일치한다. to부정사의 부사적 용법(목적)
painting frequently uses math concepts, particularly the "Golden
2. 회화: 황금 비율 사용
Ratio." Using this, great painters created masterpieces that display
주격 관계대명사
accurate proportions. The *Mona Lisa* is well-known for its accurate
be well-known for: ~로 잘 알려져 있다
proportionality. Photography is another example of using mathematical
divide into: ~으로 나누다
ideas. Photographers divide their frames into 3 by 3 sections and
3. 사진술: 수학적 아이디어를 사용하여 대상을 배치함
place their subjects along the lines. By doing so, the photo becomes balanced, thus more pleasing. Lastly, dance applies mathematics to
4. 무용: 무대에서 무용수들을 배치하는 데 수학을 적용함
position dancers on the stage. In ballet, dancers calculate distances
and를 사이에 두고 calculate와 adjust가 병렬 관계를 이루고 있다.
between themselves and other dancers, and adjust to the size of the
adjust to: ~에 맞추다
stage. This gives the impression of harmonious movement. I hope you've gained a new perspective on mathematics.

정답 전략 **1** 남자는 오늘 수학이 예술에서 어떻게 사용되는지 배울 것이라고 있다. 따라서 남자가 하는 말의 주제로 가장 적절한 것은 ③의 '다양한 종류의 예술에서의 수학의 응용'이다. ① 회화를 수학 교육의 일부로 포함하는 것의 효과 ② 예술 산업의 성장에 관한 수학적 분석 ④ 예술에서의 중요한 개념들에 대한 역사적 고찰 ⑤ 수학과 예술을 조화시키는 도전

2 ⑤의 '영화 예술' 분야는 언급되지 않았다. ① 음악 ② 회화 ③ 사진술 ④ 무용

M: 안녕하세요, 학생 여러분. 여러분은 수학이 온통 지루한 공식에 관한 것이라고 생각할지도 모르겠는데, 실은 수학은 훨씬 더 많은 것을 포함하고 있습니다. 오늘 우리는 수학이 예술에서 어떻게 사용되는지 배울 것입니다. 첫째, 음악을 들어 봅시다. 초기의 수학자들은 음성 주파수를 분할하거나 배가하면 다양한 음악적 음이 만들어진다는 것을 알아냈습니다. 많은 음악가들이 화음을 만들어 내기 위하여 이러한 수학적 개념을 적용하기 시작했습니다. 둘째, 회화는 수학의 개념, 특히 '황금 비율'을 자주 사용합니다. 이것을 사용하여 위대한 화가들은 정확한 비율을 보여 주는 걸작을 창조했습니다. 〈Mona Lisa〉는 그것의 정확한 비례로 유명합니다. 사진술은 수학적 아이디어를 사용하는 또 다른 예입니다. 사진작가는 자신의 프레임을 3×3 구역으로 나누고 이 선들을 따라 자신들의 피사체를 배치합니다. 그렇게 함으로써 사진은 균형이 잡히고 더 만족스러워집니다. 마지막으로 무용은 무용수들을 무대에서 배치하기 위해 수학을 적용합니다. 발레에서 무용수는 자신과 다른 무용수 사이의 거리를 계산하고, 무대의 크기에 맞춥니다. 이것은 조화로운 움직임이라는 인상을 줍니다. 저는 여러분이 수학에 있어서 새로운 관점을 얻었기를 바랍니다.

Words formula 공식 multiply 배가하다, 곱하다 frequency 주파수, 빈도 note 음(표)
ratio 비율 proportion 비율 proportionality 비례 subject 피사체 perspective 관점

[3-4] 다음을 듣고, 물음에 답하시오. 전 3 ❺ various uses of drones in different jobs 4 ❸ soldiers

W: Hello, students. Last time, you learned about the people who invented
　　　　　　　　　　　　　　　　　　　　　　　　　주격 관계대명사
drones. As technology develops, drones are being used more frequently

around the world. So, today, we'll talk about how they're used in
　　　　　　　　　　　　　　오늘의 주제: 드론이 다양한 직업에서 어떻게 사용되고 있는가
different jobs. First, drones help farmers grow crops more efficiently.
　　　　　　　　1. 농부: 작물을 더 효율적으로 키우는 것을 도움
For example, drones are used to spread seeds that may be difficult to
　　　　　　　　　　　　　　　　　　　　　　　주격 관계대명사
plant. They also spray chemicals to protect plants from harmful insects.

Second, photographers use drones to easily access areas that are hard
2. 사진작가: 닿기 어려운 지역에 쉽게 접근하기 위해 사용함　　　　　　　　　　　주격 관계대명사
to reach. Specifically, nature and wildlife photographers no longer need
　　　　　　　　　　　　　　　　　　　　　　　　　　　　no longer: 더 이상 ~아닌
to go through dangerous jungles and rainforests. Next, drones are
　　　　　　　　　　　　　　　　　　　　　　　3. 경찰관: 교통 통제시 유용함
useful for police officers when they control traffic. Drones could provide

updates on traffic flow and accidents, and even help identify anyone

driving dangerously. Last, drones aid firefighters. Firefighters use drones
┌주격 관계대명사　　　　　　　　　　　　　　┌to부정사 부사적 용법(목적)
that drop tanks of special chemicals to prevent the spread of fire. Now,
4. 소방관: 화재 확산을 막는 데 사용함
let's watch an incredible video of drones in action.
　　　　　　　　　　　　　　　　　　　　in action: 활동(작동)을 하는

정답 전략 3 여자는 오늘은 여러 직업에서 드론이 어떻게 사용되고 있는지 이야기하자고 말하고 있
다. 따라서 여자가 하는 말의 주제로 가장 적절한 것은 ⑤의 '여러 직업에서 드론의 다양한 사용'이다.
① 드론으로 인한 고용 기회 감소 ② 다양한 분야에서의 드론 사용에 따른 규정 ③ 드론 개발에 필요
한 직무 능력 ④ 드론 사용으로 유발되는 직장 사고
4 ③의 '군인'은 직업의 분야로 언급되지 않았다. ① 농부 ② 사진작가 ④ 경찰관 ⑤ 소방관

Words chemical 화학 물질 access 접근하다 specifically 구체적으로 말하면
rainforest (열대) 우림 regulation 규정

[5-6] 다음을 듣고, 물음에 답하시오. 전 5 ❶ animals used in delivering mail in history 6 ❸ eagles

M: How did people send mail before they had access to cars and trains?
의문 제기: 근대 교통수단이 없었던 시절에는 어떻게 우편물을 보냈을까?
There were simple options out there, like delivery by animal. Horses
과거의 우편물 배달 방법: 동물 활용　　　　　　　전치사로 '~와 같은'의 의미
were frequently utilized in delivery of letters and messages. In the 19th
1. 말 – 19세기 미국에서 이용
century, a mail express system that used horses serviced a large area of
　　　　　　　　　　　　　　주격 관계대명사
the United States. Pigeons may be seen as a problem by many people
　　　　　　　　　　　　　　조동사+수동태
today. However, in ancient Greece, they were used to mail people the
　　　　　　2. 비둘기 – 고대 그리스에서 이용　　　　　　　to부정사 부사적 용법(목적)
results of the Olympics between cities. Alaska and Canada are known
　　　　　　　　　　　　　　　　　　　　　　　　be known for: ~로 유명하다
for their cold winters. In their early days, dogs were utilized to deliver
　　　　　　　　　　　3. 개 – 초기 알래스카와 캐나다의 추운 지역에서 이용
mail because they've adapted to run over ice and snow. Maybe the

most fascinating of all delivery animals is the camel. Australia imported
　　　　　　　　　　　　　　　　　　　　　　4. 낙타 – 호주에서 이용
camels from the Middle East and utilized them to transfer mail across

W: 안녕하세요, 학생 여러분. 지난 시간에 여
러분은 드론을 발명한 사람들에 관해 배
웠습니다. 기술이 발달하면서 드론은 전
세계적으로 더 자주 사용되고 있습니다.
그래서 오늘 우리는 다양한 직업에서 그
것들이 어떻게 사용되고 있는지에 관해
이야기할 겁니다. 우선, 드론은 농부들이
작물을 더 효율적으로 키우는 것을 돕습
니다. 예를 들어, 드론은 심기 어려울 수
있는 씨앗을 뿌리는 데 사용됩니다. 그것
은 또한 해충으로부터 식물을 보호하기
위해 화학 물질을 뿌립니다. 둘째로, 사진
작가는 닿기가 어려운 지역에 쉽게 접근
하기 위해 드론을 사용합니다. 구체적으
로 말하면, 자연과 야생동물을 찍는 사진
작가는 더는 위험한 정글과 열대 우림을
통과할 필요가 없습니다. 그다음으로, 드
론은 경찰관들이 교통을 통제할 때 유용
합니다. 드론은 교통의 흐름과 사고에 관
한 최신 정보를 제공할 수 있고, 심지어
누구든 위험하게 운전하는 사람의 신원을
밝히는 데 도움이 되기까지 합니다. 마지
막으로, 드론은 소방관들을 돕습니다. 소
방관은 화재 확산을 막기 위해 특수한 화
학 물질 탱크를 떨어뜨리는 드론을 사용
합니다. 이제, 활약 중인 드론의 놀라운
동영상을 함께 봅시다.

M: 사람들은 자동차와 기차를 이용할 수 있
기 전에 어떻게 우편물을 보냈을까? 동물
에 의한 배달과 같은 단순한 방법들이 있
었다. 말은 편지와 메시지 전달에 자주 이
용되었다. 19세기에는, 말을 이용한 우편
물 급행 체계가 미국의 넓은 지역에서 서
비스를 제공했다. 오늘날 비둘기는 많은
사람들에 의해 문제로 여겨질 수도 있다.
하지만 고대 그리스에서는, 그것들은 도
시들 사이에서 사람들에게 올림픽 경기의
결과를 전해주는 데 사용되었다. 알래스
카와 캐나다는 추운 겨울로 알려져 있다.
초기 시대에는 개들이 얼음과 눈 위에서
달릴 수 있도록 적응했으므로 우편물을
배달하는 데 이용되었다. 아마도 모든 배
달 동물들 중에서 가장 매혹적인 동물은

vast deserts. They were ideally suited to this job because they can go without water for quite a while. Fortunately, we've developed faster and more reliable delivery systems, but we should not ignore the important roles these animals played in the past.

these 앞에 목적격 관계대명사 that(which)이 생략되어 있다.

정답 전략 5 남자는 근대 교통수단이 없었던 시절의 우편물 배달 방법에 의문을 제기하며 동물에 의한 배달을 언급하고 있다. 따라서 남자가 하는 말의 주제로 가장 적절한 것은 ①의 '역사상 우편물 배달에 이용된 동물들'이다. ② 야생에서 동물들을 훈련시키는 것의 어려움 ③ 환경 변화에 대한 동물들의 적응 ④ 여러 나라에서 멸종 위기에 처한 동물들 ⑤ 동물들이 서로에게 메시지를 전달한 방법들
6 ③의 '독수리'는 언급되지 않았다. ① 말 ② 비둘기 ④ 개 ⑤ 낙타

Words utilize 이용하다 express 급행의 fascinating 매혹적인 reliable 신뢰할 수 있는

낙타일 것이다. 호주는 중동에서 낙타를 수입하여 광활한 사막을 건너 우편물을 수송하는 데 그것들을 활용했다. 그것들은 물 없이 꽤 오랫동안 갈 수 있기 때문에 이 일에 이상적으로 적합했다. 다행히, 우리는 더 빠르고 더 신뢰할 수 있는 배달 체계를 개발했지만, 이 동물들이 과거에 담당했던 중요한 역할들을 무시해서는 안 된다.

[7-8] 다음을 듣고, 물음에 답하시오. **답** 7 ❷ benefits of various vegetable cooking oils 8 ❸ avocado oil

W: Last class we learned about the origins of different cooking oils. Today,

they 앞에 목적격 관계대명사(that/which)가 생략되어 있다.
I'd like to focus on vegetable oils and what good characteristics they

오늘의 주제: 식물성 기름과 그것이 갖고 있는 좋은 특징
have. First, coconut oil. Fats from coconut oil easily convert to energy.

1. 코코넛 오일: 쉽게 에너지로 전환됨
They help boost metabolism and aid in weight loss. Second, olive oil.

and를 사이에 두고 help와 aid가 병렬 관계를 이루고 있다.
It contains natural vitamins and minerals and of course, it's a nutritious

2. 올리브 오일: 천연 비타민과 미네랄 함유   be loaded with: 충분히 있다
staple of the Mediterranean diet. Next, sesame oil. It's loaded with

3. 참기름: 세포 노화를 늦추는 항산화제 함유
antioxidants that slow down cell aging. It's also known to lower

주격 관계대명사
blood pressure and reduce wrinkles. If you find these three oils rather

expensive, there's a reasonable alternative, which is grapeseed oil. This

계속적 용법의 관계대명사로, and it로 바꿔 쓸 수 있다.
is a great source of essential fatty acids and vitamin E. Its high smoking

4. 포도씨 오일: 필수 지방산과 비타민 E의 공급원
point works well for any cooking method such as roasting and frying.

Before we move on, I'd like to mention one more oil. Walnut oil contains

omega-3 fatty acids and minerals like iron and zinc. Its rich flavor can

5. 호두 오일: 오메가3 지방산과 미네랄 함유
add a kick to your salad. Now, let's look into each of these oils in detail.

명사로 '강한 효과'라는 의미   in detail: 상세하게

정답 전략 7 여자는 초반부에 식물성 기름과 그것이 갖고 있는 좋은 특징을 살펴보자고 말하고 있다. 따라서 여자가 하는 말의 주제로 가장 적절한 것은 ②의 '다양한 식물성 식용유의 이점'이다. ① 지방산의 화학 성분 ③ 신선한 식물성 식용유 선택을 위한 조언 ④ 노화 과정을 지연시키는 지방산의 역할 ⑤ 향미 증진제로서의 식물성 기름의 장점
8 ③의 '아보카도 오일'은 언급되지 않았다. ① 코코넛 오일 ② 올리브 오일 ④ 포도씨 오일 ⑤ 호두 오일

Words convert 전환되다 metabolism 신진대사 staple 주식(主食)
antioxidant 항산화제 reasonable 합리적인 alternative 대안 zinc 아연

W: 지난 시간에는 다양한 식용유의 기원에 대해 공부했습니다. 오늘은 식물성 기름과 그것이 갖고 있는 좋은 특징에 초점을 맞추려고 합니다. 우선 코코넛 오일입니다. 코코넛 오일의 지방은 쉽게 에너지로 전환됩니다. 그것들은 신진대사를 촉진하고 체중 감량을 돕습니다. 두 번째로 올리브 오일. 그것은 천연 비타민과 미네랄을 함유하고 있고, 물론 지중해 식단의 영양가 있는 주식입니다. 그다음, 참기름입니다. 그것은 세포 노화를 늦추는 항산화제가 풍부하게 함유되어 있습니다. 그것은 또한 혈압을 낮추고 주름을 줄여 주는 것으로 알려져 있습니다. 만약 이 세 가지 기름이 다소 비싸다고 생각한다면, 합리적인 대안이 있는데, 그것은 포도씨 오일입니다. 이것은 필수 지방산과 비타민 E의 훌륭한 공급원입니다. 이것의 높은 발연점은 굽기, 튀김 등 어떤 요리법에도 잘 어울립니다. 다음으로 넘어가기 전에 저는 오일 하나를 더 언급하고 싶습니다. 호두 오일은 오메가-3 지방산과 철분과 아연 같은 미네랄을 함유하고 있습니다. 그것의 풍부한 맛은 당신의 샐러드에 강한 효과를 더할 수 있습니다. 이제 이 각각의 오일에 대해 상세하게 알아보겠습니다.

[9-10] 다음을 듣고, 물음에 답하시오. **답** 9 ❷ habits of famous artists to get creative ideas 10 ❺ photographer

M: Hello, students. Last class, we learned about famous artists in history.

to부정사의 부사적 용법(목적)
Today, I'll talk about what a few famous artists regularly did to get

오늘의 주제: 유명한 예술가들이 창의적 영감을 얻기 위해 규칙적으로 했던 일
inspiration for their creative work. First, let's take a look at a well-known

filmmaker, Ingmar Bergman. He worked at exactly the same time and

1. 영화제작자 Ingmar Bergman: 같은 시간에 일을 하고, 매일 똑같은 점심을 먹음

M: 안녕하세요, 학생 여러분. 지난 시간에, 우리는 역사상 유명한 예술가들에 대해 배웠습니다. 오늘 저는 몇 명의 유명한 예술가들이 자신들의 창의적인 작업에 대한 영감을 얻기 위해서 규칙적으로 했던 일에 대해 이야기하겠습니다. 먼저 유명한

even ate the same lunch every day. His daily habits were a driving force

for his movies. Tchaikovsky, one of the greatest composers, always

2. 작곡가 Tchaikovsky: 날씨에 상관없이 항상 긴 산책을 나감
went for a long walk regardless of the weather. It was essential to his

regardless of: ~에 상관없이
musical creativity. A famous British writer, Agatha Christie, had her

┌ used to+동사원형: ~하곤 했다(과거의 규칙적인 습관)
own unusual habit, too. She used to sit in a bathtub and eat apples,

3. 작가 Agatha Christie: 욕조에 앉아 사과를 먹음
which helped her to imagine the crimes she would put in her novels.

계속적 용법의 주격 관계대명사로, and it으로 바꿔 쓸 수 있다.   would+동사원형: ~하곤 했다(불규칙한 습관)
Here's one more interesting habit. Salvador Dali, a famous painter, used

4. 화가 Salvador Dali: 손에 열쇠를 쥐고 낮잠을 잠
to nap while holding a key in his hand. When he fell asleep, the key

'동시동작'의 분사구문으로, 부사절로 고치면 while he held가 된다.
would slip from his fingers, waking him up with the clink sound. He

'연속동작'의 분사구문으로, 부사절로 고치면 and it woke가 된다.
captured that moment between dreaming and waking on his canvas.

So, what do you do regularly to come up with new ideas?

come up with: (생각을) 떠올리다

정답 전략 **9** 남자는 유명한 예술가들이 창의적인 작업에 대한 영감을 얻기 위해 규칙적으로 했던 일을 이야기하고 있다. 따라서 남자가 하는 말의 주제로 가장 적절한 것은 ②의 '창의적인 생각을 얻기 위한 유명한 예술가들의 습관'이다. ① 창의력이 예술가들에게 필수적인 이유 ③ 미래에 사라질 가능성이 있는 직업 ④ 예술 작품 감상법 교육의 필요성 ⑤ 업무 만족과 창의력 간의 관계
10 ⑤의 '사진작가'는 언급되지 않았다. ① 영화 제작자 ② 작곡가 ③ 작가 ④ 화가

Words inspiration 영감 driving force 추진력 essential 필수적인 clink 땡그랑 소리

[11-12] 다음을 듣고, 물음에 답하시오. 답 11 ❶ effects of food on sleep 12 ❸ cereal

W: Welcome to the Farrington Wellness Center. I'm Dr. Hannah Dawson.

As you know, sleep is affected by many factors. According to research,

잠은 음식에 의해 영향을 받는다.   according to: ~에 따르면
one such factor is food. Some foods are good for sleep. For example,

┌ be loaded with: 충분히 있다   ┌ 주격 관계대명사
bananas are loaded with magnesium, a mineral that promotes sleep by

좋은 음식 1: 바나나 – 근육의 긴장을 풀어 주는 마그네슘 함유
helping relax your muscles. Another good food is milk. Dairy products

┌ 주격 관계대명사
help the body make a hormone that helps regulate sleep. On the other

좋은 음식 2: 우유 – 수면 조절에 도움을 주는 호르몬의 생성을 도움
hand, there are many foods to avoid, especially before bed. Don't order

계속적 용법의 주격 관계대명사로, and it으로 바꿔 쓸 수 있다. ┐
French fries late at night because fatty foods take long to digest, which

피할 음식 1: 감자튀김 – 소화하는 데 시간이 오래 걸림
harms the quality of your sleep. Also, put away candies before bed.

Sugary foods can keep you awake because they increase your blood

피할 음식 2: 사탕 – 혈당을 높여 깨어 있게 만듦
sugar. So if you're having problems sleeping, take a look at your diet

have a problem (in) -ing: ~하는 데 문제가 있다
because good sleep depends on what you eat. Now, I'll present some

information from studies I've conducted on this topic.

정답 전략 **11** 여자는 잠에 영향을 주는 요인 중 하나로 음식을 들면서 수면에 도움이 되는 음식과 잠자리에 들기 전에 피해야 할 음식을 소개하고 있다. 따라서 여자가 하는 말의 주제로 가장 적절한 것은 ①의 '음식이 수면에 미치는 영향'이다. ② 섭식 장애의 원인 ③ 소화를 증진시키는 방법 ④ 살을 빼기 위해 먹지 말아야 할 것 ⑤ 건강을 위한 균형 잡힌 식단의 중요성
12 ③의 '시리얼'은 언급되지 않았다. ① 바나나 ② 우유 ④ 감자튀김 ⑤ 사탕

Words factor 요인 promote 촉진하다, 조장하다 dairy 유제품의 regulate 조절하다 digest 소화하다 conduct 실시하다

영화제작자인 Ingmar Bergman을 살펴봅시다. 그는 정확하게 같은 시간에 일을 했고 심지어 매일 똑같은 점심을 먹었습니다. 그가 매일 행하는 습관이 그의 영화를 위한 추진력이었습니다. 가장 위대한 작곡가들 중 한 사람인 Tchaikovsky는 날씨에 상관없이 항상 긴 산책을 하러 나갔습니다. 그것은 그의 음악적 창의력에 필수적이었습니다. 영국의 유명한 작가인 Agatha Christie 역시 그녀 자신만의 특이한 습관이 있었습니다. 그녀는 욕조에 앉아 사과를 먹곤 했는데, 그것이 그녀가 자신의 소설에 넣을 범죄를 상상하는 데 도움을 주었습니다. 여기 또 하나의 재미있는 습관이 있습니다. 유명한 화가인 Salvador Dali는 손에 열쇠를 쥐고 낮잠을 자곤 했습니다. 그가 잠들었을 때, 그 열쇠가 그의 손가락에서 미끄러지듯 떨어져 땡그랑 소리를 내며 그를 깨우곤 했습니다. 그는 비몽사몽간의 그 순간을 그의 화폭에 담아냈습니다. 자, 여러분은 새로운 생각을 떠올리기 위해서 규칙적으로 어떤 일을 하시나요?

W: Farrington Wellness Center에 오신 것을 환영합니다. 저는 Hannah Dawson입니다. 아시다시피 잠은 많은 요인에 영향을 받습니다. 연구에 의하면 그러한 요인 중에 하나가 음식입니다. 어떤 음식은 수면에 좋습니다. 예를 들어, 바나나는 마그네슘이 많이 들어 있는데, 이것은 근육의 긴장을 풀어 주는 데 도움을 줌으로써 수면을 촉진하는 미네랄입니다. 또 다른 좋은 음식은 우유입니다. 유제품은 신체가 수면을 조절하는 데 도움을 주는 호르몬을 만드는 것을 돕습니다. 한편, 특히 잠자리에 들기 전에 피해야 할 많은 음식이 있습니다. 늦은 밤에는 감자튀김을 주문하지 마십시오. 왜냐하면 기름진 음식은 소화하는 데 시간이 오래 걸리고, 이는 수면의 질에 해를 끼치기 때문입니다. 또한 잠자리에 들기 전에는 사탕도 치우시기 바랍니다. 단 음식은 혈당을 높이기 때문에 여러분을 깨어 있게 할 수 있습니다. 그러니 여러분이 잠자는 데 문제가 있다면, 좋은 잠은 여러분이 무엇을 먹느냐에 달려 있으므로 여러분의 식습관을 살펴보시기 바랍니다. 이제 이 주제에 관해 제가 수행한 연구에서 나온 일부 정보를 보여 드리도록 하겠습니다.

1 ⑤ **2** ② **3** ④ **4** ⑤ **5** ④ **6** ③

---

1 다음을 듣고, 여자가 하는 말의 목적으로 가장 적절한 것을 고르시오. 답 ⑤ 현장 학습 학부모 동의서 확인 및 제출을 요청하려고

W: Good morning, parents. I'm Jennifer Lawrence, vice principal of
　　여자의 직업: Greenhill 초등학교 교감
Greenhill Elementary School. Thank you for being here for the Parent-
　　　　　　　　　　　　　　학부모와 교사 간의 모임이다.
Teacher Meeting. Before we begin, let me tell you about the field trip
　　　　　　　　　　　　공지 사항: 다음 달에 현장 학습이 있다.
next month. The students will be visiting the Children's Natural History
　　　　　　현장 학습 장소: 어린이 자연사 박물관
Museum. They'll have a great opportunity to explore the different
　　　　　hand out: 나누어 주다, 배포하다 ┐　　to부정사의 형용사적 용법
activities there. Today we'll hand out the field trip permission form to
　　　　　　　　　　학생들에게 현장 학습 동의서 배부 예정
each student, which has all the details including the schedule and the
　　　　　　계속적 용법의 관계대명사로, and it로 바꿔 쓸 수 있다.
fees. Please take a look and send it back to us by next Monday. If you
현장 학습 동의서를 다음 주 월요일까지 회신해 줄 것을 당부하고 있다.
have any questions about the trip, please feel free to call us.
　　　　　　　　　　　　　　　　　feel free+to부정사: 편하게 ~하다

정답 전략 초등학교 교감인 여자는 학부모와 교사 간의 모임에서 다음 달에 있을 현장 학습에 대해 설명한 뒤, 현장 학습 동의서를 살펴보고 회신을 해 달라고 부탁하고 있다. 따라서 여자가 하는 말의 목적으로 가장 적절한 것은 ⑤이다.

Words vice principal 교감　opportunity 기회　explore 탐험하다
permission form 동의서

W: 안녕하세요, 학부모 여러분. 저는 Greenhill 초등학교 교감 Jennifer Lawrence입니다. 학부모와 교사 간의 모임을 위해 이곳에 와 주셔서 감사합니다. 시작하기 전에, 다음 달에 있을 현장 학습에 대해 말씀드리겠습니다. 학생들은 어린이 자연사 박물관에 방문하게 될 것입니다. 그들은 그곳에서 다양한 활동들을 탐험할 수 있는 좋은 기회를 갖게 될 것입니다. 오늘 저희는 각 학생들에게 현장 학습 동의서를 나눠줄 것인데, 거기에는 일정과 비용을 포함한 모든 세부 사항이 기재되어 있습니다. 살펴보시고 다음 주 월요일까지 회신 부탁드립니다. 현장 학습에 대해 궁금한 점이 있으시면 편하게 저희에게 전화 주십시오.

[2-3] 다음을 듣고, 물음에 답하시오. 답 2 ② effective exercises for reducing back pain 3 ④ climbing

M: Good morning, listeners. This is Dr. Cooper of Daily HealthLine Radio.
　　　　　　　　　남자의 신분: Daily HealthLine 라디오의 Cooper 박사
These days, you can see many people around you who suffer from back
문제 제기: 허리 통증으로 고통 받는 사람들이 많다.　　　　　주격 관계대명사
pain. Any incorrect positioning of your body or lifting of heavy objects
　　　　　　　　　　　　　　　　　　　　to부정사의 형용사적 용법┐
may cause it. So, today, I'll share some useful types of exercise to help
　　　　back pain을 가리킴　오늘의 주제: 허리 통증을 줄이는 데 도움이 되는 운동
reduce your own back pain. First, biking can decrease back pain by
　　　　　　　　　　　1. 자전거 타기: 코어 근육을 키워 준다.
building your core muscles. Second, swimming is good because you
　　　　　　　　　　2. 수영: 허리 근육에 큰 압박을 주지 않는다.
can do it without much stress on your back muscles. Also, yoga is a
helpful way to stretch safely and strengthen your back as well. Finally,
3. 요가: 허리를 안전하게 늘리고 강화시켜 준다.　　　　　as well: ~도 또한, 역시
walking is the easiest exercise to keep your spine in a natural position
4. 걷기: 자연스러운 자세를 유지시켜 준다.　　└to부정사의 형용사적 용법
to avoid back pain. I hope this will be helpful information for you and
to부정사의 부사적 용법(결과): ~해서 (결국) ~하다
allow you to be fit again.

정답 전략 **2** 남자는 '허리 통증을 줄이는 데 도움이 되는 유용한 운동의 종류'를 공유하겠다고 하면서 운동을 차례대로 소개하고 있다. 따라서 남자가 하는 말의 주제로 가장 적절한 것은 ②의 '허리 통증을 줄이는 데 효과적인 운동'이다. ① 체중 감량을 위한 다양한 유산소 운동 ③ 신체를 유연하게 만드는 활동 ④ 올바른 자세를 갖는 것의 중요성 ⑤ 근육통의 흔한 증상
3 ④의 '등산'은 언급되지 않았다. ① 자전거 타기 ② 수영 ③ 요가 ⑤ 걷기

Words incorrect 부정확한　strengthen 강화하다　spine 척추　fit (몸이) 건강한
aerobic 유산소의　workout 운동　flexible 유연한　posture 자세

M: 안녕하세요, 청취자 여러분. 저는 Daily HealthLine 라디오의 Cooper 박사입니다. 요즘에는 허리 통증으로 고통 받는 많은 사람들을 주변에서 볼 수 있습니다. 신체의 자세를 잘못 잡거나 무거운 물건을 드는 것이 그 원인이 될 수 있습니다. 그래서 저는 오늘 여러분의 허리 통증을 줄이는 데 도움이 되는 몇 가지 유용한 운동의 종류를 공유하려고 합니다. 첫째, 자전거 타기는 여러분의 코어 근육을 키움으로써 허리 통증을 줄일 수 있습니다. 둘째, 수영은 허리 근육에 큰 압박을 주지 않고도 할 수 있기 때문에 좋습니다. 또한, 요가는 허리를 안전하게 늘리고 허리를 강화시켜 주는 데에도 도움이 되는 방법입니다. 마지막으로, 걷기는 여러분의 척추를 자연스러운 자세로 유지시켜 허리 통증을 피할 수 있게 하는 가장 쉬운 운동입니다. 저는 이것이 여러분에게 유익한 정보가 되어 여러분이 다시 건강해질 수 있기를 바랍니다.

4 다음을 듣고, 남자가 하는 말의 목적으로 가장 적절한 것을 고르시오. <mark>답</mark>**⑤** 병원 일부 출입구의 사용 제한을 안내하려고

M: May I have your attention, please? This is from the management office
    남자의 신분: Vincent 병원 관리실 직원
of Vincent Hospital. The west <mark>entrance facing</mark> Main Street is being
            facing 앞에 that(which) is가 생략되어 있다.
repaired, so it cannot be used. We'd like to <mark>remind</mark> you all <mark>to use</mark> the
  공지 내용: 보수 중인 서쪽 출입구는 사용이 불가능함   remind는 목적격 보어로 to부정사를 쓴다.
east entrance today. The east entrance is on Wilson Street, and it is
        정기 방문 시간에는 동쪽 출입구 이용
open during regular visiting hours from 8 a.m. to 6 p.m. And during
nonvisiting hours, please use the north entrance facing Hyde Street.
  방문 시간이 아닐 때에는 북쪽 출입구 이용
The west entrance will <mark>be in use</mark> from tomorrow. We're sorry for any
  보수 중인 서쪽 출입구는 내일부터 사용 예정   be in use: 사용되고 있다
<mark>inconvenience this</mark> might cause. Thank you for your cooperation.
  this 앞에 목적격 관계대명사 that(which)이 생략되어 있다.

<mark>정답 전략</mark> 남자는 Vincent 병원 관리실 직원으로, 서쪽 출입구는 보수 중이라 사용할 수 없다고 말하
면서 다른 출입구와 이용 시간을 알려 주고 있다. 따라서 남자가 하는 말의 목적으로 가장 적절한 것
은 ⑤이다.

Words management office 관리 사무소 entrance 출입구, 문 face ~을 향하다
remind 다시 한 번 알려 주다 regular 정규의 inconvenience 불편 cooperation 협조

M: 주목해 주십시오. Vincent 병원 관리실입니
다. Main Street를 향하고 있는 서쪽 출입구는 보수 중이라서 사용할 수 없습니다. 오늘은 여러분 모두가 동쪽 출입구를 이용하시기를 다시 한 번 알려 드립니다. 동쪽 출입구는 Wilson Street에 있으며, 오전 8시부터 오후 6시까지 정기 방문 시간에 문을 엽니다. 방문 시간이 아닐 때에는 Hyde Street를 향하고 있는 북쪽 출입구를 이용해 주시기 바랍니다. 서쪽 출입구는 내일부터 사용될 예정입니다. 이 일로 인해 불편을 끼쳐 드려서 죄송합니다. 협조해 주셔서 감사합니다.

[5-6] 다음을 듣고, 물음에 답하시오. <mark>답</mark>5 **④** symbolic meanings of numbers across cultures 6 **③** nine

W: Welcome back, students. Last time we talked about your favorite
numbers. They might come from your birth date or the date of a special
occasion in your life. Interestingly, some beliefs about numbers <mark>seem</mark>
<mark>to depend</mark> on one's culture. Today, we're talking about what numbers
  seem +to부정사: ~처럼 보이다   오늘의 주제: 세계의 다양한 지역에서 숫자가 상징하는 것
symbolize in different parts of the world. In Asia, the number four is
           숫자 4: 아시아에서는 불운한 것으로, 서양에서는
considered extremely unlucky, but Western people think it is promising.
  조짐이 좋은 것으로 여겨짐
In Islam, the number seven is important. "Seven heavens" is one
  숫자 7: 이슬람에서는 중요한 숫자로 여겨짐
example of this number's importance. Ten is considered a good number
               숫자 10: 일본에서 좋은 숫자로 여겨짐
in Japan because it is pronounced "joo", <mark>like</mark> the Japanese word for
            전치사로 '~와 같은'의 의미로 쓰인 다어어
"enough." In the Western world, the number thirteen <mark>is believed to be</mark>
  숫자 13: 서구 세계에서 가장 불운한 숫자로 여겨짐   be believed +to부정사: ~라고 여겨지다
the unluckiest by millions of people. So, to satisfy anxious customers,
airlines and hotels often don't use the number thirteen. Numbers can
be captivating and mystical. Numbers are also just fun <mark>to play</mark> around
                 to부정사 부사적 용법(형용사 수식)
with. Let's <mark>enjoy learning</mark> more about numbers together.
  enjoy는 목적어로 동명사를 쓴다.

<mark>정답 전략</mark> **5** 여자는 숫자에 대한 믿음이 문화에 의존한다고 말하며 세계의 다양한 지역에서 숫자가
상징하는 것에 관해 이야기하고 있다. 따라서 여자가 하는 말의 주제로 가장 적절한 것은 ④의 '문화에
걸쳐 숫자가 갖고 있는 상징적인 의미'이다. ① 고대의 행운의 숫자 ② 사람들에게 부를 가져다주는 숫
자 ③ 숫자와 종교 간의 관계 ⑤ 비밀번호에 가장 좋아하는 숫자를 사용하는 것의 위험성
6 ③의 '9'는 언급되지 않았다. ① 4 ② 7 ④ 10 ⑤ 13

Words belief 믿음, 신념 symbolize 상징하다 promising 조짐이 좋은
captivating 매혹적인 mystical 신비로운

W: 돌아온 걸 환영합니다. 학생 여러분. 지난 시간에는 여러분이 가장 좋아하는 숫자에 대해 이야기했습니다. 그것들은 여러분의 생년월일이나 여러분의 인생에서 특별한 경우의 날짜에서 올지도 모릅니다. 흥미롭게도, 숫자에 대한 몇몇 믿음들은 어느 하나의 문화에 의존하는 것처럼 보입니다. 오늘, 우리는 세계의 다양한 지역에서 숫자가 상징하는 것에 대해 이야기하려고 합니다. 아시아에서 숫자 4는 매우 불운한 것으로 간주되지만, 서양 사람들은 그것이 조짐이 좋은 것으로 생각합니다. 이슬람교에서는 숫자 7이 중요합니다. "일곱 개의 천국"은 이 숫자의 중요성의 한 예입니다. 10은 일본어로 "충분한"을 뜻하는 일본어 낱말처럼 "joo"로 발음되기 때문에 일본에서는 좋은 숫자로 여겨집니다. 서구 세계에서 숫자 13은 수백만 명의 사람들에 의해 가장 불운한 숫자라고 여겨집니다. 그래서 불안해하는 고객들을 만족시키기 위해 항공사와 호텔에서는 흔히 숫자 13을 사용하지 않습니다. 숫자는 매혹적이고 신비로울 수 있습니다. 숫자는 또한 갖고 놀기에도 재미있습니다. 함께 숫자에 대해 더 많이 배워 봅시다.

1 ⓐ T　ⓑ F　ⓒ F　ⓓ T　ⓔ (o)rigins

2 (1) Last Friday: Thursday, absent, know　Today: library, confused, inform　(2) (f)ault, (e)arlier

---

1 해석 안녕하세요, 학생 여러분. 오늘 저는 일상 음식의 놀라운 탄생지에 대해 이야기하겠습니다. 첫 번째, 사람들은 시저 샐러드가 로마 황제의 이름을 딴 것이라고 믿습니다. 하지만 유명한 이야기에 따르면 그 이름은 멕시코의 한 요리사에서 유래했다고 합니다. 그는 음식이 떨어질 때 몇 가지 기본적인 재료들을 모아 놓고 그것을 만들었습니다. 두 번째, 베이글은 유명한 뉴욕 음식입니다. 하지만 그것은 중유럽에서 유래한 것 같습니다. 널리 반복되는 이야기에 의하면 그것은 비엔나에서 침략군의 패배를 기념하기 위해 처음 만들어졌다고 합니다. 세 번째, 많은 사람들은 키위가 뉴질랜드에서 유래했다고 생각합니다. 그것은 아마도 뉴질랜드의 날지 못하는 작은 새가 똑같은 이름을 가지고 있기 때문일 겁니다. 사실은, 그 음식은 중국에서 유래했습니다. 마지막으로, 감자로 알려진 나라가 있다면, 그것은 아일랜드입니다. 그것은 이 음식의 흉작이 19세기에 아일랜드에서 극심한 기아를 일으켰기 때문입니다. 하지만 그 음식은 남아메리카에서 유래한 것으로 여겨집니다.

ⓐ 시저 샐러드는 유명한 이야기에 따르면 멕시코의 한 요리사로부터 유래되었다.

ⓑ 키위는 중국에서 유래한 날지 못하는 작은 새이다.

ⓒ 감자의 흉작은 남아메리카에서 극심한 기근을 일으켰다.

ⓓ 버팔로윙은 글에서 언급되지 않았다.

→ 글의 주제는 '일상 음식의 뜻밖의 ⓔ 유래'이다.

정답 전략 ⓑ 키위라는 새는 뉴질랜드에서 유래했고, 과일 키위가 중국에서 유래한 것이다. ⓒ 감자의 흉작이 극심한 기근을 일으킨 나라는 아일랜드이다.

Words　birthplace 탄생지　name after ~의 이름을 따서 명명하다　emperor 황제　ingredient (요리의) 재료　run out of ~이 떨어지다　defeat 패배　invade 침략하다　flightless (새가) 날지 못하는　crop failure 흉작　extreme 극심한

---

2 해석 W: 여보세요.

M: 안녕, Cindy. 나 Danny야.

W: 안녕, Danny. 어떻게 지내?

M: 잘 지내는데, 약간 혼란스러워. 나는 도서관에 와 있는데, 우리 그룹 멤버 중 아무도 여기에 없네.

W: 뭐라고? 지금 도서관에 있다고? 목요일이나 되어야 만나기로 되어 있는데.

M: 정말? 무슨 오해가 있었던 것 같구나. 난 우리가 오늘 오후 12시 30분에 여기서 만나기로 되어 있다고 생각했거든.

W: 그랬었는데, 개인적인 작업을 할 시간이 더 필요해서 날짜를 바꿨어.

M: 그래? 아무도 내게 그것에 대해 말해주지 않았어.

W: 기억나지 않니? 지난 금요일 수업 시간에 그렇게 정했잖아.

M: 난 거기에 없었어, Cindy야. 난 아파서 집에 있었잖아.

W: 오, 저런! 맞다. 우리가 날짜를 바꾼 지난 금요일에 너는 결석했었지! 내가 방과 후에 너에게 전화를 걸려고 했었는데, 잊어버렸네.

M: 아, 그래서 그렇게 되었구나. 음, 괜찮아.

(1)

지난 금요일	오늘
▶ 그룹 멤버들은 모임 날짜를 다음 주 <u>목요일</u>로 변경하기로 결정했다.	▶ Danny는 <u>도서관</u>에 있는데, 거기에는 그의 그룹 멤버 중 아무도 없다.
▶ Danny는 그날 <u>결석</u>했다.	▶ Danny는 약간 혼란스러워하고 있다.
▶ Cindy는 Danny에게 날짜 변경을 <u>알리</u>려고 했었다.	▶ Cindy는 그녀가 Danny에게 날짜 변경을 <u>알리지</u> 않았다는 것을 깨닫는다.

(2) 이런 상황에서 Cindy는 Danny에게 무엇이라고 말하겠습니까? 빈칸에 알맞은 단어를 넣으시오. (주어진 철자로 시작하시오.)

　→ Cindy: 나의 <u>잘못</u>이야. 너에게 더 <u>일찍</u> 말해 줬어야 했어.

정답 전략

(2) 남자가 오늘 도서관에 혼자 와 있는 것은 지난 금요일에 Cindy가 변경된 모임의 날짜를 알려 주지 않았기 때문이다. 이런 상황에서 Cindy가 Danny에게 할 말은 본인의 실수를 인정하고 사과하는 것이다.

1 ①   **2** ③   **3** ①   **4** ②   **5** ③

1 대화를 듣고, 여자의 마지막 말에 대해 남자가 할 말로 가장 적절한 것을 고르시오. 답 **①** Of course, it is. It'll be good for your future career.

M: Susan, are you looking for a part-time job on the Internet?
여자는 인터넷을 이용해 시간제 일자리를 찾고 있다.

W: Yes, Dad. I want a job that can help build my career.
　　　　　　　　　주격 관계대명사　　build one's career: 경력을 쌓다

M: You want to be a kindergarten teacher, don't you?

W: Yeah. I'd like to get a job where I can work with kids.
여자는 어린아이들과 함께 일할 수 있는 일자리를 원한다.

M: Have you found anything yet?

W: This one looks interesting. Let's check. [Clicking sound] The Rainbow
　　　　　　look+형용사: ~해 보이다
Daycare Center is looking for a teacher's assistant.
어린이집 교사 보조원 자리가 있다.

M: Working there would help you get experience in your field.
help는 목적격 보어로 동사원형과 to부정사를 모두 쓸 수 있다.

W: Right. I wonder if this job fits my schedule.
　　　　　목적어로 쓰이는 명사절에서 if는 '~인지 (아닌지)'의 의미이고, whether로 바꿔 쓸 수 있다.

M: It says here they need somebody in the afternoon.

W: That works for me.
일정이 여자에게 맞다.

M: The daycare center is in Cansinghill. I guess you can take the bus.

W: It takes more than an hour and a half. It's too far.
여자는 어린이집까지의 통근 거리가 먼 것이 마음에 걸린다.

M: I know. You do like to be around children, though.
　　　　　　　동사의 의미를 강조하기 위해 동사 앞에 쓰였다.

W: True. But I'm not sure whether it's worth my time and effort.
　　　　　여자는 어린이집이 시간과 노력을 들일 만한 가치가 있는지 망설이고 있다.

M: _____

정답 전략 여자는 시간제 일자리를 찾고 있는데 다른 조건은 마음에 들지만, 통근 시간이 너무 오래 걸려 망설이고 있는 중이다. 이에 남자가 해 줄 말로 가장 적절한 것은 여자에게 용기를 주는 말인 ① 이다. ② 물론이지. 너는 내 보조원을 만나기로 되어 있어. ③ 나는 그렇게 생각하지 않아. 너는 무료로 그 센터를 이용할 수 없어. ④ 절대 안 돼. 너는 아이들과 함께 일하기를 원하지 않잖아. ⑤ 그래. 나의 시간제 일자리를 그만둘 필요가 있어.

Words daycare center 어린이집 assistant 조수, 보조원

M: Susan, 인터넷에서 시간제 일자리를 찾고 있는 거니?

W: 네, 아빠. 저의 경력을 쌓는 데 도움이 될 수 있는 일자리를 원해요.

M: 너는 유치원 교사가 되기를 원하고 있잖아, 그렇지 않니?

W: 네. 어린아이들과 함께 일할 수 있는 일자리를 얻고 싶어요.

M: 벌써 찾은 거니?

W: 이 일자리가 흥미로워 보여요. 확인해 봐요. [클릭하는 소리] Rainbow Daycare Center에서 교사 보조원을 구하고 있어요.

M: 거기에서 일하는 것이 네가 너의 분야에서 경험을 얻는 데 도움이 될 거야.

W: 맞아요. 이 일자리가 제 일정에 맞는지는 모르겠어요.

M: 여기에는 오후 시간에 사람이 필요하다고 써 있구나.

W: 그 점이 저에게 맞네요.

M: 그 어린이집은 Cansinghill에 있구나. 버스를 타고 가면 될 것 같아.

W: 1시간 30분이 넘게 걸려요. 너무 멀어요.

M: 알지. 하지만 너는 아이들과 함께 있는 것을 정말 좋아하잖아.

W: 사실이죠. 하지만 그 일자리가 저의 시간과 노력을 들일 만한 가치가 있는지는 확신이 서질 않아요.

M: ① 물론, 그것은 그럴 만한 가치가 있어. 그것은 너의 미래 직업을 위해 좋을 거야.

2 다음 상황 설명을 듣고, 지금 이 일이 이루어지고 있는 장소로 가장 적절한 것을 고르시오. 답 **③** in the house

W: Lucy and Ben are mother and son. It's Saturday afternoon, and they're
Lucy와 Ben은 모자지간이다.　　　　　　　　　　　둘은 공항까지 차를 몰고 갈 생각이다.
getting ready to drive to the airport to go to San Francisco. Lucy knows
　　　　　목적어로 쓰이는 명사절에서 that은 생략이 가능하다.　to부정사의 부사적 용법(목적)
that they should leave earlier than usual since there's always a lot of
Lucy는 토요일은 교통량이 많아 평소보다 일찍 출발하려고 한다.
traffic on Saturdays. But, when they're about to leave, Ben realizes
　　　　　　　　　　　　　　be about to+동사원형: 막 ~하려고 하다
that his suitcase is too heavy. So he's now taking time to repack. Lucy
출발 직전에 Ben은 여행 가방이 너무 무거워서 짐을 다시 꾸리고 있다.
is worried that they might miss their flight. Last year on a Saturday
Lucy는 비행기를 놓칠까 봐 걱정이다.
afternoon, she missed her flight because she arrived at the airport 30
minutes late due to a traffic jam. She thinks it could happen again if
　　　due to: ~때문에
they don't hurry. So, she wants to tell Ben that they have to go to the
Lucy는 Ben에게 바로 공항에 가야 한다고 말하고 싶어 한다.
airport right away.

W: Lucy와 Ben은 엄마와 아들 사이입니다. 오늘은 토요일 오후이고, 그들은 San Francisco로 가기 위해 공항으로 차를 몰고 갈 준비를 하고 있습니다. Lucy는 토요일에는 항상 교통량이 많기 때문에 평소보다 더 일찍 출발해야 한다는 것을 압니다. 그런데 그들이 막 출발하려고 할 때, Ben은 그의 여행 가방이 너무 무겁다는 것을 깨닫습니다. 그래서 그는 지금 시간을 들여 짐을 다시 싸고 있습니다. Lucy는 그들이 타고 갈 비행기를 놓칠까 봐 걱정이 됩니다. 작년 토요일 오후에, 그녀는 교통 체증으로 인해 공항에 30분 늦게 도착하는 바람에 비행기를 놓쳤습니

정답 전략 여행을 위해 공항으로 막 출발하려는데 아들이 짐을 다시 꾸리느라 시간이 지체되고 있어 엄마가 아들에게 서둘러야 한다고 말하고 싶어 하는 상황이다. 이러한 대화가 오갈 장소로 알맞은 것은 ③의 '집 안에서'이다. ① 택시 안에서 ② 거리에서 ④ 공항에서 ⑤ 비행기 안에서

Words   suitcase 여행 가방   repack 짐을 다시 싸다

[3-4] 다음을 듣고, 물음에 답하시오. 답 3 ❶ Effects and Uses of Colors 4 ❷ 흰색 – 보험 회사

W: Hello, class! Last week, we discussed how various shapes are used for different purposes. Today, we'll talk about colors and their psychological
오늘의 주제: 색깔과 그것이 사람에게 미치는 심리적인 효과
effects on people. Let's take a look at how they are used in real life. The color blue, one of the most popular colors, makes people feel more
1. 청색: 신뢰감을 줌   5형식 문장에서 make는 목적격 보어로 동사원형을 쓴다.
trusting. Banks and insurance companies use blue to gain trust. The
                                              to부정사의 부사적 용법(목적)
color green does the same as blue in that it inspires trust. In addition, it
2. 녹색: 신뢰감 형성과 반갑게 맞이하는 느낌을 줌   in that: ~라는 점에서   in addition: 게다가
can also be welcoming. Think of hotel lobbies. Many of them use green in some way. Then, there's a color that can reduce anxiety. Do you have
                                              주격 관계대명사
any guesses? Well, that color is pink. Not surprisingly, waiting rooms in
3. 분홍색: 불안감을 줄여 줌
hospitals are often painted this color. Like pink, gray also has a calming effect. However, gray feels less emotional. Instead, it feels formal and
                                              4. 회색: 진정 효과와 공식적이고 전문적인 느낌
professional. That's why gray is the most commonly used color in offices. Now let's hear about your experiences with colors.
            다음에 다룰 내용을 말하고 있다.

정답 전략 3 여자는 초반부에 색깔과 그것이 사람에게 미치는 심리적 효과에 대해 말하겠다고 오늘의 주제를 말한 뒤, 이어서 각 색깔이 주는 느낌과 주로 사용되는 장소를 말하고 있다. 따라서 여자가 하는 말의 제목으로 가장 적절한 것은 ①의 '색깔의 효과와 쓰임'이다. ② 모양의 기능과 쓰임 ③ 건물을 짓는 방식 ④ 건물의 유형과 목적 ⑤ 색깔 선호와 성격
4 ②의 '흰색'은 언급되지 않았고, 보험 회사는 주로 청색을 사용한다고 했다.

Words   psychological 심리적인   trusting 신뢰하는   insurance 보험
inspire (감정 등을) 일으키다, 느끼게 하다   formal 공식적인

5 다음을 듣고, 남자가 사과의 말을 하는 이유로 가장 적절한 것을 고르시오. 답 ❸ 도서관 재개관 날짜를 연기하게 되어서

M: Hello, Edmond High School students! I'm the librarian, Norman Smith.
            남자는 도서관 사서이다.
As you know, the school library renovation started last month and the
            ┌ be supposed +to부정사: ~하기로 되어 있다
library was supposed to reopen by the end of this month. However,
도서관 재개관 계획에 변화가 있음을 짐작할 수 있다.   because of +명사(구): ~때문에 ┐
making wider reading spaces is taking longer than expected because of
                              take +시간: ~의 시간이 걸리다
some problems with the walls. Therefore, the library reopening will be
                              공지의 중심 내용: 도서관 재개관 연기
delayed for a few more days. I'll let you know the date of the reopening as soon as it's decided. Please wait a little more until the library opens
as soon as: ~하자마자, 곧
again. Thank you for your patience.
            여러분의 인내에 감사를 표합니다. → 정중한 사과

정답 전략 남자는 도서관 수리가 예상보다 오래 걸려 재개관 날짜를 미루게 되었다고 하며, 기다려 주어서 감사하다는 인사를 전하고 있다.

Words   renovation 수리   patience 인내심

다. 그녀는 자신들이 서두르지 않으면 그런 일이 또 일어날 수 있다고 생각합니다. 그래서 그녀는 Ben에게 자신들이 바로 공항에 가야 한다고 말하고 싶습니다.

W: 안녕하세요, 학생 여러분! 지난주에 다양한 모양들이 다양한 목적을 위해서 어떻게 사용되는지에 대해 논의했습니다. 오늘, 우리는 색깔과 그것들이 사람들에게 미치는 심리적인 효과에 대해서 이야기하겠습니다. 그것들이 실생활에서 어떻게 사용되는지 봅시다. 가장 인기 있는 색깔들 중 하나인 청색은 사람들을 더 신뢰하게 만듭니다. 은행과 보험 회사들은 신뢰를 얻기 위해 청색을 사용합니다. 녹색도 신뢰감을 일으킨다는 점에서 청색과 동일한 기능을 합니다. 게다가, 그것은 또한 반갑게 맞이하는 느낌도 줄 수 있습니다. 호텔의 로비를 생각해 보십시오. 그것들 중 많은 곳들이 어떤 방식으로든 녹색을 사용합니다. 다음으로 불안감을 줄여 줄 수 있는 색깔이 있습니다. 짐작이 되나요? 음, 그 색깔은 분홍색입니다. 놀랄 것도 없이, 병원 대기실은 종종 이 색깔로 칠해져 있습니다. 분홍색처럼 회색도 진정시켜 주는 효과가 있습니다. 하지만 회색은 덜 감정적으로 느껴집니다. 대신에, 그것은 공식적이고 전문적으로 느껴집니다. 그것이 회색이 사무실에서 가장 흔히 사용되는 색깔인 이유입니다. 이제 색깔에 관한 여러분의 경험을 들어 봅시다.

M: 안녕하세요, Edmond 고등학교 학생 여러분! 저는 도서관 사서 Norman Smith입니다. 여러분도 알다시피, 학교 도서관 수리가 지난달에 시작되었고, 도서관은 이달 말에 재개관하기로 되어 있습니다. 그러나 벽과 관련하여 약간의 문제가 있기 때문에 더 많은 독서 공간을 생성하는 데에 예상보다 더 긴 시간이 걸리고 있습니다. 따라서 도서관 재개관이 며칠 미뤄질 것입니다. 결정되는 대로 곧 재개관 날짜를 알려드리겠습니다. 도서관이 다시 열리기까지 조금만 더 기다려 주세요. 기다려 주셔서 감사합니다.

1 ①	2 ②	3 ②	4 ⑤	5 ②	6 ②	7 ①	8 ④	9 ①	10 ④	11 ①	12 ②

1 다음 상황 설명을 듣고, Ben이 Stacy에게 할 말로 가장 적절한 것을 고르시오. 답 ❶ Feel free to take the tomatoes from my backyard.

W: Ben and Stacy are neighbors. Ben has been growing tomatoes in his backyard for several years. Ben shares his tomatoes with Stacy every
Ben은 해마다 자신이 키운 토마토를 이웃 Stacy와 나누어 먹는다.
year because she loves his fresh tomatoes. Today, Ben notices **that**
명사절 접속사
his tomatoes will be ready to be picked in about a week. However, he leaves for a month-long business trip tomorrow. He's worried that
┌ left 앞에 that(which) are가 생략되어 있다.
there'll be no fresh **tomatoes left** in his backyard **by the time** he comes
Ben의 걱정: 출장을 갔다 오면 그때는 신선한 토마토가 하나도 없을 것임   by the time: ~할 때쯤에는 (이미)
back. He'd like Stacy to have them while they are fresh and ripe. So, Ben
Ben은 토마토가 신선하고 잘 익었을 때 Stacy가 먹기를 바람
wants to tell Stacy that she can come and get the tomatoes from his
Ben의 생각: 본인이 없을 때라도 Stacy가 자유롭게 와서 토마토를 가져갔으면 함
backyard whenever she wants. In this situation, what would Ben most likely say to Stacy?

Ben: _____

정답 전략 Ben은 Stacy가 언제든지 자신의 뒤뜰에서 토마토를 가져가도 된다는 허락의 말을 하고 싶어 하므로, ① '마음 놓고 제 뒤뜰에서 토마토를 가져가셔도 됩니다.'라고 말할 것이다. ② 토마토 심을 때 도움이 필요하면 제게 말씀하세요. ③ 제가 어제 딴 익은 토마토를 원하세요? ④ 다른 곳에서 토마토를 재배하는 게 어떨까요? ⑤ 안 계시는 동안 제가 댁의 토마토를 돌봐 줄게요.

Words   ripe (과일·곡물이) 익은, 여문   plant (나무를 심다)

W: Ben과 Stacy는 이웃입니다. Ben은 몇 년 동안 뒤뜰에서 토마토를 재배해 왔습니다. 매년 Ben은 자신의 토마토를 Stacy와 나누어 먹는데, 이는 그녀가 그의 신선한 토마토를 매우 좋아하기 때문입니다. 오늘 Ben은 자신의 토마토가 약 1주일 후에 딸 준비가 되리라는 것을 알아차립니다. 그런데 그는 내일 한 달간의 출장을 떠납니다. 그는 자신이 돌아올 때쯤에는 자신의 뒤뜰에 남아 있는 신선한 토마토가 하나도 없을 것을 걱정합니다. 그는 토마토가 신선하고 익었을 때 Stacy가 그것들을 먹기를 원합니다. 그래서 Ben은 Stacy가 원할 때 언제든지 와서 자신의 뒤뜰에서 토마토를 가져가도 된다고 말하고 싶어 합니다. 이런 상황에서 Ben은 Stacy에게 무엇이라고 말하겠습니까?

2 대화를 듣고, 남자의 마지막 말에 대한 여자의 응답으로 가장 적절한 것을 고르시오. 답 ❷ Good. I'll stop by and get it on my way home.

[Telephone rings.]

M: Hello, this is Bob's Camera Shop.

W: Hi, this is Clara Patterson. I'm calling to see **if** I can pick up my camera
┌ 목적어로 쓰이는 명사절에서 if는 '~인지 (아닌지)'의 의미이고, whether로 바꿔 쓸 수 있다.
여자는 수리를 맡긴 카메라가 다 되었는지 문의하고 있다.
today.

M: Let me check. [Clicking sound] Yes. I've finished repairing your camera.
남자는 카메라의 수리가 완료되었으니 찾으러 와도 된다고 한다.
It's ready to go.

W: _____

정답 전략 여자가 맡긴 카메라의 수리가 끝난 상황이므로, 남자의 마지막 말에 이어질 여자의 응답으로는 ②가 가장 적절하다. ① 훌륭하네요. 제게 사 주신 카메라가 마음에 들어요. ③ 신경 쓰지 마세요. 내일 그 카메라를 갖다 드릴게요. ④ 그렇군요. 제 사진들을 찍어주셔서 감사합니다. ⑤ 말도 안 돼요. 수리비로는 너무 비싸요.

Words   repair 수리하다; 수리   stop by (가는 길에) 들르다   drop off 내려 주다

[전화벨이 울린다.]

M: 여보세요, Bob's 카메라 가게입니다.

W: 여보세요, 저는 Clara Patterson이라고 합니다. 오늘 제 카메라를 찾을 수 있나 알아보려고 전화했어요.

M: 확인해 보겠습니다. [클릭하는 소리] 네. 고객님의 카메라가 다 수리되었네요. 가져가실 준비가 되어 있습니다.

W: ② 좋아요. 집에 가는 길에 들러서 찾아갈게요.

3 대화를 듣고, 여자의 마지막 말에 대한 남자의 응답으로 가장 적절한 것을 고르시오. 답 ❷ Of course. I'm sure you'll win the race.

W: Hi, Uncle James. I'm back from the cycling camp.

M: Hey, Clara. How was it?

W: It was great. My cycling improved **a lot**. I want to be a national cycling
'많이'의 의미로 쓰인 부사로 동사를 수식한다.
여자는 전국 사이클링 대회 우승자가 되고 싶어 한다.
champion just **like** you.
전치사로 '~처럼'의 의미로 쓰인 다의어

W: 안녕하세요, James 삼촌. 제가 사이클링 캠프에서 돌아왔어요.

M: 안녕, Clara. 캠프는 어땠니?

W: 아주 좋았어요. 제 사이클링 실력이 많이 향상되었어요. 저도 삼촌처럼 전국 사이클링 대회 우승자가 되고 싶어요.

M: I know you will. You're participating in the national youth cycling
여자는 다음 달에 전국 청소년 사이클링 대회에 참가할 예정이다.
competition next month, right?

W: Yeah, but I'm a little bit nervous because it's my first national
여자는 전국 대회 출전은 처음이라 긴장된다.
competition.

M: I felt the same way. But once you start racing, you'll forget about being
접속사로 '(일단) 한 번 ~하면'이라는 뜻이다.
nervous.

W: I hope so. I really want to get first place.
┌ do/does/did+동사원형: 동사를 강조 / set a record: 기록을 세우다
M: Well, you did set the record at the city competition this year.
여자는 올해 시 대회에서 기록을 세웠다.

W: That's true. And I've trained really hard all year.

M: See, I know you're ready.
형용사로 '열심히 하는'의 의미로 쓰인 다의어┐   ┌ pay off: 성과를 올리다
W: Thank you. I hope all my hard work pays off. Wish me luck.
여자는 그간의 노력이 결실을 맺기를 바라면서 행운을 빌어 달라고 말한다.

M: _____

[정답 전략] 여자의 마지막 말에서 그동안의 자신의 모든 노력이 결실을 보기를 바란다며 삼촌에게 행운을 빌어 달라고 말하고 있으므로, 이에 이어질 남자의 응답으로는 '격려와 우승의 확신'을 말하는 ② 가 가장 적절하다. ① 거 참, 안됐다. 네가 곧 나아지기를 바라. ③ 물론이지. 나는 사이클링 대회 우승 자였던 적이 결코 없었단다. ④ 알겠어. 난 대회에서 잘할 거야. ⑤ 멋지다. 나도 캠프가 정말 기대돼.

Words competition 대회

4 다음 상황 설명을 듣고, Brian이 Ms. Clark에게 할 말로 가장 적절한 것을 고르시오. [답 ❺] We're thankful for all the hard work you've done for us.

┌ start 동사는 목적어로 동명사와 to부정사 모두를 쓸 수 있으며, 의미 차이도 없다.
M: Ms. Clark started coaching the school cheerleading team last semester.
Clark 선생님: 지난 학기부터 교내 응원팀을 지도
She's very dedicated to helping students, so she even worked
be dedicated to -ing: ~하는 데 헌신하다
on weekends. When the team entered the regional cheerleading

competition, Ms. Clark taught them several advanced techniques to
Clark 선생님은 심사 위원들에게 깊은 인상을 주기 위해 응원팀에게 고급 기술을 가르친다.
impress the judges. However, some members made mistakes while
to부정사의 부사적 용법(목적)   어려운 기술을 수행하는 도중에 몇몇 팀원이 실수한다.
performing these difficult techniques. And they lost the competition.
┌ 형용사로 '우울한'의 의미로 쓰인 다의어
Now, Ms. Clark feels down because she blames herself for teaching
Clark 선생님의 상태: 어려운 기술을 가르치는 바람에 대회에서 떨어져서 자책한다.
techniques that were too difficult for the students. But the team
주격 관계대명사   ┌ thanks to+명사(구): ~덕분에
members think they've improved a lot thanks to her coaching. So,
팀원들의 생각: 선생님의 지도 덕분에 실력이 많이 향상되었다고 생각한다.
Brian, the team leader, wants to tell Ms. Clark that the team members
Brian이 할 말: 선생님이 자신들에게 들인 시간과 노력에 감사한다고 말하고 싶어 한다.
appreciate the time and effort she's given them. In this situation, what
she's 앞에 목적격 관계대명사 that(which)이 생략되어 있다.
would Brian most likely say to Ms. Clark?

Brian: _____

[정답 전략] 팀의 리더인 Brian은 선생님께 팀원들의 감사를 전하고 싶어 하므로, Clark 선생님께 할 말로 가장 적절한 것은 ⑤의 '저희는 선생님께서 저희에게 하신 모든 수고에 감사하고 있습니다.'이다. ① 선생님은 학생들을 그들의 성과에 의해 판단하셔야 합니다. ② 응원팀에 함께하지 못하게 된 점을 사과드립니다. ③ 저희는 대회에 참가하는 것이 허용되지 않습니다. ④ 지난 학기에 여러분을 지도한 것은 멋진 경험이었습니다.

Words semester 학기 regional 지역의 advanced 고급의 impress 깊은 인상을 주다
judge 심사위원 blame 책망하다 appreciate 고마워하다 performance 성과

M: 나는 네가 그렇게 될 것이라는 걸 알고 있단다. 다음 달에 전국 청소년 사이클링 대회에 참가하는 거, 맞지?

W: 네, 하지만 제 첫 전국 대회라 조금 긴장 돼요.

M: 나도 똑같이 느꼈었어. 하지만 일단 경주가 시작되면, 긴장한 것을 잊게 될 거야.

W: 그랬으면 좋겠어요. 전 정말 1등을 하고 싶어요.

M: 그래, 넌 올해 시 대회에서 정말 기록을 세웠잖아.

W: 맞아요. 그리고 저는 1년 내내 정말 열심히 훈련했어요.

M: 거봐, 난 네가 준비되어 있다는 걸 안단다.

W: 감사해요. 제 모든 노력이 결실을 보기를 바라요. 제게 행운을 빌어 주세요.

M: ② 물론이지. 나는 네가 경기에서 우승할 거라고 확신해.

M: Clark 선생님은 지난 학기에 교내 응원팀을 지도하기 시작했습니다. 그녀는 학생들을 돕는 데 매우 헌신적이어서, 심지어 주말에도 일을 했습니다. 팀이 지역 응원 대회에 참가했을 때, Clark 선생님은 심사 위원들에게 깊은 인상을 주기 위해서 그들에게 몇 가지 고급 기술을 가르쳤습니다. 그러나 몇몇 팀원이 이 어려운 기술을 수행하던 중에 실수를 했습니다. 그래서 그들은 대회에서 졌습니다. 이제 Clark 선생님은 학생들에게 너무 어려운 기술을 가르친 것에 대해 스스로를 책망하고 있기 때문에 마음이 울적합니다. 그러나 팀원들은 그녀의 지도 덕분에 자신들이 많이 향상되었다고 생각합니다. 그래서 팀의 리더인 Brian은 Clark 선생님께 팀원들이 그녀가 자신들에게 들인 시간과 노력에 대해 감사하고 있다고 말하고 싶어 합니다. 이런 상황에서 Brian은 Clark 선생님께 무엇이라고 말하겠습니까?

© View Apart / shutterstock

5 대화를 듣고, 여자의 마지막 말에 대한 남자의 응답으로 가장 적절한 것을 고르시오. 답 **②** Alright, I'll return it to you this evening.

┌ you 앞에 목적격 관계대명사(that/which)가 생략되어 있다.

W: Hi, Nick. Are you still using the laptop you borrowed from me?
여자는 빌려 준 노트북 컴퓨터의 사용 여부를 묻는다.

M: Oh, Jenny. I was about to tell you that mine has been repaired.
be about to+동사원형: 막 ~하려 하다   남자의 노트북 컴퓨터는 수리가 되었다.

W: That's great. I need my laptop back for a workshop tomorrow.
여자는 빌려준 노트북 컴퓨터가 내일 워크숍에 필요해서 돌려받으려 한다.

M: _____

정답 전략 여자는 남자에게 빌려준 노트북을 돌려받을 수 있을지 묻고 있고, 남자는 자신의 노트북 수리가 끝나 여자의 노트북을 돌려주려던 상황이므로, 남자의 응답으로는 ②가 가장 적절하다. ① 물론이지. 너는 내일 그것이 필요하지 않잖아. ③ 알아. 하지만 나는 아직 내 것을 수리하지 못했어. ④ 걱정 마. 너는 그것을 쉽게 수리할 수 있어. ⑤ 미안해. 나는 워크숍에 갈 수 없었어.

Words laptop 휴대용 컴퓨터, 노트북   absolutely 그럼, 물론이지

W: 안녕, Nick. 너는 내게 빌려간 노트북을 아직도 사용하고 있니?

M: 오, Jenny야. 내 것이 수리되었다고 네게 막 말하려 했던 참이야.

W: 정말 잘됐다. 내일 워크숍 때문에 내 노트북을 돌려받아야 하거든.

M: ② 좋아. 오늘 저녁에 그것을 네게 돌려줄게.

6 대화를 듣고, 남자의 마지막 말에 대한 여자의 응답으로 가장 적절한 것을 고르시오. 답 **②** I agree. The displayed one may be the best option for me.

W: Hi. Can I get some help over here?

M: Sure. What can I help you with?

┌ be thinking of -ing: ~하려고 생각 중이다

W: I'm thinking of buying this washing machine.
여자는 세탁기를 구매하려고 한다.

M: Good choice. It's our best-selling model.

W: I really like its design and it has a lot of useful features. I'll take it.

be out of: ~이 없다, ~이 떨어지다 ┐

M: Great. However, you'll have to wait for two weeks. We're out of this
여자가 원하는 세탁기는 품절이어서 두 주를 기다려야 한다.

model right now.

W: Oh, no. I need it today. My washing machine broke down yesterday.
여자는 세탁기가 고장이 나서 오늘 당장 필요한 상황이다.

M: Then how about buying the one on display?
남자는 대안으로 진열된 상품을 추천한다.   on display: 진열된

W: Oh, I didn't know I could buy the displayed one.
know와 I 사이에 that이 생략되어 있는데, 목적어로 쓰인 명사절을 이끄는 that은 생략이 가능하다.

M: Sure, you can. We can deliver and install it today.

W: That's just what I need, but it's not a new one.
여자는 진열된 상품이 바로 설치가 가능해서 마음에 들지만, 새 제품이 아니어서 주저한다.

M: Not to worry. It's never been used. Also, like with the new ones, you can
┌ 목적어가 당하는 것이므로 목적격 보어로 과거분사가 왔다.

get it repaired for free for up to three years.
남자는 진열된 상품이 사용된 적이 없고, 무상 수리 기간이 3년이라고 설명한다.

W: That's good.

M: We can also give you a 20% discount on it. It's a pretty good deal.
남자는 진열된 상품은 20% 할인도 해 준다고 말한다.   부사로 '꽤'의 의미로 쓰인 다의어

W: _____

정답 전략 여자는 새 세탁기가 당장 필요한 상황이고, 세탁기를 판매하려는 남자는 진열 제품의 무상 수리 기간과 할인 혜택을 설명하며 판매하려고 하고 있다. 이런 상황에서 남자의 마지막 말에 이어질 여자의 응답으로는 남자의 말에 동의하는 ②가 가장 적절하다. ① 죄송합니다. 내일까지 이것을 기다릴 수는 없을 것 같아요. ③ 아, 이런. 진열된 모델을 판매하지 않는다니 너무 유감이네요. ④ 좋아요. 제 세탁기가 수리되면 전화해 주세요. ⑤ 맞아요. 당신이 진열된 것을 구매하셔서 기쁘네요.

Words feature 기능, 특징   display 진열; 진열하다   install 설치하다   discount 할인

W: 안녕하세요. 여기 좀 도와주실 수 있나요?

M: 물론이죠. 무엇을 도와드릴까요?

W: 이 세탁기를 구매하려고 생각 중이에요.

M: 잘 선택하셨어요. 이것은 저희의 최대 판매 모델입니다.

W: 이것의 디자인이 정말 마음에 들고 유용한 기능이 많네요. 이걸로 살게요.

M: 좋습니다. 하지만 두 주를 기다리셔야 할 거예요. 지금 이 모델은 품절이거든요.

W: 오, 저런. 저는 오늘 이것이 필요한데. 제 세탁기가 어제 고장이 났거든요.

M: 그러면 진열된 제품을 구매하는 것은 어떠신가요?

W: 오, 진열된 것을 구매할 수 있는지 몰랐어요.

M: 물론 구매하실 수 있습니다. 오늘 이것을 배달해서 설치해 드릴 수 있습니다.

W: 그 점이 바로 제가 원하는 바이지만, 새 제품이 아니어서요.

M: 걱정하실 것 없습니다. 이건 전혀 사용된 적이 없어요. 또한, 새것과 마찬가지로 3년까지는 무료로 수리를 받으실 수 있습니다.

W: 그것 좋네요.

M: 또한 저희가 20% 할인해 드릴 수 있어요. 매우 괜찮은 거래죠.

W: ② 동의해요. 진열된 것이 저에게 가장 좋은 선택일 것 같네요.

7 다음 상황 설명을 듣고, Steve가 Cathy에게 할 말로 가장 적절한 것을 고르시오.

답 **❶** You should highlight your volunteer experience as a translator.

M: Cathy is starting high school and is looking to join a club. She's interested
고등학교에 막 입학한 Cathy는 동아리에 가입하려고 한다.

in translation and has volunteered as a translator before. So she's happy

M: Cathy는 고등학교에 막 들어가 동아리에 가입하려고 보고 있습니다. 그녀는 번역에 관심이 있고 이전에 번역가로 자원봉

when she finds a translation club at her school. To enter the club, she

Cathy는 평소에 관심이 많은 번역 동아리를 발견하고 기뻐한다.　　　to부정사의 부사적 용법(목적)

must write a self-introduction letter. However, she's not satisfied with

동아리에 들어가려면 자기소개서를 써야 한다.

the letter she wrote. She remembers that her older brother Steve has

she 앞에 목적격 관계대명사 that(which)이 생략되어 있다.

lots of experience writing self-introduction letters. Cathy asks him for

have experience -ing: ~하는 경험이 있다

advice about her self-introduction letter. Steve thinks the letter doesn't

Cathy는 Steve에게 자기소개서를 봐 달라고 부탁한다.

focus enough on what she did as a volunteer translator. So Steve wants

Steve의 생각: 번역과 관련된 Cathy의 자원봉사 활동을 강조하는 게 좋겠다.

to suggest to Cathy that she emphasize her volunteer work related to

제안의 동사(suggest)와 함께 쓰인 that절에서는 should를 생략할 수 있다.

translation. In this situation, what would Steve most likely say to Cathy?

Steve: _____

정답 전략 Steve는 Cathy의 자기소개서에 번역과 관련된 Cathy의 자원봉사 활동이 강조되어야 한다고 생각하므로, ① '너는 번역가로서 너의 자원봉사 경험을 강조해야 해.'와 같이 말할 것이다. ② 번역 동아리를 위해 함께 자원봉사 하는 게 어떨까? ③ 내가 자기소개서를 쓰는 것을 좀 도와주지 않을래? ④ 너는 번역 연습하는 데 더 많은 시간을 들일 필요가 있겠어. ⑤ 너는 자원봉사자로서 좀 더 자격을 갖추는 게 좋겠어.

Words self-introduction letter 자기소개서   emphasize 강조하다   qualified 자격이 있는

---

8 대화를 듣고, 남자의 마지막 말에 대한 여자의 응답으로 가장 적절한 것을 고르시오. 답 ❹ You should be here by six.

M: Honey, I'm going to the gym now.

남자는 체육관에 가려고 한다.　　forget 뒤에 명사절을 이끄는 that이 생략되어 있다.

W: Don't forget our neighbors are coming to have dinner with us. Make

여자는 저녁에 이웃들과의 저녁 모임이 있으니, 그 전에 돌아오라고 당부한다.

sure to be back before then.

make sure+to부정사: 반드시 ~하라

M: I know. What time do you want me back home?

남자는 몇 시까지 집에 오면 되는지 묻고 있다.

W: _____

정답 전략 남자가 몇 시까지 집에 와야 하는지 묻고 있으므로, 이에 여자가 할 말은 '시간' 또는 '때'로 답하는 ④가 가장 적절하다. ① 나는 내일 돌아올 거예요. ② 당신은 거기 음식을 좋아했잖아요. ③ 나는 매일 체육관에 가요. ⑤ 우리는 이미 저녁을 다 먹었어요.

M: 여보, 나 지금 체육관에 갈 거예요.

W: 우리 이웃들이 우리와 저녁을 먹으러 올 거라는 것을 잊지 말아요. 그전에 꼭 돌아와야 해요.

M: 알아요. 내가 몇 시에 집에 돌아오면 좋겠어요?

W: ④ 여섯 시까지는 여기 와야 해요.

---

9 대화를 듣고, 여자의 마지막 말에 대한 남자의 응답으로 가장 적절한 것을 고르시오. 답 ❶ Thanks a lot. I hope he can help me out.

[Cell phone rings.]

W: Hello, Jake.

M: Hi, Betty. Sorry to call you this early.

W: That's okay. Is anything wrong?

M: You know I'm directing the school play *Snow White*, right?

남자는 학교 연극의 연출을 맡고 있다.

W: Of course. The play's going to be this afternoon.

M: Right. But I have a serious problem. The student responsible for the

student 뒤에 who(that) is가 생략되어 있다.

sound effects cannot come because he has a bad cold.

남자는 오늘 연극 공연에 음향 담당자의 결원이 생겨 당황하고 있다.

W: Oh, no.

M: So, I need someone who can control the sound effect system for the

주격 관계대명사　　　　　　　　　　　　　　　　　　　　~때문에

performance this afternoon. I'm thinking you could do the job since

남자는 작년에 같은 경험을 한 여자를 결원의 대타로 생각하고 있다.

[Cell phone rings.]

W: 안녕, Jake.

M: 안녕, Betty. 이렇게 이른 시간에 전화해서 미안해.

W: 괜찮아. 무슨 잘못된 일 있어?

M: 내가 학교 연극 '백설 공주'를 연출하는 거 알지?

W: 물론 알지. 오늘 오후에 연극 공연이 있잖아.

M: 맞아. 하지만 심각한 문제가 있어. 음향 효과를 담당하는 학생이 심한 감기에 걸려서 올 수가 없어.

W: 오, 저런.

M: 그래서 나는 오늘 오후 공연을 위해 음향 효과 시스템을 조작할 수 있는 사람이 필요해. 네가 작년 연극을 위해 그 일을 했

사를 한 적이 있었습니다. 그래서 그녀는 학교에서 번역 동아리를 발견하고는 기뻐합니다. 동아리에 들어가려면 그녀는 자기소개서를 써야 합니다. 하지만 그녀는 자신이 쓴 소개서가 만족스럽지 않습니다. 그녀는 오빠 Steve가 자기소개서를 쓰는 데 많은 경험이 있다는 것을 기억해 냅니다. Cathy는 그에게 자신의 자기소개서에 대해 조언을 구합니다. Steve는 그 자기소개서가 자원봉사 번역가로서 그녀가 한 것에 대해 충분히 초점을 맞추지 못하고 있다고 생각합니다. 그래서 Steve는 Cathy에게 번역과 관련된 그녀의 자원봉사 활동을 강조해야 한다고 제안하기를 원합니다. 이런 상황에서 Steve는 Cathy에게 무엇이라고 말하겠습니까?

you did it for last year's play.

W: Sorry, I can't, Jake. I have an interview for a student exchange program
여자는 오늘 오후에 면접이 있어서 남자의 부탁을 들어줄 수가 없다.
this afternoon.

M: Hmm .... I don't know what to do then.
남자는 생각해 둔 여자가 상황이 안 되자 당황한다.　　　how+to부정사: 어떻게 ~할지, ~하는 법

W: Well, I can call a friend of mine, if you want. He knows how to use the
여자는 자기 친구 중 한 명이 시스템 사용법을 알고 있으니 그에게 전화해 보겠다고 한다.
system.

M: Really? That would be a great help.
남자는 여자의 대안에 희망을 걸어본다.

W: Okay. Let me check if he's available.
목적어로 쓰이는 명사절에서 if는 '~인지 (아닌지)'의 의미이고, whether로 바꿔 쓸 수 있다.

M: _____

정답 전략 여자가 남자의 부탁을 들어줄 수 없어서 자기 친구에게 도와줄 수 있는지 물어보겠다고 한다. 이런 상황에서 응답할 남자의 말은 ①이 가장 적절하다. ② 고맙지만 괜찮아. 그는 내가 가장 보고 싶지 않은 사람이야. ③ 날 믿어. 내가 그 음향 시스템을 업데이트 해 놓을게. ④ 괜찮아. 너는 너의 경험으로부터 배울 거야. ⑤ 힘 내! 너는 다음에 또 다른 기회를 얻을 거야.

Words　direct (연극을) 연출하다　available 이용할 수 있는

10 다음 상황 설명을 듣고, Marcus가 Judy에게 할 말로 가장 적절한 것을 고르시오. 답 ❹ We need to practice harder to speed up our cooking.

W: Marcus and Judy are friends who are both interested in cooking. One
주격 관계대명사
day, Marcus finds a notice about a cooking competition for high
Marcus는 고등학교 학생을 위한 요리 대회 안내문을 본다.
school students. He asks Judy to join him as a team and Judy agrees.
Marcus와 Judy는 한 팀으로 출전하기로 한다.
They begin practicing and focus on developing a new recipe for the
begin 동사는 목적어로 동명사와 to부정사 모두를 쓸 수 있고, 의미 차이도 없다.
competition. Just a week before the competition, Marcus is concerned

that they're too slow when they cook. No matter how good their recipe
Marcus는 그들이 요리하는 데 속도가 느린 점을 걱정한다.　　no matter how: 아무리 ~한들
is, they'll lose if they can't finish on time. So Marcus wants to tell Judy
put effort into: ~에 노력을 하다
that they should put more effort into training themselves to cook faster.
Marcus는 빠르게 요리하는 데에 더 노력을 기울이자고 Judy에게 말하고 싶어 한다.
In this situation, what would Marcus most likely say to Judy?

Marcus: _____

정답 전략 Marcus는 그들의 요리 속도가 느린 점을 걱정을 하고, 요리하는 속도를 높이기 위해 더 노력해야 한다고 Judy에게 말하고 싶어 하므로, ④ '우리는 요리 속도를 높이기 위해 더 열심히 연습해야 해.'라고 말할 것이다. ① 네가 괜찮다면 너의 요리법을 공유할 수 있을까? ② 우리는 연습을 많이 했으니까 이길 수 있을 거야. ③ 우리는 우리의 경쟁자가 누가 될지 알아내는 것이 좋겠어. ⑤ 나와 함께 요리 대회에 등록하는 게 어떻겠니?

Words　notice 안내문, 공고문　figure out 알아내다　competitor 경쟁자

11 대화를 듣고, 여자의 마지막 말에 대한 남자의 응답으로 가장 적절한 것을 고르시오. 답 ❶ I see. Then I'll park somewhere else.

W: Excuse me, sir. I'm from the management office. You cannot park here
여자의 소속: 관리실 직원
because we're about to close off this section of the parking lot.
여자는 남자가 주차한 구역은 곧 폐쇄 예정이라 주차할 수 없음을 알린다.

M: Why? What's going on here? be about to+동사원형: 막 ~하려고 하다

W: We're going to paint the walls in this section. If there are cars parked
구역 폐쇄 이유: 벽면에 페인트를 칠할 예정
here, we cannot start our work.

M: _____

으니까 네가 그 일을 할 수 있을 거라고
생각하고 있어.

W: 미안하지만, 할 수 없어, Jake. 나는 오늘
오후에 교환 학생 프로그램을 위한 면접
이 있어.

M: 음 …. 그렇다면 어떻게 해야 할지 모르겠
네.

W: 음, 네가 원한다면 내 친구 중 한 명에게
전화해 볼 수 있어. 그는 그 시스템 사용
법을 알아.

M: 정말? 그렇게 해 주면 아주 큰 도움이 될
거야.

W: 좋아. 그가 할 수 있는지 확인해 볼게.

M: ① 정말 고마워. 그가 나를 도와줄 수 있
으면 좋겠다.

W: Marcus와 Judy는 둘 다 요리에 관심을
갖고 있는 친구입니다. 어느 날 Marcus
는 고등학교 학생들을 대상으로 하는 요
리 대회에 관한 안내문을 발견합니다. 그
는 Judy에게 팀으로 그와 함께 하자고
요청하고 Judy는 동의합니다. 그들은 연
습을 시작하여 대회를 위한 새로운 요리
법을 개발하는 데 집중합니다. 대회 딱 1
주일 전에, Marcus는 그들이 요리를 할
때 너무 느리다는 것에 대해 걱정합니다.
자신들의 요리법이 아무리 좋다고 한들,
제시간에 끝내지 못하면 그들은 질 것입
니다. 그래서 Marcus는 그들이 더 빠르
게 요리를 할 수 있도록 훈련하는 데에 더
많은 노력을 기울여야 한다고 Judy에게
말하고 싶습니다. 이런 상황에서 Marcus는
Judy에게 무엇이라고 말하겠습니까?

W: 실례합니다. 관리실에서 나왔습니다. 주차
장의 이 구역이 곧 폐쇄될 예정이어서 여
기에 주차하실 수 없습니다.

M: 왜죠? 여기에 무슨 일이 있습니까?

W: 이 구역의 벽면에 페인트를 칠할 예정입니
다. 여기에 차가 주차되어 있으면, 일을 시
작할 수 없어서요.

M: ① 알겠습니다. 그럼 다른 곳에 주차하겠
습니다.

정답 전략 여자는 남자가 주차하려는 구역이 곧 페인트를 칠할 예정이어서 주차할 수 없다고 알리고 있으므로, 이어서 남자가 할 말은 여자의 안내에 따르겠다고 하는 ①이 가장 적절하다. ② 괜찮습니다. 제가 당신의 차를 여기로 가져다 놓겠습니다. ③ 아니요, 괜찮습니다. 저는 제 차에 페인트를 칠하는 것을 원치 않습니다. ④ 신경 쓰지 마세요. 제가 나중에 주차료를 내겠습니다. ⑤ 좋습니다. 대신에 다른 차를 택하겠습니다.

Words   management office 관리실   close off 폐쇄시키다   section 구역

12 대화를 듣고, 남자의 마지막 말에 대한 여자의 응답으로 가장 적절한 것을 고르시오. 답 ② Terrific! I'll check right away if there are any nearby.

M: Amy, what are you reading?

W: Dad, it's a book for my philosophy course.
딸은 철학 강의를 위한 책을 읽고 있다.

M: Let me take a look. Wow! It's a book by Kant.

W: Yeah. It's very difficult to understand.
to부정사 부사적 용법(형용사 수식)   to부정사의 부사적 용법(목적)

M: You're right. His books take a lot of effort to read since they include his
Kant의 책에 관한 아빠의 생각: 깊은 지식과 사고가 담겨 있어서 이해하기 어렵다.
deep knowledge and thoughts.
to부정사의 의미상의 주어   to부정사의 부사적 용법(목적)

W: I think so, too. Do you have any ideas for me to understand the book
딸의 요청: Kant의 책을 더 잘 이해할 수 있는 방법은 없는가?
better, Dad?

M: Well, why don't you join a philosophy discussion group? You can find
아빠의 권유: 철학 모임에 가입하라.
one in our area.

W: Are there discussion groups for philosophy? That sounds interesting.

M: Yeah. You can share ideas with others in the group about the book
철학 모임의 장점 1: 다른 사람들과 생각을 공유할 수 있다.   book 뒤에 목적격 관계대명사
you're reading.   (that/which)가 생략되어 있다.

W: You mean I can understand Kant's book more clearly by discussing it?
철학 모임의 장점 2: Kant의 책을 더 명확하게 이해할 수 있다.

M: Absolutely. Plus, you can develop critical thinking skills in the group as
철학 모임의 장점 3: 비판적 사고 능력을 계발할 수 있다.
well.
as well: ~도, 또한

W: _____

정답 전략 남자는 여자에게 철학 토론 모임의 가입을 권유하며 토론 모임의 장점을 이야기해 주고 있다. 이에 이어질 여자의 응답으로는 적극적인 관심과 동의를 표현하는 ②가 가장 적절하다. ① 맞아요! 이 책은 아빠의 책만큼 재미있지가 않아요. ③ 신경 쓰지 마세요. 저는 다음 학기에는 그 강의를 수강하지 않을 거예요. ④ 정말이에요? 저는 아빠가 철학 학위를 가지고 있다는 것을 몰랐어요. ⑤ 왜 안되겠어요? 아빠는 제 철학 토론 모임에 가입할 수 있어요.

Words   philosophy 철학   critical 비판적인   definitely 확실히, 분명히   degree 학위

M: Amy, 무엇을 읽고 있니?

W: 아빠, 제 철학 강의를 위한 책이에요.

M: 어디 한번 보자. 와! Kant의 책이구나.

W: 네. 그것은 이해하기가 매우 어렵네요.

M: 맞아. 그의 책은 읽는 데 많은 노력이 필요한데, 왜냐하면 그것에는 그의 깊은 지식과 사고가 담겨있기 때문이란다.

W: 저도 그렇게 생각해요. 제가 그 책을 더 잘 이해하는 데 어떤 생각이라도 있으세요, 아빠?

M: 음, 철학 토론 모임에 가입하지 그러니? 우리 지역에서 하나를 찾을 수 있어.

W: 철학을 위한 토론 모임이 있어요? 재미있겠는데요.

M: 그래. 네가 읽고 있는 책에 관하여 모임에 있는 다른 사람들과 생각을 공유할 수 있지.

W: 아빠 말씀은, 토론을 통해 Kant의 책을 더 분명히 이해할 수 있다는 거죠?

M: 바로 그거야. 거기다가, 너는 모임에서 비판적 사고 능력 또한 계발할 수 있단다.

W: ② 아주 좋아요! 근처에 (철학 토론 모임이) 있는지 당장 확인해 볼게요.

1·2등급 확보 전략 2회

66~69쪽

1 ⑤   **2** ①   **3** ②   **4** ①   **5** ⑤   **6** ⑤   **7** ③   **8** ①   **9** ⑤   **10** ⑤   **11** ③   **12** ④

1 다음을 듣고, 남자가 하는 말의 목적으로 가장 적절한 것을 고르시오. 답 ⑤ 운동 방법에 관한 동영상 채널을 홍보하려고

M: Hello, viewers. Thank you for clicking on this video. I'm Ronnie Drain,
and I've been a personal fitness trainer for over 15 years. Today, I'd like
남자의 직업: 경력 15년 이상의 개인 피트니스 트레이너

M: 안녕하세요, 시청자 여러분. 이 동영상을 클릭해주셔서 감사합니다. 저는 Ronnie Drain이라 하고 15년 넘게 개인 피트니스 트레이너로 일하고 있습니다. 오늘, 저

to tell you about my channel, *Build Your Body*. On my channel, you can

<small>남자는 개인 채널인 'Build Your Body'를 운영하고 있다.</small> <small>how +to부정사: 어떻게 ~할지, ~하는 방법</small>

watch videos showing you how to do a variety of exercises that you can

<small>남자의 채널에서는 집이나 사무실에서 할 수 있는 다양한 운동법 동영상을 제공한다.</small> <small>목적격 관계대명사</small>

do at home or at your office. If you've experienced difficulty exercising

regularly, my videos can provide easy guidelines and useful resources

on exercise routines. New videos will be uploaded every Friday. Visit my

<small>미래 시제의 수동태</small>

channel and build a stronger, healthier body.

<small>남자는 본인의 채널을 방문해 달라고 말한다.</small>

정답 전략 남자는 자신이 경력 15년 이상 된 피트니스 트레이너라고 밝히면서 자신이 운영하고 있는 운동법 안내 채널을 소개하며 방문해 달라고 하고 있다. 따라서 남자가 하는 말의 목적으로 가장 적절한 것은 ⑤이다.

Words regularly 규칙적으로 guideline 지침 exercise routine 정해진 운동 순서

[2-3] 다음을 듣고, 물음에 답하시오. 답 2 ❶ unique museums around the world 3 ❷ Egypt

W: Hello, students. Last class, we learned about the history of museums.

You may think they're boring, but that's not true. Today I'll tell you

<small>주격 관계대명사</small>

about museums in different countries that are not like any museums

<small>오늘의 수업 주제: 지금까지 본 적이 없는, 다양한 나라에 있는 박물관</small> <small>전치사로 '~와 같은'의 의미</small>

you've ever seen. Each has unusual features which will surely grab

<small>each는 단수 취급하므로 동사를 이에 수를 일치시킨다.</small> <small>주격 관계대명사</small>

your attention. First is a spy museum in the USA. Here you can see a

<small>1. 미국의 스파이 박물관: 스파이 도구 소장품 전시</small>

collection of spy tools including mini cameras, fake money, and special

devices from the spy movies. Then there's an interesting toilet museum

<small>2. 인도의 변기 박물관: 변기와 관련 물품 전시</small>

in India. The museum displays toilets and related items ranging from

ancient to modern times. These have been collected from 50 countries.

Next, Japan has an instant ramen museum. Here you can learn ramen's

<small>3. 일본의 인스턴트 라면 박물관: 라면의 역사 학습과 새로운 라면 제조</small>

history and make your own fresh cup of ramen. Finally, one museum

has an unusual way of enjoying the exhibits. To explore the underwater

<small>to부정사의 부사적 용법(목적)</small>

museum in Mexico, you have to snorkel, scuba dive, or ride a glass-

<small>4. 멕시코의 수중 박물관: 수중 전시품을 즐기기 위해서는 독특한 방법을 취해야 함</small>

bottom boat. Which museum most interests you?

정답 전략 2 여자는 다양한 나라의 박물관을 거론하면서 해당 박물관이 독특한 이유를 구체적으로 설명하고 있으므로, 여자가 하는 말의 주제로 가장 적절한 것은 ①의 '전 세계에 있는 독특한 박물관'이다. ② 세계 최상급 박물관의 역사 ③ 다양한 나라에서의 문화적 축제 ④ 유산을 보존하려는 전 세계적인 노력 ⑤ 박물관 방문객의 국제적 예의범절

3 ②의 '이집트'는 언급되지 않았다. ① 미국 ③ 인도 ④ 일본 ⑤ 멕시코

Words collection 소장품, 수집품 fake 가짜의 device 장치 exhibit 전시(품)
world-class 세계 최상급의 heritage 유산

4 다음을 듣고, 여자가 하는 말의 목적으로 가장 적절한 것을 고르시오. 답 ❶ 농장 체험 프로그램을 홍보하려고

W: Hi, *Health and Leisure Radio* listeners! This is Stacy from Green Fields

<small>여자는 Green Fields Farm의 직원이다.</small>

Farm. I'd like to invite you to try one of our farm experience programs.

<small>여자는 농장 체험 프로그램에 참여해 보라고 권한다.</small>

Our walking program takes you on a relaxing tour through the fields of

<small>체험 프로그램 1: 농장의 들판을 가로지르며 마음을 편하게 해주는 걷기 프로그램</small>

our farm. On the tour, you can feed our animals. Do you want to bring

---

는 여러분께 저의 채널인 'Build Your Body'에 대해 말씀드리고 싶습니다. 제 채널에서 여러분은 집이나 사무실에서 할 수 있는 다양한 운동을 어떻게 하는지를 보여 주는 동영상을 볼 수 있습니다. 여러분이 규칙적으로 운동하는 데 어려움을 겪으셨다면, 제 동영상은 정해진 운동 순서에 관한 쉬운 지침과 유용한 자료를 제공할 수 있습니다. 새로운 동영상은 매주 금요일마다 업로드될 것입니다. 제 채널을 방문하셔서 더 강하고 더 건강한 몸을 만드세요.

W: 안녕하세요, 학생 여러분. 지난 시간에 우리는 박물관의 역사에 관해 배웠습니다. 박물관은 지루하다고 생각할지도 모르지만 그것은 사실이 아닙니다. 오늘 저는 여러분에게 여러분이 지금까지 본 적이 있는 어떤 박물관과도 같지 않은, 다양한 나라에 있는 박물관에 관해 말씀드리겠습니다. 각각은 여러분의 관심을 분명히 사로잡을 독특한 특징이 있습니다. 첫 번째는 미국에 있는 스파이 박물관입니다. 여기서는 소형 카메라, 가짜 돈, 그리고 스파이 영화에 나오는 특수 장치를 포함한 스파이 도구 소장품을 볼 수 있습니다. 다음으로는 인도에 흥미로운 변기 박물관이 있습니다. 그 박물관은 고대부터 현대까지 이르는 변기와 그와 관련된 물품들을 전시합니다. 이것들은 50개국에서 수집되었습니다. 다음으로 일본에는 인스턴트 라면 박물관이 있습니다. 이곳에서는 라면의 역사를 배울 수 있고 여러분만의 새로운 라면 한 컵을 만들 수 있습니다. 마지막으로 한 박물관에서는 전시품을 즐기는 독특한 방법이 있습니다. 멕시코에 있는 수중 박물관을 탐험하기 위해서는 스노클을 쓰고 헤엄을 치거나 스쿠버 다이빙을 하거나 바닥이 유리로 된 배를 타야 합니다. 어떤 박물관이 가장 여러분의 관심을 끕니까?

W: 안녕하세요, '건강과 여가 라디오' 청취자 여러분! 저는 Green Fields Farm의 Stacy입니다. 저희의 농장 체험 프로그램 중 하나를 시도해 보시도록 여러분을 초대하고 싶습니다. 저희의 걷기 프로그램은 여러분을 저희 농장의 들판을 가로지르는 편안한 투어로 모십니다. 투어 중에

some fresh fruit home with you? Then, try our fruit-picking program.
체험 프로그램 2: 싱싱한 과일을 가져갈 수 있는 과일 따기 프로그램
We even have a cheese-making program for you. These are just a few
체험 프로그램 3: 치즈 만들기 프로그램   '약간의'의 의미로, 셀 수 있는 명사를 수식하는 수량 형용사
of the programs we offer for your family or company event. To find out
          we 앞에 목적격 관계대명사 that(which)이 생략되어 있다.
more, call us at 213-568-1234 or go to www.greenfieldsfarm.com. We're
excited to see you here at our farm experience programs. We know
to부정사가 감정을 나타내는 형용사를 수식하여 감정의 원인을 나타낸다.
you'll love it here!

정답 전략 여자는 Green Fields Farm의 직원으로 농장 체험 프로그램을 소개하며 홍보하고 있으므로, 여자가 하는 말의 목적으로 가장 적절한 것은 ①이다.

Words farm experience program 농장 체험 프로그램   fruit-picking 과일 따기

여러분은 동물들에게 먹이를 줄 수 있습니다. 싱싱한 과일을 집으로 가져가고 싶으세요? 그러면 과일 따기 프로그램에 참여해 보세요. 심지어 여러분을 위한 치즈 만들기 프로그램도 있습니다. 이것들은 여러분의 가족이나 회사의 행사를 위해 저희가 제공하는 프로그램 중 일부에 불과합니다. 더 많이 알고 싶으시면 213-568-1234로 전화를 주시거나 www.green-fieldsfarm.com으로 접속해 주세요. 저희는 이곳의 농장 체험 프로그램에서 여러분을 뵐 생각에 흥분됩니다. 여러분은 이곳의 프로그램을 정말 좋아하실 겁니다!

[5-6] 다음을 듣고, 물음에 답하시오. 답 5 ❺ how color-related English expressions gained their meanings 6 ❺ yellow

M: Hello, students. Last time, I gave you a list of English expressions
                                        containing 앞에 that(which) was가 생략되어 있다.
containing color terms. Today, we'll learn how these expressions
          오늘 수업의 주제: 색깔 관련 용어 표현들이 그 의미를 갖게 된 배경
got their meanings. The first expression is "out of the blue," meaning
          1. out of the blue: 어떤 일이 예기치 않게 일어남 – 청명한 하늘에서는 번개를 볼 가능성 희박
something happens unexpectedly. It came from the phrase "a lightning
                                        be unlikely +to부정사: ~할 가능성이 낮다
bolt out of the blue," which expresses the idea that it's unlikely to see
          계속적 용법의 관계대명사로 and it으로 바꿀 수 있다.
lightning when there's a clear blue sky. The next expression, "white lie,"
                                        2. white lie: 해가 없는 거짓말 – 흰색은 결백을 상징
means a harmless lie to protect someone from a harsh truth. This is
                    to부정사의 형용사적 용법
because the color white traditionally symbolizes innocence. Another
expression, "green thumb," refers to a great ability to cultivate plants.
          3. green thumb: 식물을 재배하는 뛰어난 능력 – 정원에서 일하는 사람 손에 녹색 얼룩이 져 있음
Planting pots were often covered with tiny green plants, so those who
worked in gardens had green-stained hands. The last expression, "to see
red," means to suddenly get very angry. Its origin possibly comes from
          4. to see red: 갑자기 크게 화를 냄 – 투우사가 붉은 망토를 흔들면 황소가 화가 나서 공격한다는 믿음에서 유래
the belief that bulls get angry and attack when a bullfighter waves a red
cape. I hope this lesson helps you remember these phrases better.
          help는 목적격 보어로 동사원형과 to부정사를 모두 쓸 수 있다.

정답 전략 5 남자는 색깔 용어가 포함된 영어 표현들을 소개하고 어떻게 그 의미를 갖게 되었는지 설명하고 있다. 따라서 남자가 하는 말의 주제로 가장 적절한 것은 ⑤의 '어떻게 색깔 관련 영어 표현이 그 의미를 갖게 되었는가'이다. ① 계절 내내 쭉 있는 자연 속의 색깔 변화 ② 영국의 전통 풍습에 쓰이는 다양한 색깔 ③ 문화에 따른 색채 인식의 차이 ④ 색깔과 관련된 표현이 왜 영어에 흔한가
6 ⑤의 '노란색'은 언급되지 않았다. ① 파란색 ② 흰색 ③ 녹색 ④ 빨간색

Words lightning bolt 번개   harsh 가혹한   symbolize 상징하다   innocence 결백, 순수
cultivate 재배하다   green-stained 녹색 얼룩이 진   bullfighter 투우사   cape 망토

M: 안녕하세요, 학생 여러분. 지난번에는 제가 여러분에게 색깔 용어가 포함된 영어 표현 목록을 주었습니다. 오늘은 이 표현들이 어떻게 그 의미를 갖게 되었는지 배우도록 하겠습니다. 첫 번째 표현은 어떤 일이 예기치 않게 일어난다는 의미의 'out of the blue'입니다. 그것은 'a lightning bolt out of the blue'라는 구절에서 유래했는데, 그것은 하늘이 맑고 푸를 때는 번개를 볼 가능성이 낮다는 생각을 나타냅니다. 그다음 표현인 'white lie'는 가혹한 진실로부터 누군가를 보호하려는 해가 없는 거짓말을 의미합니다. 이는 흰색이 전통적으로 결백을 상징하기 때문입니다. 또 다른 표현인 'green thumb'은 식물을 재배하는 뛰어난 능력을 가리킵니다. 화분은 흔히 작은 녹색 식물들로 뒤덮여 있어서, 정원에서 일하는 사람들은 양손에 녹색 얼룩이 져 있었습니다. 마지막 표현인 'to see red'라는 말은 갑자기 크게 화를 낸다는 의미입니다. 그것의 기원은 아마도 투우사가 붉은 망토를 흔들었을 때 황소가 화가 나서 공격한다는 믿음에서 유래합니다. 저는 이 수업이 여러분이 이 구절들을 더 잘 기억하는 데 도움이 되길 바랍니다.

7 다음을 듣고, 남자가 하는 말의 목적으로 가장 적절한 것을 고르시오. 답 ❸ 동물 사진을 찍는 요령을 알려 주려고

M: Hello, students of the Live Photography Club. I'm glad to see you at
                                        장소: East Hills 동물원
East Hills Zoo today. Before we start, I want to share some tips for
                    남자는 동물 사진을 잘 찍을 수 있는 요령을 알려 주려고 한다.
taking good photos of animals. First, be patient. Take your time until
          요령 1: 동물이 좋은 자세를 잡을 때까지 기다려라.
the animal is positioned for a good shot. Second, try to avoid using
                                        try+to부정사: ~하려고 노력하다

W: 안녕하세요, 라이브 사진 동아리의 학생 여러분. 오늘 East Hills 동물원에서 여러분들을 만나서 반갑습니다. 시작하기 전에, 동물 사진을 잘 찍을 수 있는 몇 가지 요령을 알려드리겠습니다. 첫째, 인내심을 가지세요. 좋은 장면을 위해 동물이 자

the flash on your camera. The flash impacts some of the shadows that
목적격 관계대명사
요령 2: 플래시는 사진을 편평하고 덜 흥미로워 보이게 하므로 플래시를 사용하지 마라.
natural light creates, making the picture look "flat" and less interesting.
'연속동작'의 분사구문으로 and it makes의 의미이다.
Lastly, I also recommend you try using burst mode. Burst mode allows
요령 3: 연속 촬영이 가능하고 액션 장면을 정확히 포착해 내는 버스트 모드를 사용하라. try -ing: 시험 삼아 ~해 보다
you to rapidly take a sequence of photos and capture action shots of
animals. Now, let's split up and try to get the best animal pictures.
split up: 나뉘다, 분리하다

정답 전략 동물원에서 사진 동아리 회원들을 만난 남자는 동물 사진을 찍는 요령 세 가지를 알려주고
있다. 따라서 남자가 하는 말의 목적으로 가장 적절한 것은 ③이다

Words take one's time 시간을 들이다   position ~의 자리를 잡다
sequence 연속   capture 포착하다, 담아내다

[8-9] 다음을 듣고, 물음에 답하시오. 답 8 ❶ foods that fight against colds 9 ❺ garlic

W: Good morning, *Healthy Life* listeners! A drop in temperature signals the
get through: 이겨내다
start of cold season. Today, I'll introduce some foods to get you through
오늘의 주제: 감기를 이겨내도록 하는 식품
a cold. Ginger is an effective treatment for colds. This amazing root
can offer relief by making the body warmer and by attacking the cold
1. 생강: 신체를 더 따뜻하게 하고, 감기로 인한 고통 완화
virus. Mushrooms contain important vitamins, fiber and minerals. They
2. 버섯: 영양 풍부, 백혈구의 활동 강화, 슈퍼히어로 세포를 활성화하는 데 기여
enhance the activity of the white blood cells involved in protecting us
involved 앞에 that(which) are가 생략되어 있다.
from colds. Mushrooms also help activate superhero cells that find and
be loaded with: 충분히 있다   주격 관계대명사
destroy infections. Spinach is loaded with nearly every vitamin you can
3. 시금치: 거의 모든 비타민 함유   you 앞에 목적격 관계대명사 that(which)이 생략되어 있다.
think of. Adding more spinach to your diet can improve overall bodily
be filled with: ~로 가득 차 있다
health, which will help you recover quickly from a cold. Yogurt is filled
계속적 용법의 관계대명사로 and it로 바꿔 쓸 수 있다.   계속적 용법의 관계대명사로 and they로 바꿔 쓸 수 있다.
with good bacteria, called probiotics, which keep bad bacteria from
4. 요구르트: 프로바이오틱스 함유로 면역 체계를 지원하여 감기로부터 오는 2차 감염을 막아줌
increasing in number. These good bacteria can support the immune
system and help prevent secondary infections from a cold. I hope you
find this information helpful with cold season approaching. Have a
with+명사+현재분사: 독립분사구문의 일종으로
good day.
부대상황을 나타내며, '~가 …한 채로'의 의미이다.

정답 전략 8 여자는 감기를 이겨내는 네 가지 식품을 추천하면서 각 식품이 어떻게 도움을 주는지 구
체적으로 설명하고 있다. 따라서 여자가 하는 말의 주제로 가장 적절한 것은 ①의 '감기에 맞서 싸우는
식품'이다. ② 맛있고 차가운 음식 준비하기 ③ 체중을 줄이는 데 효과적인 식품 ④ 집에서 유기농 채
소 기르기 ⑤ 면역 체계를 돕는 박테리아
9 ⑤의 '마늘'은 언급되지 않았다. ① 생강 ② 버섯 ③ 시금치 ④ 요구르트

Words signal 알리다, 나타내다   relief 완화   fiber 섬유질   enhance 강화하다
white blood cell 백혈구   activate 활성화하다   infection 감염, 전염병   overall 전반적인
immune system 면역 체계   secondary 2차의, 부차적인

10 다음을 듣고, 여자가 하는 말의 목적으로 가장 적절한 것을 고르시오. 답 ❺ 약 복용 후의 운전에 대해 주의를 당부하려고

W: Hi, welcome to our podcast, Urbansafety. This is your host, Grace
Garland. Most people know that driving under the influence of alcohol
주어로 쓰인 동명사(구)는 단수 취급하므로 동사도 이에 수 일치한다.
is extremely dangerous. But many people don't realize that driving after
특정한 종류의 약 복용 후의 운전도 안전하지 않을 수 있다.

세를 잡을 때까지 시간을 들이세요. 둘째, 카메라의 플래시를 사용하지 않으려 노력하세요. 플래시는 자연광이 만들어내는 그림자의 일부분에 영향을 미쳐서 사진을 '편평하고' 덜 흥미롭게 보이게 만듭니다. 마지막으로 버스트 모드를 사용해 보는 것도 추천합니다. 버스트 모드는 빠르게 사진을 연속 촬영하고 동물의 행동 장면을 정확히 포착할 수 있게 합니다. 자, 흩어져서 최고의 동물 사진을 찍으려고 노력합시다.

W: 안녕하세요, 'Healthy Life' 청취자 여러분! 기온의 하강은 추운 계절의 시작을 알립니다. 오늘, 저는 여러분이 감기를 이겨내도록 하는 몇 가지 식품을 소개하려 합니다. 생강은 감기를 위한 효과적인 치료제입니다. 이 놀라운 뿌리는 신체를 더 따뜻하게 하고 감기 바이러스를 공격함으로써, (감기로 인한 고통의) 완화 효과를 제공할 수 있습니다. 버섯은 중요 비타민, 섬유질, 그리고 미네랄을 함유합니다. 그것들은 감기로부터 우리를 보호하는 것과 관련 있는 백혈구의 활동을 강화합니다. 버섯은 또한 감염을 찾아내고 파괴하는 슈퍼히어로 세포를 활성화하는 데 도움을 줍니다. 시금치에는 여러분이 생각할 수 있는 거의 모든 비타민이 가득 들어 있습니다. 여러분의 식단에 더 많은 시금치를 추가하는 것은 전반적인 신체 건강을 향상시킬 수 있으며, 이것은 여러분이 감기로부터 빠르게 회복하는 데 도움을 줄 것입니다. 요구르트에는 프로바이오틱스라고 불리는 좋은 박테리아가 가득 차 있는데, 이것들은 나쁜 박테리아가 수적으로 증가하는 것을 막아 줍니다. 이 좋은 박테리아는 면역 체계를 지원하여 감기로부터 오는 2차 감염을 막는 데 도움을 줄 수 있습니다. 저는 추운 계절이 다가오는 상황에서 여러분이 이 정보가 유용하다는 것을 알게 되시기를 바랍니다. 좋은 하루 보내세요.

W: 안녕하세요, 저희 팟캐스트 Urbansafety에 오신 것을 환영합니다. 저는 진행자 Grace Garland입니다. 대부분의 사람들은 음주 운전이 매우 위험하다는 것을 알고 있습니다. 하지만 많은 사람들은 특정

taking certain types of medicine can be just as unsafe. Some drugs have

side effects such as making you sleepy or making it **hard** to concentrate.
약의 부작용: 졸리게 하거나 집중하기가 힘들게 함   hard는 형용사로 '힘든'의 의미로 쓰인 다의어이다.

These drugs could make you react more slowly than you normally
약의 부작용이 가져오는 결과: 평소보다 느리게 반응하게 하여 치명적인 자동차 사고로 이어질 수 있음

would, and this could lead to fatal car accidents. So, when your doctor

prescribes a medication, ask about how it can affect your ability to drive
약을 처방받을 때 의사에게 운전 능력에 미치는 영향을 묻고, 영향을 확인하기 전까지는 운전하지 말 것

and don't drive until you find out exactly how that drug affects you. Be

safe on the road by **keeping** these things **in mind**.
keep in mind: 명심하다

정답 전략 여자는 특정 약을 복용하면 졸리거나 집중하기가 힘들어지는 것 같은 부작용이 있어 자동차 사고로 이어질 수 있다며 주의를 주고 있으므로, 여자가 하는 말의 목적으로 적절한 것은 ⑤이다.

Words   side effect (약의) 부작용   fatal 치명적인   prescribe 처방하다
medication 약(약물) 치료

한 종류의 약을 먹고 운전하는 것이 똑같이 안전하지 않을 수 있다는 것은 깨닫지 못합니다. 몇몇 약은 졸리게 하거나 집중하기가 힘들게 하는 것 같은 부작용이 있습니다. 이러한 약들은 당신을 평소 때보다 더 느리게 반응하게 만들 수 있고, 이것은 치명적인 자동차 사고로 이어질 수 있습니다. 그래서 의사가 약을 처방할 때, 그것이 여러분의 운전 능력에 어떻게 영향을 미칠 수 있는지 묻고 그 약이 여러분에게 어떻게 영향을 미치는지 정확히 알기 전까지는 운전하지 마세요. 이것들을 명심하여 도로에서 안전하세요.

[11-12] 다음을 듣고, 물음에 답하시오.   📄11 ③ various animals that feed from flowers   12 ④ parrots

M: Hello, class. Last time we learned about insects, their life cycles and

what they eat. As you know, many insects get food from flowers, but

they aren't the only creatures that do. Today, we'll learn about a variety
오늘의 수업 주제: 식량원으로 꽃을 이용하는 다양한 동물들

of animals **that** use flowers as a food source. First are hummingbirds.
주격 관계대명사

These birds use their long narrow beaks **to get** the flower's sweet **liquid**
1. 벌새: 꽃의 꿀을 얻기 위해 길고 좁은 부리를 이용   to부정사의 부사적 용법(목적)

called nectar. Mysteriously, they only feed from upside down flowers.
called 앞에 that(which) is가 생략되어 있다.

We still don't know why. Next are bats. Although most bats eat insects,
2. 박쥐: 꽃에서 먹이를 얻으며, 강한 후각과 시각이 발달됨

some get their food from flowers. These bats have a strong sense of

smell and sight **compared to** insect-eating bats. There are also lizards
┌ 주격 관계대명사   compared to: ~와 비교하여

that drink nectar. These lizards are found on tropical islands that have
3. 도마뱀: 꿀을 마시며, 천적이 거의 없는 열대의 섬에서 서식   ┌ 주격 관계대명사

few natural enemies. Finally, there is a type of squirrel **that** feeds from
'거의 없는'의 의미로, 셀 수 있는 명사를 수식하는 수량 형용사   4. 다람쥐: 꿀을 마실 때 꽃을 물어뜯어 꽃에 피해를 줌

flowers. Most nectar-drinking animals help flowers grow in numbers,

but these squirrels often harm the plant. When drinking nectar, they

bite through the flower, **which** causes damage. Interesting, huh? What
계속적 용법의 주격 관계대명사로 and it로 바꿔 쓸 수 있다.

other animals use flowers in their diet? Take a minute to think, and then

we'll talk about it.

정답 전략 11 남자는 식량원으로 꽃을 이용하는 다양한 동물들에 관하여 배울 것이라고 말하고 해당하는 동물을 차례로 소개하고 있으므로, 남자가 하는 말의 주제로 가장 적절한 것은 ③의 '꽃에서 먹이를 얻는 다양한 동물들'이다. ① 꽃이 동물들을 끌어들이는 몇 가지 방법 ② 동물들과 관련된 인기 있는 직업 ④ 동물들에게 위협을 제기하는 주요 요인 ⑤ 열대 섬에서 사는 멸종 위기 동물들
12 ④의 '앵무새'는 언급되지 않았다. ① 벌새 ② 박쥐 ③ 도마뱀 ⑤ 다람쥐

Words   life cycle 생애주기   creature 생물   food source 식량원   beak 부리
nectar (꽃의) 꿀   upside down (위아래가) 거꾸로인   tropical 열대의   natural enemy 천적
bite (이빨로) 물다   profession 직업   pose (위협, 문제 등을) 제기하다

M: 안녕하세요, 여러분. 지난 시간에 우리는 곤충과 그것들의 생애주기, 그리고 그것들이 무엇을 먹는지를 배웠습니다. 여러분도 알다시피, 많은 곤충이 꽃에서 먹이를 얻지만, 그것들이 그렇게 하는 유일한 생물은 아닙니다. 오늘, 우리는 식량원으로 꽃을 이용하는 다양한 동물들에 관하여 배울 것입니다. 첫 번째는 벌새입니다. 이 새는 넥타(꿀)라고 불리는 꽃의 달콤한 액을 얻기 위해 길고 좁은 부리를 이용합니다. 신비하게도 그것은 거꾸로 달린 꽃에서만 먹이를 먹습니다. 우리는 아직도 그 이유를 알지 못합니다. 다음은 박쥐입니다. 대부분의 박쥐는 곤충을 먹지만, 어떤 것은 꽃에서 먹이를 얻습니다. 이러한 박쥐는 곤충을 먹는 박쥐에 비해 강한 후각과 시각을 지니고 있습니다. 꿀을 마시는 도마뱀도 있습니다. 이 도마뱀은 천적이 거의 없는 열대의 섬에서 발견됩니다. 마지막으로 꽃에서 먹이를 얻는 다람쥐 종이 있습니다. 꿀을 마시는 대부분의 동물들은 꽃이 수가 불어나는 데 도움을 주지만, 이 다람쥐는 흔히 식물에 피해를 줍니다. 꿀을 마실 때, 그것들은 꽃을 물어뜯는데, 이것이 피해를 일으킵니다. 재미있지요? 어떤 다른 동물들이 먹이로 꽃을 이용할까요? 잠시 생각해 본 다음에 그것에 관해 이야기해 보겠습니다.

memo

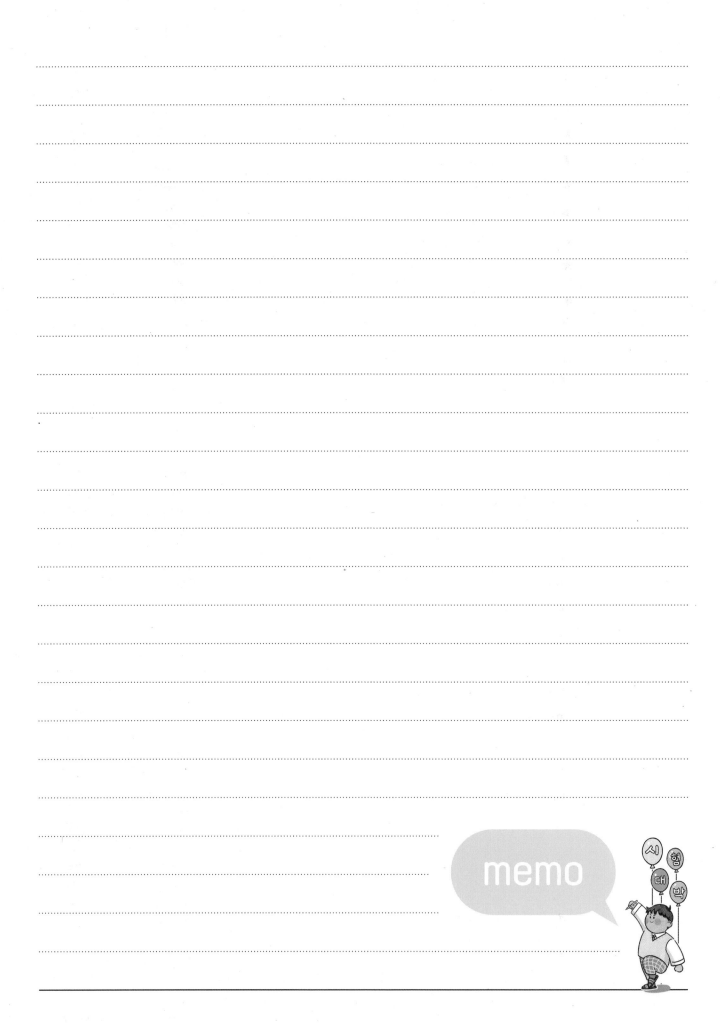

memo

수능전략

듣기

수능에 꼭 나오는
필수 유형 ZIP 2

차례 ❷권

수능에 꼭 나오는
필수 유형 ZIP

Week 2 담화 이해하기

01 상황에 적절한 말

전체 듣기

다음 상황 설명을 듣고, Megan이 Philip에게 할 말로 가장 적절한 것을 고르시오. **모평** 기출

Megan: _____

① You can sign up for our membership and get a discount.
② I regret to say that I can't find your membership number.
③ Unfortunately, the poster you're looking for is not for sale.
④ Congratulations on the successful release of your new book.
✓⑤ I'm afraid the members' discount doesn't apply to this book.

© Getty Images Korea

Words
• happen to do 우연히 ~ 하다 • sign up for ~에 등록하다 • release 발간, 출시
• apply 적용하다

주어진 상황에서 할 말로 적절한 표현을 고르는 유형

1 두 사람이 등장하는 상황을 [**❶**] 형식으로 들려주고, 그 상황에서 등장인물 중 한 명이 다른 한 명에게 할 말을 찾는 유형이다.

2 지시문을 읽고, 누가 누구에게 하는 말을 골라야 하는지 확인한다.

'누가' '누구'에게 하는 말인지를 지시문에서 정확히 파악하고 들어야 합니다.

3 두 사람의 관계와 직업, 때와 장소 등 담화 초반에 나오는 사실적 정보를 정확히 듣고, 두 사람이 어떤 [**❷**] 에 처했는지 파악한다.

4 마지막 지시문의 바로 앞 문장이 정답의 결정적 [**❸**] 가 되므로 끝까지 주의 깊게 듣도록 한다.

담화의 마지막 지시문은 In this situation, what would A most likely say to B?로 거의 고정되어 있습니다.

답 ❶ 이야기 **❷** 상황 **❸** 근거(단서)

정답 전략

회원 할인은 출간된 지 1년이 넘은 책에만 해당되기 때문에, Megan은 Philip이 사려는 책에는 회원 할인이 적용 되지 않는 상황을 설명해야 한다. 따라서 Megan이 할 말로 가장 적절한 것은 ⑤ '죄송하지만, 이 책에는 회원 할인이 적용되지 않습니다.'이다. ① 회원 가입을 하시면 할인을 받으실 수 있습니다. ② 고객님의 회원 번호를 찾을 수가 없어서 유감스럽습니다. ③ 안타깝게도, 찾으시는 포스터는 판매용이 아닙니다. ④ 신간이 성공적으로 출간된 것을 축하드립니다.

유형 Tip

자주 등장하는 표현들

• 허락 및 허가 묻기
Do you mind if I ~? ~해도 될까요?
May I ~? ~해도 될까요?

• 제안하기
How about ~? ~은 어때?
I suggest ~. ~을 제안해.
Why don't we ~? ~하는 게 어때?
Let's ~. ~하자.

• 의무 나타내기
You should(need) ~. 너는 ~해야 해.

• 경고 및 금지하기
You're not allowed ~. ~하는 것이 허락되지 않아.
You should not ~. 너는 ~해서는 안 돼.
Don't ~. ~하지 마.

M: Philip goes to a bookstore to buy a recently published book titled *The Psychology of Everyday Affairs*. While Philip is looking for the book, he happens to see an advertisement poster on the wall. It says that if people sign up for a membership, they can get a 10% discount on books. At the counter, he meets Megan, who works at the bookstore. He tells her that he wants to become a bookstore member to get a discount on the book. However, Megan knows that the membership discount is only for books that were published more than a year ago. Even though Megan doesn't want to disappoint Philip, she has to tell him that he cannot get the discount on the book he wants to buy. In this situation, what would Megan most likely say to Philip?

M: Philip은 최근 출간된 〈The Psychology of Everyday Affairs〉라는 제목의 책을 사기 위해 서점에 간다. Philip은 그 책을 찾다가, 우연히 벽에 붙어 있는 광고 포스터를 보게 된다. 거기에는 회원 가입을 하면 책에 대해 10% 할인을 받을 수 있다고 적혀 있다. 계산대에서 그는 Megan을 만나는데, 그녀는 서점에서 일한다. 그는 그녀에게 책 할인을 받기 위해 서점 회원이 되고 싶다고 말한다. 그러나 Megan은 회원 할인은 출간된 지 1년이 넘은 책에만 해당한다는 것을 알고 있다. Megan은 Philip을 실망시키고 싶지 않지만, 그가 사고 싶은 책은 할인을 받을 수 없다는 것을 그에게 말해야 한다. 이런 상황에서 Megan은 Philip에게 뭐라고 말하겠는가?

듣기를 다시 들으면서 빈칸에 알맞은 말을 써 보세요.

Script와 비교하여 빈칸을 확인해 보세요!

M: Philip goes to a bookstore to buy a _____ _____ _____ _____ *The Psychology of Everyday Affairs.* While Philip is looking for the book, he happens to see an advertisement poster on the wall. It says that if people _____ _____ _____ _____ _____, they can get a 10% _____ _____ books. At the counter, he meets Megan, _____ _____ at the bookstore. He tells her that he wants to become a bookstore member to get a discount on the book. However, Megan knows that the membership discount is only for books that were published _____ _____ _____ _____ _____. _____ _____ Megan _____ _____ _____ _____ Philip, she has to tell him that he cannot get the discount on the book he wants to buy. In this situation, what would Megan most likely say to Philip?

Write!

들은 내용을 생각하며 영어로 써 보세요.

1 거기에는 회원 가입을 하면 책에 대해 10% 할인을 받을 수 있다고 적혀 있다.

It says that if people _____ _____ _____ a membership, they can _____ _____ _____ _____ books.

2 Megan은 Philip을 실망시키고 싶지 않지만, 그가 사고 싶은 책은 할인을 받을 수 없다는 것을 그에게 말해야 한다.

_____ _____ Megan _____ _____ _____ _____ Philip, she has to tell him that he cannot get the discount on the book _____ _____ _____ _____.

📋 **1** sign up for, get a 10% discount on **2** Even though, doesn't want to disappoint, he wants to buy

02 짧은 대화의 응답

대표 유형

전체 듣기

대화를 듣고, 남자의 마지막 말에 대한 여자의 응답으로 가장 적절한 것을 고르시오. **모평** 기출

Woman: _____

① Fine. I'll look for another band.

② Great! You can be our drummer.

③ Sorry. I can't offer you the position.

✓④ Really? It'll be great to play in your band.

⑤ What a surprise! I didn't know you play drums.

Words

• quit 그만두다   • personal 개인적인

짧은 대화를 듣고, 마지막 말에 대한 상대방의 적절한 응답을 고르는 유형

1 대화를 듣기 전에 선택지를 먼저 읽고 대화의 내용을 예측해 본다.

2 대화를 들으면서 대화가 일어나고 있는 ❶[   ] 또는 상황을 파악하도록 한다.

> 장소나 시간을 나타내는 부사구, 특정 상황에 자주 나오는 어휘 등을 활용하여 대화의 상황을 유추해 볼 수 있습니다.

3 마지막 질문이나 발언에 담겨 있는 화자의 의도 및 ❷[   ]을 파악한다.

4 실생활에서 많이 쓰이는 격려, 제안, 충고, 반대, 축하 등의 표현을 많이 익혀 두면 도움이 된다.

🔑 ❶ 장소 ❷ 목적

남자의 밴드에서 드럼 연주자가 그만두어, 남자는 여자가 드럼을 대신 연주해 주었으면 좋겠다고 제안했다. 따라서 남자의 마지막 말에 대한 여자의 응답으로 가장 적절한 것은 ④이다. ① 좋아. 다른 밴드를 찾아볼게. ② 멋지다! 너는 우리의 드럼 연주자가 될 수 있어. ③ 미안해. 나는 네게 그 자리를 줄 수 없어. ⑤ 놀라운데! 네가 드럼을 연주하는 줄 몰랐어.

자주 쓰이는 표현들

• 격려하기

I'm sure you will do better next time.
너는 다음번에 분명히 더 잘 할 거야.

• 제안하기

Then why don't you go out for a walk?
그러면 산책하러 나가는 게 어때?

• 충고하기

You'd better go home and get some rest.
너는 집에 가서 쉬는 게 좋겠어.

• 반대하기

I'm afraid I can't accept your proposal.
네 제안을 받아들이기 힘들겠어.

• 축하하기

Congratulations on winning the speech contest.
말하기 대회에서 우승한 걸 축하해.

• 의도 표현하기

I'm thinking of inviting Anna to the ceremony.
행사에 Anna를 초대하려고 생각 중이야.

M: Hey, Lauren. Are you still looking for a band to play drums in?

W: Yes, but I haven't found one yet. Your band is still my first choice, but I know you already have a drummer.

M: Actually, our drummer had to quit for personal reasons. We want you to play drums in our band.

W: _____

M: 안녕, Lauren. 아직도 드럼 연주할 밴드를 찾고 있니?

W: 응, 하지만 아직 찾지 못했어. 내 첫 번째 선택은 여전히 너희 밴드이지만, 너희에게 이미 드럼 연주자가 있다는 것을 알고 있어.

M: 사실, 우리 드럼 연주자가 개인적인 이유로 그만두게 되었어. 우리는 네가 우리 밴드에서 드럼을 연주하기를 원해.

W: ④ 정말? 너희 밴드에서 연주하는 것은 아주 멋진 일일 거야.

듣기를 다시 들으면서 빈칸에 알맞은 말을 써 보세요.

Script와 비교하여 빈칸을 확인해 보세요!

M: Hey, Lauren. Are you _____ _____ _____

_____ _____ _____ _____ _____ ?

W: Yes, but I haven't found one yet. Your band is still _____

_____ _____, but I know you already have a

drummer.

M: Actually, our drummer _____ _____ _____

_____ personal reasons. We want you to play drums in

our band.

들은 내용을 생각하며 영어로 써 보세요.

1 사실, 우리 드럼 연주자가 개인적인 이유로 그만두게 되었어.

Actually, our drummer _____ _____ _____ _____ _____

_____.

2 우리는 네가 우리 밴드에서 드럼을 연주하기를 원해.

We _____ _____ _____ _____ _____ _____

_____ _____.

답 1 had to quit for personal reasons 2 want you to play drums in our band

03 긴 대화의 응답

대표 유형

전체 듣기

대화를 듣고, 여자의 마지막 말에 대한 남자의 응답으로 가장 적절한 것을 고르시오. **모평** 기출

Man: _____

① That's okay. You can reserve another place.

② I see. I should hurry to join your company event.

③ Why not? My company has its own sports facilities.

④ I agree. We should wait until the remodeling is done.

✓⑤ Thanks. I'll call now to see if they're available that day.

ⓒ Getty Images Bank

Words
- remodel 개조 공사하다 • book 예약하다 • postpone 연기하다 • facility 시설
- the public 일반인

긴 대화를 듣고, 마지막 말에 대한 상대방의 적절한 응답을 고르는 유형

1 대화를 듣기 전에 먼저 선택지를 훑어보고, 대화의 **❶**［　　　　］가 무엇일지 예측해 본다.

2 지시문을 잘 읽고, 남자와 여자 중 누구의 응답을 골라야 하는지 파악한다.

3 대화자들의 **❷**［　　　　］차이를 파악하고, 특히 응답할 사람이 어떤 상황에 처한 것인지 확인한다.

4 마지막 말에 잘 어울리는 선택지를 고른다. 마지막 말이 **❸**［　　　　］일 경우에는 묻는 내용에 알맞은 응답을 고르고, 평서문일 경우에는 중심 화제와 마지막 말을 종합하여 적절한 응답을 추론한다.

특히 마지막 말이 의문문일 때에는 의문사가 있는 의문문과 의문사가 없는 의문문의 차이에 유의하여 답을 골라야 합니다.

답 **❶** 소재 **❷** 입장 **❸** 의문문

여자는 남자에게 추천한 시설이 인기가 좋으니 서둘러 알아보라고 조언을 하고 있다. 이에 어울리는 남자의 응답은 ⑤이다. ① 괜찮아요. 당신은 다른 장소를 예약할 수 있어요. ② 알겠어요. 당신 회사 행사에 참여하려면 서둘러야 해요. ③ 왜 아니겠어요? 저희 회사에는 자체적인 체육 시설이 있답니다. ④ 동의해요. 우리는 개조 공사가 완료될 때까지는 기다려야 해요.

의문사가 있는 의문문과 응답의 예

· A: **Which type of seat** do you prefer?
  B: I prefer a window seat.
· A: 어떤 종류의 좌석을 선호하세요?
  B: 저는 창가 좌석을 선호해요.

· A: **How** do you feel about this film?
  B: It doesn't seem real. And it's a little boring.
· A: 이 영에 대해 어떻게 생각해?
  B: 진짜 같지 않아. 그리고 좀 지루해.

의문사가 없는 의문문과 응답의 예

· A: **Have** you heard of fire safety rules?
  B: Yes. But I don't know much about them.
· A: 화재 안전 규칙에 대해 들은 적 있어?
  B: 응. 하지만 그것들에 대해서 잘 몰라.

· A: **Can** you make it at 6 p.m.?
  B: Sure. Let's meet in front of the theater.
· A: 오후 6시까지 올 수 있어?
  B: 물론. 극장 앞에서 만나자.

W: Jason, I heard you're planning a sports day for your company.

M: Yeah, it's next Saturday. But the problem is that I haven't been able to reserve a place yet.

W: Oh, really? Have you looked into Portman Sports Center?

M: I have. Unfortunately, they're remodeling now.

W: That's too bad. It's perfect for sports events.

M: I know. Well, I've been looking everywhere, but every place I've called is booked.

W: Oh, no. Can you postpone the event until they finish remodeling?

M: No, we can't. The company has a busy schedule after that day.

W: Hmm.... How about Whelford High School? They have great sports facilities.

M: Really? Are they open to the public?

W: Sure, they are. We rented them for a company event last month.

M: Sounds like a good place to reserve.

W: Yes, it is. But the facilities are popular, so you'd better hurry up.

M: _____

W: Jason, 당신이 당신 회사 운동회 날을 계획하고 있다는 말을 들었어요.

M: 네, 다음 주 토요일이에요. 하지만 문제는 제가 아직도 장소를 예약하지 못했다는 거예요.

W: 오, 정말요? Portman Sports Center는 알아봤어요?

M: 알아봤죠. 유감스럽게도 그곳은 지금 개조 공사 중이에요.

W: 그거 참 안됐네요. 거긴 체육 행사를 위해서 완벽한 곳인데.

M: 알고 있죠. 흠, 도처를 살펴보고 있지만 제가 전화한 곳은 모두 예약이 되어 있더라고요.

W: 오, 저런. 개조 공사가 끝날 때까지 행사를 연기할 수 있나요?

M: 아니요, 그럴 수 없어요. 그날 이후에는 회사 일정이 바쁘거든요.

W: 흠…. Whelford 고등학교는 어때요? 훌륭한 체육 시설이 있는 곳이죠.

M: 정말요? 일반인에게 개방을 하나요?

W: 물론이죠. 개방해요. 저희는 지난달에 회사 행사로 그곳을 빌렸어요.

M: 예약하기에 좋은 장소 같네요.

W: 네, 맞아요. 하지만 시설이 인기가 있으니 서두르는 것이 좋겠어요.

M: 고마워요. 그날 사용할 수 있는지 알아보기 위해 지금 전화해 볼게요.

듣기를 다시 들으면서 빈칸에 알맞은 말을 써 보세요.

Script와 비교하여 빈칸을 확인해 보세요!

W: Jason, I heard you're _____ _____ _____ _____ for your company.

M: Yeah, it's next Saturday. But _____ _____ _____ _____ I haven't been able to _____ _____ _____ yet.

W: Oh, really? Have you looked into Portman Sports Center?

M: I have. Unfortunately, they're _____ now.

W: That's too bad. It's perfect for sports events.

M: I know. Well, I've been looking everywhere, but _____ _____ _____ _____ _____ _____.

W: Oh, no. _____ _____ _____ the event until they finish remodeling?

M: No, we can't. The company has a busy schedule after that day.

W: Hmm.... How about Whelford High School? They have great sports facilities.

M: Really? Are they _____ _____ _____ _____?

W: Sure, they are. We _____ _____ for a company event last month.

M: Sounds like a _____ _____ _____ _____.

W: Yes, it is. But the facilities are popular, so _____ _____ _____ _____.

들은 내용을 생각하며 영어로 써 보세요.

1 개조 공사가 끝날 때까지 행사를 연기할 수 있나요?

_____ you _____ _____ _____ _____ they _____ _____?

2 시설이 인기가 있으니 서두르는 것이 좋겠어요.

The facilities are popular, so _____ _____ _____ _____.

📖 1 Can, postpone the event until, finish remodeling 2 you'd better hurry up

04 담화의 목적 추론

대표 유형

다음을 듣고, 남자가 하는 말의 목적으로 가장 적절한 것을 고르시오. **모평** 기출

전체 듣기

① 회사 발전 계획을 발표하려고
② 직원 연수 일정을 안내하려고
✔③ 우수 직원상 신청을 권장하려고
④ 신입 사원 세미나를 공지하려고
⑤ 직장 근무 환경 개선을 촉구하려고

© Monkey Business Images / shutterstock

Words

• department of human resources 인사과 • award 상 • submit 제출하다
• outstanding 뛰어난, 두드러진 • qualified 자격을 갖춘

담화를 듣고, 화자가 말하고자 하는 내용과 의도를 파악하는 유형

1 담화를 듣기 전에 $\boxed{①}$ 부터 빠르게 읽고 담화의 소재와 내용을 추측해 본다.

> 담화의 목적을 추론하는 유형에는 주로 안내 방송, 연설, 광고 등이 나옵니다.

2 담화 첫 부분에 화자가 누구인지 먼저 밝히는 경우가 많다. 화자가 소속되어 있는 기관이나 직업, 신분 등을 통해 담화의 $\boxed{②}$ 을 추론해 볼 수 있다.

3 주로 담화의 중후반부에 화자의 $\boxed{③}$ 나, 듣는 이에게 무엇을 요구하는지 드러나므로 끝까지 주의 깊게 듣는다.

답 ① 선택지 **②** 배경 **③** 의도

정답 전략

남자는 본인을 인사과 직원으로 소개하면서, 우수 직원상 신청 마감일을 알리고 자격이 있다면 모두 신청서를 제출할 것을 권장하고 있다. 따라서 남자가 하는 말의 목적으로 가장 적절한 것은 ③의 '우수 직원상 신청을 권장하려고'이다.

유형 Tip

담화의 목적 추론에 자주 등장하는 어휘

• **방송 관련**
  host 사회자 / guest 손님 / anchor 앵커
  reporter 기자 / broadcast 방송하다

• **면접 관련**
  interview 인터뷰; 면접을 보다
  interviewee 면접 대상자
  interviewer 면접관
  hobby 취미 / club activity 동호회 활동
  background 배경
  graduate from ~를 졸업하다

• **자선 관련**
  bazaar 바자회 / charity 자선 단체
  donation 기부 / flea market 벼룩시장
  garage sale 중고 물품 세일 / donate(endow) 기부하다

• **행사 관련**
  fair 전시회 / festival 축제
  admission fee 입장료 / exhibition 전시회
  be held 개최되다 / participate in ~에 참가하다
  register(sign up) 등록하다
  apply for ~에 지원하다

M: Good morning, Pyntech company employees. I'm Paul Larson from the Department of Human Resources. As you know, the deadline to apply for the Excellent Employee Award is next Friday. So far, only a few people have applied for the award. I'd like to encourage all of you to submit your application form for a chance to win. In addition to the $300 prize, it's an opportunity for your efforts to be recognized. Application for this award is open to any employee who has shown outstanding performance and has helped create a positive work environment this year. It doesn't matter whether you won previously or not. So if you think you're qualified, please don't hesitate to apply for the Excellent Employee Award. Maybe you'll be the winner this year!

해석

M: 좋은 아침입니다, Pyntech사 직원 여러분. 저는 인사과의 Paul Larson입니다. 여러분도 아시다시피, 우수 직원상을 신청하는 마감일이 다음 주 금요일입니다. 지금까지는, 단 몇 분만이 그 상을 신청하셨습니다. 저는 여러분 모두가 상을 탈 기회를 위해 여러분의 신청서를 제출해 줄 것을 권장합니다. 300달러의 상금 이외에도, 그것은 여러분의 노력이 인정받을 기회입니다. 이 상의 신청은 올해 뛰어난 실적을 보여 주었고 긍정적인 근무 환경을 조성하는 데에 도움을 준 직원 누구에게나 열려 있습니다. 여러분이 이전에 수상했는지의 여부는 중요하지 않습니다. 그러니 여러분이 자격을 갖추었다고 생각하면, 우수 직원상을 신청하는 것을 주저하지 마십시오. 아마 여러분이 올해 수상자일 수도 있으니까요!

Script와 비교하여
빈칸을 확인해 보세요!

M: Good morning, Pyntech company employees. I'm Paul Larson from the Department of Human Resources. As you know, _____ _____ _____ _____ _____ the Excellent Employee Award is next Friday. _____ _____, only a few people have applied for the award. _____ _____ _____ _____ all of you to _____ _____ _____ _____ for a chance to win. In addition to the $300 prize, it's an opportunity for your _____ _____ _____ _____. Application for this award is open to any employee who has _____ _____ _____ and has helped create a _____ _____ _____ this year. It _____ _____ _____ you _____ _____ or not. So if you think you're _____, please _____ _____ _____ apply for the Excellent Employee Award. Maybe you'll be the winner this year!

Write!

들은 내용을 생각하며 영어로 써 보세요.

1 저는 여러분 모두가 상을 탈 기회를 위해 여러분의 신청서를 제출해 줄 것을 권장합니다.

_____ _____ _____ _____ _____ all of you _____ _____ your application form for _____ _____ _____ _____.

2 여러분이 자격을 갖추었다고 생각하면, 우수 직원상을 신청하는 것을 주저하지 마십시오.

If you think you're qualified, please don't _____ _____ _____ _____ the Excellent Employee Award.

05 담화의 주제와 세부 내용 파악

대표 유형

전체 듣기

[Q1~Q2] 다음을 듣고, 물음에 답하시오.   모평 기출

Q1 여자가 하는 말의 주제로 가장 적절한 것은?

✔① effects of food on sleep
② causes of eating disorders
③ ways to improve digestion
④ what not to eat to lose weight
⑤ importance of a balanced diet for health

Q2 언급된 음식이 아닌 것은?

① bananas   ② milk   ✔③ cereal
④ French fries   ⑤ candies

© tchara / shutterstock

Words

• factor 요인, 요소 • be loaded with ~가 많이 들어 있다 • promote 촉진하다, 조장하다
• dairy 유제품의 • regulate 조절하다 • conduct 실시하다 • disorder 장애 • digestion 소화

담화를 두 번 듣고, 담화의 주제와 세부 내용을 파악하는 유형

1 담화를 듣기 전에 지시문과 **❶ [＿＿＿＿]** 의 내용을 미리 훑어보면서 각 지시문이 요구하는 바를 정확히 이해한다.

> 선택지를 먼저 훑어보면, 담화의 주제와 글의 전개 내용을 예측할 수 있어 듣기 내용을 좀 더 쉽게 이해할 수 있어요!

2 담화 길이가 긴 편이므로, 흐름을 놓치면 주요 정보를 놓치기 쉽다. 필요한 내용은 간단히 메모하며 끝까지 주의 깊게 들어야 한다.

3 **주제 파악 유형:** 담화의 시작과 끝에 주목한다.

4 **세부 내용 파악 유형:** 지문에 제시된 선택지의 **❷ [＿＿＿＿]** 에 따라 내용을 듣도록 한다.

> 듣기 내용이 선택지 순서와 동일하게 나오기 때문에, 첫 번째 듣기에서 정보를 놓쳤다면 메모해 두었다가 두 번째 듣기에서 꼭 확인해야 해요!

답 ❶ 선택지 ❷ 순서

Q1 여자는 잠에 영향을 주는 요인 중 하나로 음식을 들면서 잠을 잘 자게 하는 데 도움이 되는 음식과 잠자리에 들기 전에 피해야 할 음식들을 소개하고 있다. 따라서 여자가 하는 말의 주제로 가장 적절한 것은 ①의 '음식이 수면에 미치는 영향'이다. ② 섭식 장애의 원인 ③ 소화를 증진시키는 방법 ④ 살을 빼기 위해 먹지 말아야 할 것 ⑤ 건강을 위한 균형 잡힌 식단의 중요성
Q2 ③의 '시리얼'은 언급되지 않았다. ① 바나나 ② 우유 ④ 감자튀김 ⑤ 사탕

유용한 연결사

• **결론·요약할 때**
therefore 그러므로 / thus 따라서
as a result 결과적으로 / in short 요컨대
in conclusion 마지막으로; 결론적으로

• **내용의 흐름을 바꿀 때**
however 하지만 / while ~인 데 반하여
in contrast 그에 반해서
on the other hand 다른 한편으로는

• **예를 들 때**
like (예를 들어) ~같은
such as (예를 들어) ~와 같은
for example(instance) 예를 들어

• **반복·강조할 때**
namely 즉, 다시 말해
that is (to say) 다시 말해서, 즉
in other words 다시 말해서

W: Welcome to the Farrington Wellness Center. I'm Dr. Hannah Dawson. As you know, sleep is affected by many factors. According to research, one such factor is food. Some foods are good for sleep. For example, bananas are loaded with magnesium, a mineral that promotes sleep by helping relax your muscles. Another good food is milk. Dairy products help the body make a hormone that helps regulate sleep. On the other hand, there are many foods to avoid, especially before bed. Don't order French fries late at night because fatty foods take long to digest, which harms the quality of your sleep. Also, put away candies before bed. Sugary foods can keep you awake because they increase your blood sugar. So if you're having problems sleeping, take a look at your diet because good sleep depends on what you eat. Now, I'll present some information from studies I've conducted on this topic.

W: Farrington Wellness Center에 오신 것을 환영합니다. 저는 Hannah Dawson입니다. 아시다시피 잠은 많은 요인에 의해 영향을 받습니다. 연구에 의하면 그러한 요인 중에 하나가 음식입니다. 어떤 음식은 수면에 좋습니다. 예를 들어, 바나나는 마그네슘이 많이 들어 있는데, 이것은 근육의 긴장을 풀어 주는 데 도움을 줌으로써 수면을 촉진하는 미네랄입니다. 또 다른 좋은 음식은 우유입니다. 유제품은 신체가 수면을 조절하는 데 도움을 주는 호르몬을 만드는 것을 돕습니다. 한편, 특히 잠자리에 들기 전에 피해야 할 많은 음식이 있습니다. 늦은 밤에는 감자튀김은 주문하지 마십시오. 왜냐하면 기름진 음식은 소화하는 데 시간이 많이 걸리고, 이는 수면의 질에 해를 끼치기 때문입니다. 또한 잠자리에 들기 전에는 사탕도 치우시기 바랍니다. 단 음식은 혈당을 높이기 때문에 여러분을 깨어있게 할 수 있습니다. 그러니 여러분이 잠자는 데 문제를 갖고 있다면, 좋은 잠은 여러분이 무엇을 먹느냐에 달려 있으므로 여러분의 음식을 살펴보시기 바랍니다. 이제 이 주제에 관해 제가 수행한 연구에서 나온 일부 정보를 알려 드리도록 하겠습니다.

W: Welcome to the Farrington Wellness Center. I'm Dr. Hannah Dawson. As you know, sleep is _____ _____ _____ _____. _____ _____ _____, one such factor is food. Some foods are good for sleep. For example, _____ _____ _____ _____ magnesium, a mineral that _____ _____ _____ _____ _____ _____ _____. Another good food is milk. Dairy products help the body make a hormone _____ _____ _____ sleep. _____ _____ _____ _____, there are many foods to avoid, especially before bed. Don't order French fries late at night because _____ _____ _____ _____ _____ _____, which harms the quality of your sleep. Also, _____ _____ candies before bed. _____ _____ can keep you awake because they _____ _____ _____ _____. So if you're having problems sleeping, take a look at your diet because good sleep _____ _____ _____ _____ _____. Now, I'll present some information from studies I've conducted on this topic.

들은 내용을 생각하며 영어로 써 보세요.

1 한편, 특히 잠자리에 들기 전에 피해야 할 많은 음식이 있습니다.

_____ _____ _____ _____ _____, there are many foods _____ _____, _____ _____ _____.

2 여러분이 잠자는 데 문제를 갖고 있다면, 좋은 잠은 여러분이 무엇을 먹느냐에 달려 있으므로 여러분의 음식을 살펴보시기 바랍니다.

If you're _____ _____ _____, take a look at your diet because good sleep _____ _____ _____ _____ _____.

📋 1 On the other hand, to avoid, especially before bed
2 having problems sleeping, depends on what you eat

❖ 식당

1 I'd like to book a table. 식사할 좌석을 예약하고 싶습니다.

2 I'd like to see the menu, please. 메뉴를 보고 싶은데요.

3 May I take your order? 주문하시겠어요?

4 What's today's special? 오늘의 특별 요리는 무엇이죠?

5 How would you like your steak? 스테이크는 어떻게 해 드릴까요?
　– Well done, please. 잘 익혀 주세요.

6 What will you have for dessert? 후식으로 무엇을 드시겠어요?

7 Please let me have the bill. 계산서를 가져다주세요.

8 This dinner is on me. 저녁은 내가 살게요.

9 Let's split the bill. 계산은 나누어서 하죠.

© El Nariz / shutterstock

개념 확인

다음 대화의 내용을 읽고, 우리말에 맞도록 빈칸에 알맞은 말을 쓰시오.

A: Hey, the dinner is _____ me. 이봐, 저녁은 내가 살게.

B: No. Let's _____ the bill. 아니야. 계산은 나누어서 하자.

🔒 on, split

❖ 호텔

1 I'd like to reserve a room at your hotel. 이 호텔에 방을 예약하고 싶습니다.

2 Do you have a room available? 빈 방이 있나요?

3 Sorry, but we're booked up. 죄송합니다만, 모든 방이 예약되었습니다.

4 Did you have a reservation? 예약하셨나요?

5 Here is my reservation confirmation. 여기 예약 확인서가 있습니다.

6 Could you give me a wake up call tomorrow morning?
내일 아침에 모닝콜을 해 주시겠어요?

7 Can you keep my valuables? 제 귀중품을 보관해 주시겠어요?

ⓒ Gabriel Georgescu / shutterstock

개념 확인

다음 대화의 내용을 읽고, 우리말에 맞도록 빈칸에 알맞은 말을 쓰시오.

A: Could you give me a _____ _____ call tomorrow morning?
내일 아침에 모닝콜을 해 주시겠어요?

B: Sure! What time do you want to wake up? 그러죠. 몇 시에 일어나기를 원하시나요?

📖 wake up

❖ 공항

1 May I see your passport, please? 여권을 보여 주시겠어요?

2 Can I see your immigration card? 입국 신고서를 보여 주시겠어요?

3 What's the purpose of your visit? 방문 목적이 무엇인가요?

4 How long are you going to stay in Seoul?
   서울에 얼마나 오래 머무르실 예정인가요?

5 Is this your first visit here? 이번이 처음 방문이신가요?

6 Do you have anything to declare? 신고할 물건이 있나요?

7 I prefer a window seat to an aisle seat.
   저는 통로 쪽 자리보다는 창가 자리를 더 선호합니다.

8 Where can I get my luggage? 짐을 찾는 곳은 어디인가요?

9 Where is the lost and found desk? 분실물 신고 창구는 어디인가요?

다음 대화의 내용을 읽고, 우리말에 맞도록 빈칸에 알맞은 말을 쓰시오.

A: Do you want an _____ seat or a window seat?
   통로 쪽 자리를 원하세요, 창가 쪽 자리를 원하세요?

B: I _____ a window seat. 저는 통로 쪽 자리보다는 창가 자리를 더 선호합니다.

🔑 aisle, prefer

❖ 병원

1 I want to have a medical check-up. 건강 검진을 받고 싶습니다.

2 I'd like to make an appointment to see a doctor.
  진료 예약을 하고 싶습니다.

3 What seems to be the problem? 어디가 아픈가요?

4 I sprained my ankle yesterday. 어제 발목을 삐었어요.

5 I have a runny nose and a sore throat. 콧물이 나고 목이 아파요.

6 I have a toothache. 치통이 있어요.

7 My left arm hurts. 왼쪽 팔이 아파요.

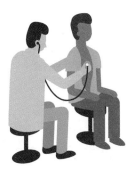

© jesadaphorn / shutterstock

개념 확인

다음 대화의 내용을 읽고, 우리말에 맞도록 빈칸에 알맞은 말을 쓰시오.

A: What seems to be the problem? 어디가 안 좋으신가요?

B: I _____ my ankle yesterday. 어제 발목을 삐었어요.

🔒 sprained

❖ 은행

1 May I cash this traveler's check? 이 여행자 수표를 현금으로 바꿔 주시겠어요?

2 How much do you want to exchange? 얼마나 환전하시겠어요?

3 I'd like to open a savings account, please. 예금 계좌를 개설하고 싶습니다.

4 Please fill out this form. 이 양식을 작성해 주세요.

5 I'd like to withdraw $500. 500달러를 인출하고 싶습니다.

6 Would you show me your ID? 신분증을 보여 주시겠습니까?

7 I think the ATM is out of order now. 현금 자동 지급기가 지금 고장 난 것 같아요.

8 How much would you like to deposit today? 오늘 얼마나 예금하시겠어요?

9 Can I get a debit card as well? 직불 카드도 만들 수 있나요?

개념 확인

다음 대화의 내용을 읽고, 우리말에 맞도록 빈칸에 알맞은 말을 쓰시오.

A: May I cash this traveler's check? 이 여행자 수표를 현금으로 바꿔 주시겠어요?

B: How much do you want to _____? 얼마나 환전하시겠어요?

🔲 exchange

❖ 우체국

1 Where can I buy stamps? 우표는 어디에서 살 수 있나요?

2 May I have five stamps, please? 우표 다섯 장을 주시겠어요?

3 What is the postage for this package? 이 소포 부치는 데 얼마죠?

4 What's the postage to Korea? 한국까지 우편 요금은 얼마죠?

5 Please put the package on this scale, first. 먼저 소포를 이 저울 위에 놓아 주세요.

6 I'd like to send this package by airmail. 이 소포를 항공 우편으로 보내고 싶습니다.

7 How long will it take to get to Paris? 파리까지 얼마나 걸리나요?

다음 대화의 내용을 읽고, 우리말에 맞도록 빈칸에 알맞은 말을 쓰시오.

A: I'd like to _____ this letter to Seoul by _____.
　　이 편지를 항공 우편으로 서울로 보내고 싶습니다.

B: Okay. It costs $7. 네. 7달러입니다.

🔑 send, airmail

❖ **피트니스클럽**

1 How about getting a personal trainer? 개인 트레이너에게 강습을 받는 건 어때요?

2 I think I should sign up for a fitness center. 피트니스센터에 등록해야겠어요.

3 I rarely get to exercise. 나는 거의 운동을 안 해요.

4 If I register for the gym for two months, they will give me a discount.
체육관에 2개월 등록하면, 할인해 줄 거예요.

5 I have to go to the fitness club after work. 퇴근 후에 피트니스클럽에 가야 해요.

6 It has been only a month since I started to go to the gym.
체육관에 가기 시작한 지 겨우 한 달 됐어요.

7 You should stretch before exercising.
운동하기 전에 스트레칭을 해야 해요.

© Goran Bogicevic / shutterstock

개념 확인

다음 대화의 내용을 읽고, 우리말에 맞도록 빈칸에 알맞은 말을 쓰시오.

A: I think I should _____ up for a fitness center. 피트니스센터에 등록해야겠어요.

B: If you work out regularly, you'll become _____ than now.
규칙적으로 운동을 하면, 당신은 지금보다 더 건강해질 거예요.

🖹 sign, healthier

❖ 미용실

1 How would you like your hair done today? 오늘은 머리를 어떻게 해 드릴까요?

2 I want to have my hair permed. 파마를 하고 싶어요.

3 I just want a trim, please. 그냥 다듬어 주세요.

4 Do you want me to bleach it first? 먼저 탈색을 해 드릴까요?

5 Probably up to shoulder length. 어깨 길이 정도로 해 주세요.

6 What do you want me to do with your bangs? 앞머리는 어떻게 해 드릴까요?

7 Do you want some treatment as well? 트리트먼트도 하시겠어요?

8 Would you like to have your hair dyed? 염색을 하시겠어요?

개념 확인

다음 대화의 내용을 읽고, 우리말에 맞도록 빈칸에 알맞은 말을 쓰시오.

A: What do you want me to do with your _____? 앞머리는 어떻게 해 드릴까요?

B: Don't touch the bangs, please. 앞머리는 만지지 마세요.

📗 bangs

01	a variety of	다양한
02	all of a sudden	갑자기 (= all at once, suddenly)
03	ask a librarian for help	사서에게 도움을 요청하다
04	at first sight	한눈에, 첫눈에
05	be about to	막 ~하려고 하다
06	be afraid of	~을 두려워하다
07	be fed up with	~에 싫증이 나다
08	be located at(in)	~에 위치하다
09	be satisfied with	~에 만족하다 (= be content with)
10	be scheduled to	~할 예정이다
11	can't help it	어쩔 수 없다
12	catch up with	~을 따라잡다
13	cheer up	힘내다, 기운을 차리다
14	come up with	제안하다, 생각해 내다
15	figure out	생각해 내다; 이해하다; 계산하다
16	fill out	작성하다, 채우다
17	fill out the application form	지원서를 작성하다
18	get a refund	환불을 받다
19	get a discount	할인을 받다
20	give a ride	차를 태워주다
21	give it a try	시도해 보다
22	go for it	나가자, 힘내, 잘 해봐
23	I'll let you know.	내가 알려줄게.
24	I'll treat you.	내가 너에게 대접할게.
25	I'm tied up.	바쁘다.

© olessya.g / shutterstock

26	I got to go.	나 가봐야 해.
27	in a minute	곧, 즉시 (= immediately)
28	in spite of	~임에도 불구하고
29	keep in touch with	~와 연락을 유지하다
30	keep oneself fit	건강을 유지하다
31	I'll look it up for you	너를 위해 찾아줄게.
32	move back in time	시간을 거슬러 올라가다
33	out of date	구식의, 낡은
34	out of fashion	유행이 지난
35	out of order	고장 난
36	pick it up later	나중에 찾아가다
37	pull over	길 한쪽으로 차를 대다
38	put off	연기하다
39	put out	(불을) 끄다
40	Put your helmet on.	헬멧을 써라.
41	take a few days off	며칠 쉬다
42	take care of the problem	문제를 처리하다
43	take off	(옷을) 벗다; 이륙하다
44	Take your time.	천천히 해라.
45	wait for one's turn	자신의 차례를 기다리다
46	What's up?	무슨 일이야?
47	What are friends for?	친구 좋다는 게 뭐야?
48	Where are you off to?	너 어디 가니?
49	would like to ~	~하고 싶다
50	wrap up	끝내다, 마치다

01 adopt [ədápt]   v. 채택하다, 입양하다

    adapt [ədǽpt]   v. 적응시키다

02 affect [əfékt]   v. 영향을 미치다

    effect [ifékt]   n. 결과, 영향

03 aloud [əláud]   ad. 큰 소리로

    allowed [əláud]   v. allow(허락하다)의 과거형

04 aptitude [ǽptətjùːd]   n. 적성

    attitude [ǽtitjùːd]   n. 태도

    altitude [ǽltətjùːd]   n. 고도

05 ate [eit]   v. eat(먹다)의 과거형

    eight [eit]   n. 여덟

06 audition [ɔːdíʃən]   n. 오디션

    addition [ədíʃən]   n. 추가, 첨가

07 aural [ɔ́ːrəl]   a. 귀의, 청각의

    oral [ɔ́ːrəl]   a. 구두의, 구술하는

08 bend [bend]   v. 구부리다

    band [bænd]   n. 밴드, 악대

09 bone [boun]   n. 뼈

    born [bɔːrn]   a. 태어난

10 celebrity [səlébrəti]   n. 유명 인사

    celebrate [séləbrèit]   v. 기념하다, 축하하다

11 contest [kántest]   n. 대회, 시합

    context [kántekst]   n. 문맥, 맥락

12 defective [diféktiv]   a. 결함이 있는

     effective [iféktiv]   a. 효과적인

13 description [diskrípʃən]   n. 설명, 묘사

     prescription [priskrípʃən]   n. 처방(전)

14 destination [dèstənéiʃən]   n. 목적지, 도착지

     destiny [déstəni]   n. 운명

15 document [dɑ́kjumənt]   n. 문서

     documentary [dɑ̀kjuméntəri]   n. 다큐멘터리

16 emergency [imə́:rdʒənsi]   n. 비상 (사태)

     emergence [imə́:rdʒəns]   n. 출현

17 facility [fəsíləti]   n. (편의) 시설

     faculty [fǽkəlti]   n. 용량, 능력, 교직원

18 fair [fɛər]   a. 공정한, 공평한

     fare [fɛər]   n. 요금

19 flour [fláuər]   n. 밀가루

     flower [fláuər]   n. 꽃

20 hall [hɔːl]   n. 홀, 집회장, 넓은 공간

     hole [houl]   n. 구멍

     whole [houl]   a. 전부의, 모든

21 heal [hiːl]   v. 치료하다

     heel [hiːl]   n. 뒤꿈치

22 hear [hiər]   v. 듣다

     here [hiər]   ad. 여기에

23 hour [auər]　　　　　　　n. 시간
　　our [auər]　　　　　　　　a. 우리의

24 imaginary [imǽdʒənèri]　　a. 가상의
　　imaginative [imǽdʒənətiv]　a. 상상력이 풍부한

25 latest [léitist]　　　　　　a. 최신의
　　later [léitər]　　　　　　　ad. 나중에

26 lessen [lésn]　　　　　　　v. 줄이다
　　lesson [lésn]　　　　　　　n. 수업, 강의

27 literally [lítərəli]　　　　ad. 글자 그대로
　　literately [lítərətli]　　　ad. 교양 있게

28 mail [meil]　　　　　　　　n. 우편물
　　male [meil]　　　　　　　　n. 남성 a. 남성의

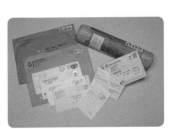

29 meat [miːt]　　　　　　　　n. 고기
　　meet [miːt]　　　　　　　　v. 만나다

30 organic [ɔːrgǽnik]　　　　　　　a. 유기농의
　　organization [ɔ̀ːrgənizéiʃən]　n. 조직
　　organism [ɔ́ːrgənìzm]　　　　　n. 유기체

31 peace [piːs]　　　　　　　　n. 평화
　　piece [piːs]　　　　　　　　n. 조각

32 peel [piːl]　　　　　　　　　v. 벗기다 n. 껍질
　　pill [pil]　　　　　　　　　　n. 알약

33 plain [plein]　　　　　　　a. 무늬 없는, 단순한
　　plane [plein]　　　　　　　n. 비행기

34	pray [prei]	n. 기도 v. 기도하다
	prey [prei]	n. 먹이
35	preserve [prizə́:rv]	v. 보존하다
	reserve [rizə́:rv]	v. 예약하다 n. 비축
36	region [rí:ʤən]	n. 지역
	religion [rilíʤən]	n. 종교
37	right [rait]	a. 옳은 n. 오른쪽
	write [rait]	v. 쓰다
38	role [roul]	n. 역할
	roll [roul]	v. 구르다
39	sail [seil]	n. 돛 v. 항해하다
	sale [seil]	n. 판매, 세일
40	sew [sou]	v. 바느질하다
	sow [sou]	v. 씨를 뿌리다
41	steal [sti:l]	v. 훔치다
	steel [sti:l]	n. 쇠, 강철
42	walk [wɔ:k]	v. 걷다
	work [wə:rk]	v. 일하다
43	way [wei]	n. 길, 방법
	weigh [wei]	v. 무게가 나가다
44	weather [wéðər]	n. 날씨
	whether [hwéðər]	conj. ~인지 아닌지

001	across from	맞은편의, 반대편의
002	according to	～에 따르면, ～에 따라
003	a great deal	상당히, 많이
004	ahead of	～의 앞에
005	all day long	하루 종일
006	apply for	～에 지원하다
007	around the corner	아주 가까운
008	as a means of	～의 수단으로
009	as soon as possible	가능한 빨리
010	attend the conference	회의에 참석하다
011	at the moment	지금, 당장에는
012	at the same time	동시에
013	be absent from	～에 결석하다
014	be accustomed to	～하는데 익숙하다
015	be allowed to	허락받다
016	be associated with	～와 관련이 있다
017	be at a loss for words	무슨 말을 할지 모르다
018	be confident of	～에 대해 자신감을 갖다
019	be content with	～에 만족하다
020	be exposed to	～에 노출되다
021	be free to	자유롭게 ～하다
022	be held	개최되다(= take place)

023	be infected with virus	바이러스에 감염되다
024	be in question	의심하다, 의심의 여지가 있다
025	be poor at	～을 잘 못하다, ～에 익숙하지 않다
026	be supposed to	～하기로 되어 있다
027	be to blame for	～에 대해 책임이 있다
028	be willing to pay	기꺼이 지불하다
029	before long	머지않아, 곧
030	behind schedule	예정보다 늦은
031	belong to	～의 것이다, ～에 속해 있다
032	beside oneself	제정신이 아닌, 흥분하여
033	break down	고장 나다, 망가지다
034	break one's promise	약속을 어기다
035	bring about	일으키다, 야기하다
036	calm down	진정시키다, (흥분을) 가라앉히다
037	can't afford to	～할 능력이 없다
038	carry out	수행하다, 성취하다
039	catch up with	따라잡다
040	change the bulb	전구를 바꾸다
041	check in	투숙하다
042	check out	책을 대출하다, 퇴실하다
043	come across	우연히 만나다
044	come down	깎아주다

© MK photograp55 / shutterstock

045 come into effect   효력을 발휘하다, 시행되다

046 come true   실현되다

047 come up with   생각해 내다, 떠올리다, 제안하다

048 compared to   ~와 비교해 볼 때

049 confirm the reservation   예약을 확인하다

050 consist of   ~로 구성되어 있다

051 contrary to   ~와는 달리

052 count on   ~에 의지하다

053 crazy about   열광하다

054 deal with   다루다, 처리하다

055 depending on   ~에 따라서

056 devote oneself to   ~에 몰두하다, ~에 헌신하다

057 discuss a problem   문제를 논의하다

058 do binding   제본하다

059 do the dishes   설거지하다

060 draw a conclusion   결론을 내리다, 결정하다

061 drop by   잠깐 들르다, 방문하다

062 due to   ~ 때문에, ~로 인해

063 empty the pockets   주머니를 비우다

064 end up with   결국 ~가 되다, 결국 ~로 끝나다

065 feel free to   자유롭게 ~하다

066 feel sorry for   ~에 대해 미안해하다

067	figure out	생각해 내다, 계산하다, 이해하다
068	first of all	무엇보다도
069	fit into	적응하다
070	for nothing	공짜로 (= free of charge); 헛되이 (= in vain)
071	for the first time	처음으로
072	free of charge	공짜로, 무료로
073	from now on	지금부터
074	from time to time	때때로, 이따금
075	get along with	~와 사이좋게 지내다, 잘 지내다
076	get better	회복되다, 나아지다
077	get down	내리다
078	get off	내리다(↔ get on 타다)
079	get rid of	제거하다, 없애다
080	get the black eye	눈이 멍들다
081	get the discount	할인을 받다
082	get up	일어나다
083	get well	건강해지다
084	give a hand	돕다
085	give up	단념하다, 포기하다
086	go ahead	계속 진행시키다
087	go on a business trip	출장을 가다
088	go on a diet	식이 요법을 하다

089	go through	통과하다, 지나치다, 겪다
090	go to see a doctor	진찰을 받으러 가다
091	hand in	제출하다(= turn in, submit)
092	hang out with friends	친구들과 시간을 보내다
093	happen to	우연히 ~하다
094	have a flat tire	타이어가 펑크 나다
095	have a hard time	고생하다, 힘든 시기를 보내다
096	have a sore throat	목이 아프다
097	have a talent for	~에 재능이 있다
098	have a word	잠깐 이야기를 하다
099	have no choice but to	~할 수밖에 없다
100	have no desire to	~할 마음이 없다
101	have the upper hand	주도권을 쥐다, 우세하다
102	hold a fund-raising party	기금 마련 파티를 개최하다
103	hold on a second	잠시 기다리다
104	hurry up	서두르다
105	in a hurry	서둘러서
106	in a second	곧, 즉시
107	in advance	미리
108	in all respects	모든 면에서, 모든 점에서
109	in an effort to	~하기 위하여
110	in case	~할 경우에 (대비해서)

111	in detail	자세하게, 상세히
112	in good shape	건강이 좋은
113	in progress	진행 중인
114	in return	답례로
115	in the mean time	그러는 사이에
116	in turn	차례로, 번갈아
117	instead of	대신에
118	in years to come	다가 올 해에
119	keep in mind	명심하다
120	keep one's promise	약속을 지키다
121	let ~ down	~를 실망시키다
122	loaded with	~로 가득 찬
123	look after	돌보다(= take care of)
124	look forward to ~ing	~하기를 고대(열망)하다
125	lose much of	~의 대부분을 잃어버리다
126	lose sight of	못 보다, 놓치다
127	major in	~을 전공하다
128	make a living	생계를 꾸려나가다
129	make an effort to	~하려고 노력하다
130	make an impact on	~에 영향을 미치다
131	make compensation	보상하다, 배상하다
132	make fun of	놀리다, 비웃다

133	make it	시간 약속을 하다; 해내다, 성공하다
134	make it a rule to	~을 규칙(습관)으로 하다
135	make sense	이치에 맞다, 일리가 있다
136	make up	화장하다, 화해하다
137	make up for	벌충하다, 만회하다
138	make up one's mind	결심하다
139	manage to	그럭저럭 해내다
140	mistake *A* for *B*	A를 B로 착각하다
141	no more than	단지
142	nothing but	단지 ~뿐
143	not just(only) *A* but also *B*	A뿐만 아니라 B도
144	on sale	할인 판매 중인
145	on the basis of	~을 근거로 해서, ~을 기초로 하여
146	other than	~이외에
147	over and over	여러 번, 반복해서(= repeatedly)
148	participate in	~에 참가하다, 참여하다
149	pay attention to	~에 관심을 가지다
150	pick up	집다, 들다, 태워주다
151	place a value on	~을 강조하다
152	play a role in	~에서 역할을 하다
153	put on	입다
154	recite ~ by heart	~를 암기하다, ~를 암송하다

155 register for	~에 등록하다
156 rely on	의존하다
157 result from	기인하다, 유래하다
158 run out of	~가 다 떨어지다, ~가 부족하다
159 say hello to	~에게 안부를 전하다
160 show off	자랑하다, 뽐내다
161 sign up for	(수강을) 신청하다
162 slip my mind	깜빡하다
163 sold out	다 팔린, 매진된
164 sprain one's ankle	발목을 삐다
165 stick with	~을 고수하다
166 stuck in	~에 갇힌
167 substitute for	~를 대신하다
168 take action	조치를 취하다(= take measures)
169 take one's time	천천히 하다, 서둘지 않다
170 take turns	번갈아 (교대로) 하다
171 take up	차지하다
172 throw away	~을 버리다
173 throw up	토하다
174 to make matters worse	설상가상으로 (= what is worse)
175 turn down	거절하다
176 within walking distance	걸어서 갈 수 있는 거리 내에 있는

memo

수능전략 | 듣기

수능에 꼭 나오는

필수 유형 ZIP 2

실 전 에 강 한

수능전략

영어
영역 듣기

수능에 꼭 나오는
필수 유형 ZIP 1

천재교육

수능전략

영·어·영·역

듣기

수능에 꼭 나오는
필수 유형 ZIP 1

차례 **1** 권

수능에 꼭 나오는
필수 유형 ZIP

Week 2 세부 사항 파악하며 듣기

01 의견

대화를 듣고, 남자의 의견으로 가장 적절한 것을 고르시오. 　　모평 기출

전체 듣기

① 개별 활동이 조별 활동보다 효율적이다.
② 교과목에 따라 효과적인 학습 방법에 차이가 있다.
✓③ 조별 과제를 할 때 일을 합리적으로 분담해야 한다.
④ 실수를 막기 위해 발표 자료를 미리 준비해야 한다.
⑤ 다양한 경로를 통한 자료 수집이 과제의 질을 높인다.

© goodluz / shutterstock

Words
● mention 말하다, 언급하다　● reasonable 합리적인　● distribution 분담, 분배

대화를 듣고, 화자의 의견을 파악하는 유형

1 대화를 듣기 전에 선택지를 빠르게 읽고, 대화의 ❶ [   ]를 예측해 본다.

 누구의 의견을 파악해야 하는지 반드시 확인하세요.

2 화자의 ❷ [   ]이 드러나는 표현에 유의하여 정답을 유추한다.

🔑 ❶ 소재 ❷ 의견

남자는 조별 과제를 할 때 합리적인 업무 분담이 중요하다(In a group project, reasonable job distribution is important.)고 말하며, 여자에게 조원들 간에 일을 나누라(I think you need ~ the other members.)고 조언하고 있다.

의견이 드러나는 표현

I think(believe) .... 나는 ~라고 생각한다(믿는다).
I don't think(believe) .... 나는 ~라고 생각하지(믿지) 않는다.
I'm sure .... 나는 ~라고 확신한다.
Make sure to .... 꼭 ~하도록 하세요.

M: Vanessa, why haven't you gone to bed? It's late.

W: Dad, I wish I could, but I'm so busy preparing for my science presentation.

M: Oh, that's the group project you mentioned. What's your role?

W: I'm the leader.

M: What work are you doing?

W: I'm collecting data, creating slides, and giving the presentation.

M: You're doing everything! In a group project, reasonable job distribution is important. What are the others doing?

W: They'll give me their opinions.

M: Vanessa, I think you need to share the work reasonably with the other members.

W: I agree. I didn't realize how hard it would be to do all these jobs alone.

M: Why don't you divide the work among the group members? That'll make your presentation a real group project.

W: You're right. I'll do that.

M: Vanessa, 왜 잠자리에 들지 않았니? 늦었어.

W: 아빠, 그러고 싶지만 과학 발표 준비하느라 너무 바빠요.

M: 아, 그게 네가 말한 조별 과제구나. 네 역할은 뭐니?

W: 저는 조장이에요.

M: 넌 무슨 일을 하고 있니?

W: 저는 자료를 수집하고, 슬라이드를 만들고, 발표를 해요.

M: 네가 모든 것을 하고 있네! 조별 과제에서는 합리적인 업무 분담이 중요해. 다른 사람들은 무엇을 하고 있니?

W: 그들은 저에게 의견을 줄 거예요.

M: Vanessa, 나는 네가 다른 조원들과 그 일을 합리적으로 나눠야 할 필요가 있다고 생각해.

W: 동감이에요. 저는 이 모든 일을 혼자 하는 것이 얼마나 힘든지 몰랐어요.

M: 조원들 간에 일을 나누는 게 어때? 그렇게 하면 너희들의 발표가 진정한 조별 과제가 될 거야.

W: 맞아요. 그렇게 할게요.

듣기를 다시 들으면서 빈칸에 알맞은 말을 써 보세요.

Script와 비교하여
빈칸을 확인해 보세요!

M: Vanessa, why haven't you gone to bed? It's late.

W: Dad, I wish I could, but I'm so busy _____ _____ my science presentation.

M: Oh, that's the group project you mentioned. _____ _____ _____?

W: I'm the leader.

M: What work are you doing?

W: I'm collecting data, creating slides, and giving the presentation.

M: You're doing everything! In a group project, _____ _____ _____ is important. What are the others doing?

W: They'll give me their opinions.

M: Vanessa, I think _____ _____ _____ _____ the work reasonably with the other members.

W: I agree. I didn't realize how hard it would be to do all these jobs alone.

M: _____ _____ _____ _____ _____ _____ among the group members? That'll make your presentation a real group project.

W: You're right. I'll do that.

들은 내용을 생각하며 영어로 써 보세요.

1 나는 네가 다른 조원들과 그 일을 합리적으로 나누어야 할 필요가 있다고 생각해.

_____ _____ _____ _____ _____ _____ the work reasonably _____ the other members.

2 조원들 간에 일을 나누는 게 어때?

_____ _____ _____ _____ the work _____ the group members?

📋 1 I think you need to share, with 2 Why don't you share, among

02 주제

대표 유형

대화를 듣고, 두 사람이 하는 말의 주제로 가장 적절한 것을 고르시오.

학평 응용

전체 듣기

✓① 아파트 옥상에 텃밭을 조성하는 것의 장점
② 지역사회 내 공동체 의식 함양의 필요성
③ 가정에서 미세 먼지에 대처하는 방법
④ 정서 발달에 정원이 미치는 영향
⑤ 유기농 작물 재배의 어려움

© Getty Images Korea

Words

- neighborhood meeting 반상회 • sense of community 공동체 의식 • relieve 완화하다
- beneficial 유익한

대화를 듣고, 두 화자가 하는 말의 주제를 파악하는 유형

1 선택지를 먼저 읽고, 대화의 소재를 예측한다.

2 대화를 듣고, 두 사람이 무엇에 대해 이야기하고 있는지 파악한다.

3 두 사람이 대화의 소재에 대해 ❶ [   ]으로 갖고 있는 생각을 파악한다.

> 두 사람이 동의하는 내용을 찾으세요.

답 ❶ 공통

정답 전략   두 사람은 아파트 옥상에 텃밭을 조성하게 되면 얻게 되는 여러 장점들을 서로 나누면서 오늘 밤 회의를 기대하고 있으므로 정답은 ①이다.

W: Mr. Baker, will you come to the neighborhood meeting tonight?

M: Maybe I will. What's the topic of the meeting by the way?

W: We'll discuss building rooftop vegetable gardens on our apartment buildings.

M: That's a great idea! I've always wanted to do vegetable gardening.

W: Yeah, we can grow and share fresh organic vegetables.

M: Right. Working on the gardens together, we can build a sense of community.

W: We'll also have beautiful green spaces on the rooftops. Easy access to nature can relieve our stress.

M: How nice! And I read that rooftop gardens help to reduce the dust in the air.

W: Really? We can make a positive contribution to the environment.

M: Definitely. Rooftop vegetable gardens on our apartment buildings seem pretty beneficial in many ways.

W: Our neighbors would love to talk about it.

M: Yeah, I hope they also support this idea.

해석

W: Baker씨, 오늘 밤 반상회에 오실 건가요?

M: 아마도 갈 거 같아요. 그런데 회의 주제가 뭐예요?

W: 우리 아파트 건물에 옥상 텃밭을 짓는 것에 대해 논의할 거예요.

M: 좋은 생각이네요! 저는 항상 텃밭 가꾸기를 하고 싶었거든요.

W: 네, 우리는 신선한 유기농 야채를 재배하고 공유할 수 있어요.

M: 맞아요. 정원에서 함께 일하면서 공동체 의식을 형성할 수 있죠.

W: 또한 옥상에 아름다운 녹지 공간을 가질 수 있을 거예요. 자연에 쉽게 접근하는 것은 우리의 스트레스를 완화시킬 수 있어요.

M: 정말 멋져요! 그리고 옥상 정원이 공기 중의 먼지를 줄이는 데 도움이 된다는 것을 읽었어요.

W: 정말요? 우리는 환경에 긍정적인 기여를 할 수 있어요.

M: 물론이죠. 우리 아파트의 옥상 텃밭은 여러 면에서 꽤 이로운 것 같네요.

W: 우리 이웃들이 그것에 대해 이야기하고 싶어 할 거예요.

M: 네, 그들도 이 아이디어를 지지했으면 좋겠어요.

듣기를 다시 들으면서 빈칸에 알맞은 말을 써 보세요.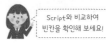

Script와 비교하여
빈칸을 확인해 보세요!

W: Mr. Baker, will you come to the neighborhood meeting tonight?

M: Maybe I will. What's the _____ _____ _____ _____ by the way?

W: We'll _____ _____ _____ _____ _____ on our apartment buildings.

M: That's a great idea! I've always wanted to do vegetable gardening.

W: Yeah, we can grow and share fresh organic vegetables.

M: Right. Working on the gardens together, we can _____ _____ _____ _____ _____.

W: We'll also have beautiful green spaces on the rooftops. Easy access to nature can _____ _____ _____.

M: How nice! And I read that rooftop gardens help to _____ _____ _____ _____ _____.

W: Really? We can make a _____ _____ _____ the environment.

M: Definitely. Rooftop vegetable gardens on our apartment buildings seem _____ _____ in many ways.

W: Our neighbors would love to talk about it.

M: Yeah, I hope they also _____ this idea.

들은 내용을 생각하며 영어로 써 보세요.

1 자연에 쉽게 접근하는 것은 우리의 스트레스를 완화시킬 수 있어요.

Easy _____ _____ _____ can _____ _____ _____.

2 우리 아파트의 옥상 텃밭은 여러 면에서 꽤 이로운 것 같습니다.

Rooftop vegetable gardens on our apartment buildings _____ _____ _____ _____ _____ _____.

📋 1 access to nature, relieve our stress 2 seem pretty beneficial in many ways

03 화자의 관계

전체 듣기

대화를 듣고, 두 사람의 관계를 가장 잘 나타낸 것을 고르시오.   학평 기출

① 기자 – 농업 연구원
② 콜센터 직원 – 고객
③ 방송 연출가 – 작가
✓④ 홈쇼핑 쇼 호스트 – 농부
⑤ 식료품 가게 직원 – 조리사

Words
- sell out 다 팔리다(매진되다) • flood 쇄도(폭주)하다 • appear 출연하다 • devotion 헌신
- guarantee 보장하다 • in stock 재고로

대화를 듣고, 두 화자가 어떤 관계인지 고르는 유형

1 대화를 듣기 전에 선택지를 읽고, 각각의 관계에서 찾을 수 있는 단서들을 예상해 본다.

2 대화 초반에서 두 사람이 있는 장소나 처한 **❶** 〔　　　　〕을 파악한다.

> 대화에서 드러나는 단서로 장소를 유추해야 합니다.

3 장소와 상황 정보를 통해 화자들의 **❷** 〔　　　　〕이나 신분을 유추한다.

4 대화의 흐름을 따라가며 유추한 내용을 확인한다. 특히 한 쪽이 상대방에게 어떤 일을 요청할 때 주의 깊게 듣는다.

답 ❶ 상황 ❷ 직업

정답 전략　　남자는 홈쇼핑 채널에서 본인이 직접 키운 감자를 가지고 다양한 요리를 보여주고 있고, 여자는 감자에 대해 적절한 설명과 논평을 하면서 구매를 독려하고 있다. 따라서 두 사람은 '홈쇼핑 쇼호스트 – 농부'의 관계이다.

유형 Tip

단서로 유추한 화자의 관계

요리에 대해 설명하는 사람이 상대방에게 좋은 평을 부탁함 → 요리사와 음식 평론가

집 문이 잠긴 사람이 상대방에게 와서 문을 열어줄 것을 부탁함 → 집 주인과 열쇠 수리공

W: Michael, look! They're almost sold out! Everybody who ordered, thank you so much!

M: Wow! Thank you Lisa, for the great explanations and comments on my potatoes!

W: The calls for orders flooded in when we showed how to cook them.

M: Right, I wanted to show the viewers all the delicious ways to enjoy my potatoes.

W: Also, our viewers loved hearing from you since you actually grew the product.

M: I'm just happy to appear on your homeshopping channel. I put so much devotion into this harvest. I'm so proud of these premium organic potatoes.

W: You should be! Everyone at home, you don't want to miss this. Great potatoes at a great price.

M: I guarantee these are the best potatoes you'll ever eat.

W: There aren't many left in stock! So order right now, and get a free recipe book.

M: I know you'll enjoy the potatoes. Please leave a lot of good reviews!

해석

W: Michael, 봐요! 거의 다 팔렸어요! 주문하신 모든 분들, 정말 감사합니다!

M: 왜! Lisa, 내 감자에 대한 훌륭한 설명과 논평에 고마워요!

W: 감자를 요리하는 법을 보여드리자 주문이 쇄도했어요.

M: 맞아요, 시청자들께 감자를 즐길 수 있는 모든 맛있는 방법을 보여드리고 싶었어요.

W: 또한, 시청자들은 당신이 실제로 제품을 키웠기 때문에 당신의 이야기를 듣는 것을 좋아했어요.

M: 당신의 홈쇼핑 채널에 출연하게 되어 기쁘네요. 저는 이번 수확에 많은 정성을 쏟았어요. 이 고급 유기농 감자가 정말 자랑스러워요.

W: 그럴 만해요! 집에 계신 여러분, 이걸 놓치고 싶지 않으실 겁니다. 좋은 가격에 좋은 감자랍니다.

M: 이 감자들은 여러분이 드실 수 있는 최고의 감자라고 장담합니다.

W: 재고가 별로 없어요! 그러니 지금 바로 주문하고, 무료 요리책을 얻으세요.

M: 감자를 맛있게 드실 겁니다. 좋은 리뷰 많이 남겨주세요!

듣기를 다시 들으면서 빈칸에 알맞은 말을 써 보세요.

Script와 비교하여
빈칸을 확인해 보세요!

W: Michael, look! They're almost _____ _____!
Everybody who _____, thank you so much!

M: Wow! Thank you Lisa, for the great explanations and comments on my potatoes!

W: _____ _____ _____ _____ _____ _____
when we showed how to cook them.

M: Right, I wanted to show the viewers all the delicious ways to enjoy my potatoes.

W: Also, our viewers loved hearing from you since you
_____ _____ _____ _____.

M: I'm just happy to _____ _____ _____ _____
_____. I put so much _____ into this harvest. I'm so proud of these premium organic potatoes.

W: You should be! Everyone at home, you don't want to miss this. Great potatoes _____ _____ _____ _____.

M: I guarantee these are the best potatoes you'll ever eat.

W: There aren't many _____ _____ _____! So order right now, and get a free recipe book.

M: I know you'll enjoy the potatoes. Please leave a lot of good reviews!

들은 내용을 생각하며 영어로 써 보세요.

1 저는 이번 수확에 많은 정성을 쏟았어요.

I put so much _____ _____ _____ _____.

2 재고가 별로 없어요! 그러니 지금 바로 주문하고, 무료 요리책을 얻으세요.

_____ _____ _____ _____ _____ _____ _____! So
_____ right now, and get a free recipe book.

📋 1 devotion into this harvest 2 There aren't many left in stock, order

대표 유형 대화를 듣고, 남자가 텐트를 반품하려는 이유를 고르시오. **수능** 기출

전체 듣기

① 크기가 작아서
② 캠핑이 취소되어서
✓③ 운반하기 무거워서
④ 설치 방법이 어려워서
⑤ 더 저렴한 제품을 찾아서

© Beautiful landscape / shutterstock

Words
• return 반품하다 • fit (들어가기에) 맞다 • set up ~을 설치하다 • issue 문제, 쟁점
• pickup (물건을) 찾으러 감

대화를 듣고, 상황과 관련된 이유를 파악하는 유형

1 지시문을 먼저 읽고, 대화의 소재가 무엇인지 그리고 어떤 행위에 대한 ❶   를 찾아야 하는지 대화를 듣기 전에 파악한다.

> 대부분 '~을 하려는 이유' 또는 '~을
> 할 수 없는 이유'를 찾아야 합니다.

2 대화의 흐름을 따라가며 단서를 찾는다. 지시문에서 파악한 대화의 소재가 직접적으로 언급될 때 특히 유의해야 한다.

3 대화의 후반부에 ❷   가 설명되는 경우가 많으므로 끝까지 주의 깊게 듣는다.

> 당사자가 아닌 상대방이 제시하는 이유는 매력적인
> 오답일 가능성이 크므로 주의하세요!

답 ❶ 이유 ❷ 이유

마지막에서 두 번째 남자의 말(It's too heavy ~ to the campsite.)로 보아, 남자는 야영지까지 들고 가기에는 텐트가 너무 무겁다고 생각하여 그것을 반품하려고 한다.

이유를 묻는 표현

Why? / What's the reason? / What's the problem?
왜?　　　이유가 뭐야?　　　　문제가 뭐야?
Why aren't you ...? 왜 ~하지 않니?
Why can't you ...? 왜 ~할 수 없니?
What happened? 무슨 일이 있었니?

W: Honey, I'm home.

M: How was your day?

W: Alright. Hey, did you order something? There's a large box outside the door.

M: It's the tent we bought online for our camping trip. I'm returning it.

W: Is it because of the size? I remember you said it might be a little small to fit all of us.

M: Actually, when I set up the tent, it seemed big enough to hold us all.

W: Then, did you find a cheaper one on another website?

M: No, price is not the issue.

W: Then, why are you returning the tent?

M: It's too heavy to carry around. We usually have to walk a bit to get to the campsite.

W: I see. Is someone coming to pick up the box?

M: Yes. I already scheduled a pickup.

해석

W: 여보, 집에 왔어요.

M: 하루가 어땠어요?

W: 괜찮았어요. 그런데, 뭔가를 주문했어요? 문밖에 큰 상자가 있네요.

M: 우리의 캠핑 여행을 위해 우리가 온라인에서 산 텐트예요. 그것을 반품하려고요.

W: 크기 때문인가요? 당신이 우리가 모두 들어가기에는 다소 작을 수도 있다고 말했던 것이 기억나요.

M: 사실, 그 텐트를 설치했을 때, 그것은 우리 모두를 수용하기에 충분히 큰 것처럼 보였어요.

W: 그러면, 다른 웹사이트에서 더 싼 것을 찾았나요?

M: 아니요, 가격은 문제가 아니에요.

W: 그러면, 왜 텐트를 반품하려고 하죠?

M: 들고 다니기에 너무 무거워요. 우리는 보통 야영지에 가려면 약간 걸어야 하잖아요.

W: 알겠어요. 상자를 가지러 누군가 오겠죠?

M: 네, 이미 회수 일정을 잡았어요.

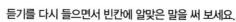

W: Honey, I'm home.

M: How was your day?

W: Alright. Hey, did you order something? There's a large box outside the door.

M: It's the _____ _____ _____ _____ for our camping trip. I'm _____ _____.

W: Is it because of the size? I remember you said it might be a little small to fit all of us.

M: Actually, when I set up the tent, it seemed _____ _____ _____ _____ _____ _____.

W: Then, did you find a cheaper one on another website?

M: No, _____ _____ _____ _____ _____.

W: Then, _____ are you returning the tent?

M: _____ _____ _____ to carry around. We usually have to walk a bit to get to the campsite.

W: I see. Is someone coming to pick up the box?

M: Yes. I already scheduled a _____.

Write!

들은 내용을 생각하며 영어로 써 보세요.

1 왜 텐트를 반품하려고 하죠?

_____ _____ _____ _____ _____ ?

2 들고 다니기에 너무 무거워요.

It's _____ _____ _____ _____ _____.

정답 **1** Why are you returning the tent **2** too heavy to carry around

05 할 일, 부탁한 일

대화를 듣고, 여자가 할 일로 가장 적절한 것을 고르시오. 수능 기출

전체 듣기

① 간식 가져오기
② 책 기부하기
③ 점심 준비하기
✓④ 설거지하기
⑤ 세탁실 청소하기

ⓒ Monkey Business Images / shutterstock

Words
● elderly 나이가 지극한 ● considerate 사려 깊은 ● laundry room 세탁실

대화를 듣고, 화자가 할 일을 파악하는 유형

1 지시문과 선택지를 먼저 읽고, 누가 할 일/부탁한 일인지 확인한다.

2 '누가' 할 일인지에 초점을 맞추어 대화를 듣는다.

e.g.

여자가 남자를 위해 할 일 → 남자가 요청하는 일 또는 여자가 남자에게 도움을 제안하는 일에 유의

여자가 남자에게 부탁한 일 → 여자가 요청하는 일 또는 남자가 여자에게 도움을 제안하는 일에 유의

3 결정적 단서가 ❶ [   ]에 나오는 경우가 많으므로 끝까지 주의 깊게 들어야 한다.

🔑 ❶ 마지막(후반부)

정답 전략

노인 센터에 봉사활동을 하러 온 여자에게, 남자가 설거지나 세탁실 청소를 하면 좋겠다고 했다. 이에 여자가 자신은 설거지를 잘하니 그것을 하겠다고 말했다.

유형 Tip

부탁하는 표현

Could(Would) you do me a favor? 부탁 좀 들어주시겠어요?
Can(Could) I ask you to ...? ~해 주시겠어요?
I wonder if you can(could) .... ~해 주실 수 있는지 궁금해요.

도움을 제안하는 표현

What would you like me to do? 제가 무엇을 해 드리면 좋을까요?
Is there anything I can do for you? 제가 도와드릴 일이 있나요?
I'll .... / I'm going to .... 제가 ~을 할게요.

M: Good morning, Jane.

W: Good morning, Mr. Smith.

M: Thanks for volunteering to work at our senior citizen's center again.

W: I'm happy to help. And I brought some snacks for the elderly.

M: How considerate of you! Last time you donated some books. Everyone really enjoyed reading them.

W: It was my pleasure. So, what am I supposed to do today? Should I prepare lunch like I did before?

M: There are some other volunteers today, and they'll do that work.

W: Good. Then what would you like me to do?

M: Well, you could do the dishes or clean the laundry room.

W: I'm good at washing dishes. So I'll do that.

M: Great. We'll have someone else clean the laundry room.

M: 좋은 아침이에요, Jane.

W: 좋은 아침이에요, Smith 씨.

M: 우리 노인 센터에서 일하는 것을 다시 자원해 주셔서 감사합니다.

W: 도움을 드려서 기뻐요. 그리고 저는 어르신들을 위해 간식을 조금 가져왔어요.

M: 정말 사려 깊으시군요! 지난번에는 책을 기부하셨죠. 모든 이가 정말 그것들을 즐겁게 읽었어요.

W: 저 역시 기뻤어요. 그래요, 오늘은 제가 어떤 일을 해야 하는지요? 전에 했던 것처럼 점심을 준비해야 할까요?

M: 오늘은 다른 봉사자들이 계셔서 그분들이 그 일을 할 거예요.

W: 좋아요. 그럼 제가 어떤 일을 했으면 하시나요?

M: 음, 설거지를 하시거나 세탁실 청소를 하셨으면 합니다.

W: 제가 설거지를 잘해요. 그러니 그것을 할게요.

M: 좋습니다. 다른 사람에게 세탁실 청소를 하게 할게요.

듣기를 다시 들으면서 빈칸에 알맞은 말을 써 보세요.

Script와 비교하여 빈칸을 확인해 보세요!

M: Good morning, Jane.

W: Good morning, Mr. Smith.

M: Thanks for _____ to work at our senior citizen's center again.

W: I'm happy to help. And I brought some snacks for the elderly.

M: How _____ of you! Last time you donated some books. Everyone really enjoyed reading them.

W: It was my pleasure. So, what _____ _____ _____ _____ _____ today? _____ _____ _____ _____ like I did before?

M: There are some other volunteers today, and they'll do that work.

W: Good. Then what would you like me to do?

M: Well, you _____ _____ _____ _____ or _____ _____ _____ _____.

W: I'm good at washing dishes. So I'll do that.

M: Great. We'll have someone else clean the laundry room.

들은 내용을 생각하며 영어로 써 보세요.

1 오늘은 제가 어떤 일을 해야 하는지요?

_____ _____ _____ _____ _____ _____ today?

2 제가 어떤 일을 했으면 하시나요?

_____ _____ _____ _____ _____ _____ _____ ?

1 What am I supposed to do 2 What would you like me to do

06 숫자 정보 파악

대표 유형

대화를 듣고, 남자가 지불할 금액을 고르시오.   학평 기출

전체 듣기

① $60   ✓② $65   ③ $70   ④ $75   ⑤ $80

© Getty Images Korea

| 유형 핵심 | 대화를 듣고, 화자가 지불할 금액을 계산하는 유형 |

1 대화를 들으면서 【❶　　　　】 정보가 언급될 때마다 빈 공간에 간단히 메모하면서 듣는다.

2 물건 가격이 제시될 때, 이에 대한 구입 【❷　　　　】나 물건의 개수 등을 잘 따져 보며 들어야 한다.

3 할인율, 할부 개월, 쿠폰 사용 여부, 인원수 같은 혼동을 유발하기 위한 여러 가지 숫자 정보에 유의하면서 최종적으로 계산해야 한다.

> 수량 표현을 정확히 들으면서 필요하지 않은 정보는 바로 지워 나가는 것이 좋아요.

답 ❶ 숫자(수치) ❷ 여부

| 정답 전략 | 10개들이 한 묶음에 15달러인 마스크 네 묶음을 고르고, 3병에 10달러인 손 세정제를 추가했으므로 총 70달러이다. 50달러 이상을 쓰면 5달러를 할인 받으므로, 최종 지불 금액은 65달러이다. |

유형 Tip

숫자 정보에 자주 등장하는 어휘

· **지불 방식:** cash 현금 / check 수표 / credit card 신용카드 / change 거스름돈
· **구매 방법:** exchange 교환 / receipt 영수증 / on sale 세일 중인, 판매 중인 /
　　　　　　　 discount coupon 할인 쿠폰 / 50% off 50% 할인
· **계산 방식:** add 더하다 / subtract 빼다 / multiply 곱하다 / divide 나누다

W: Honey, we're running out of fine dust masks. Don't we need to order some more?

M: Oh, right. [Typing sound] Let's order them on this website. The masks are $2 each and a pack of 10 masks is $15.

W: Then it's cheaper to buy them in packs. Let's get four packs.

M: Okay. We also need some handwash, right?

W: Yes. Is there any special promotion going on?

M: Let me see. [Pause] Oh, there is. We can buy three bottles of handwash for $10. It was originally $5 per bottle.

W: That's a good deal. Let's buy three bottles then.

M: All right. Do we need anything else?

W: No, that's all. Oh, hang on. Look here. If we spend more than $50, we can get a 5-dollar discount.

M: Great. I'll place the order now with my credit card.

W: 여보, 미세먼지 마스크가 다 떨어져 가요. 좀 더 주문해야 하지 않을까요?

M: 아, 맞다. [타이핑 소리] 이 사이트에서 주문해요. 마스크는 한 개에 2달러이고 마스크 10개 들이 한 묶음에 15달러네요.

W: 그럼 묶음으로 사는 게 더 싸네요. 네 묶음 사요.

M: 좋아요. 우리는 손 세정제도 좀 필요해요, 그렇죠?

W: 네. 진행 중인 특별한 판촉행사라도 있나요?

M: 어디 보자. [잠시 후] 오, 있어요. 손 세정제 세 병을 10달러에 살 수 있어요. 원래 한 병에 5 달러였네요.

W: 그거 괜찮은 가격이네요. 그럼 세 병 사요.

M: 좋아요. 더 필요한 건 없어요?

W: 없어요, 그게 다예요. 오, 잠시만요. 여기 봐요. 50달러 이상을 쓰면 5달러 할인을 받을 수 있어요.

M: 좋네요. 지금 내 신용카드로 주문할게요.

듣기를 다시 들으면서 빈칸에 알맞은 말을 써 보세요.

Script와 비교하여 빈칸을 확인해 보세요!

W: Honey, we're _____ _____ _____ fine dust masks. Don't we need to order some more?

M: Oh, right. [Typing sound] Let's order them on this website. The masks are $2 each and _____ _____ _____ _____ _____ is $15.

W: Then it's cheaper to buy them in packs. Let's get four packs.

M: Okay. We also need some handwash, right?

W: Yes. Is there any special _____ _____ _____?

M: Let me see. [Pause] Oh, there is. We can buy three bottles of handwash for $10. It was originally $5 per bottle.

W: _____ _____ _____ _____. Let's buy three bottles then.

M: All right. Do we need _____ _____?

W: No, that's all. Oh, hang on. Look here. If we spend more than $50, we can _____ _____ _____ _____.

M: Great. I'll _____ _____ _____ now _____ _____ _____ _____.

Write!

들은 내용을 생각하며 영어로 써 보세요.

1 그럼 묶음으로 사는 게 더 싸네요.

Then it's _____ _____ _____ them _____ _____.

2 50달러 이상을 쓰면 5달러 할인을 받을 수 있어요.

If we _____ _____ _____ $50, we can _____ _____ _____ _____.

📄 **1** cheaper to buy, in packs **2** spend more than, get a 5-dollar discount

07 그림 일치·불일치 파악

대표 유형 대화를 듣고, 그림에서 대화의 내용과 일치하지 <u>않는</u> 것을 고르시오. **수능** 기출

전체 듣기

대화를 듣고, 그림과 일치하지 않는 것을 고르는 유형

1 대화를 듣기 전에 제시된 그림을 자세히 살펴보면서 그림의 ❶ ☐ 을 파악한다.

> 물건의 배치, 방향, 모양, 무늬, 개수나 인물의 머리
> 모양이나 옷차림 등의 외적인 특징에 유의하세요.

2 흔히 그림의 선택지 ❷ ☐ 대로 대화가 진행되므로 언급될 관련 표현들을 예측해 본다.

3 대화를 들으면서 그림에서의 대화 내용과 일치하는 선택지는 ○표, 그렇지 않은 선택지는 ×표를 한다. 특히, 사물의 모양, 무늬, 수량 등을 나타내는 표현에 주목한다.

답 ❶ 특징 ❷ 순서

정답 전략

남자가 구석에 장난감 말(a toy horse)이 있다고 했는데, 그림에는 곰 인형이 있으므로 정답은 ④이다.

유형 Tip

모양과 무늬에 관련된 어휘

- 모양: circular 원형의 / square 정사각형의 / rectangular 직사각형의 / triangular 삼각형의 / star-shaped 별 모양의 / heart-shaped 하트(심장) 모양의
- 무늬: striped 줄무늬의 / checked(checkered) 체크무늬의 / flowered 꽃무늬의 / dotted 점무늬의

W: What are you looking at, honey?

M: Aunt Mary sent me a picture. She's already set up a room for Peter.

W: Wow! She's excited for him to stay during the winter vacation, isn't she?

M: Yes, she is. I like the blanket with the checkered pattern on the bed.

W: I'm sure it must be very warm. Look at the chair below the window.

M: It looks comfortable. He could sit there and read.

W: Right. I guess that's why Aunt Mary put the bookcase next to it.

M: That makes sense. Oh, there's a toy horse in the corner.

W: It looks real. I think it's a gift for Peter.

M: Yeah, I remember she mentioned it. And do you see the round mirror on the wall?

W: It's nice. It looks like the one Peter has here at home.

M: It does. Let's show him this picture.

W: 무엇을 보고 있어요, 여보?

M: Mary 이모가 내게 사진을 하나 보내셨어요. 그분은 벌써 Peter를 위한 방을 꾸미셨어요.

W: 왜 그분은 그가 겨울 방학 동안 머무는 것에 들떠 계시네요, 그렇지 않나요?

M: 네, 그래요. 침대 위의 체크무늬 담요가 맘에 드네요.

W: 분명히 아주 따뜻할 거예요. 창문 아래 의자를 봐요.

M: 안락해 보이네요. 그는 거기에 앉아 독서를 할 수 있을 거예요.

W: 맞아요. 그것이 Mary 이모가 그 옆에 책장을 놓은 이유인 것 같아요.

M: 맞는 말이에요. 오, 구석에 장난감 말이 있어요.

W: 그것이 진짜처럼 보여요. Peter를 위한 선물인 것 같네요.

M: 그래요. 그녀가 그것에 대해 말씀하셨던 것이 기억나요. 그리고 벽에 둥근 거울이 보이나요?

W: 좋네요. Peter가 여기 집에서 쓰는 것과 같아 보여요.

M: 그러네요. 그에게 이 사진을 보여줍시다.

듣기를 다시 들으면서 빈칸에 알맞은 말을 써 보세요.

Script와 비교하여 빈칸을 확인해 보세요!

W: What are you looking at, honey?

M: Aunt Mary sent me a picture. She's already _____ _____ _____ _____ for Peter.

W: Wow! She's excited for him to stay during the winter vacation, isn't she?

M: Yes, she is. I like the blanket with the _____ _____ on the bed.

W: I'm sure it must be very warm. Look at the chair _____ _____ _____.

M: It looks comfortable. He could sit there and read.

W: Right. I guess that's why Aunt Mary put the bookcase next to it.

M: _____ _____ _____. Oh, there's a toy horse _____ _____ _____.

W: It looks real. I think it's a gift for Peter.

M: Yeah, I remember she mentioned it. And do you see the _____ _____ _____ _____ _____?

W: It's nice. It looks like the one Peter has here at home.

M: It does. Let's show him this picture.

들은 내용을 생각하며 영어로 써 보세요.

1 그분은 벌써 Peter를 위한 방을 꾸미셨어요.

She's _____ _____ _____ _____ _____ _____ Peter.

2 침대 위의 체크무늬 담요가 맘에 드네요.

I like _____ _____ _____ _____ _____ _____ on the bed.

1 already set up a room for **2** the blanket with the checkered pattern

08 언급되지 않은 정보 파악

대표 유형 대화를 듣고, Eugene Kim에 관해 언급되지 <u>않은</u> 것을 고르시오. **모평** 기출

전체 듣기

① 출생　　　　② 수상작 제목　　　③ 집필한 책의 수
✓④ 집필 장소　　⑤ 나이

대화를 듣고, 특정 소재에 관해 언급되지 않은 정보를 파악하는 유형

1 대화를 듣기 전에 지시문과 선택지의 내용을 훑어보고 관련된 **❶** 를 예측해 본다.

2 보통 대화는 선택지의 **❷** 대로 전개되므로 대화를 들으면서 해당 선택지의 항목이 대화에서 언급되고 있는지를 따져 본다.

> 언급되고 있는 선택지에는 ○표를 해 두고, 대화가 끝나면 어느 선택지가 남는지 살펴보세요.

3 대화를 끝까지 집중해서 꼼꼼하게 듣는다.

답 ❶ 소재 **❷** 순서

정답 전략 대화에서 Eugene Kim의 출생지, 수상작 제목, 집필한 책의 수, 나이는 언급되었으나 집필 장소는 언급되지 않았다.

유형 Tip

자주 출제되는 소재

Festival 축제 / Fair 박람회 / Sale 세일 / Program 과정(강좌) /
Competition(Contest) 대회(시합) / Camp 캠프 / Tour 여행 / Exhibition 전시회

W: Brian, what are you reading?

M: It's a novel written by Eugene Kim, Mom. He's my favorite author.

W: I saw his interview on TV. He's a British novelist who was born in Seoul, Korea.

M: Right. He received the Royal Novel Award this year. It's a famous award.

W: That's great. What's the title of the book he received the award for?

M: The title is *Perhaps Jane*. It's the number one best-seller now.

W: What's it about?

M: It's about a woman who follows her dreams.

W: I see. How many books has he written so far?

M: He's written seven books since his debut in 2009.

W: He's been quite productive. But he looked fairly young in the interview. How old is he?

M: He's 32 years old.

W: He is young! He must be very talented.

M: I think so. You have to read one of his books, too.

W: Brian, 무엇을 읽고 있니?

M: Eugene Kim이 쓴 소설이에요, 엄마. 제가 제일 좋아하는 작가예요.

W: 나도 텔레비전에서 그의 인터뷰를 봤어. 그는 한국 서울에서 태어난 영국 소설가지.

M: 맞아요. 그는 올해 Royal Novel Award를 받았어요. 그것은 유명한 상이에요.

W: 멋지구나. 그에게 그 상을 타게 해 준 책의 제목이 뭐니?

M: 제목은 〈Perhaps Jane〉이에요. 그 책이 지금 베스트셀러 1위예요.

W: 그 책은 무엇에 관한 내용이야?

M: 자신의 꿈을 쫓는 한 여성에 관한 거예요.

W: 그렇구나. 그는 지금까지 얼마나 많은 책을 썼니?

M: 그는 2009년에 데뷔한 이후로 일곱 권의 책을 썼어요.

W: 그는 상당히 다작했구나. 하지만 인터뷰에서 그는 상당히 젊어 보였어. 그는 몇 살이니?

M: 그는 32세예요.

W: 젊구나! 그는 재능이 매우 많음에 틀림없어.

M: 저도 그렇게 생각해요. 엄마도 그의 책들 중 한 권을 읽어 보셔야겠어요.

듣기를 다시 들으면서 빈칸에 알맞은 말을 써 보세요.

Script와 비교하여 빈칸을 확인해 보세요!

W: Brian, what are you reading?

M: It's a novel written by Eugene Kim, Mom. He's my _____ _____.

W: I saw his interview on TV. He's a British _____ who was born in Seoul, Korea.

M: Right. He _____ the Royal Novel Award this year. It's a famous award.

W: That's great. What's the _____ _____ _____ _____ he received the _____ _____?

M: The title is *Perhaps Jane*. It's the number one best-seller now.

W: What's it about?

M: It's about a woman who _____ _____ _____.

W: I see. _____ _____ _____ has he written _____ _____?

M: He's written seven books since his debut in 2009.

W: He's been quite _____. But he looked fairly young in the interview. How old is he?

M: He's 32 years old.

W: He is young! He must be very _____.

M: I think so. You have to read one of his books, too.

들은 내용을 생각하며 영어로 써 보세요.

1 그에게 그 상을 타게 해 준 책의 제목이 뭐니?

What's the _____ _____ _____ _____ he _____ _____ _____ _____?

2 그는 지금까지 얼마나 많은 책을 썼니?

_____ _____ _____ _____ he _____ _____ _____?

📖 **1** title of the book, received the award for **2** How many books has, written so far

09 도표 이해

대표 유형

다음 표를 보면서 대화를 듣고, 두 사람이 주문할 와플 메이커를 고르시오.

학평 기출

전체 듣기

Waffle Makers

	Model	Price	Plates	Waffle Shape	Audible Alert
①	A	$20	Fixed	Square	×
✔②	B	$33	Removable	Round	×
③	C	$48	Fixed	Round	×
④	D	$52	Removable	Round	○
⑤	E	$70	Removable	Square	○

© Getty Images Korea

Words
● audible 잘 들리는 ● alert 경보(기)

대화를 듣고, 도표의 내용을 통해 정보를 파악하는 유형

1 지시문과 제시된 도표의 제목을 통해 대화의 내용을 예측해 본다.

2 대화의 내용은 대부분 표의 **❶** ☐ 에 있는 항목부터 순서대로 언급되므로 각 항목별로 화자가 선택하지 않은 것을 지워 나간다.

3 모든 항목에 대한 대화가 끝나면, **❷** ☐ 항목이 없는 선택지를 정답으로 고른다.

답 ❶ 왼쪽 **❷** 지워진(삭제된)

정답 전략 와플 제조기를 고르는데, 제일 저렴한 것과 고정된 접시가 있는 것을 제외하며, 둥근 와플을 만드는 것 중 경보기가 없는 것을 골랐다.

자주 출제되는 항목

Set 세트 / Model 모델 / Material 재료 / Price 가격 / Battery Run Time 건전지 수명 /
Foldable 접을 수 있는 / Monthly Fee 한 달 이용료 / Color 색깔

M: Honey, look at this website. There are five waffle maker models on sale now.

W: Oh, I was thinking of buying one.

M: Should we buy the cheapest one?

W: No. I've heard of this model, and its reviews aren't that good.

M: Then, we won't buy it. Hmm..., some of the waffle makers come with removable plates, but the others don't.

W: The ones with fixed plates are hard to clean.

M: Then the ones with fixed plates are out. What about the waffle shape?

W: I like round waffles better than square ones.

M: All right. Let's choose from the ones that make round waffles.

W: Great. Do you think we need an audible alert? It goes off when the waffles are done.

M: Well, I'm afraid the sound might wake up our baby while he's sleeping.

W: Good point. Let's order the one without it.

M: Perfect!

M: 여보, 이 웹사이트를 봐요. 지금 5개의 와플 제조기 모델이 판매되고 있어요.

W: 아, 하나 살까 생각 중이었어요.

M: 제일 저렴한 걸로 살까요?

W: 아니요. 이 모델은 들어봤는데요, 평가가 별로 안 좋아요.

M: 그럼, 사지 말아야겠어요. 음… 와플 제조사들 중 일부는 제거할 수 있는 접시를 가지고 있지만, 다른 것들은 그렇지 않네요.

W: 고정된 접시가 있는 것은 청소하기가 어려워요.

M: 그럼 접시가 고정된 것은 제외해요. 와플 모양은 어떤가요?

W: 나는 네모난 와플보다 둥근 와플을 더 좋아해요.

M: 좋아요. 둥근 와플을 만드는 것 중에서 고릅시다.

W: 좋아요. 경보기가 필요할까요? 와플이 다 되면 경보기가 울려요.

M: 글쎄요, 그 소리가 우리 아기가 자고 있을 때 깨울까 봐 걱정돼요.

W: 좋은 지적이네요. 경보기가 없는 것으로 주문해요.

M: 완벽해요!

듣기를 다시 들으면서 빈칸에 알맞은 말을 써 보세요.

Script와 비교하여 빈칸을 확인해 보세요!

M: Honey, look at this website. There are five waffle maker models _____ _____ now.

W: Oh, I was thinking of buying one.

M: Should we buy _____ _____ _____?

W: No. I've heard of this model, and its _____ _____ _____ _____.

M: Then, we won't buy it. Hmm..., some of the waffle makers _____ _____ _____ _____, but the others don't.

W: The ones with _____ _____ are hard to clean.

M: Then the ones with fixed plates are _____. What about the waffle shape?

W: I like round waffles _____ _____ _____ _____.

M: All right. Let's _____ _____ the ones that make round waffles.

W: Great. Do you think we need an _____ _____? It _____ _____ when the waffles are done.

M: Well, I'm afraid the sound might wake up our baby while he's sleeping.

W: Good point. Let's order the one without it.

M: Perfect!

들은 내용을 생각하며 영어로 써 보세요.

1 고정된 접시가 있는 것은 청소하기가 어려워요.

The ones _____ _____ _____ are _____ _____ _____.

2 둥근 와플을 만드는 것 중에서 고릅시다.

Let's _____ _____ the ones _____ _____ _____ _____.

정답 **1** with fixed plates, hard to clean **2** choose from, that make round waffles

❖ **인사하기**

1 How have you been? 잘 지냈어요?

2 I'm glad to meet you. 만나서 반갑습니다.

3 How does it go with you? 어떻게 지내세요?

4 I haven't seen you for ages. 오랜만입니다.

5 I'll be seeing you again. 또 뵙겠습니다.

6 I must be going now.

= I must be on my way now. 이제 가 봐야 할 것 같습니다.

7 Remember me to your family. 가족들에게 안부 전해 주세요.

ⓒ exopixel / shutterstock

개념 확인

다음 대화의 내용을 읽고, 우리말에 맞도록 빈칸에 알맞은 말을 쓰시오.

A: Please _____ me to your wife. 부인에게 안부 전해 주세요.

B: Sure. See you again. 그러죠. 또 뵙겠습니다.

📘 remember

❖ 초대 및 감사

1 I'd like to invite you to my birthday party.
제 생일 파티에 당신을 초대하고 싶습니다.

2 How about coming to my Christmas party?
내 크리스마스 파티에 오는 게 어때요?

3 Would you like to join us for lunch? 우리랑 같이 점심 먹으러 갈래요?

4 I appreciate the invitation. 초대해 주셔서 감사합니다.
= Thanks for the invitation.

5 I wish I could, but I can't. 그러고 싶지만, 그럴 수가 없어요.

6 I'm much obliged to you. 정말 감사합니다.

7 You're welcome.
= My pleasure.
= Don't mention it. 천만에요.

개념 확인

다음 대화의 내용을 읽고, 우리말에 맞도록 빈칸에 알맞은 말을 쓰시오.

A: I'm much _____ to you. 정말 감사합니다.

B: You're welcome. 천만에요.

📘 obliged

❖ 전화 상황 (1)

1 Who's calling, please? 누구시죠?

2 Hello, this is Tommy. 여보세요, Tommy입니다.

3 I'm afraid you have the wrong number.
전화 잘못 거신 것 같아요.

4 There's no one here by that name. 그런 사람 없습니다.

5 I'm sorry, he's gone home. 죄송한데, 그는 퇴근했어요.

6 He's off today. 그는 오늘 휴무입니다.

7 May I leave a message? 메모를 남겨도 될까요?

8 Is there any way I can reach him?
그에게 연락할 방법이 있나요?

© Pepsco Studio / shutterstcok

개념 확인

다음 대화의 내용을 읽고, 우리말에 맞도록 빈칸에 알맞은 말을 쓰시오.

A: Can I speak to Minji? 민지와 통화할 수 있을까요?

B: Minji? I think you have the _____ number. 민지요? 전화 잘못 거신 것 같아요.

답 wrong

❖ 전화 상황 (2)

1 Can I call you back later? 나중에 다시 전화드려도 될까요?

2 I'm sorry, I can't hear you. 죄송한데, 잘 안 들려요.

3 When will he be back? 그가 언제 돌아올까요?

4 Hold on, please. 끊지 말고 기다려 주세요.

5 Can you repeat that? 다시 한 번 말씀해 주시겠어요?

6 He is talking on another line.
그는 다른 전화를 받고 있어요.

7 Please call again anytime. 언제든지 다시 전화 주세요.

8 If you have a question, feel free to call me.
궁금한 것이 있으시면, 언제든지 전화 주세요.

개념 확인

다음 대화의 내용을 읽고, 우리말에 맞도록 빈칸에 알맞은 말을 쓰시오.

A: Can I _____ you _____ later? 나중에 다시 전화드려도 될까요?

B: Sure. Please call me in 10 minutes. 그러세요. 10분 후에 전화 주세요.

🔑 call, back

❖ 물건 사기

1 Can I see that one, please? 저것 좀 볼 수 있을까요?

2 Do you have this in a smaller size? 이것으로 더 작은 치수가 있나요?

3 Can I try this on? 이것을 입어 봐도 될까요?

4 Where is the fitting room? 탈의실이 어디에 있나요?

5 I'm just looking around. 그냥 둘러보는 겁니다.

6 I'll take it. 그걸로 할게요.

7 Can you wrap it up for me? 그걸 포장해 주시겠어요?

8 Could I have a refund on this? 이것을 환불받을 수 있나요?

© GoncharukMaks / shutterstock

개념 확인

다음 대화의 내용을 읽고, 우리말에 맞도록 빈칸에 알맞은 말을 쓰시오.

A: Can you _____ it up for me? 그걸 포장해 주시겠어요?

B: Of course. Wait a moment, please. 물론이죠. 잠깐 기다리세요.

답 wrap

❖ 교통편 이용

1 How much is the bus fare? 버스 요금이 얼마인가요?

2 Which bus should I take? 어떤 버스를 타야 하죠?

3 What is your destination? 목적지가 어디인가요?

4 One-way or round trip? 편도인가요, 왕복인가요?

5 Take me to the Hilton Hotel. 힐튼 호텔로 데려다 주세요.

6 Get off at the next station and go out through Exit 3.
   다음 역에서 내려서 3번 출구로 나가세요.

7 Can you slow it down a little bit?
   속도를 좀 줄여 주시겠어요?

ⓒ Pagina / shutterstock

개념 확인

다음 대화의 내용을 읽고, 우리말에 맞도록 빈칸에 알맞은 말을 쓰시오.

A: One-way or _____ _____? 편도인가요, 왕복인가요?

B: One-way ticket, please. 편도로 주세요.

📝 round trip

❖ **약속 및 확인**

1 What time shall we make it? 우리 몇 시에 만날까요?

2 When is it convenient for you? 언제가 괜찮으세요?

3 I promise to be back by 6 o'clock.
6시까지는 틀림없이 돌아올게요.

4 Are you free tonight? 오늘 밤에 시간 괜찮으세요?

　– Yes, you name the place and time. 네, 시간과 장소를 정하세요.

　– No, I'm busy(tied up). 아니요, 바빠요.

5 Are you with me?

　= Do you follow me?

　= Have you got that? 내 말 알아듣겠어요?

6 I follow you. = I got it. 알겠어요.

Come back by 12.

개념 확인

다음 대화의 내용을 읽고, 우리말에 맞도록 빈칸에 알맞은 말을 쓰시오.

A: When is it _____ for you? 언제가 괜찮으세요?

B: Hmm, I think we'd better meet after school. 음, 방과 후에 만나는 게 좋을 것 같아요.

🔑 convenient

❖ 부탁 및 사과

1 Will you do me a favor?
    = May I ask a favor of you? 부탁 좀 들어주시겠어요? = 부탁 좀 해도 될까요?

2 I'd be pleased if you could help me. 저를 도와주시면 감사하겠습니다.

3 I'd be delighted if you could give me a ride. 저를 태워주시면 감사하겠습니다.
    – By all means. / Of course. / You got it. 그럼요.
    – No way. / Absolutely not. 안됩니다.

4 It was foolish of me to say so. 그렇게 말하다니 제가 어리석었어요.

5 I'm sorry that I can't help you. 도와드리지 못해 죄송해요.

6 Please accept my apologies. 제 사과를 받아 주세요.

7 That's all right. / Not at all. / Don't worry. 괜찮습니다.

개념 확인

다음 대화의 내용을 읽고, 우리말에 맞도록 빈칸에 알맞은 말을 쓰시오.

A: Excuse me for having said so. 제가 그렇게 말씀 드려서 죄송해요.

B: It really doesn't matter. Don't _____. 정말 상관없어요. 괜찮습니다.

답 worry

memo

수능전략 | 듣기

수능에 꼭 나오는
필수 유형 ZIP 1